ALBUM DE FAMILLE

Danielle Steel, jeune femme dont le charme n'a d'égal que l'élégance, est née à New York en 1949. Elle a vécu une grande partie de son enfance en France et reçu une éducation à la française. Puis, elle est retournée à New York achever ses études. Elle a suivi à la fois les cours de l'université et ceux d'une grande école new-yorkaise de stylisme de mode. Mais c'est finalement vers l'écriture qu'elle se tournera. 19 best-sellers en 12 ans... 50 millions de livres imprimés, dont 30 millions aux Etats-Unis... Trois livres simultanément sur la liste des best-sellers du *New York Times.* Ses livres sont publiés dans 27 pays... A la renommée et au succès de Danielle Steel se sont ajoutés les honneurs et les hommages. En 1981, elle a été élue l'une des « dix femmes les plus influentes du monde » par les étudiants d'une université. Ses romans ont occupé quatre places prestigieuses parmi les dix premières des « meilleures ventes » 1984 du *New York Times.* Danielle Steel a toujours fait passer sa vie de famille avant son œuvre d'écrivain. John Traina, son mari, est l'un des administrateurs les plus en vue de Californie, et les Traina aiment rester chez eux, avec leurs enfants, dans leur domaine de Napa Valley.

Paru dans Le Livre de Poche :

LA FIN DE L'ÉTÉ.
IL ÉTAIT UNE FOIS L'AMOUR...
AU NOM DU CŒUR.
LA MAISON DES JOURS HEUREUX.
SECRETS.
UNE AUTRE VIE.
LA RONDE DES SOUVENIRS.

DANIELLE STEEL

Album de famille

TRADUCTION DE FRANÇOISE ARNAUD

PRESSES DE LA CITÉ

Titre original :

FAMILY ALBUM

A ma famille : avec tout mon amour.
A Beatrix, Trevor, Todd, Nicholas, Samantha, Victoria, et particulièrement... tout particulièrement de tout mon cœur... à John.

D. S.

« DIEU groupe les solitaires en familles », paroles réconfortantes de la Bible... familles unies par le sang, l'obligation, la nécessité, le désir... et parfois, avec beaucoup de chance, l'amour. Le mot « famille » implique la solidité, des fondations aussi solides que le roc, un foyer où l'on grandit... d'où l'on part... et dont pourtant on se souvient, et auquel on tient... des échos qui ne quittent jamais nos oreilles, notre cœur, des souvenirs sculptés comme de l'ivoire peint, taillés dans une seule défense, délicatement colorés de nuances éclatantes, ou plus douces, effacées parfois, presque oubliées... et pourtant jamais rayées de l'existence, jamais vraiment oubliées. Ce lieu où chacun commence, et où chacun espère finir... cette œuvre que l'on construit avec peine... ajoutant pierre après pierre à l'édifice dressé vers le ciel... La Famille... Quelles images elle éveille en nous... quels souvenirs... quels rêves...

PROLOGUE

1983

Ils clignaient des yeux sous le soleil déjà haut de onze heures. Une brise légère dérangeait la coiffure des femmes. C'était une belle journée, trop belle pour ne pas être douloureuse, dans l'étonnant silence empli seulement de cris d'oiseaux et du parfum entêtant des fleurs... muguet, gardénias, freesias, sur un tapis de mousse. Mais rien de tout cela ne touchait Ward Thayer. Les yeux d'abord clos quelques instants, il avait eu ce regard fixe, comme de fantôme dans un visage exsangue, si différent de l'image qu'on avait eue de lui depuis quarante ans. Rien de fascinant, d'excitant, ni même de simplement beau n'émanait de lui ce matin-là. Il était immobile dans la lumière, regardant sans voir. De nouveau, il ferma les yeux, serrant les paupières en souhaitant ne jamais les rouvrir, comme elle n'avait pu le faire, ne le pourrait plus jamais.

Il y eut une voix au loin, qui ne lui sembla pas différente du bourdonnement des insectes autour des fleurs. Il ne ressentait rien. Absolument rien. Pourquoi? se demanda-t-il. Pourquoi cette absence de sensation? Ne l'avait-il pas aimée? Ou se pouvait-il que tout n'ait été que mensonge, sa vie durant? Une soudaine panique s'empara de lui. Il ne se souvenait plus de son visage... de sa coiffure...

de la couleur de ses yeux... Brusquement, il ouvrit les yeux, forçant douloureusement ses paupières à se séparer. Le soleil l'éblouit, il y eut un éclair de lumière, la senteur des fleurs, le bourdonnement d'une abeille paresseuse, et le pasteur prononça son nom. Faye Price Thayer. Un crépitement sur sa gauche et un flash lui explosa au visage, tandis qu'une main de femme lui étreignait doucement le bras.

Il baissa les yeux vers elle et soudain, il se souvint. Tout était là dans les yeux de sa fille. Elle était le portrait de sa mère, mais dans une version différente. Il n'y aurait plus de Faye Price Thayer. Cela, ils le savaient tous, et lui plus que tout autre... Il regarda la jolie blonde debout à côté de lui et revit tout, douloureusement.

Sa fille était grande et posée, moins belle cependant, avec ses cheveux blonds et souples retenus par un nœud. Derrière elle se tenait un homme à l'air sérieux qui lui prenait souvent le bras. Chacun avait sa vie maintenant, séparément, différemment, pourtant indissociable de l'ensemble, de Faye... de lui aussi.

Etait-elle réellement partie pour toujours? Non, il se refusait à le croire. De grosses larmes solennelles roulèrent sur ses joues tandis qu'une douzaine de photographes s'agenouillaient pour fixer sa douleur, qui ferait, le lendemain, la une des journaux du monde. L'inconsolable veuf de Faye Price Thayer. Il lui appartenait dans la mort comme il lui avait appartenu dans la vie. Ils lui appartenaient tous. Filles, fils, collègues, amis, tous réunis pour honorer la mémoire de celle qui ne serait jamais plus.

La famille était au premier rang, avec lui. Sa fille Vanessa, le jeune homme à lunettes avec qui elle vivait, puis la jumelle de Vanessa, Valérie, d'une blondeur flamboyante, le visage doré, belle à couper le souffle dans sa robe de soie noire. La réussite se lisait sur son visage et sur celui de son mari, debout près d'elle.

Ils formaient un couple dont on ne pouvait détacher les yeux, et l'extraordinaire ressemblance de Val et de Faye fit plaisir à Ward. Jamais elle ne lui avait paru aussi évidente. Et Lionel, son fils, blond, sensuel, d'une élégance délicate et digne. Il lui ressemblait aussi, mais d'une façon plus discrète. Ward regarda ailleurs, se remémorant ceux que son fils avait connus et aimés... Gregory et John, le frère disparu et l'ami cher. Faye avait été si proche de Lionel, plus que quiconque, sans doute. En tout cas plus que lui... plus qu'il n'avait été proche d'Anne, qui se tenait près de lui, plus belle que par le passé, plus sûre d'elle, mais jeune encore, bien plus jeune que l'homme aux cheveux grisonnants qui lui tenait la main.

Ils étaient tous réunis, enfin, pour rendre ce dernier hommage à tout ce qu'elle avait été. Actrice, réalisatrice, femme de légende, épouse, mère, amie. Ceux qui l'avaient enviée, ceux qu'elle avait malmenés. C'était une histoire que ses proches connaissaient mieux que personne. Elle avait tant exigé d'eux et les avait tant payés en retour, se donnant jusqu'à l'épuisement. A les regarder, Ward se remémorait tout, depuis le premier soir à Guadalcanal. Une vie entière était assemblée devant lui, et chacun lui rappelait ce qu'elle avait été, et de quelle façon pour chacun d'eux. C'était un océan de visages sous l'éblouissant soleil de Los Angeles. Tout Hollywood s'était dérangé pour elle. Un dernier adieu, un ultime sourire, une larme tendre, tandis que Ward se retournait pour embrasser du regard cette famille qu'ils avaient bâtie ensemble, tous beaux et forts... à son image. Comme elle aurait été fière, aujourd'hui, se dit-il, les yeux embués de larmes. Et comme ils étaient fiers d'elle, au bout du compte! Oh! il avait fallu du temps pour en arriver là. Mais elle n'était plus là pour le voir. Non, il n'était pas possible qu'hier seulement... hier ils étaient encore à Paris... le sud de la France... New York... Guadalcanal.

GUADALCANAL

1943

CHAPITRE 1

La chaleur de la jungle était si oppressante que même sans bouger, on avait l'impression de baigner dans un air dense et suffocant qui vous collait à la peau. Pourtant, les soldats se pressaient pour la voir, pour s'approcher un peu plus de l'estrade où elle allait apparaître. Epaule contre épaule, assis en tailleur à même le sol. Devant, ils avaient des chaises pliantes, mais le stock s'était vite épuisé. Ils attendaient ainsi depuis le coucher du soleil, des siècles semblait-il, cuisant et transpirant dans la fournaise de la jungle de Guadalcanal. Mais ils s'en moquaient. Ils auraient passé la moitié de leur vie à l'attendre. Elle représentait tout pour eux en cet instant précis... Leur mère, leur sœur, la fille qu'ils avaient dû quitter... Les femmes. La Femme. La nuit était pleine du bourdonnement de tous ces soldats qui tuaient le temps en fumant, le visage et le dos dégoulinants de sueur, les cheveux moites, l'uniforme collé à la peau, tous si jeunes encore, presque des enfants, et pourtant déjà des hommes.

On était en 1943, et ils étaient là depuis déjà si longtemps qu'ils ne se fatiguaient même plus à compter les jours. Tous se demandaient quand finirait cette fichue guerre – si elle se décidait jamais à finir. Mais ce soir personne n'y pensait plus, sauf ceux qui étaient de garde. Pour y échapper, les autres avaient payé avec tout ce qu'ils avaient trouvé de monnayable : barres de chocolat, cigarettes et, bien sûr, espèces. Tout, pourvu qu'ils puissent la voir, revoir Faye Price encore une fois.

Lorsque l'orchestre se mit à jouer, l'atmosphère étouffante se chargea d'électricité, la chaleur se fit sensuelle, et ils sentirent leur corps vibrer comme rarement. Ce n'était pas seulement du désir qu'ils éprouvaient pour elle, mais quelque chose de plus profond et de plus tendre, et qui à la longue serait devenu dangereux. Ils en ressentaient les premiers symptômes tandis que se prolongeait l'interminable attente; chaque minute semblait un siècle aux accents langoureux de la clarinette. La musique les bouleversait à un point presque insupportable, et chacun retenait son souffle en silence, le visage tourné vers la scène encore vide et obscure. Soudain, ils la virent, ou du moins en eurent l'impression... Impossible d'être sûr. Un spot qui la cherchait au loin accrocha ses pieds, fit briller quelque chose de fugitif comme une étoile filante dans un ciel d'été... Son corps chatoyant s'approcha d'eux à faire mal, et soudain elle fut devant eux, éblouissante de perfection dans sa robe de lamé argent. Un soupir de désir, d'extase et de douleur monta de l'assistance. Elle avait une peau veloutée, rose pâle, de longs cheveux blonds et dorés lâchés dans le dos. Ses yeux dansaient, sa bouche souriait, elle tendait les mains vers eux en chantant d'une voix plus grave, plus émouvante qu'aucune autre. Jamais ils n'avaient vu de femme aussi belle. Un mouvement de sa robe révéla une chair exquise, la perfection rose de ses cuisses.

« Ben, mon vieux... », murmura une voix au fond de la salle, qui fit sourire les autres.

Il venait d'exprimer à sa façon ce que tous ressentaient pour elle, depuis toujours. Lorsqu'on leur avait annoncé sa venue, ils n'y avaient pas cru. Elle s'était déjà produite dans la moitié du monde, dans le Pacifique, en Europe, aux Etats-Unis. Un an après Pearl Harbor, elle avait eu une crise de culpabilité, et cela faisait maintenant plus d'un an qu'elle était sur les routes. Elle s'était arrêtée le temps d'un film, puis avait repris sa tournée. Ce soir, elle était ici... avec eux.

Sa voix s'était faite peu à peu mélancolique, et ceux du premier rang pouvaient voir son pouls battre dans son cou. Elle était là devant eux, bien vivante... S'ils avaient tendu la main, ils auraient pu la toucher... la sentir. Rien qu'à la voir, ils en étaient fous, et dans ses regards qui semblaient ne s'adresser qu'à chacun et à lui seul, Faye Price ne décevait personne.

A vingt-trois ans, Faye Price appartenait déjà à la légende de Hollywood. Elle avait tourné son premier film à dix-neuf ans et n'avait connu que des succès. Elle était d'une beauté éblouissante et montrait un talent fou dans tout ce qu'elle entreprenait. Son registre vocal allait de la lave en fusion à l'or le plus pur, ses cheveux avaient la couleur du couchant, ses yeux verts brillaient comme des émeraudes dans un visage d'ivoire. Mais ce n'étaient pas ses traits ni sa voix qui ensorcelaient les foules, ni sa mince charpente que démentaient ses hanches rondes et sa poitrine épanouie, c'étaient la chaleur qui brûlait en elle, l'éclat de ses yeux, son rire en cascade lorsqu'elle ne chantait pas. C'était une femme au plein sens du terme, désirée par les hommes, admirée par les femmes, aimée des enfants. Elle était du bois dont sont faites les princesses de rêve.

Née dans une petite ville de Pennsylvanie, Faye

était montée à New York après son bac et s'était engagée comme mannequin. En six mois, elle gagnait plus que les autres. Les photographes l'adoraient, son visage faisait la couverture de tous les grands magazines du pays. Mais ce travail l'ennuyait, on exigeait si peu d'elle – juste de tenir la pose. Lorsqu'elle l'expliquait aux autres filles, elles la traitaient de folle. Deux hommes, pourtant, avaient perçu sa valeur réelle : celui qui deviendrait son agent et Sam Warman, le producteur, qui savait flairer les mines d'or comme pas un. Il avait vu ses photos et l'avait trouvée jolie, mais lorsqu'il la rencontra la première fois, elle dépassa ses espérances. A sa façon de se mouvoir, à son regard, à sa voix, il comprit tout de suite que ce n'était pas la fille qui cherchait à coucher. Elle se moquait de tout ce qui était extérieur, Sam le sentit. Et tout ce qu'Abe, son agent, lui avait dit était bien l'exacte vérité. Elle était fabuleuse. Unique. Une star. Ce que Faye voulait, elle le voulait de l'intérieur : se mesurer avec la difficulté, travailler dur, tout essayer. Sam lui offrit ce qu'elle attendait. Abe n'avait eu aucun mal à l'en persuader. Il l'emmena à Hollywood et lui confia un rôle dans un film. C'était un texte sans envergure, mais elle parvint à séduire le scénariste et donna à son rôle une telle présence et le campa avec un tel brio qu'elle éblouit tout le monde. Elle avait quelque chose de magique, à mi-chemin entre l'enfant et la femme, l'elfe et la sirène, et elle usait avec talent de toute la gamme des émotions humaines, ne jouant parfois que des expressions du visage, de son intense regard vert. Grâce à ce rôle, elle en obtint deux autres et décrocha l'Oscar à son quatrième film. Quatre ans après ses débuts, elle avait tourné dans sept films. Dans le cinquième, Hollywood avait découvert qu'elle savait aussi chanter. C'était ce talent qu'elle mettait maintenant au service des soldats, avec toute son énergie. Elle mettait son cœur, sa passion et sa vie à chanter pour ces hommes, comme dans tout ce qu'elle entreprenait. Faye Price n'aimait pas la demi-mesure, et à vingt-trois ans, elle n'était plus une gosse pour personne. C'était une femme, une vraie. Les hommes qui la buvaient des yeux ce soir le savaient fichtrement bien, et rien qu'à la voir devant soi, rien qu'à l'entendre chanter, on comprenait aussitôt ce que Dieu avait derrière la tête en créant la femme. Avec elle, on touchait à l'absolu, au sommet, et chacun des hommes réunis ce soir-là ne rêvait que d'une chose... la toucher, rien qu'un instant... la prendre dans ses bras, coller ses lèvres aux siennes, caresser ses cheveux de soie... Ils voulaient sentir son haleine dans leur cou... l'entendre gémir doucement. L'un d'eux poussa soudain un gros soupir qui fit rire ses voisins. Il haussa les épaules, les yeux brillants comme ceux d'un gamin le soir de Noël.

« Nom de Dieu... Quelle fille! »

Les autres sourirent. Ils l'avaient pendant longtemps regardée en silence, mais après la première demi-heure, ils n'avaient pu se contenir. C'étaient des cris, des sifflets, des hurlements, et lorsque prit fin la dernière chanson, ils firent un tel tapage qu'elle dut chanter cinq ou six airs supplémentaires. Elle avait les larmes aux yeux en quittant la scène. C'était si peu, ce qu'elle venait de faire pour eux : chanter quelques chansons en robe du soir, montrer ses jambes, donner à ce millier d'hommes perdus dans la nuit subtropicale, à des milliers de kilomètres de leurs foyers, l'illusion fugitive de la féminité. Combien d'ailleurs prendraient leur billet de retour? Cette pensée la tourmentait sans cesse. C'était ce qui l'avait poussée à venir, à chanter devant eux, à accepter de jouer à fond ce rôle de sirène hollywoodienne qu'elle détestait. Avant, elle se serait fait couper en morceaux plutôt que de porter ce genre de robe fendue jusqu'aux fesses. Mais puisque c'était ce qu'ils attendaient d'elle, elle le leur donnait. Quel mal y avait-il à les faire rêver un peu du haut d'une scène?

« Miss Price? »

Elle venait de regagner les coulisses et se retourna brusquement. La voix de l'aide de camp du commandant de la base était presque couverte par les clameurs des soldats qui la rappelaient.

« Oui? »

Elle avait l'air absente, comme soûle. Son visage et sa gorge étaient en sueur. Jamais il n'avait vu de femme aussi belle. Cela ne tenait pas tant à la perfection de ses traits qu'au désir irrésistible qui vous prenait de la toucher, de l'enlacer. Jamais il n'avait ressenti cela envers une femme, du moins pas à ce point. C'était un mélange de magie et de chaleur, une sensualité qui vous donnait l'envie folle de l'embrasser. Elle allait s'éloigner, rejoindre les hommes qui la réclamaient, mais instinctivement il tendit la main et lui saisit le poignet. Ce contact le fit frissonner, mais aussitôt il se reprocha sa réaction. C'était ridicule. Qui était-elle, après tout? Une de ces poupées de cinéma créées de toutes pièces, et si elle était si convaincante, c'était simplement qu'elle se débrouillait mieux que les autres. De la poudre aux yeux, voilà ce qu'elle était... Pourtant, quand ses yeux croisaient les siens, quand elle souriait, il sentait bien que c'était faux, qu'il n'y avait rien de chiqué chez celle-là. Elle était elle-même, tout simplement.

« Il faut que j'y retourne », articula-t-elle en désignant la scène, les soldats en délire.

Il acquiesça et lui cria :

« Le commandant aimerait que vous dîniez avec lui.
– D'accord, merci. »
Elle resta sur scène une demi-heure de plus, choisissant pour eux des airs drôles qu'ils purent reprendre en chœur avec elle, et finit sur une romance qui leur mit les larmes aux yeux. Puis elle les quitta, après un dernier regard qui sembla envelopper chacun d'eux, comme un baiser de leur mère avant de s'endormir... de leur femme... des fiancées restées au pays.
« Bonne nuit à tous... Que Dieu vous garde. »
Sa voix s'était voilée, et le silence s'imposa tout à coup. Ce fut sans bruit que chacun regagna son lit, la tête résonnant encore de ses chansons. Pendant plusieurs heures, ils avaient hurlé, applaudi, mais ils s'étaient résignés à son départ, et maintenant ils ne désiraient plus qu'une chose : retourner sur leur couchette pour ne penser qu'à elle, laisser sa voix rouler dans leur tête... se remémorer son visage... ses bras... ses jambes... sa bouche qui semblait prête à embrasser, puis éclatait de rire, puis redevenait sérieuse. Son dernier regard resterait gravé en eux pendant des mois, comme un trésor. C'était tout ce qui leur restait, dans la jungle de Guadalcanal. Faye le savait. C'était un cadeau qu'elle leur offrait.
« Elle est vraiment formidable. »
C'était un sergent au cou de taureau qui venait de parler, un dur qui ne faisait pas dans la dentelle, d'habitude. Mais personne ne s'en étonna. Faye Price parlait à ce qu'il y avait de meilleur en eux, le courage, le cœur, l'espoir.
« Ça, c'est vrai... »
Ils étaient tous d'accord, tous ceux qui l'avaient vue, et ceux qui n'avaient pas eu cette chance, parce qu'ils étaient de corvée, faisaient semblant de croire qu'ils en avaient été, eux aussi. L'illusion ne dura

pas. La requête de Faye était inhabituelle et surprit le commandant. Il chargea même son aide de camp de l'accompagner. Elle avait demandé à faire le tour de la base, afin de rencontrer les hommes de garde cette nuit-là. A minuit, elle leur avait serré la main, et ceux qui n'avaient pu assister à son tour de chant eurent le privilège de la voir de près, de plonger leurs yeux dans l'incroyable regard vert, de sentir l'étreinte ferme et fraîche de sa main, en lui répondant par un sourire gauche. Et à la fin, chacun eut l'impression d'avoir été l'élu. Et à minuit trente, lorsqu'elle se retourna vers le jeune officier qui l'avait accompagnée, elle lut de l'amitié dans ses yeux. Au début, il n'était pas très chaleureux, mais peu à peu, elle avait gagné sa sympathie, comme celle de tous les autres. Il avait en vain cherché l'occasion de le lui dire. Lui pourtant si sceptique au début... La grande Miss Faye de Hollywood qui condescendait à se donner en spectacle à Guadalcanal... Pour qui se prenait-elle? Ils en avaient bavé, ils avaient survécu à Midway et à la mer de Corail, et aux atroces combats navals pour reprendre et conserver Guadalcanal. Que savait-elle de tout cela? s'était demandé Ward Thayer en la voyant la première fois. Mais après toutes ces heures ensemble, il avait vu les choses autrement. Leur sort la touchait, profondément. Cela se lisait dans ses yeux. Et à voir la façon dont elle affrontait le regard des soldats sans se soucier de son charme, la façon dont elle offrait la main tendue, le sourire, les quelques mots uniques, inoubliables, on avait envie de s'intéresser à elle. Sa compassion, sa chaleur rehaussaient l'incroyable séduction qui émanait d'elle. Aussi, plus la soirée s'avançait, plus il avait de choses à lui dire, mais ce fut seulement à la fin qu'elle sembla s'apercevoir de son existence. Elle lui sourit d'un air fatigué et, pendant une minute, il eut envie de la toucher, doutant presque qu'elle fût vraie. Il aurait voulu faire quelque chose pour la consoler, après une si longue épreuve. Mais, se dit-il de nouveau, ils avaient eu leur compte eux aussi... Deux longues et sinistres années.

« Vous croyez que le commandant me pardonnera de l'avoir laissé tomber?

– Ça a dû le secouer, c'est sûr, mais je crois qu'il s'en remettra. »

En fait, il l'avait su une ou deux heures plus tôt, le commandant avait été appelé pour une entrevue secrète avec deux généraux arrivés la nuit même en hélicoptère. Il aurait dû quitter Faye de toute façon.

« Je crois qu'il appréciera beaucoup ce que vous venez de faire pour les hommes.

– Ça me tient beaucoup au cœur », dit doucement Faye.

Elle s'était assise sur un gros rocher blanc dans l'air chaud de la nuit et le regardait. Ses yeux avaient un éclat magique. Il sentit qu'il succombait. Il lui était presque douloureux de la regarder, elle réveillait des sentiments qu'il avait toujours voulu laisser derrière lui, qui appartenaient au passé. Il n'y avait pas de place pour ça ici, pas de temps, personne non plus avec qui le partager. Ce lieu n'était fait que de souffrance, de mort et de déchirement, de colère parfois. D'aussi douces émotions faisaient trop mal, maintenant. Il détourna la tête et elle fixa son cou. C'était un grand et beau garçon aux épaules larges et aux yeux profondément bleus, mais pour l'instant elle ne voyait que sa forte carrure et ses cheveux d'un blond doré. Il avait quelque chose d'attirant, peut-être cette douleur que l'on ressentait partout ici. Tous étaient si seuls, si tristes, si jeunes... Et pourtant un peu de chaleur, de contact, une main tendue suffisaient à leur redonner vie; ils se remettaient à rire et à chanter. C'était ce qu'elle aimait dans ces tournées, si épuisantes qu'elles fussent. L'impression de redonner vie à ces soldats, même à ce jeune lieutenant qui se retournait si grand et si fier, sur la défensive, s'efforçant du moins de se défendre contre ce qu'il ressentait, et qui ne parvenait pas, en dépit de tout, à mettre une croix sur elle.

« Vous vous rendez compte qu'après toute une soirée avec vous, je ne sais pas encore comment vous vous appelez. »

Elle ne connaissait que son grade, et il n'y avait pas eu de temps pour les présentations.

« Thayer, Ward Thayer. »

Ce nom lui dit quelque chose, mais c'était imprécis et elle s'en moquait un peu. Il lui souriait, un brin cynique. Il en avait trop vu depuis un an, cela se sentait.

« Voulez-vous manger quelque chose, Miss Price? Vous devez mourir de faim. »

Le tour de chant avait duré plusieurs heures, puis elle avait passé trois heures encore à serrer des mains dans toute la base.

« Ce n'est pas de refus. Vous croyez qu'on peut aller demander chez le commandant s'il reste quelque chose? »

Malgré la fatigue, elle trouvait encore le mot pour rire.

« Je crois savoir où vous dégoter un bon petit dîner. »

Il jeta un coup d'œil à sa montre.

Qu'y avait-il chez cet homme de si attirant, qui la poussait à essayer d'en savoir plus? Un sentiment indéfinissable, qui était là pourtant. Il sourit de nouveau, et cela le rajeunit.

« Seriez-vous offusquée si on jetait un coup d'œil

directement aux cuisines? On trouvera certainement tout ce qu'il faut là-bas, si ça vous dit.
– Un sandwich sera amplement suffisant. »
Il la conduisit à la Jeep et ils roulèrent jusqu'au baraquement où étaient préparés les repas. Vingt minutes plus tard, elle était assise devant une assiette de viande en sauce. Ce n'était pas l'idéal dans la fournaise ambiante, mais elle avait tellement faim et la soirée avait été si longue que le plat fumant l'enchanta. Du coup, Ward en voulut aussi.
« On se croirait au *Vingt et Un,* pas vrai? »
Il eut le même sourire cynique et elle ne put s'empêcher de rire.
« Sauf que ce n'est pas du steak haché!
– Ne dites pas ça devant le cuistot, il serait trop content de vous en apporter. »
Ils rirent de nouveau, ensemble, et tout à coup, Faye se souvint des dîners de minuit avec ses amies à chaque fin d'année scolaire, et elle se mit à rire plus fort en le regardant.
« Ça fait plaisir de vous voir vous amuser comme ça. Cela fait bien un an ou plus que je n'ai pas ri ici. »
Il semblait plus heureux en sa compagnie, et tout en pignochant dans son assiette, elle lui expliqua ce qui la faisait rire.
« Vous savez, après les examens, quand on finit par dîner à cinq heures du matin... c'est le petit déjeuner en fait... C'est un peu comme ça, maintenant... Vous ne trouvez pas? »
Ses yeux firent le tour de la pièce violemment éclairée. Ward suivit son regard avant de la scruter de nouveau.
« D'où êtes-vous? »
Ils étaient presque amis maintenant. Ils avaient passé plusieurs heures ensemble, dans cette

ambiance de guerre larvée. Tout ici se vivait différemment. Les relations se nouaient plus vite, plus intensément, plus intimement. On ne trouvait pas choquant de poser des questions qui auraient dérangé ailleurs.

« De Pennsylvanie.

– Vous avez eu une enfance heureuse?

– Pas vraiment. Mes parents n'avaient pas le sou. J'ai fichu le camp dès que j'ai pu, lorsque j'ai eu mon bac. »

Il sourit. C'était difficile de l'imaginer dans la misère, encore plus celle d'un trou de province.

« Et vous? D'où venez-vous, lieutenant...?

– Ward. Ne me dites pas que vous avez encore oublié mon nom. (Elle rougit.) Je suis né à Los Angeles. »

Il semblait ne pas vouloir en ajouter davantage, et elle se demanda pourquoi.

« Vous allez y retourner après... après tout ça? »

Elle détestait le mot « guerre », et il en avait eu sa part. Ses blessures ne se voyaient peut-être pas, mais elles étaient de celles qui ne cicatrisent jamais.

« Oui, sans doute.

– Vos parents vivent là-bas? »

Elle était curieuse d'en savoir plus sur ce beau, ce triste, ce cynique jeune homme qui faisait des mystères, tandis qu'ils finissaient leur repas dans la lumière trop crue, désagréable, du mess de Guadalcanal. Toutes les fenêtres étaient masquées à cause du black-out, et on avait l'impression qu'il n'y avait pas de fenêtre du tout. Mais tous deux y étaient habitués.

« Mes parents sont morts. »

Le ton était indifférent, et il y avait quelque chose

de mort aussi dans ses yeux. Il avait déjà trop répondu à cette question.

« Je suis désolée.

– Nous n'étions pas proches, de toute façon. »

Pourtant..., pensa-t-elle, cherchant ses yeux tandis qu'il se levait.

« Voulez-vous encore de la sauce ou quelque chose de plus exotique pour le dessert? Je crois savoir où ils cachent la tarte aux pommes.

– Non, merci, dit-elle en riant. Il n'y a pas de place pour ça dans ce genre de costume. »

Elle baissa les yeux sur la robe de lamé, et il fit de même. Il commençait à s'habituer à son accoutrement. Rien à voir avec Kathy, bien sûr... Ses blouses blanches... les treillis qu'elle portait...

Il disparut un moment et revint avec des fruits et un grand verre de thé glacé. A la base, c'était plus précieux que l'alcool, la glace était presque introuvable. Elle apprécia le cadeau et savoura chaque gorgée du liquide frais, sous le regard dérangeant des hommes qui entraient et sortaient. Ça lui était égal, maintenant, elle était habituée. Elle répondait par un sourire et tournait aussitôt les yeux vers Ward. Elle dut réprimer un bâillement, tandis que Ward faisait mine de tomber de sommeil et secouait la tête, pour se moquer d'elle. Il ne cessait de la faire marcher, depuis le début, et elle le trouvait réellement drôle. Triste aussi.

« C'est chaque fois la même chose, je les endors toutes. »

Elle rit encore et sirota le fond de son verre.

« Si vous étiez debout depuis quatre heures du matin, vous seriez vous aussi en train de bâiller. Mais je suppose qu'ici les officiers paressent au lit jusqu'à midi. »

C'était faux, mais elle aimait se moquer de lui;

cela chassait un peu la tristesse de ses yeux. Il eut soudain l'air intrigué.

« Qu'est-ce qui vous pousse à faire ça, Faye? »

Il avait osé l'appeler par son prénom, et sans qu'il sût pourquoi, c'était doux à ses lèvres. Elle n'y prêta pas attention, n'en dit rien en tout cas.

« J'en ai besoin, je crois... Besoin de payer pour tout ce qui m'est arrivé de bon. Je ne méritais pas tout cela. Et dans la vie, il faut savoir payer ses dettes. »

C'était le genre de réponse que Kathy aurait eue et les larmes lui montèrent aux yeux. Lui-même n'avait jamais éprouvé le besoin de remercier quiconque. Encore moins maintenant que la chance l'avait quitté, depuis que...

« Pourquoi les femmes éprouvent-elles toujours le besoin de s'acquitter d'une dette?

– Je ne crois pas que ce soit une question de sexe. Je connais des hommes qui ont la même attitude. N'est-ce pas pareil pour vous, en un sens? Vous n'avez jamais envie de faire quelque chose pour les autres, lorsque tout va bien?

– Ça fait des années qu'il ne m'est rien arrivé d'heureux, dit-il froidement, le regard dur. Du moins, depuis que je moisis ici.

– Mais vous êtes vivant, au moins, Ward. »

Sa voix était douce sous l'éclairage violent, mais son regard le transperçait.

« Parfois, ça ne suffit pas.

– Mais si. Dans une situation pareille, c'est déjà beaucoup. Regardez autour de vous. Tous ces garçons blessés, mutilés, estropiés... et ceux qui ne rentreront plus... »

Quelque chose dans le ton de sa voix lui allait droit au cœur, et pour la première fois depuis des mois, il luttait contre les larmes.

« Je fais tout mon possible pour ne pas y penser.

– Peut-être le devriez-vous, au contraire. Vous seriez heureux d'être encore en vie. »

Elle voulait le convaincre, atteindre le point sensible qui lui faisait si mal.

« Je m'en fiche maintenant, Faye, dit-il en se levant lentement. Ça m'est égal de mourir ou de rester en vie. Comme tout le monde ici.

– Ne dites pas ça! »

Elle avait l'air blessée, presque choquée.

Il la fixa un long moment, s'obligeant au silence, souhaitant soudain qu'elle s'en aille. Mais soudain, tout lui fut égal.

« Je me suis marié il y a six mois avec une infirmière de l'armée. Deux mois plus tard, elle a été tuée par une de ces foutues bombes japonaises. Vous comprenez maintenant pourquoi je n'aime pas cet endroit, ou il faut que je vous fasse un dessin? »

Elle se rassit, glacée, puis secoua la tête. C'était donc cela. Le vide qu'elle lisait dans ses yeux. Elle se demanda s'il pourrait un jour se réconcilier avec la vie.

« Je suis désolée, Ward. »

Les mots n'avaient aucun sens. Oh! bien sûr, il n'était pas le seul, la guerre était pleine de tragédies semblables, de pires encore. Mais cela n'était d'aucune consolation.

« C'est moi qui suis désolé, je n'aurais pas dû vous parler sur ce ton. »

Il se contraignit à sourire. Pourquoi se décharger sur elle? Ce n'était pas sa faute. Et elle était si différente de la tranquille, de la toute simple Kathy qu'il avait follement aimée! Celle-là appartenait au monde de la beauté, de la célébrité, de l'argent.

« On est tous sur le même bateau, ici », ajouta-t-il.

Tout en le suivant jusqu'à la Jeep, elle ne regrettait plus son dîner manqué avec le commandant. Elle le lui dit tandis qu'il se tournait vers elle avec ce tranquille demi-sourire qui l'attirait, elle ne savait pourquoi, plus qu'aucun des sourires de Hollywood depuis longtemps déjà.

« C'est gentil de me dire ça. »

Elle voulut lui prendre le bras, mais n'osa pas. Elle n'était plus Faye Price, l'actrice de cinéma.

« Je le pensais vraiment, Ward.

– Pourquoi vous donnez-vous tout ce mal, Faye? Je suis assez grand. Ça fait déjà longtemps que je me débrouille tout seul. »

Comme il mentait mal! Elle voyait si clair en lui, maintenant, plus peut-être que Kathy. Elle le sentait si désespérément meurtri, si seul, si choqué encore par la mort de la petite infirmière... sa femme... Cela s'était produit deux mois, jour pour jour, après leur mariage, mais il omit ce détail mineur, tout en conduisant Faye jusqu'à la tente qui lui avait été réservée.

« Je continue de penser que c'est drôlement chic de votre part d'être venue voir les soldats.

– Merci. »

Il arrêta la Jeep, et ils restèrent un long moment à se regarder en silence, avec chacun tant de choses à se dire, sans en trouver le moyen. Il avait lu quelque part l'histoire de sa liaison avec Clark Gable des années auparavant et se demandait si elle avait rompu avec lui. Elle se demandait combien de temps l'image de l'infirmière hanterait encore son cœur.

« Merci pour le dîner. »

Il rit du ton soudain timide de sa voix, tout en lui tenant la portière.

« Je vous l'ai dit. C'est aussi bon qu'au *Vingt et Un*.
– La prochaine fois, j'essaierai le steack haché. »

La plaisanterie semblait la seule voie possible. Pourtant tandis qu'il l'accompagnait jusqu'à la tente et écartait le rabat de toile pour la laisser passer, elle lut clairement dans ses yeux plus de calme, de profondeur, de vivacité que quelques heures plus tôt.

« Je regrette de vous avoir raconté tout ça, dit-il en lui tendant la main.
– Et pourquoi, Ward ? Ça n'a rien de mal. A qui d'autre pouvez-vous vous confier ici ?
– On ne parle pas de ces choses-là entre soldats. D'ailleurs, tout le monde est au courant. »

Puis soudain, les larmes qu'il avait tant refoulées lui emplirent les yeux. Il voulut partir, mais elle le retint par le bras.

« Ce n'est rien, Ward... Ce n'est rien. »

Et sans qu'elle sût comment, ils se retrouvèrent dans les bras l'un de l'autre, pleurant à chaudes larmes, lui sur sa femme disparue, elle sur une fille qu'elle ne connaissait pas et sur un millier d'hommes qui étaient morts et continueraient de mourir bien après son retour à Hollywood. Ils pleuraient sur l'odeur de destruction, de gâchis, de douleur dont ce lieu était pétri. Puis il baissa les yeux vers elle et passa doucement la main dans ses cheveux soyeux. Elle était la plus belle femme qu'il ait jamais vue, et curieusement, il n'éprouvait aucune culpabilité... Peut-être Kathy comprendrait-elle... Peut-être cela n'avait-il aucune importance... Il ne la serrerait plus jamais dans ses bras... et sans doute en serait-il de même avec Faye, après cette nuit. Il eut soudain envie de faire l'amour avec elle, maintenant, avant que lui ou elle ne meure.

Ils s'assirent lentement, elle sur l'unique chaise de la tente, lui sur son sac de couchage, et ils se tinrent les mains sans parler, échangeant pourtant d'un cœur à l'autre une existence entière de mots, tandis que la vie rugissait au loin dans la jungle.

« Je ne vous oublierai jamais, Faye Price, je veux que vous le sachiez.

– Je ne vous oublierai pas non plus, Ward. Je penserai à vous une fois rentrée chez moi. Et je saurai que vous allez bien chaque fois que je penserai à vous. »

Il la crut. Elle était de ce genre de filles.

« J'irai peut-être vous surprendre aux studios lorsque je rentrerai.

– Bonne idée, Ward Thayer, faites-le. »

Sa voix était sereine et ferme, ses yeux toujours beaux après les larmes.

« Vous ne m'enverrez pas promener, au moins? »

Cette idée semblait amuser Ward et elle lui jeta un regard outré.

« Bien sûr que non!

– Car je compte vraiment y aller, vous savez.

– Vous serez le bienvenu. »

Elle lui sourit, et cette fois il vit à quel point elle était épuisée. Elle s'était tellement donnée ce soir-là! D'abord aux hommes, puis à lui. Il était plus de quatre heures. Elle devrait se lever dans moins de deux heures pour préparer le départ vers une autre base, un nouveau spectacle. Elle travaillait ainsi depuis des mois sans s'arrêter. Deux mois de tournées, et trois mois avant, sans un jour de repos, elle avait réalisé son plus grand film jusqu'alors. Et lorsqu'elle rentrerait aux Etats-Unis, un nouveau film l'attendait. C'était une grande star, menant une grande carrière, mais ici, rien de tout cela ne semblait compter pour elle. Elle n'était qu'une jolie fille au grand cœur, et avec un peu de temps, il serait sans doute tombé amoureux d'elle.

Il se leva presque à regret, lui prit la main et la porta à ses lèvres.

« Merci, Faye... Pour le cas où je ne vous reverrais plus... Merci infiniment pour cette soirée. »

Elle laissa sa main dans la sienne et ses yeux dans les siens pendant un long moment.

« Nous nous reverrons un jour. »

Il n'en était pas si sûr, mais voulut la croire, et puis le poids du moment lui parut trop insupportable, il eut besoin de s'en décharger.

« Je parierais que vous avez raconté la même chose à tous les soldats.

– Vous êtes vraiment incroyable, Ward Thayer, rit-elle en l'escortant jusqu'à l'entrée de la tente.

– Vous n'êtes pas mal non plus, Miss Price. »

Elle n'était plus que Faye dans son esprit. Il lui était difficile, presque impossible, de se rappeler l'autre... Faye Price la star de cinéma... quelqu'un d'important. Son visage s'assombrit soudain.

« Vais-je vous revoir avant votre départ? »

Cela prenait soudain beaucoup d'importance pour lui. Pour elle aussi, plus qu'il ne pouvait le soupçonner. Elle voulut le revoir avant de partir.

« On trouvera peut-être le temps de boire une tasse de café avant que ce soit trop la pagaille. »

L'équipe avait dû passer la nuit à faire la java avec les soldats ou les infirmières, ou peut-être les deux, à chanter et à jouer de la musique. Ils avaient besoin de se défouler et ça leur était égal de ne pas dormir de la nuit. Le coup de barre viendrait le lendemain au moment de se préparer à partir. Soudain, deux heures avant que l'avion décolle pour une autre base, ce serait l'affolement général. Il en était ainsi chaque matin, mais dès que tout le monde serait dans l'avion, ils s'endormiraient jusqu'au prochain arrêt, et là l'enchantement recommencerait. D'ici le départ, elle aurait tant de choses à faire, les aider tous à rassembler leurs bagages, mais peut-être que... sans trop y compter... elle trouverait pour lui un moment de libre...

« Je vous ferai signe.

– Je ne serai pas loin. »

Mais lorsque le lendemain, à sept heures, elle rejoignit les autres au mess, il n'était pas là. Le commandant avait eu besoin de lui. Il était près de neuf heures lorsque Ward put enfin la rejoindre avec les autres près de l'avion dont les moteurs chauffaient déjà. Il lut une sorte de panique dans ses yeux qui lui fit chaud au cœur.

« Désolé, Faye... Le commandant... »

Le bruit des moteurs couvrit sa voix. Le manager de la troupe donnait frénétiquement les derniers ordres.

« Ça ne fait rien... »

Elle sourit de son éblouissant sourire, mais elle était fatiguée. Elle n'avait pas dû dormir plus de deux heures, et lui-même une heure à peine, mais il y était habitué. Elle portait une combinaison de vol rouge vif et des chaussures à semelles compensées qui le firent sourire. La dernière mode pour Guadalcanal... Et puis soudain l'image de Kathy lui traversa l'esprit et le chagrin le reprit, lancinant. Ses yeux croisèrent ceux de Faye, mais déjà quelqu'un l'appelait au loin.

« Il faut que j'y aille, dit Faye.

– Je le sais. »

Il fallait crier à cause du vrombissement des moteurs. Il lui prit la main et la serra très fort, n'osant l'embrasser.

« Je vous verrai aux studios.

– Quoi? »

Elle semblait désemparée.

« J'ai dit que je vous verrai aux studios! cria-t-il.

– Faites attention à vous, surtout!

– Bien sûr. »

Il n'y avait aucune garantie, dans cette aventure. Pour personne. Pas même pour elle. Son avion pouvait être abattu en vol. Ils étaient tous conscients de cette réalité, et ils l'acceptaient, jusqu'à ce que quelqu'un de proche fût touché à son tour... Un ami, un camarade de chambrée... Kathy... Il secoua la tête pour chasser de nouveau cette image de son esprit. « Faites attention, vous aussi. » Que disait-on à une femme comme elle? « Bonne chance. » Elle en avait déjà à revendre, de la chance. A moins que...? Il se demanda s'il y avait un homme dans sa vie, mais il était trop tard pour lui poser la question. Elle était déjà partie avec les autres et se retournait pour lui faire signe. Le commandant de la base vint serrer la main à toute l'équipe, et Ward la vit le saluer, puis monter dans l'avion, lui faire un dernier signe dans l'embrasure de la porte. Puis la combinaison rouge disparut de sa vie. A jamais, se dit-il.

Il se raidit contre cette éventualité, se persuadant que c'était vrai, qu'il ne la reverrait jamais. Dans l'avion, Faye se disait la même chose, sans pouvoir détacher les yeux du hublot. Pourquoi ce garçon l'avait-il impressionnée à ce point? Ward avait quelque chose qui éveillait en elle des sentiments... Mais elle ne pouvait se payer ce luxe maintenant. Ce n'était qu'un inconnu, après tout, et elle avait une vie devant elle, dont il ne pouvait faire partie. Il appartenait à la guerre. Et elle aussi était en guerre, à sa façon... Ses tournées... Hollywood. Adieu, monsieur Thayer, murmura-t-elle... et bonne chance. Elle se blottit dans son fauteuil et ferma les yeux, laissant l'avion poursuivre son vol... Mais son visage la hanta pendant des mois... Ses grands yeux bleus... Il lui fallut des mois pour le chasser de son esprit. Et puis plus rien. Enfin.

HOLLYWOOD
1945

CHAPITRE 2

SUR le plateau, la tension était à son comble. Ils retenaient leur souffle. Depuis près de quatre mois, ils attendaient ce moment, et maintenant qu'il était là, ils auraient voulu le retarder. Cela avait été de ces films magiques qui semblent se faire tout seuls; des amitiés s'étaient nouées, qui leur paraissaient indestructibles; tous étaient fous de la star, et les femmes follement amoureuses du metteur en scène. Christopher Arnold, le plus grand acteur de Hollywood, jouait le premier rôle masculin. C'était un pro, cela se voyait. Et tous maintenant avaient les yeux braqués sur lui dans sa dernière scène. Il parlait doucement, les larmes aux yeux. On aurait pu entendre une mouche voler, et lorsque Faye Price quitta la scène pour la dernière fois, la tête baissée, de vraies larmes baignaient son visage. Arnold la regarda partir, anéanti... Ça y était... la dernière scène... c'était fini.

« Coupez! » hurla la voix.

Il y eut un silence qui sembla interminable, puis soudain ce furent des cris, des pleurs, des embrassades. Un bouchon de champagne fusa, et aussitôt l'ambiance fut à la fête, aux congratulations. Tout le monde parlait en même temps, reculant l'heure de la séparation. Christopher Arnold serra Faye dans ses bras, puis il la regarda.

« J'ai été très heureux de travailler avec toi, Faye.

– Moi aussi. »

Ils échangèrent un long sourire entendu. Ils avaient eu une liaison trois ans plus tôt, et Faye avait hésité à tourner avec lui. Mais tout s'était passé à merveille. Arnold s'était montré un parfait gentleman depuis le début et, à part l'éclat un peu trop vif de ses yeux le premier jour, c'était le premier rappel de leur liaison. Jamais le passé ne s'était immiscé dans leur travail pendant les trois mois de tournage.

Il lui sourit tendrement en dénouant son étreinte.

« Tu vas me manquer, tu sais. Moi qui pensais en avoir fini avec toi! »

Ils rirent ensemble.

« Tu me manqueras, toi aussi. »

Elle tourna les yeux vers le reste de l'équipe, occupé à fêter joyeusement l'événement. Le metteur en scène embrassait joyeusement la décoratrice, sa femme dans la vie. Faye aimait travailler avec eux. La direction d'acteurs l'avait toujours fascinée.

« Que comptes-tu faire maintenant, Chris?

– Je pars pour New York dans une semaine, et de là je prendrai le bateau pour la France. Je veux passer quelques jours sur la Côte avant l'automne. Tout le monde me dit que c'est encore trop tôt pour aller là-bas, mais qu'est-ce que j'ai à perdre? Il n'y a, paraît-il, rien de changé, sauf un peu de rationnement. »

Il lui fit un clin d'œil accrocheur. Arnold avait vingt ans de plus qu'elle, mais on s'en apercevait à peine.

« Ça te dirait de venir avec moi? »

C'était sans doute le plus bel homme de Hollywood, et pourtant il ne lui faisait plus aucun effet.

« Non, merci, dit-elle avec un sourire désinvolte avant de pointer un doigt vers lui. Tu ne vas pas recommencer, tu t'es bien tenu pendant tout le film, Chris.

– C'était le travail. Maintenant, c'est différent.

– Tu crois? »

Elle allait se moquer de lui, mais le chaos sembla s'accentuer autour d'eux et un coursier accourut sur le plateau, hurlant quelque chose qu'elle ne comprit pas. Elle lut l'affolement sur les visages, la stupeur, puis de nouveau les larmes. Elle tira Chris Arnold par la manche, anxieuse.

« Qu'est-ce qu'il a dit...? »

Chris parlait avec quelqu'un sur sa droite, et elle essaya vainement d'entendre dans le tumulte général.

« Mon Dieu... »

Il se tourna vers elle, stupéfait, puis, sans y penser, la serra contre lui à l'étouffer, et sa voix trembla.

« La guerre est finie, Faye. Les Japonais se sont rendus. »

Les combats s'étaient interrompus en Europe quelques mois plus tôt et maintenant c'était leur tour. Les yeux embués de larmes, elle se serra contre lui. Tout le plateau pleurait et riait à la fois, de nouveaux venus se joignirent à eux. On ouvrit d'autres caisses de champagne. Le délire était général.

« C'est fini, c'est fini... »

On ne parlait plus du film, mais de la guerre.

Bien des heures plus tard, lui sembla-t-il, elle regagna sa maison de Beverly Hills. La tristesse d'avoir achevé le film était éclipsée par la joie de la victoire. Elle n'arrivait pas à y croire. Elle avait vingt et un ans lorsque Pearl Harbor avait été bombardé.

Aujourd'hui, à vingt-cinq ans, elle était une femme faite, au sommet de sa carrière.

Car c'était le sommet, elle en était chaque année persuadée. Comment aurait-elle pu faire mieux? Et pourtant, chaque année, elle gravissait encore un échelon. Ses rôles étaient chaque fois meilleurs, plus importants, les éloges plus généreux, l'argent de plus en plus follement gagné. Une seule ombre au tableau : ses parents n'étaient plus là pour jouir de sa réussite. Ils étaient morts l'année d'avant, lui d'un cancer, elle d'un accident de voiture sur une route verglacée de Pennsylvanie. Après la mort de son père, elle avait en vain tenté de convaincre sa mère de la rejoindre en Californie. Maintenant, Faye était sans famille. La petite maison de Grove City où elle avait grandi avait été vendue l'année précédente. Elle n'avait ni frère ni sœur. A part le couple dévoué qui entretenait sa villa de Beverly Hills, elle était seule au monde. Mais cette solitude ne lui pesait pas; elle était bien trop entourée. Elle aimait ses amis et son métier... Il lui semblait pourtant étrange de n'avoir personne. Personne à qui « appartenir »... Elle n'était pas encore habituée à un tel succès, à une vie aussi luxueuse, en si peu de temps. A vingt et un ans, au début de la guerre, elle était encore loin de tout cela. Mais deux ans après ses tournées pour l'armée américaine, sa vie s'était organisée. Elle avait acheté une maison, tourné six films, sans trouver le temps de repartir chanter pour les soldats. Son existence semblait une succession infernale de premières, de photos publicitaires et de conférences de presse; le reste du temps, elle devait se lever à six heures pour arriver sur le plateau. Son prochain film devait débuter dans cinq semaines, et elle passait déjà ses soirées à en éplucher le script. C'était un rôle qui lui vaudrait l'Oscar, son agent l'en avait assurée. Cela la faisait toujours rire... C'était ridicule de dire ça... pourtant elle en avait déjà gagné un, et avait reçu deux nominations. Mais cette fois-ci, lui disait Abe, ce serait un très grand film, et Faye le crut. Il avait sur elle l'ascendant d'un père.

Elle tourna dans Summit Drive, passa devant Pickfair et la villa des Chaplin, et quelques instants plus tard, elle était chez elle. Bob, qui était chargé d'ouvrir la grille aux amis et aux fournisseurs, et à elle bien sûr, accourut le sourire aux lèvres.

« Ça s'est bien passé, Miss Price? »

C'était un vieil homme à cheveux blancs qui était depuis plus d'un an à son service et adorait son travail.

« Merveilleusement, Bob. Vous savez la nouvelle? La guerre est finie! »

Elle était radieuse. Bob eut les larmes aux yeux. Il était trop âgé à l'époque pour faire la Première Guerre mondiale, mais elle lui avait pris son unique fils. Cette seconde guerre lui avait chaque jour rappelé le chagrin qu'ils avaient éprouvé, sa femme et lui.

« Vous êtes sûre, Miss?

– Certaine. Tout est fini. »

Elle lui serra la main.

« Dieu soit loué. »

Sa voix tremblait et il se détourna pour s'essuyer les yeux. Mais il ne s'en excusa pas. Emue, elle voulut l'embrasser mais se contenta de sourire, tandis qu'il ouvrait sans bruit les imposantes grilles de cuivre toujours rutilantes.

« Merci, Bob.

– Bonsoir, Miss Price. »

Il dînerait plus tard à la cuisine avec le majordome et la bonne, et Faye ne le reverrait que le lendemain, en quittant la maison. Bob ne travaillait que de jour. C'était Arthur, le majordome, qui sortait la voiture et ouvrait les grilles le soir. Mais, la plupart du temps, Faye préférait prendre elle-même le volant. Elle s'était acheté une superbe Lincoln Continental avec toit ouvrant, d'un beau bleu sombre, et adorait la conduire à Los Angeles. Sauf le soir, lorsque Arthur sortait la Rolls. Au début, elle avait eu du mal à admettre que c'était à elle, mais c'était une si belle voiture qu'elle n'avait pas résisté longtemps; la riche odeur de cuir, l'épaisseur de la moquette sous ses pieds, le bois précieux qui la garnissait. Et pourquoi pas? s'était-elle dit, en fin de compte. A vingt-cinq ans, elle avait enfin admis que sa réussite l'autorisait au luxe. Elle ne causait de tort à personne. Et avec qui aurait-elle pu partager ces sommes fabuleuses? Ne sachant qu'en faire, elle en avait investi une partie sur les conseils de son agent. Le reste dormait sur un compte en attendant d'être dépensé. Faye était bien moins dépensière que beaucoup d'actrices qui se couvraient d'émeraudes et de diamants, achetaient des tiares qu'elles étaient incapables de payer et s'enveloppaient de zibelines, d'hermines et de chinchillas qu'elles exhibaient aux premières de leurs rivales. Dans ses tenues et dans ses actes, Faye montrait plus de retenue, bien qu'elle eût quelques jolies choses dans sa garde-robe. Elle adorait surtout un certain manteau de renard blanc qui la faisait ressembler à une Esquimaude blonde par les froides nuits d'hiver. La dernière fois, à New York, ce manteau avait été accueilli par des murmures d'admiration. Elle avait aussi une martre brun chocolat qu'elle avait achetée en France et un précieux vison qu'elle portait tous les jours... « Mon vison de tous les jours » : cela avait quelque chose de grisant. Comme sa vie avait changé depuis la Pennsylvanie! Elle avait toujours rêvé de posséder une seconde paire de chaussures, pour les grandes occasions, mais ses parents n'en avaient jamais eu les moyens. La crise les avait ruinés et ils s'étaient retrouvés longtemps, trop longtemps, sans travail. Son père s'était résolu à vivre de petits travaux, puis sa mère avait trouvé un emploi de secrétaire. Mais c'était trop tard, la vie était gâchée. Voilà pourquoi Faye avait toujours été attirée par l'univers magique du cinéma. Cela lui permettait d'échapper au sien pendant des heures. Elle économisait sou à sou avant de pouvoir s'asseoir dans une salle obscure, émerveillée par les images de l'écran. C'était peut-être ce qui l'avait poussée à monter à New York, à s'engager comme mannequin... Maintenant, elle gravissait les trois marches de marbre rose de sa maison de Beverly Hills et un majordome anglais lui ouvrait gravement la porte, un sourire dans les yeux. Il ne résistait pas à la « jeune Miss », comme il l'appelait devant sa femme, Elisabeth. Ils n'avaient jamais eu de patronne plus charmante ni aussi jeune, et qui ne fût pas déformée par le « ton hollywoodien », comme ils disaient. Elle n'était pas imbue d'elle-même et se montrait toujours agréable, polie, attentive. La maison était facile d'entretien, il n'y avait presque rien à faire. Faye recevait peu, elle était trop prise par son travail. Ils se contentaient de tout garder en ordre et d'accourir à son appel. Une vie de rêve.

« Bonsoir, Arthur.

– Quelle bonne nouvelle, n'est-ce pas, Miss Price? dit-il, attendant révérencieusement sa réaction.

– Une excellente nouvelle. »

Il n'avait pas de fils au front, mais des parents en Angleterre cruellement frappés par la guerre. Arthur s'était toujours fait beaucoup de souci pour eux. Il vouait à la Royal Air Force un culte proche de l'adoration. Elle avait souvent discuté avec lui de ce qui se passait dans le Pacifique, mais ils trouveraient maintenant d'autres sujets de conversation. Faye passa dans son bureau et s'assit à son secrétaire anglais pour lire son courrier en se demandant combien de soldats pouvaient être encore en vie parmi tous ceux qu'elle avait rencontrés. Cette idée la fit presque pleurer, tandis que ses yeux s'attardaient sur le jardin tout proche, et sa grande piscine. Comme il était difficile d'imaginer cet holocauste, les contrées dévastées, les milliers de cadavres! Elle se demanda une fois de plus si Ward se trouvait parmi les victimes. Elle n'avait jamais reçu de ses nouvelles, mais elle avait souvent pensé à lui, se sentant coupable de n'avoir plus trouvé le temps de retourner là-bas. Elle n'avait jamais eu le temps de rien, avec sa carrière. Du moins depuis la mort de ses parents.

Elle se concentra dans la lecture du courrier – des lettres de son agent, des factures –, s'efforçant de chasser de son esprit les images du passé, mais le présent était vide, en dehors du travail. Elle avait eu une liaison sérieuse avec un metteur en scène deux fois plus âgé qu'elle, l'année d'avant, puis s'était rendu compte qu'elle était moins amoureuse de lui que de sa façon de travailler. Elle avait laissé la vie les séparer et n'avait jamais été amoureuse depuis. Elle ne s'était pas pliée aux lois romanesques de Hollywood : elle ne se donnait qu'aux hommes qu'elle aimait réellement, avec son cœur, se contentant autrement de sa propre compagnie, évitant au maximum le tapage de la publicité. Elle menait une vie de star bien tranquille, et lorsque Abe, son agent et ami, lui reprochait de « fuir » un peu trop souvent, elle lui répondait simplement qu'elle avait besoin de cette tranquillité pour mener à bien son travail, répéter ses rôles. C'était ce à quoi elle comptait bien consacrer ses cinq semaines de liberté, quels que soient les efforts d'Abe pour la sortir, la montrer dans le monde ou simplement la distraire.

Elle avait d'autres projets : passer quelques jours à San Francisco chez une actrice déjà âgée et retirée de la scène, avec qui elle s'était liée d'amitié au début de sa carrière; ensuite, elle avait des amis à voir à Pebble Beach; enfin, elle avait promis aux Hearst de passer un week-end dans leur merveilleux domaine, où l'on trouvait des animaux en liberté et même un zoo. Le reste des cinq semaines se passerait à lire, à étudier, à paresser à la maison. Son rêve, c'était de s'allonger au soleil au bord de la piscine, à humer le parfum des fleurs, à écouter le va-et-vient bourdonnant des abeilles, les yeux clos. Elle en ferma les yeux d'avance, tout à cette pensée, et n'entendit pas Arthur entrer doucement. Il l'avertit d'un raclement de gorge. Elle ouvrit les yeux. Il n'y avait pas plus silencieux qu'Arthur. Il évoluait avec une grâce de chat qui contrastait avec son âge et sa taille. Il était devant elle, impeccable et guindé en queue-de-pie et pantalon rayé, avec col cassé et chemise empesée sous la cravate noire. Il tenait un plateau d'argent où fumait une tasse de thé. Elle avait acheté le service de porcelaine à Limoges. C'était un de ses luxes préférés. Une petite fleur bleue le décorait ici et là, jetée négligemment, et tandis qu'Arthur déposait sur son bureau la tasse et la serviette bordée de dentelle achetée à New York, ouvrage italien d'avant la guerre, elle vit qu'Elisabeth avait prévu des gâteaux aujourd'hui. La veille, elle aurait résisté à cette gâterie, mais elle avait du temps d'ici au prochain film. Autant se laisser tenter! Elle sourit à Arthur, qui s'inclina avant de quitter tout aussi silencieusement la pièce. Elle promena un regard sur toutes les choses bien-aimées : les étagères chargées de livres, vieux et neufs, avec quelques précieux volumes; les vases emplis de fleurs, les sculptures qu'elle avait commencé à collectionner l'année d'avant, le beau tapis d'Aubusson au décor passé de fleurs roses et bleu pâle, le mobilier anglais choisi avec soin, l'argenterie qu'Arthur passait des heures à faire briller, et dans le couloir, le merveilleux lustre en cristal de Venise, puis au-delà, la salle à manger Chippendale et un autre lustre scintillant. Cette maison faisait chaque jour son bonheur, non tant par la beauté de ses trésors que par son contraste avec la misère défraîchie qui avait hanté son enfance. Chaque objet en était plus précieux, depuis le chandelier d'argent et la nappe de dentelle jusqu'aux patines anciennes. Ils étaient le symbole tangible de sa réussite.

La maison possédait un élégant salon avec une cheminée de marbre rose et des chaises Louis XV aux contours gracieux. Elle avait mélangé le mobilier anglais et français, l'ancien avec quelques pièces plus modernes, comme ces deux charmantes peintures impressionnistes, cadeau d'un ami particulièrement cher. Au premier, sa chambre n'était que miroirs et soies blanches, souvenir des rêves un peu fous qu'elle avait faits, petite fille amoureuse du cinéma. Une fourrure de renard blanc couvrait son lit, façonnait les coussins du divan, reposait sur la chaise longue, et la cheminée était blanche aussi, du même marbre que sa penderie garnie de miroirs. Sa salle de bain avait le même reflet, marbre blanc de la baignoire, carreaux blancs des murs. Attenant, un boudoir où elle se réfugiait le soir pour relire ses textes ou écrire à une amie. C'était tout. Un bijou parfait, de peu de carats. Juste assez grand pour elle. Les domestiques logeaient au rez-de-chaussée, derrière la cuisine. Bob avait un appartement au-dessus du garage. Des jardins à n'en plus finir, une piscine de belles dimensions avec un auvent et un bar, et une pièce où ses amies se déshabillaient. Elle avait là tout ce qu'elle désirait, un petit univers, disait-elle souvent. Elle n'aimait pas le quitter, regrettait presque d'avoir promis à sa vieille amie de lui rendre visite à San Francisco, la semaine prochaine.

Mais une fois qu'elle y fut, ce fut si agréable! Harriet Fielding avait fait une grande carrière à Broadway autrefois, et Faye lui vouait un immense respect. Harriet lui en avait beaucoup appris sur le métier. Faye lui parla aussitôt de son prochain film. Elle aurait un rôle difficile, auprès d'un acteur à la terrible réputation. Faye n'avait jamais travaillé avec lui et appréhendait ce moment. Peut-être avait-elle eu tort d'accepter ce rôle? Mais Harriet était convaincue du contraire : le rôle était plus consistant, il nécessitait plus de talent que tout ce que Faye avait réalisé jusqu'à présent.

« C'est justement ce qui me fait peur! Et si c'était un fiasco total? »

Elles étaient assises sur le balcon dominant la baie. Faye avait l'impression de retrouver une mère à qui parler, bien que Harriet n'eût rien de commun avec Margaret Price. Elle était plus raffinée, plus mondaine, elle en savait bien plus sur son métier. Sa mère n'avait jamais bien compris ce que faisait Faye, ni dans quel univers elle évoluait. Mais elle avait été extrêmement fière de sa fille, se vantant partout de sa réussite, et chaque fois que Faye rentrait à la maison, elle était touchée par l'importance que sa mère accordait à sa carrière. Ce temps était fini; plus de maison familiale, plus personne qui comptât dans sa ville natale... Heureusement, elle avait Harriet, la grande, l'inestimable amie.

« Ce n'est pas une blague! Et si j'étais mauvaise?

– Pour commencer, tu ne le seras pas. Et ensuite, si tu te casses la figure, ce qui nous arrive à tous de temps en temps, eh bien, tu te relèveras et tu feras un deuxième essai. Et la seconde tentative sera la bonne, meilleure peut-être. Qu'est-ce qui t'arrive? Tu n'as jamais eu la frousse avant, Faye? (Elle jouait les contrariées, mais Faye n'en fut pas dupe.) Fais ton travail honnêtement, et tu verras que tout ira bien.

– Dieu t'entende! »

Harriet grommela et Faye ne put s'empêcher de sourire. Sa vieille amie la réconfortait. Pendant cinq jours, elles parcoururent ensemble le site tout en collines de San Francisco, bavardant de tout, la vie, la guerre, leurs carrières, les hommes. Harriet était une des rares personnes à qui Faye aimât se confier. Elle était si avisée, si brillante, si drôle aussi. Un être d'exception. Pas un jour ne passait sans que Faye se félicitât de l'avoir pour amie.

Lorsque la conversation roula sur les hommes, Harriet s'efforça de comprendre, une fois de plus, pourquoi sa jeune protégée ne semblait pas vouloir se fixer.

« Je n'ai sans doute pas trouvé l'homme de mes rêves, répondit Faye.

– Mais il doit bien exister quelque part! (Harriet s'arrêta pour la regarder, perplexe.) Aurais-tu peur?

– Peut-être. Mais vois-tu, aucun des hommes que j'ai rencontrés ne faisait l'affaire. Oh! ils avaient tous beaucoup de choses à offrir : des orchidées, des gardénias, du champagne, des soirées romantiques, des nuits de conte de fées, des entrées dans des fêtes fabuleuses, et même parfois des cadeaux à tourner la tête à plus d'une. Mais qu'ai-je à faire de tout cela?

– Oh! tu as bien raison! C'est de la poudre aux yeux, tu le sais aussi bien que moi. Mais il y a peut-être à Los Angeles autre chose que des parvenus et des play-boys?

– Je n'ai sans doute pas eu l'occasion de bien tomber. »

Le plus drôle, c'est qu'elle ne pouvait s'imaginer partageant la vie d'aucun d'eux, même Clark Gable. Son type d'homme, c'était une version moins rustre, plus raffinée, des partis qu'elle aurait eus chez elle, à Grove City, le genre qui balaierait la neige en hiver, couperait un sapin de Noël pour les enfants, sortirait avec elle pour de longues promenades qui s'achèveraient près d'un feu de bois... ou bien l'été, autour d'un lac... Quelqu'un de bien réel, à qui elle pourrait se confier... pour qui elle et les enfants compteraient plus que tout, plus que son travail... Pas de ces parasites cherchant à se coller à une star pour décrocher un rôle dans un film. Cette pensée la ramena à la réalité qui l'attendait et elle interrogea de nouveau Harriet sur les subtilités du script et les techniques qu'elle voulait essayer. Elle aimait oser, avoir un jeu créatif. Puisqu'elle n'avait pas de famille sur les bras, autant employer ses énergies à parfaire sa carrière. Harriet continuait pourtant de regretter que l'homme idéal ne se fût pas encore présenté. Elle sentait qu'il donnerait à Faye une dimension qu'elle n'avait pas encore, qui la valoriserait encore plus comme femme et comme actrice.

« Tu viendras me voir pendant le tournage? »

Faye avait les yeux suppliants d'un enfant la veille de la rentrée scolaire, mais Harriet se contenta de sourire avec toute la tendresse dont elle était capable. Elle secoua la tête.

« Tu sais bien que je déteste cet endroit, Faye.
– Mais j'ai besoin de toi! »

Il y avait dans ses yeux une grande solitude, pour la première fois. Elle lui tapota maternellement le bras.

« Moi aussi, j'ai besoin de toi. Tu es mon amie. Mais tu n'as pas besoin de mes conseils pour réussir, Faye. Tu seras parfaite, je le sais. Si je venais, je ne ferais que te distraire. »

C'était la première fois depuis longtemps que Faye éprouvait le besoin d'être soutenue sur le plateau, et ce fut avec appréhension qu'elle prit congé de Harriet, plus tard que prévu, pour reprendre sa route le long de la côte, vers ce que les Hearst appelaient modestement leur « Casa ». Tout en conduisant, Faye ne cessait de repenser à Harriet.

Pour une raison inconnue, sa solitude lui pesait comme jamais depuis des années. Tout lui manquait, Harriet, sa petite maison de Pennsylvanie, ses parents... et quelque chose qu'elle ne parvenait pas à déterminer. La nervosité, sans doute, avant son prochain film, mais il y avait plus que cela. Harriet avait raison, il fallait un homme dans sa vie. Mais qui? Elle repassa en esprit les visages qui avaient croisé sa route sans en trouver aucun qui fût cher à son cœur. Les festivités chez les Hearst lui semblèrent désespérément futiles. On comptait les invités par dizaines, mais tout cela lui semblait creux, sans contenu. Seuls comptaient son travail et ses deux grands amis, Harriet Fielding, qui vivait à six cents kilomètres de chez elle, et Abe Abramson, son agent.

Enfin, après des jours de sourires interminables, ce fut avec soulagement qu'elle retrouva Los Angeles. Elle ouvrit elle-même la porte en arrivant et monta aussitôt vers la splendeur immaculée de sa chambre, heureuse comme elle ne l'avait pas été depuis des semaines. Que c'était merveilleux d'être de retour! Sa maison lui sembla mille fois plus belle que le prestigieux domaine des Hearst. Elle se laissa tomber sur le jeté de renard blanc en souriant de bonheur, se déchaussa d'un coup de pied, s'amusa du miroitement du petit lustre, au-dessus d'elle, excitée à l'idée du rôle qui l'attendait. Elle se sentait bien, de nouveau. Nul besoin d'un homme. Son travail suffisait à son bonheur.

Pendant un mois, elle étudia jour et nuit, apprenant par cœur chaque ligne du script, son rôle et celui des autres. Elle essaya plusieurs nuances, arpentant sa maison pendant des heures en se parlant à elle-même, cherchant la note juste, entrant peu à peu dans la peau de son personnage. Elle devait jouer une femme que son mari rend folle. A la fin, il lui prenait son enfant et elle tentait de se suicider, puis de tuer son mari, mais peu à peu, elle comprenait ce qu'il lui avait fait et recouvrait la raison. Elle reprenait son enfant et finissait par tuer l'homme qui avait essayé de la détruire. Cet acte final de violence et de vengeance inquiétait Faye. Elle pouvait perdre la sympathie du public, ou s'en faire aimer davantage. Quel effet le dénouement aurait-il sur eux? Saurait-elle les émouvoir? C'était terriblement important pour elle.

Le matin où devait débuter le tournage, elle arriva à l'heure au studio, portant son script dans un attaché-case de crocodile rouge qui la suivait partout, avec la mallette de maquillage assortie et une valise contenant quelques affaires qu'elle aimait avoir à portée de la main. Elle pénétra dans sa loge avec une sérénité de femme d'affaires.

Le studio avait mis une habilleuse à sa disposition pour s'occuper d'elle, de ses vêtements, de sa loge. D'autres actrices préféraient une domestique à elles, mais Faye trouvait Elisabeth bien plus utile à la maison. Les employés fournis par le studio faisaient très bien l'affaire. Pearl, qui avait déjà travaillé avec elle, était une sympathique Noire, très capable, dont Faye avait toujours aimé la conversation, les commentaires. Elle était intelligente et comme elle travaillait aux studios depuis fort longtemps, elle connaissait des histoires qui la faisaient rire aux larmes. Aussi, ce matin-là, elles étaient tout heureuses de se retrouver. Pearl suspendit les vêtements de Faye, sortit ses affaires de maquillage, mais laissa l'attaché-case à sa place. Faye ne permettait à personne de toucher à son script. Elle lui servit son café avec l'exacte quantité de lait, et à sept heures, lorsque le coiffeur entra, elle apporta à Faye un œuf mollet et une seule mouillette de pain. Pearl avait à Hollywood la réputation d'accomplir des miracles, elle prenait grand soin de « ses » stars, mais Faye ne cherchait jamais à en profiter, et c'était ce que Pearl aimait le plus en elle.

« Pearl, tu me gâtes trop! »

Elle lui décocha un clin d'œil complice tandis que le coiffeur commençait son travail.

« C'est exprès, Miss Price », répondit Pearl avec son plus beau sourire.

Pearl aimait travailler avec elle. C'était une des meilleures, et elle aimait parler d'elle à ses amis. Faye avait une de ces dignités impossibles à décrire, en même temps qu'une chaleur, une présence, et, elle en riait toute seule, des jambes à vous faire tourner la tête.

Deux heures plus tard, Faye était prête dans les coulisses, dans la robe bleu nuit prévue pour le rôle, coiffée et maquillée selon les indications du metteur en scène. De nouveau, c'était l'excitation du tournage, les caméras placées autour de la scène, les scriptes attentives, le metteur en scène en grande discussion avec les éclairagistes. Presque tous les acteurs étaient présents, sauf la star masculine. « Comme d'habitude », entendit-elle murmurer. « Mon Dieu », soupira-t-elle, se demandant si cela continuerait longtemps, tout en cherchant un siège à l'écart. Ils pourraient toujours commencer par une scène où il ne jouait pas, mais cela présageait d'agréables moments pour les mois à venir s'il était ainsi en retard tous les jours.

Elle était plongée dans la contemplation des chaussures de satin bleu que lui avait assignées la costumière, lorsqu'elle eut la bizarre sensation que quelqu'un l'observait. Se retournant, elle vit à quelques mètres de là un jeune homme aux traits étonnamment beaux, dans un visage bronzé qui contrastait avec la blondeur des cheveux et le bleu profond de ses yeux. Pensant que c'était un des acteurs désireux de la saluer avant le tournage, elle lui fit un signe de tête. Il n'y répondit pas mais vint jusqu'à elle.

« Vous ne vous souvenez pas de moi, Faye? »

Un instant, elle eut ce sentiment étourdissant qu'ont toutes les femmes devant un homme qui semble les connaître sans qu'on se souvienne de lui. Qui cela pouvait-il être? Avait-elle oublié ce visage? N'était-ce pas... mais cela ne semblait pas grave. Il se tenait simplement devant elle en la regardant, si résolu et en même temps si désespéré qu'elle eut presque peur. Elle devait le connaître, pourtant... Un acteur, dans un autre film? Elle fouilla dans sa mémoire.

« Je ne crois pas que vous ayez aucune raison de vous souvenir de moi. (Il parlait calmement, mais avec tant de gravité dans ses yeux et tant de déception qu'elle se sentait de plus en plus gênée.) Nous nous sommes vus à Guadalcanal, il y a deux ans. Vous avez chanté pour nous et je me suis occupé de vous à la place du commandant. »

Mon Dieu... Ses yeux s'écarquillèrent de surprise... puis tout lui revint en mémoire... Son beau visage, leur longue conversation, la jeune infirmière qui avait été tuée après son mariage... Leurs yeux se retrouvaient maintenant avec le reflux des souvenirs. Comment avait-elle pu l'oublier à ce point? Elle n'avait pensé qu'à lui pendant des mois. Mais elle s'attendait si peu à le revoir! Elle se leva pour lui tendre la main, et il lui sourit. Il avait craint qu'elle ne puisse le reconnaître.

« Bienvenue au pays, lieutenant. »

Il lui baisa la main, comme il l'avait fait ce soir-là, une lueur de malice dans les yeux.

« Lieutenant-colonel, maintenant, s'il vous plaît.

– Pardonnez-moi. (Elle était surtout heureuse de le voir vivant.) Vous allez bien, j'espère?

– Tout à fait bien. »

Sa réponse fut si prompte qu'elle se demanda si c'était vrai, mais rien ne se voyait, en tout cas; au contraire, il était éblouissant. Elle leva les yeux vers lui, puis se souvint du studio, du film qui allait commencer, de l'autre star qui était peut-être arrivée.

« Que faites-vous ici?

– J'habite à Los Angeles. Je vous l'ai dit, pourtant... (Il sourit.) Je vous avais prévenue que je débarquerais ici pour vous voir. (Elle sourit à son tour.) J'ai l'habitude de tenir mes promesses, Miss Price. »

Il était facile de le croire. Ward était encore plus bel homme que dans son souvenir, plein de fougue, de panache... freiné, pourtant. Un magnifique étalon retenu par la bride. Il avait vingt-huit ans, il avait perdu ses allures encore adolescentes de Guadalcanal. Il était devenu un homme. Drôle d'endroit que ce studio pour leurs retrouvailles!

« Comment avez-vous réussi à entrer ici, Ward? »

De nouveau, l'air malicieux, le sourire éclatant sur son visage.

« J'ai graissé quelques pattes en racontant que je vous avais bien connue autrefois... Le discours classique : la guerre... les médailles... Guadalcanal. »

Comme il était drôle! Il s'était débrouillé pour parvenir jusqu'à elle. Mais pourquoi?

« Je vous avais bien dit que je voulais vous revoir. »

Mais il ne lui dit pas combien il avait pensé à elle en deux ans. Il avait voulu mille fois lui écrire, sans oser le faire. Sa lettre aurait sans doute été jetée avec le courrier des admirateurs. Et à quelle adresse lui écrire? Faye Price, Hollywood, U.S.A.? Il avait décidé d'attendre son retour, s'il rentrait un jour, ce dont il douta plus d'une fois. Mais finalement il était là devant elle, comme dans un rêve, à lui parler, s'enivrant de la voix sensuelle et profonde qui avait hanté ses nuits, empli ses jours, pendant deux interminables années.

« Quand êtes-vous revenu? »

Pourquoi lui mentir?

« Hier. Je voulais venir plus tôt, mais j'avais des choses à régler. »

Ses avocats à voir, des papiers à remplir. Il était à l'hôtel, sa maison lui paraissait si grande.

« Ça ne fait rien. »

Elle était heureuse qu'il fût venu, qu'il fût vivant, devant elle. Il était le symbole de tous les soldats qu'elle avait rencontrés dans ses tournées, échappé d'un rêve lointain, la jungle de Guadalcanal, depuis si longtemps déjà... et pourtant un homme comme un autre, souriant dans son costume civil, mais avec néanmoins un air... qu'elle n'avait encore vu à personne.

Puis, sans crier gare, la star attendue fit son entrée et tout explosa sur le plateau. Le metteur en scène se mit à vociférer. Elle dut rejoindre son partenaire pour la première scène.

« Il faut que vous partiez, Ward. Le travail m'attend. »

Elle se sentait tiraillée, pour la première fois, entre un homme et sa carrière.

« Je ne peux pas rester regarder? »

Il eut un air de gamin déçu lorsqu'elle secoua la tête.

« Pas aujourd'hui. Le premier jour est toujours une épreuve pour tout le monde. Vous viendrez dans quelques semaines, lorsque nous serons plus à l'aise. »

Cette idée leur plut... « Dans quelques semaines », comme s'ils avaient tout le temps devant eux, un avenir ensemble. Qui était-il? se demanda-t-elle en le voyant si sûr de lui. Un inconnu, encore.

« On dîne ensemble? »

Il avait murmuré ces mots dans l'ombre du studio, elle voulut répondre, secoua la tête; puis de nouveau, les cris du metteur en scène. Il ouvrit la bouche, mais elle l'arrêta d'un geste. Elle croisa son regard et sentit toute la force qui en émanait. Il s'était battu, avait survécu à la guerre, perdu sa femme et il était venu la voir. Peut-être était-ce, pour l'instant du moins, tout ce qu'elle avait à savoir de lui.

« D'accord », murmura-t-elle.

Il lui demanda son adresse, et elle la griffonna sur un bout de papier, embarrassée à l'idée qu'il verrait le luxe dans lequel elle vivait. Pas aussi somptueusement qu'elle l'aurait pu, mais certainement au point de le mettre mal à l'aise. Mais elle n'avait pas le temps d'imaginer un autre lieu de rendez-vous. Elle lui tendit le bout de papier, lui sourit en signe d'adieu, et cinq minutes plus tard, elle recevait les premières instructions et faisait connaissance avec son partenaire. C'était un bel homme impressionnant, fascinant même, mais après quelques heures de travail, elle trouva qu'il lui manquait quelque chose. De la chaleur... du charme... elle chercha à le définir avec Pearl par la suite, dans l'intimité de sa loge.

« Je vois ce que vous voulez dire, Miss Price. Il est sans cœur et sans cervelle. »

Tout juste! comprit Faye en éclatant de rire. Cet homme manquait tout simplement d'intelligence. Il était imbu de lui-même, c'était fatigant à la longue. Une armada de valets de chambre, de secrétaires et de larbins en tous genres attendaient dans les coulisses, prêts à satisfaire tous ses désirs, des cigarettes jusqu'au gin. Et lorsque leur journée fut finie, il lui lança un regard qui la déshabilla, avant de lui proposer de dîner ensemble.

« Merci, Vance, je suis déjà invitée ce soir. »

Ses yeux s'allumèrent et elle s'en voulut aussitôt. Quelle importance qu'elle fût libre ou non, elle n'aurait pas accepté pour un empire.

« Demain soir, alors? »

Elle hocha la tête et s'éloigna. Ce ne serait pas une mince affaire de travailler avec Vance Saint George, mais du moins était-ce un bon acteur.

Ce n'était pourtant pas à Vance qu'elle pensait ce soir-là en courant vers sa loge. Il était déjà six heures. Elle venait de passer douze heures sur le plateau, mais elle y était habituée. Elle se changea, souhaita le bonsoir à Pearl et se précipita vers sa voiture. Elle regagna Beverly Hills le plus vite possible. Bob était à son poste et lui ouvrit aussitôt les grilles, qu'elle franchit en trombe avant d'arrêter la Lincoln devant le perron. « Huit heures », avait-il murmuré. Il était sept heures et quart.

Arthur lui ouvrit. Elle s'engouffra à l'intérieur.

« Un verre de sherry, Miss? » demanda Arthur en courant après elle.

Elle s'interrompit pour lui décocher ce fameux sourire qui le rendait fou, plus qu'il n'oserait jamais l'avouer à Elisabeth.

« Un ami passera prendre l'apéritif à huit heures.

– Très bien, Miss. Dois-je demander à Elisabeth de vous faire couler un bain? Elle peut vous apporter un verre de sherry dès maintenant, si vous voulez. »

Il savait à quel point les tournages étaient exténuants, parfois, mais ce soir, elle ne semblait pas fatiguée.

« Non, merci, Arthur, je n'ai besoin de rien.

– Voulez-vous que je fasse attendre votre invité dans le salon? »

Il avait posé cette question par pur formalisme et fut surpris de la réponse.

« Dans mon bureau, Arthur, je préfère. »

Elle sourit encore, puis s'éloigna, mécontente de ne pas avoir fixé ce rendez-vous ailleurs. C'était trop bête de jouer les stars de cinéma avec ce pauvre garçon. Enfin, il avait bien survécu à une guerre. C'était ce qui comptait, d'ailleurs, se dit-elle en ouvrant tous ses placards avant de se ruer dans la salle de bain pour emplir la baignoire. Elle choisit une robe de soie blanche aux lignes sobres, qui lui allait à la perfection sans être tapageuse. Un manteau de soie grise la compléterait, elle mettrait à ses oreilles des pendants de perle grise, glisserait ses pieds dans des escarpins de soie grise, et la pochette gainée de soie blanche et grise parachèverait l'ensemble. Peut-être un peu trop élégant, en fin de compte, mais elle ne voulait pas non plus l'insulter en portant n'importe quoi. Après tout, il savait à qui il avait affaire. C'était lui, l'être mystérieux. Elle resta là un instant, les yeux dans le vague, pensant à lui, puis se dirigea vers la baignoire. Mais qui donc était ce Ward Thayer?

CHAPITRE 3

A HUIT heures précises, Faye attendait Ward dans son bureau, vêtue de la robe de soie blanche, son manteau gris jeté sur un dossier de chaise. Elle arpenta nerveusement la pièce une fois de plus en regrettant à nouveau de le retrouver chez elle. La vie était étrange, décidément. Il était de retour, elle allait dîner avec lui, et plein d'une indéniable émotion, son cœur battait violemment dans sa poitrine. Ward était si bel homme, avec ce je-ne-sais-quoi de mystérieux qui l'intriguait...

La sonnerie de la porte d'entrée la tira de sa rêverie solitaire, et tandis qu'Arthur allait ouvrir, elle ferma les yeux et respira pour se calmer. Et soudain, devant ses yeux, le merveilleux regard saphir; une ivresse folle la souleva, comme un étourdissement en altitude. Le plus calmement qu'elle put, elle lui proposa un verre. La tenue civile – un simple costume rayé – lui allait bien et moulait ses épaules à la perfection. Il lui sembla plus grand ainsi. Etrange d'avoir ici devant elle ce rescapé d'une guerre, mais c'était sympathique, et s'ils n'éprouvaient l'un pour l'autre aucune affinité, elle n'était pas obligée de le revoir. La façon dont il s'était débrouillé pour parvenir jusqu'à elle, aux studios, continuait de l'impressionner. Ward avait du charme, impossible de le nier. Mais elle l'avait déjà perçu au début, à Guadalcanal.

« Asseyez-vous donc. »

Un silence gêné s'établit entre eux. Elle chercha désespérément un moyen d'en sortir lorsqu'elle vit qu'il souriait. Il semblait prendre un réel plaisir au cadre qui l'entourait, notant chaque petit détail de la pièce, les sculptures, le tapis d'Aubusson. Il se leva même pour jeter un coup d'œil à la collection de livres rares et elle vit ses yeux briller.

« Où les avez-vous trouvés, Faye?

– Dans une vente aux enchères, il y a quelques années. Ce sont tous des éditions originales, et j'en suis particulièrement fière. »

Comme de tous les objets qui emplissaient cette maison, se disait-elle. Il avait fallu des années de travail, et c'était pourquoi elle leur accordait tant de prix.

« Je peux les regarder? »

Il semblait plus à l'aise tandis qu'Arthur entrait avec les boissons, un gin-tonic pour Faye et un whisky on the rocks pour Ward, dans des ravissants verres en cristal de chez Tiffany, de New York.

« Bien sûr, faites comme chez vous. »

Faye s'assit et le regarda tirer précautionneusement deux livres de l'étagère, l'un qu'il posa sur la table, l'autre qu'il ouvrit pour en examiner la page de garde, puis les dernières pages. Il sourit et la regarda d'un air amusé.

« C'est bien ce que je pensais. Ce sont les livres de mon grand-père. Je n'ai aucun mal à les reconnaître. (Il lui montra la curieuse estampille marquant la dernière page.) Il mettait ce tampon dans tous ses livres. J'en ai moi-même plusieurs à la maison. »

La remarque donna envie à Faye d'en savoir plus sur cet homme dont elle savait si peu. Elle s'efforça de le tirer de sa réserve tandis qu'ils prenaient l'apéritif. Mais ses réponses restaient dans le vague; il lui parla de l'amour de son grand-père pour les bateaux, des étés à Hawaii, et elle apprit seulement que sa mère était née là-bas. Il parla peu de son père, et elle n'en sut pas davantage.

« Et vous, Faye, vous êtes de l'Est, je crois? »

Il semblait toujours ramener la conversation sur elle, comme si les détails de sa propre vie étaient secondaires, comme s'il voulait définitivement les laisser dans l'ombre. Beau et calme, il avait quelque chose de terriblement mondain, et Faye était de plus en plus piquée par la curiosité. Peut-être serait-il plus éloquent pendant le dîner. Il attendait tranquillement, et son regard disait assez son admiration.

« Je suis de Pennsylvanie, mais j'ai l'impression de vivre ici depuis toujours.

– C'est sans doute la contagion de Hollywood, remarqua-t-il en riant. Une fois qu'on y est, on a du mal à imaginer vivre autrement. (Il refusa un second verre, jeta un coup d'œil à sa montre et se leva pour prendre son manteau.) Je crois qu'il est temps d'y aller. J'ai réservé pour neuf heures. »

Elle mourait d'envie de savoir où il l'emmenait, mais, discrète, elle le laissa lui tenir son manteau avant de le précéder dans le hall, qu'il examina de nouveau en connaisseur.

« Vous avez de jolies choses, Faye. »

Il semblait percevoir la beauté et l'histoire de chacun des objets, et s'extasia devant une jolie petite table de l'entrée – du Chippendale, bien sûr... Ce qu'il ignorait, c'était la raison pour laquelle Faye tenait tant à cette maison : la pauvreté dans laquelle sa vie avait débuté.

« Merci du compliment. J'ai tout choisi moi-même.

– Vous avez dû vous amuser. »

Mais cela avait été plus qu'un amusement, la réalisation d'un rêve... Maintenant qu'elle vivait dans une plus grande sécurité, les objets étaient passés au second plan.

Les yeux de Ward croisèrent les siens, et il se précipita pour lui ouvrir la porte avant qu'Arthur intervienne. Il sourit au majordome anglais sans sembler gêné de son regard désapprobateur, l'air heureux et insouciant tandis qu'ils descendaient ensemble les marches du perron dans l'air chaud et parfumé de la nuit.

Il bondit jusqu'à sa voiture, une Ford convertible d'un rouge éclatant, cabossée de partout, mais avec pourtant un air frimeur qui l'amusa.

« Ça au moins, c'est une voiture, Ward.

– Merci. Je l'ai empruntée pour ce soir. La mienne est encore au garage et je ne sais pas dans quel état je vais la récupérer. »

Il lui tint la portière et Faye se glissa à l'intérieur. Un démarrage en douceur, et Ward fonça pour franchir les grilles, saluant au passage Arthur qui venait de les ouvrir pour eux.

« Plutôt guindé, votre valet de chambre, mademoiselle. »

Elle répondit par un sourire. Arthur et Elisabeth étaient des perles dont elle ne se serait pas séparée pour tout l'or du monde.

« Je suis trop gâtée, fit-elle avec une moue.

– Ça n'a rien de répréhensible, Faye. Profitez-en.

– C'est ce que je fais. »

Cela lui avait échappé, et elle rougit tandis que le vent emportait ses cheveux. Elle s'efforça vainement de les rabattre sur ses épaules, et ils éclatèrent de rire.

« Vous voulez que je ferme le toit? demanda-t-il tandis qu'ils fonçaient vers le centre ville.

– Non, non. Je me sens très bien comme ça... »

C'était vrai. Elle adorait cette course folle auprès de lui, ce côté délicieusement démodé. A côté de lui, elle ne se sentait plus du tout une star de cinéma, mais une jeune femme, simplement, et cela la remplissait d'une joie immense. Plus aucune pensée ne l'importunait, sauf qu'elle devait rentrer tôt, ayant à se lever le lendemain à cinq heures.

Il arrêta la voiture devant chez Ciro, et s'en extirpa d'un bond, tandis que le portier, un grand et beau Noir, s'approchait de lui, radieux.

« Monsieur Thayer! Quelle joie de vous savoir de retour!

– Et ça n'a pas été facile, John, vous savez! »

Ils échangèrent un large sourire et une poignée de main d'hommes qui se retrouvent, longue et chaleureuse. Mais soudain, le portier fixa la voiture avec horreur.

« Mon Dieu, monsieur Thayer, qu'est-il arrivé à votre voiture?

– Elle est au garage depuis le début de la guerre. J'espère la récupérer la semaine prochaine, si tout va bien.

– Ah! bon!... J'ai cru que vous l'aviez vendue pour acheter ce tas de ferraille. »

Le ton surprit Faye, autant que la familiarité dont Ward semblait jouir chez Ciro, mais il en fut de même à l'intérieur. Le sommelier faillit pleurer en lui serrant la main pour le féliciter et tous les garçons semblaient le connaître. On leur offrit la meilleure table. Après avoir commandé un verre pour eux deux, il l'entraîna vers la piste de danse.

« Vous êtes la plus jolie ce soir, Faye. »

Sa voix était douce à son oreille et ses bras

puissants l'enlaçaient. Elle leva son sourire vers lui.

« Je ne vous demande pas si vous aviez l'habitude de venir ici. »

Cette remarque le fit rire, tandis qu'il la faisait virevolter sur le parquet. C'était le plus doux des cavaliers, et la curiosité de Faye ne faisait que croître. Rien qu'un play-boy de Los Angeles? Ou quelqu'un d'important? Un acteur dont elle n'eût pas connu le nom avant la guerre? Il était clair que Ward Thayer était quelqu'un, mais elle n'était pas plus avancée. Elle n'attendait rien de lui, mais c'était quand même étrange de se trouver dans les bras d'un inconnu, ou presque, rencontré dans un si lointain pays, dans des circonstances si anonymes.

« On dirait que vous me cachez quelque chose, monsieur Thayer.

– Pas du tout. »

Il rit en hochant la tête.

« Bon, puisque c'est ça : qui êtes-vous?

– Je vous l'ai dit. Ward Thayer, de Los Angeles. »

Il déclina son grade et son matricule et ils rirent de nouveau.

« Ça ne me renseigne pas davantage et vous le savez bien. D'ailleurs... (elle prit un peu de recul pour le fixer droit dans les yeux) j'ai l'impression que ça vous amuse, de jouer les mystérieux. Tout le monde en ville sait qui vous êtes, sauf moi.

– Non, non. Les serveurs seulement... J'ai été serveur, autrefois. »

Il y eut un soudain émoi dans l'entrée, et une femme en fourreau noir fit irruption, ses cheveux roux flamboyant sur ses épaules. C'était Rita Hayworth, venue chez Ciro comme elle en avait l'habitude, au bras de son mari. Orson Welles la ferait fièrement danser, pour que tous voient à quel point elle était belle. La plus belle, pensa Faye. Elle l'avait vue une ou deux fois déjà, mais de loin, et lorsqu'elle passa devant Faye à la frôler, celle-ci retint son souffle. Comme avertie, Rita se retourna. Faye rougit violemment sous sa chevelure blonde et allait s'excuser, lorsque la grande actrice sembla lui tomber dans les bras, et aussitôt, sans que Faye sût comment, Ward fut debout et étreignit Rita. Orson les contemplait de loin avec intérêt, tout en jetant une œillade à Faye.

« Mon Dieu, Ward, s'écria Rita, tu t'en es tiré! Vilain! Toutes ces années et pas un mot pour me dire si tu étais mort ou vivant. Tout le monde m'a demandé de tes nouvelles, et je ne savais pas quoi répondre...! »

Elle lui mit les bras autour du cou, les yeux clos, souriant de ce sourire qui avait fait pleurer de désir. Faye était atterrée. Rita ne l'avait même pas remarquée, tout à sa joie de le revoir.

« Bienvenue au pays, mauvais garçon... (Elle sourit en plissant le nez, puis se tourna vers Faye, et, la reconnaissant, dit moqueusement à Ward :) Je vois... de quoi alimenter de nouveau les commérages, n'est-ce pas, monsieur Thayer?

– Rita, je t'en prie... Je ne suis ici que depuis deux jours.

– Eh bien, bravo, c'est du rapide! (Elle ponctua cela d'un sourire qui s'adressa aussi à Faye.) Heureuse de vous revoir, chère amie. (Mots polis sans signification. Les deux femmes ne se connaissaient pas.) Je vous confie mon ami. »

Elle tapota maternellement la joue de Ward avant de rejoindre Welles, qui les salua de loin d'un sourire, et ils s'installèrent à une table de l'autre côté de la salle. Faye était prête à exploser. Ward la raccompagna à sa place et aspira une gorgée d'alcool. Elle lui saisit le bras.

« O.K., colonel, ça suffit. Je veux la vérité. (Elle jouait la fureur, et il rit en reposant son verre.) Avant que je sois totalement ridicule, expliquez-moi ce qui se passe. Qui êtes-vous? Acteur? Metteur en scène? Gangster?... Etiez-vous le propriétaire de cette boîte avant la guerre? »

Elle finit en riant, mais Ward s'amusait plus qu'elle.

« Pourquoi pas un gigolo?

– Idiot!... Allez... dites-le-moi. Pour commencer, comment se fait-il que vous soyez si intime avec la belle Rita?

– J'ai joué au tennis avec son mari avant la guerre. Je les ai connus ici.

– Quand vous étiez serveur? »

L'humour de ce soldat inconnu du bout du monde commençait à la gagner, elle aussi. Mais elle ne savait toujours rien. Luttant contre le rire, elle le fixa droit dans les yeux.

« Plus de ça, voulez-vous? Moi qui avais honte de me faire inviter à dîner, de vous montrer le luxe dans lequel je vis... alors que vous connaissez plus de gens importants que moi.

– Ce n'est pas ce que j'ai entendu dire.

– Ah! non? »

Elle rougit en levant la main pour arranger ses cheveux.

« Et Gable? »

Le rouge s'accentua.

« Vous n'allez pas croire tout ce que vous lisez dans les journaux?

– Juste une ou deux choses. Et j'ai aussi mes sources personnelles.

– Ça fait des années que je ne le vois plus. »

Elle restait volontairement dans le vague, et en gentleman, il n'insista pas. Puis soudain, elle le fixa de nouveau.

« N'essayez pas de détourner la conversation. Répondez à ma question : qui êtes-vous? »

Il se pencha pour lui murmurer à l'oreille :

« Fantomas. »

Elle rit tandis que le sommelier s'approchait avec un magnum de champagne et les menus.

« Monsieur Thayer! Quel bonheur de vous voir de retour!

– Merci, Alfred. »

Ward commanda pour deux, sabla le champagne avec Faye et continua de la faire marcher toute la soirée, jusqu'à ce qu'ils se retrouvent dans la Ford rutilante décapotée, devant chez elle. Ward lui avait pris la main.

« Sincèrement, Faye, je ne suis qu'un soldat démobilisé. Je n'ai pas de travail et n'en avais pas avant. Je n'ai plus de logement, j'ai vendu mon appartement quand j'ai été appelé. Et si on me connaît chez Ciro, c'est que j'étais un habitué avant la guerre. Je ne cherche pas à passer pour quelqu'un d'important, car je ne le suis pas. C'est vous la star, et je vous ai aimée dès le premier jour, mais ce serait mentir que de prétendre être ce que je ne suis pas. Je suis seulement ce que vous savez de moi. Ward Thayer... un type sans foyer et sans travail, dans une voiture d'emprunt. »

Elle lui sourit doucement. Si c'était vrai, elle s'en fichait. Cette soirée avait été la meilleure depuis des années. Elle aimait la compagnie de ce brillant, amusant, séduisant jeune homme. Il dansait comme un dieu et avait une aura chaleureuse, virile, excitante. Il semblait mieux informé qu'elle sur bien des sujets et différait de tous les hommes qu'elle avait croisés jusqu'à présent. Et surtout, bien que tout le monde ici semblât le connaître, il était entier et direct, sans cette superficialité des Hollywoodiens.

« J'ai passé une merveilleuse soirée avec vous, qui que vous soyez, Ward. »

Il était près de deux heures et elle ne voulait pas penser à l'état dans lequel elle serait en se levant dans moins de trois heures.

« A demain donc? »

Il semblait plein d'espoir et très jeune, soudain. Elle lui sourit et secoua la tête.

« Impossible, Ward, je travaille. Je dois me lever chaque matin à cinq heures moins le quart.

– Jusqu'à quand?

– Jusqu'à la fin du film. »

Il était tout déconfit. Peut-être n'avait-elle pas tant apprécié la soirée, après tout. Après deux années passées à rêver d'elle, il voulait qu'elle fût heureuse de sortir avec lui. Il voulait l'emmener dîner tous les soirs, faire la fête avec elle, l'entraîner dans un tourbillon de joie et de plaisir. Au lieu d'attendre patiemment dans les coulisses qu'elle daignât achever ce foutu film.

« Mais, Faye, jamais je ne pourrai attendre si longtemps! Vous allez bien dormir la nuit prochaine et nous nous reverrons après-demain soir. D'accord? (Il regarda sa montre.) Et cette fois je vous ramènerai plus tôt, comme les enfants. Je ne croyais pas qu'il était si tard. (Il chercha ses yeux et sa voix se fit grave et douce.) Ça a été une merveilleuse soirée, Faye. »

Il était fou de cette fille qu'il connaissait à peine. Pendant deux ans, il avait rêvé d'elle, amoureux comme un collégien, et il s'était juré de la retrouver dès son retour. Et maintenant que c'était fait, il n'allait pas la lâcher avant d'être payé de retour. Ce que Faye ignorait, c'était que lorsque Ward Thayer voulait une chose, il l'obtenait. Presque toujours.

Pour l'instant, il la regardait avec des yeux si suppliants qu'elle ne put résister.

« C'est d'accord. Mais vous me raccompagnerez à minuit, ou bien je me changerai en citrouille. C'est promis ?

– Juré, Cendrillon... »

Il la regardait avec une douloureuse envie de l'embrasser, mais se retint. C'était trop tôt. Il ne voulait pas agir comme tous les autres, lui sauter dessus d'autant plus facilement qu'elle était une star. Elle représentait bien plus à ses yeux. Ward sortit de la voiture et en fit le tour pour lui tenir la portière. Elle se leva avec légèreté, une main dans la sienne.

« Merci encore pour cette soirée, Ward. »

Il la suivit jusqu'en haut des marches de marbre rose. Elle fut tentée de l'inviter à prendre un verre. Mais elle pensa aux quelques heures de sommeil dont elle avait un besoin indispensable avant de rejoindre le plateau.

Il se tenait là, à la regarder, se sentant comme le garçon d'à côté. Ses lèvres effleurèrent le front de Faye, et il lui prit le menton pour plonger ses yeux une dernière fois dans le merveilleux regard émeraude.

« Vous allez me manquer.

– Moi aussi », dit-elle aussitôt, presque malgré elle.

Tout comme il lui avait manqué au début, après Guadalcanal. Il l'avait séduite si vite, en quelques rencontres, comme aucun avant lui, qu'elle en aurait eu peur. Sauf qu'elle était trop heureuse pour avoir peur. Surtout pas de Ward Thayer.

CHAPITRE 4

FAYE fut à l'heure au studio, le lendemain. Pearl lui apporta trois tasses de café fort.

« De quoi me faire dresser les cheveux sur la tête toute la journée!

– Oui, mais si vous ne les buvez pas, vous risquez de vous assoupir dans les bras de ce grand nigaud pendant la scène d'amour.

– C'est ce qui va m'arriver, de toute façon. »

Elles rirent ensemble. Il était facile de voir que, même en ce deuxième jour de tournage, ni l'une ni l'autre ne faisait grand cas de la star masculine. Il était encore arrivé en retard et s'était conduit comme un emmerdeur fini. Sa loge était trop chaude, et lorsqu'on y eut installé des ventilateurs, il la trouva trop sèche. Il n'aimait ni le coiffeur ni le maquilleur et se plaignait de l'éclairage et des costumes, lorsque, en désespoir de cause, le metteur en scène leur conseilla à tous d'aller déjeuner. Quand Faye fut de retour dans sa loge, Pearl lui tendit le journal. Tout ce qu'elle avait voulu savoir la veille se trouvait dans la colonne d'Hedda Hopper. Elle en lut attentivement chaque ligne et les fixa ensuite un bon moment, comme pour se donner le temps de les digérer, tandis que Pearl restait à la regarder, se demandant ce qui trottait dans la jolie tête blonde.

« ... On vient d'apprendre que Ward Cunningham Thayer IV, le play-boy héritier des milliards des chantiers navals Thayer, est de retour des combats et qu'il a retrouvé ses terrains favoris. On l'a vu hier soir chez Ciro, où Rita Hayworth, accompagnée de son dernier mari, lui a chaleureusement souhaité la bienvenue. Il semble même avoir fait une nouvelle conquête : Faye Price, un Oscar et de nombreux admirateurs attentionnés, dont un de nos (de vos) acteurs préférés. On se faisait beaucoup de souci pour le jeune veuf, mais il semble que la chance soit décidément de son côté. Beau travail, Ward. Il n'est de retour que depuis trois jours! A part ça, Faye tourne en ce moment un nouveau film avec Vance Saint George, et cela promet bien du plaisir au metteur en scène Louis Berstein. Merci, Faye! Et bonne chance à Ward. Bonne chance à tous les deux, d'ailleurs. Peut-être y a-t-il du mariage dans l'air? Patience... L'avenir nous le dira! »

« Eh bien, ils ne perdent pas de temps! »

Elle sourit à Pearl, mi-amusée, mi-intriguée... « le play-boy, héritier des milliards des chantiers navals Thayer »... Elle reconnaissait ce nom, maintenant. Play-boy et héritier... Elle n'était pas certaine d'aimer ça. Elle ne voulait pas qu'il croie qu'elle courait après sa fortune, ni s'ajouter au palmarès d'un séducteur notoire. Il lui sembla moins exaltant que la veille, un peu moins ordinaire, moins « réel ».

La journée fut particulièrement pénible, Vance Saint George était insupportable. Lorsqu'ils quittèrent finalement le plateau, à six heures, Faye était sur les genoux. Elle omit de se démaquiller, enfila un pantalon terre de sienne et un pull de cachemire beige, laissant flotter sur ses épaules ses cheveux couleur de miel, et monta dans sa Lincoln. Au moment où elle allait démarrer, elle entendit klaxonner derrière elle. Dans le rétroviseur, elle reconnut le rouge éclatant de la Ford et soupira. Elle n'était d'humeur à parler à personne, encore moins à un « play-boy milliardaire ». Elle travaillait, n'avait dormi que deux heures la nuit d'avant et voulait qu'on la laisse tranquille, ce qui valait pour tout le monde, y compris Ward Thayer. Quelque séduisant qu'il fût, elle était libre de mener sa vie.

Il sortit de sa voiture en claquant la portière et se précipita vers elle tout sourire, les bras chargés de tubéreuses blanches, de gardénias et d'une bouteille de champagne. Elle secoua la tête et esquissa un sourire las.

« Vous n'avez donc rien de mieux à faire, monsieur Thayer, que de poursuivre les pauvres actrices exténuées par une journée de travail?

– Ecoutez, Cendrillon, ne vous affolez pas. Je sais que vous devez être fatiguée, mais j'ai justement pensé que tout ceci vous aiderait à supporter la route... A moins, bien sûr, que je puisse vous enlever pour prendre un verre au Beverly Hills Hotel... Ça vous dirait? »

Ses yeux brillaient comme ceux d'un enfant et elle faillit l'envoyer promener.

« Au fait, qui est votre agent publicitaire? »

Elle avait l'air contrariée. Ce fut le regard soucieux que Ward lui répondit.

« Ce doit être un coup de Rita. Je suis désolé... Ça vous ennuie tant que ça? »

Tout le monde savait que Hedda Hopper détestait Orson Welles, alors qu'elle avait toujours adoré Rita. Et Ward. Mais cela, Faye l'ignorait.

Elle sourit. Il était impossible de lui en vouloir. Il était si sincère, si généreux et si clairement heureux de la voir, et, il fallait le reconnaître, en dépit de ce qu'elle avait appris, toujours aussi follement séduisant, d'une séduction à laquelle elle ne pouvait résister. N'avait pu résister non plus à Guadalcanal. Maintenant qu'il était dans son élément, c'était encore plus flagrant. Son charme avait quelque chose de triomphant qui vous désarçonnait.

« Eh bien, disons qu'au moins, maintenant, je sais à qui j'ai affaire. »

Il eut un haussement d'épaules.

« Bah! ce ne sont que des bobards, vous le savez bien. (Il ne fit aucune mention des « admirateurs » de Faye, mais lui décocha un sourire qui l'atteignit droit au cœur. Il avait le chic pour ça.) Devons-nous suivre leur suggestion, Faye? »

Ses yeux étaient un brin moqueurs. Elle ne le connaissait pas encore assez pour savoir si c'était réellement de l'humour.

« Que voulez-vous dire? »

La fatigue l'empêchait de penser. Il la regarda droit dans les yeux pour lui répondre.

« Cette histoire de mariage... Si on les prenait au mot, pour voir?

– Bonne idée, répondit-elle du tac au tac en regardant sa montre. Voyons voir... il est six heures vingt-cinq... Que diriez-vous de huit heures ce soir, pour que nous ayons les gros titres à la une demain matin?

– D'accord, on y va. »

Il ouvrit la portière et s'assit à côté d'elle, l'air de rien, toujours souriant, et de nouveau l'humour l'emporta, balayant la fatigue. Finalement, elle était heureuse de le sentir là, près d'elle. Plus heureuse même qu'elle ne pouvait l'admettre.

« Vous voulez dire que c'est *moi* qui vais conduire? De quel genre de mariage s'agit-il donc?

– Lisez les journaux. Les play-boys ne conduisent jamais eux-mêmes. Ils se font conduire.

– Vous voulez parler des gigolos? Ce n'est pas la même chose, Ward Thayer. »

De nouveau le rire les réunit. Ward s'était rapproché d'elle, mais cela n'eut pas l'air de lui déplaire.

« Et pourquoi un play-boy ne pourrait-il pas se laisser conduire, je vous prie? Je suis fatigué. J'ai eu une rude journée. J'ai déjeuné avec trois amis et nous avons sifflé quatre bouteilles de champagne.

– Colonel, vous me fendez le cœur. Moi, j'ai commencé à travailler à six heures ce matin, et vous, vous avez passé la journée à boire! »

Elle aurait voulu se fâcher mais le rire était le plus fort. Une énorme limousine, qui montait chercher Vance Saint George, les dépassa.

« Voilà ce qu'il vous faudrait, Faye. »

Le ton soudain sérieux la fit redoubler de rire.

« Une bagnole comme ça? Ne soyez pas ridicule! J'adore conduire.

– Ce n'est pas convenable pour une femme de votre rang. Encore moins pour la victime d'un play-boy.

– Parce que je suis votre victime?

– Mais certainement. Bon, à quelle heure avez-vous dit qu'était le mariage? Huit heures?... On ferait bien de se dépêcher... A moins que ce verre vous tente, en fin de compte? »

Elle hocha la tête, moins convaincante qu'auparavant.

« Non, il faut que je rentre, monsieur Thayer. Je ne suis pas au chômage, moi, et ce soir, je n'en peux plus.

– Je ne comprends pas pourquoi. Vous ne vous êtes pas couchée à dix heures, hier soir?

– Eh non! (Elle croisa les bras et lui sourit.) Voyez-vous, je suis sortie avec un play-boy milliardaire. »

Maintenant que la situation était claire, ils s'amusaient. C'était tellement absurde, tellement drôle, la façon dont ils l'abordaient, qu'ils refusaient de prendre quoi que ce soit au sérieux.

« Pas possible! Et qui a osé me doubler?

– J'ai oublié son nom.

– Il était sympa?

– Plus ou moins. Un menteur professionnel, bien sûr. Ils le sont tous.

– Bel homme? »

Elle le fixa droit dans les yeux.

« Très.

– Ça y est, vous vous mettez à mentir, comme lui. Allez, venez, j'ai des amis que j'aimerais vous présenter. (Il lui passa un bras autour des épaules et elle put sentir le parfum épicé, très viril, de son after-shave.) Venez prendre un verre, je vous promets de vous quitter tôt, ce soir.

– Je ne peux pas, Ward. Je m'endormirais sur votre épaule.

– N'ayez crainte, je vous pincerai.

– Vous vouliez réellement qu'on sorte avec des amis? »

C'était la dernière chose dont elle avait envie. Tout ce qu'elle désirait, c'était rentrer à la maison. Elle avait quelques lignes à incorporer à son texte, et le jeu de Saint George était si pauvre qu'elle se sentait obligée de perfectionner le sien pour compenser. Sinon, le film risquait d'être un navet.

« Non, je riais. Il n'y aura que nous deux. Je vous emmènerais bien chez moi, si vous acceptiez, mais je suis à la rue. Ça ne simplifie pas les choses.

– C'est sûr.

– Je pensais m'installer dans la maison de mes parents, mais tout est sous clef et c'est si grand que je m'y perdrais, tout seul. J'ai pris mes quartiers au Beverly Hills en attendant de trouver mieux, et il faudra qu'on se contente du bar de l'hôtel. »

Il aurait été inconvenant de lui proposer de prendre un verre dans sa chambre; il n'envisagea même pas cette éventualité. Elle n'était pas de ce genre, en dépit de sa carrière et de sa cour d'admirateurs. Plutôt jeune fille de bonne famille, Faye, et elle lui plaisait ainsi. Le journal ne s'était pas beaucoup trompé sur ses intentions.

« Alors, qu'en dites-vous? Je vous ramène dans une demi-heure, d'accord?

– D'accord, d'accord... Ma parole, vous êtes plutôt têtu, Ward. Heureusement que ce n'est pas pour vous que je travaille.

– On verra ça, ma petite. (Il lui pinça la joue.) Maintenant, prenez ma place, je vais vous conduire. »

Il sortit et fit le tour de la voiture.

« Vous n'aurez pas besoin de la vôtre?

– Je viendrai la chercher en taxi après vous avoir raccompagnée.

– Ça ne va pas vous compliquer les choses?

– Pas du tout. Maintenant, pourquoi ne posez-vous pas votre tête sur le dossier pour vous reposer jusqu'à l'hôtel? Vous avez l'air éreintée. (Elle aimait le son de sa voix, l'expression de son regard... le contact de sa main dans la sienne... Elle le regarda conduire à travers ses paupières mi-closes.) Comment va le travail?

– Vance Saint-George est impossible. Je me demande comment il est arrivé là. »

Ward le savait, lui, mais resta silencieux. Il avait couché avec tout le monde en ville et il faudrait bien un jour qu'il en subisse les conséquences.

« Il n'est pas bon?

– Il pourrait l'être, si seulement il s'occupait un peu moins de sa petite personne et travaillait son texte. C'est tellement pénible de travailler avec lui! Il n'est jamais prêt, on traîne pendant des heures... »

Elle se redressa et regarda au-dehors tandis qu'ils approchaient de l'hôtel.

« J'ai entendu dire que vous étiez remarquable, Miss Price, sur le plan professionnel. »

Elle sourit.

« Qui vous a dit cela?

– J'ai rencontré Louis B. Mayer au resto ce midi. Il m'a dit que vous étiez la meilleure actrice de Hollywood, et bien sûr, je suis d'accord.

– Vous en savez, des choses! Vous êtes parti pendant quatre ans et vous avez manqué mes meilleurs films. »

Elle fit la fière et cela le fit rire. Il se sentait heureux avec elle, heureux comme jamais depuis des années.

« Oui, mais vous oubliez Guadalcanal. Combien de gens ont eu ce privilège? »

Aussitôt ils éclatèrent de rire, pensant aux milliers de soldats qu'elle avait vus en deux ans de tournée.

« Bon, enfin, passons... »

Il s'arrêta devant l'immeuble rose et sauta de voiture pour l'aider à sortir. Elle jeta un coup d'œil à son pantalon.

« Vous croyez que je vais pouvoir entrer comme ça?

– Faye Price? Mais vous seriez en costume de bain qu'ils se précipiteraient pour vous baiser les pieds.

– Vous êtes sûr? Vous ne croyez pas que c'est plutôt Ward Thayer qui les impressionne?

– Bêtises! »

Pourtant, comme à l'accoutumée, ils eurent droit à la meilleure table. Mais Faye se vit demander trois autographes, et, lorsqu'ils quittèrent l'hôtel une heure plus tard, quelqu'un avait appelé la presse, et un flash leur explosa au visage.

« Oh! je déteste ça. (Elle se réfugia dans l'auto avec Ward, agacée, mais le photographe était toujours cramponné à leurs basques.) Ils ne peuvent donc pas nous laisser tranquilles? Qu'est-ce qu'ils nous trouvent de spécial?

– Vous faites parler de vous, ma chère. C'est la

vie... (Il se demanda si cela lui déplaisait de se montrer avec lui; peut-être aimait-elle quelqu'un d'autre. Cela ne lui était pas encore venu à l'esprit, mais c'était plausible.) Ça ne vous met pas dans une situation embarrassante, au moins, Faye? »

Il avait réellement l'air inquiet.

« Pas comme vous semblez l'entendre. Mais je n'ai aucune envie de rendre publiques les quelques heures d'intimité dont je dispose.

– Il va falloir être discrets, alors. »

Elle fit un signe de tête affirmatif. Mais, le lendemain, lorsqu'il vint la chercher dans sa vraie voiture, une Duesenberg hors série achetée avant la guerre, ils semblaient déjà l'avoir oublié. Faye comprit pourquoi le portier de chez Ciro avait eu l'air déçu. Elle n'avait jamais vu de plus belle voiture.

Il l'emmena au Mocambo ce soir-là, et Charlie Morrison, le patron aux cheveux grisonnants, accourut pour échanger avec Ward une chaleureuse poignée de main. Il semblait ravi du retour de l'enfant prodigue, et un autre magnum de champagne fit son apparition, tandis qu'inquiète, Faye fouillait la pièce du regard. Elle était déjà venue, bien sûr; c'était l'endroit le plus huppé de la ville, avec sa volière d'oiseaux rares et ses couples enlacés, et une clientèle de stars dont ils faisaient maintenant partie, elle et Ward.

« Je n'ai pas l'impression que nous allons passer inaperçus, ce soir. Charles Morrison sera sans doute le premier à prévenir les journalistes. Ça vous ennuie beaucoup, Faye?

– L'ennui, Ward, c'est que vous ne savez pas vous rendre invisible. Mais finalement, je crois que je m'en moque. Après tout, ni vous ni moi n'avons rien à cacher. Bien sûr, un peu d'intimité aurait été plus agréable, mais ce n'est pas notre fort, ni à l'un ni à l'autre.

– Ça ne m'a jamais trop gêné, jusqu'à présent. »

Il prit une gorgée de champagne. Il le buvait au litre, comme s'il avait eu l'exclusivité de la marque.

« Si j'avais pu me douter, lorsque j'ai rencontré ce charmant lieutenant dans la jungle de Guadalcanal, qu'il était pourri de fric et traînait de bar en bar en engloutissant des océans de champagne... »

Il ne sembla pas offusqué de sa réflexion. C'était vrai, mais le tableau n'était pas complet. Par bien des côtés, il savait que cette guerre lui avait fait du bien. Cela avait été les quatre plus terribles années de sa vie, mais au moins il s'était prouvé qu'il pouvait survivre aux privations, au danger, à la peur, à l'inconfort. Pendant quatre ans, il n'avait jamais cherché à user de ses relations ou de son nom, bien que plusieurs de ses camarades aient su qui il était.

Et puis il avait épousé cette fille et avait pensé ne jamais s'en remettre, lorsqu'elle avait été tuée. C'était la première fois qu'il voyait la mort en face et qu'il vivait un tel chagrin. Faye était entrée dans sa vie avec son charme fou et son irrésistible aura, son sens des réalités et son immense talent. C'était une chance qu'elle n'ait pas su dès le début qui il était. Elle ne se serait sans doute pas intéressée à lui, l'aurait jugé frivole, ce qu'il était parfois. Il aimait s'amuser. Mais il était également capable de sérieux, et Faye commençait à le comprendre. Ward était quelqu'un de complexe, comme elle. Ils s'appréciaient pour ce qu'ils étaient, non pour ce qu'ils possédaient. C'était sur bien des points le couple idéal, ce que Hedda Hopper avait aussitôt perçu.

« Quels sont vos buts dans la vie, Faye? »

Il avait parlé d'un ton badin, devant leur quatrième coupe de champagne, mais la question semblait sérieuse, et de plus – Faye fronça les sourcils – intéressante.

« Vous voulez vraiment le savoir?

– Mais oui.

– Eh bien... à vrai dire... quand j'y pense, je vois deux possibilités, comme deux voies allant dans deux directions différentes, et j'avoue que je ne sais laquelle choisir.

– Et où mènent-elles?

– Une des voies représente tout ça... (Son regard fit le tour de la salle brillante du Mocambo.) Les mêmes gens, les mêmes lieux, les mêmes choses... La poursuite de ma carrière : davantage de films... de gloire... davantage de tout ce que j'ai déjà.

– Et l'autre voie? (Il lui prit doucement la main.) Où va l'autre, Faye? »

Sa voix était chaude, son regard tendre. Un instant elle oublia où elle était, et, plongeant ses yeux dans les siens, elle vit quelque chose de désirable, sans bien savoir ce que c'était.

« C'est une direction totalement différente... Un mari... des enfants... Une vie qui ressemble plus à celle de mon enfance. J'ai du mal à l'imaginer mais je sais que ce serait possible, si je le voulais vraiment. Mais c'est un choix trop difficile à faire.

– Et on ne pourrait pas concilier les deux? »

Elle secoua la tête.

« J'en doute fort. Regardez la façon dont je travaille. Je me lève à cinq heures du matin, je finis à six heures du soir. Je ne rentre jamais chez moi avant sept ou huit heures. Quel homme accepterait de partager une vie pareille? Non, croyez-moi, j'ai vu trop de mariages hollywoodiens se casser la figure. Je connais la chanson. Ce n'est pas ainsi que je vois ma vie.

– Et comment la voyez-vous, alors, Faye? »

Elle lui sourit. C'était un curieux sujet de conversation pour une troisième rencontre.

« Je crois que j'aimerais une situation stable, une vie de couple qui durerait toujours, avec un homme que j'aimerais et respecterais, et des enfants, bien sûr.

– Combien?

– Oh! dix au moins, dit-elle en riant.

– Mon Dieu, tant que ça? Cinq ou six ne suffiraient-ils pas?

– A la rigueur, si vous y tenez.

– Eh bien, la perspective me semble hautement intéressante.

– A moi aussi, sauf que je me vois mal dans ce rôle.

– Votre carrière compte tant que cela?

– Je ne sais pas trop... J'ai tellement travaillé depuis six ans! Pourrais-je vivre sans?... (Soudain elle s'interrompit et éclata de rire.) Mais encore un ou deux films comme celui que je tourne en ce moment, et il ne faudra pas me pousser beaucoup pour que j'envoie tout promener!

– J'aimerais que vous le fassiez un jour. »

Il lui pressa doucement les mains, si grave qu'elle tressaillit.

« Pourquoi cela?

– Parce que je vous aime, Faye, et que la seconde voie que vous venez de décrire me semble la meilleure possible, la plus épanouie. La première est un chemin solitaire. N'est-ce pas ainsi que vous vivez maintenant? »

Elle fit lentement oui de la tête, étonnée. Cela ressemblait un peu trop à une déclaration et elle ne savait que répondre. Elle dégagea lentement ses mains.

« Vous venez de rentrer, Ward. Vous ne voyez

plus les choses comme avant. Vous êtes encore sous le coup de l'émotion... »

Elle voulait le décourager. Il allait si vite en besogne... Mon Dieu, elle le connaissait à peine, et pourtant quelque chose lui disait qu'elle ne devait pas passer à côté de ce moment, qu'elle devait le laisser mûrir, laisser agir l'envoûtement de Guadalcanal, la guerre, la lutte pour la survie, le trésor d'une vie sauve.

Il lui reprit la main et lui baisa les doigts.

« Je ne plaisante pas, Faye. C'est la première fois que je suis amoureux à ce point. Et je l'ai su dès notre première rencontre dans le Pacifique, mais c'était difficile de vous en parler. J'étais certain d'y passer. Pourtant me revoilà, bien vivant, et vous êtes la plus adorable des femmes...

– Comment osez-vous dire cela? »

Elle semblait outrée. Il voulut la prendre dans ses bras, mais c'était impossible, en plein milieu du restaurant, avec les objectifs des photographes et les yeux de tous braqués sur eux.

« Vous ne me connaissez même pas! continua-t-elle. Vous m'avez vue chanter pendant deux heures, puis nous avons passé une demi-heure à bavarder, et depuis votre retour, nous nous sommes vus trois fois... »

Quelque chose la poussait à le décourager avant qu'il soit trop tard, mais elle ignorait quoi. Tout semblait aller si vite, et pourtant elle ne pouvait nier l'incroyable sentiment qu'elle éprouvait avec lui, comme s'ils marchaient ensemble, la main dans la main, vers un soleil couchant sans fin, toute une vie passée ainsi. Mais non, les choses ne pouvaient évoluer aussi vite, c'était impossible. Ou bien se trompait-elle? Etait-ce là le grand amour, le grand frisson dont on parlait tant?

« Il est trop tôt, Ward.

– Trop tôt pour quoi? Pour que je tombe amoureux de vous? Vous avez peut-être raison, mais je n'y peux rien. Je vous aime depuis que je vous ai vue.

– Vous devez rêver, Ward.

– Non, non, Faye, je vous vois bien devant moi, telle que vous êtes, intelligente, réaliste et pratique. Et avec ça belle, modeste, tendre et drôle. Vous vous foutez de ce que racontent les agences de presse. Vous aimez votre métier, et vous exigez beaucoup de vous-même. Vous êtes la personne la plus honnête que je connaisse, et en plus, vous réussissez toujours, grâce à tout ce que je viens de mentionner... et si je ne vous tire pas d'ici immédiatement pour vous embrasser, je vais devenir fou, Faye Price, aussi taisez-vous, ou je vous embrasse devant tout le monde! »

Inquiète sur le fond, Faye ne pouvait pourtant pas s'empêcher de sourire.

« Et si au bout de six mois vous vous mettez à me détester?

– Pourquoi?

– Parce que j'ai certainement des habitudes qui vous déplairont. Ward, je vous en conjure, vous ne me connaissez pas. Et je ne vous connais pas non plus.

– Parfait, nous prendrons le temps de faire connaissance. Mais j'ai bien l'intention de me coller à vous et de vous harceler jusqu'à ce que vous ayez dit « oui ». »

Il sembla satisfait de ses paroles, et avala son verre de champagne avec contentement, avant de fixer Faye.

« Ça vous va?

– Que se passerait-il si je refusais?

– Vous ne voulez pas essayer? »

C'était ce sourire qu'elle finissait par aimer, l'air

malicieux de son regard presque outremer. Il était difficile de résister à Ward, et elle n'était même pas sûre de le vouloir vraiment. Elle voulait simplement qu'ils soient raisonnables. D'autres lui avaient déjà fait le coup de la grande histoire d'amour, bien que, elle devait le reconnaître, celui-ci fût différent. Mais elle ne voulait pas être de ces femmes qui alimentent la presse à scandale, amoureuses de celui-ci, fiancées à celui-là, et qui finissaient usées, putains de Hollywood vieillies avant l'âge. Elle ne voulait pas se donner en spectacle, et c'était une des choses qu'il appréciait en elle. En fait, il était convaincu de tout aimer en elle, et elle s'en doutait un peu, mais il n'était pas question de s'abandonner ainsi à lui au bout de trois jours.

« Ward, vous êtes impossible.

– Je le sais. (Une inquiétude le prit.) Ça vous ennuie peut-être que je ne travaille pas?

– Pas si vous en avez les moyens, je suppose. Mais vous ne finissez pas par vous ennuyer, à la longue, Ward? »

Elle se demandait ce qu'il pouvait faire de tout ce temps libre. Le travail accaparait sa vie depuis si longtemps qu'il lui était difficile d'imaginer une existence faite de parties de tennis et de repas bien arrosés. Elle n'aurait pas voulu de cette vie pour un empire, mais Ward ne semblait nullement malheureux.

« Ecoutez, Faye. (Il se rencogna sur son siège.) J'aime cette vie. Je l'aime depuis toujours. A la mort de mon père, je me suis juré que je ne passerais jamais ma vie à suer comme il l'a fait. Mon père est mort à quarante-six ans d'une crise cardiaque. Ma mère en avait quarante-trois, et je crois qu'elle est tout simplement morte de s'être rongé les sangs à son sujet. De toute leur existence, mes parents ne se sont jamais arrêtés une minute pour faire ce dont ils avaient envie, prendre le temps de vivre, et c'est malheureux à dire, s'occuper un peu de moi. Et je jure bien que si jamais j'ai des enfants un jour, et même avant cela, je ne mènerai jamais une existence pareille. C'est une folie. J'ai trop d'argent à dépenser, d'ailleurs, pour parler vulgairement. (Ce qu'il faisait rarement, comme Faye avait pu le constater, mais elle lui était reconnaissante de sa sincérité.) Mon grand-père a fait la même chose et il est mort à cinquante-cinq ans, de surmenage. Je vous demande un peu... Qu'est-ce qui reste de tout ça quand on meurt? Moi, je préfère jouir de la vie tant que c'est possible, et on pourra toujours jaser, je ne tiens pas à crever d'un arrêt du cœur à quarante-quatre ans, ou rester un inconnu pour ma femme et mes enfants. Je veux une vie avec eux, une vie de joies partagées, je veux les connaître et qu'ils me connaissent. Je n'ai jamais connu mon père, Faye, il est resté une énigme. Et comme vous, j'imagine deux voies distinctes. La vie qu'ils ont menée et que je ne veux jamais vivre, et la vie que je mène actuellement, qui me convient à merveille. Et tout ce que j'espère, c'est qu'elle vous conviendra à vous aussi. (Il la regarda droit dans les yeux et respira à fond.) Mais bien sûr, si vous y tenez, je peux toujours me trouver un travail. »

Faye ne savait que répondre, stupéfaite de ces soudaines révélations. Il semblait sérieux. Mais pouvait-il en être autrement trois jours après son arrivée?

« Non, Ward. Quel droit aurais-je d'exiger cela de vous? » (Et s'il en avait les moyens, pourquoi bouleverserait-il sa vie? Il ne dérangeait personne. Elle reprit doucement :) « Je ne peux pas croire que vous y pensiez sérieusement. »

Ils se regardèrent longtemps en silence. Ward sembla se faire à ce qu'elle avait dit. Puis il se leva et l'entraîna vers le parquet où ils dansèrent interminablement, sans un mot. Lorsqu'il la reconduisit à leur table, Ward se demanda s'il l'avait blessée et souhaita que non.

« Ça va, Faye? »

Elle était bien pensive, tout à coup. Il crut l'avoir effrayée en se confiant aussi sincèrement.

« Je ne sais pas. Je crois que je suis simplement abasourdie.

– Ah! bon. J'aime mieux ça. »

Il lui passa un bras autour des épaules et la serra doucement, admirant une fois de plus le dos-nu de satin marine. Elle portait toujours des robes d'une sensualité subtile qui le ravissait. Il aurait voulu la couvrir sur-le-champ de fourrures et de bijoux.

Le reste de la soirée se passa à badiner, Faye s'efforçant de se persuader qu'il n'avait pas encore mis son cœur à nu, Ward se félicitant qu'elle sache ce qu'il éprouvait pour elle. Après le dîner, il la reconduisit chez elle, et cette fois, elle l'invita à prendre un verre de cognac, avec toutefois une certaine appréhension. Elle savait ce qu'il pensait maintenant et se demandait s'il n'était pas dangereux de le laisser entrer. Mais tout en remplissant son verre, elle rit d'elle-même. Il n'allait tout de même pas la violer! Elle lui tendit le verre, souriante, et il la regarda, émerveillé.

« Vous êtes si belle, Faye... plus belle que je ne le pensais.

– Mon cher, vous devriez vous faire examiner les yeux! »

Ses compliments la gênaient, ils étaient toujours excessifs, et elle lisait dans ses yeux une telle adoration... C'était un homme insouciant et heureux, sans grandes déceptions, sans grands soucis, et à l'évidence fou d'elle.

« Que faites-vous demain? »

Elle le lui avait demandé uniquement pour dire quelque chose, et cela le fit rire.

« Je préfère vous dire ce que je ne fais pas : travailler. »

Il semblait si peu honteux de le rappeler que Faye en fut amusée. Certes, il lui avait donné pendant le dîner toutes les raisons de son attitude, mais il en tirait presque une certaine fierté, et il était plus flatté que choqué de l'appellation « playboy milliardaire ».

« Si seulement vous n'étiez pas accaparée par ce maudit film, Faye, nous pourrions sortir, nous amuser. »

Elle imaginait le tableau : des après-midi entiers à paresser sur la plage, des journées passées dans d'extravagantes dépenses, peut-être un ou deux voyages lointains. Rien de désagréable dans tout cela, au contraire...! Mais il n'était même pas question d'y penser.

« J'aimerais vous emmener au casino d'Avalon Bay un de ces soirs, mais il faudrait que nous passions une nuit sur l'île Catalina. Pensez-vous pouvoir me sacrifier un week-end? »

Elle secoua tristement la tête.

« Pas avant la fin du film. »

Elle se força à sourire, le nez dans son cognac à l'arôme capiteux, rêvant aux folies qu'ils pourraient faire ensemble.

« Il y a tellement d'endroits où j'aimerais vous emmener... Paris... Venise... Cannes... Maintenant que la guerre est finie, le monde nous est ouvert.

– Quel enfant gâté vous faites, Ward! dit-elle joyeusement, tout en reposant son verre. Il faut bien que l'un de nous deux travaille, et je ne peux pas m'embarquer dans une croisière autour du monde.

– Et pourquoi cela?

– Parce que le studio ne me le permettra pas. Après ce film, mon agent va renouveler mon contrat et ils vont m'assassiner de travail pendant encore très, très longtemps. »

Les yeux de Ward brillèrent d'excitation.

« Vous voulez dire qu'après ce film, votre contrat arrive à expiration? Mais c'est fantastique, Faye! Pourquoi ne prenez-vous pas un an de vacances?

– Vous êtes fou? Autant dire adieu à ma carrière!

– Je ne vous comprends pas. Enfin, Faye, vous êtes une des plus grandes actrices de Hollywood. Vous n'allez pas me dire que vous ne pouvez pas vous absenter pendant un an et reprendre votre carrière où vous l'aviez laissée?

– Je crains que non.

– Vous vous trompez, Faye Price. Je suis certain que vous pourriez revenir à n'importe quel moment : on se bousculerait pour vous avoir.

– C'est un risque énorme, Ward, et il n'est pas question que je prenne ce genre de libertés avec ma carrière. »

Il la regarda avec gravité. Les choses évoluaient beaucoup plus vite qu'ils ne l'avaient escompté.

« C'est ce fameux carrefour, Faye... Quelle voie voulez-vous réellement suivre? La même que maintenant? Ou celle dont nous avons parlé... Mariage, enfants... stabilité... la vraie vie à mes yeux... »

Elle marcha lentement jusqu'à la fenêtre et fixa son jardin enfoui dans la nuit, avant de se retourner vers lui, des larmes dans les yeux. Mais ce qui surprit Ward, c'était la colère qui s'y mêlait.

« Vous allez arrêter maintenant, Ward.

– Arrêter quoi? »

Il n'avait pas voulu la blesser et s'étonnait de sa réaction.

« De me torturer avec ces bêtises. Nous nous connaissons à peine. Cela fait trois jours que vous me faites la cour. Mais il y a gros à parier que dans une semaine, vous aurez été séduit par la première starlette venue, ou Rita Hayworth, que sais-je? Voyez-vous, Ward, j'ai travaillé comme une bête pour en arriver là, et je n'ai nullement l'intention de laisser tomber, pas maintenant, peut-être même jamais. En tout cas pas pour un ex-G.I. à moitié fou, à peine débarqué de la guerre, et qui se croit amoureux de moi parce qu'il m'a parlé un instant pendant une tournée. Ce n'est pas suffisant pour que j'envoie ma vie en l'air, Ward Thayer. Et je me fiche que vous soyez riche et entièrement libre de votre temps, que vous n'ayez jamais travaillé un jour de votre vie. Moi, j'ai travaillé. Chaque jour de ma vie depuis que j'ai dix-huit ans. Et il n'est pas question que je m'arrête. J'ai acheté cette maison, et j'y reste, jusqu'à ce que je sois assez en sécurité pour la quitter sans risque. »

Les termes qu'elle avait employés – sécurité, risque – le frappèrent. Faye avait raison. Elle avait consacré tous ses efforts, toute sa vie, à en arriver là. Il aurait été aberrant de tout envoyer promener. Mais il saurait lui prouver qu'il avait été sincère en se déclarant à elle... si elle voulait bien l'écouter.

« Je n'ai plus envie de vous entendre. (Les larmes lui coulaient sur les joues.) Vous tenez à me voir, parfait. Emmenez-moi dîner, faites-moi danser, rire... Mais ne me demandez pas de sacrifier ma carrière à un étranger, quel que soit l'attachement que j'aie pour lui, quelque effet que cela puisse me faire... »

Là, elle ne put réprimer un sanglot et se détourna, les épaules secouées. Il vint à elle et la serra dans ses bras, la poitrine contre son dos nu et chaud, le visage enfoui dans ses cheveux de soie.

« Tu seras toujours en sécurité avec moi, Faye... Je te le promets. Mais je comprends ce que tu veux dire. Je n'ai pas voulu t'effrayer. Mais je suis tellement fou de toi que je n'ai pas pu me retenir. »

Il la fit doucement pivoter, et son cœur se brisa lorsqu'il vit son beau visage ruisselant de larmes.

« Oh! Faye... »

Il la serra plus fort et l'embrassa. Au lieu de lui résister, tout en elle la poussa vers lui. Elle avait besoin qu'il la console, besoin de ce désir qu'elle sentait en lui, besoin de lui comme elle n'avait jamais eu besoin d'aucun autre.

Ils s'embrassèrent pendant ce qui sembla des heures, se cherchant l'un l'autre des mains, des lèvres, et Faye sentit fondre la colère et l'appréhension qui l'oppressaient, éperdue d'amour pour cet homme incroyable, sans qu'elle sût pourquoi. Peut-être avait-elle cru en lui, cru en la sécurité qu'il lui offrait... pour toujours... une protection qu'elle n'avait jamais eue. Pas avec ses parents pendant la grande crise, pas dans la solitude, ensuite, ni avec les autres hommes. Et ce n'était pas qu'une question d'argent. C'était sa façon d'être, sa façon de vivre, la certitude qu'il avait d'évoluer dans un univers de perfection et d'insouciance. Et puis cette adoration qu'il lui portait... Ils durent s'arracher l'un à l'autre une heure plus tard, afin d'éviter ce pour quoi ils ne se sentaient pas prêts. Ward savait que Faye aurait regretté de s'être abandonnée à lui aussi vite et prit congé en craignant de succomber lui aussi. Il aurait voulu la prendre sur le sol de son bureau, devant la cheminée, ou en haut dans sa chambre tendue de soie blanche, ou dans sa baignoire... ou sur l'escalier... n'importe où... son corps la désirait à faire mal, mais il savait qu'il devait se résoudre à attendre. Et lorsqu'ils se revirent le lendemain, le supplice fut encore plus doux, le baiser immédiat et fou dans la Duesenberg, derrière les grilles de la villa, comme deux enfants. Et puis le rire les prit et ils filèrent vers le Biltmore Bowl.

On y donnait une grande soirée et les photographes se déchaînèrent dès que parut Ward. Mais cette fois, Faye laissa faire. Elle avait eu quatre jours pour comprendre qu'on ne résiste pas à Ward Thayer. Elle ne savait pas où les mènerait cette extravagante histoire d'amour, mais elle s'y résignait d'avance.

Faye avait revêtu pour l'occasion son long manteau de renard blanc sur une robe de satin blanc soulignée de noir. Elle fit son entrée au bras de Ward, beauté rayonnante, et leva un instant vers lui un regard tendre et heureux. Il lui sourit. Les photographes se bousculèrent devant eux, avant de passer la soirée à griller de la pellicule. Mais, comme promis, Ward ramena avant minuit sa Cendrillon. Les nuits de veille commençaient à peser sur son visage. Mais Vance Saint George ayant fait de ses retards une habitude, elle trouvait le temps d'une sieste avant son arrivée.

« Tu t'es bien amusée? »

Il baissa les yeux vers la tête blonde qui reposait sur son épaule, tandis qu'il la reconduisait chez elle.

C'était une soirée de promotion d'un nouveau film et tous les grands noms du cinéma s'y trouvaient.

« Comme une folle! (Elle commençait à prendre réellement plaisir à leurs sorties nocturnes.) Si seulement je n'avais pas ce film sur le dos... »

Il rit et lui tira doucement les cheveux.

« Ah! tu vois pourquoi je t'ai dit de ne pas renouveler ton contrat l'autre soir. Ce n'est pas plus gai comme ça?

– C'est surtout qu'on y prend goût. Mais je n'oublie pas que je travaille, Ward. »

Elle avait adopté un ton sentencieux qui les fit rire.

« Puisque tu y tiens. Mais si jamais tu changes d'avis... »

Il lui jeta un regard éloquent auquel elle ne répondit pas. Lorsqu'ils furent devant la maison, il l'embrassa passionnément et dut se retenir pour ne pas l'emporter en haut des marches.

« Il faut que j'y aille », déclara-t-il précipitamment.

Il y avait un réel désespoir dans sa voix et elle l'embrassa de nouveau sous le porche. Ce délicieux supplice se prolongea des semaines, jusqu'à une fin d'après-midi d'octobre, un mois après le début de leur relation. Ils se promenaient dans le jardin en discutant de la guerre, et de choses et d'autres. C'était un dimanche, elle avait eu son après-midi libre. Arthur et Elisabeth étaient partis pour le week-end. Ils marchaient lentement, paisiblement, le long des pelouses. Elle lui avait parlé de son enfance, de ses parents, de son chagrin de quitter la Pennsylvanie, de sa joie de commencer comme mannequin, à New York, et puis de l'ennui qui la reprenait encore maintenant, au sommet de sa carrière.

« J'ai l'impression que je n'utilise pas toutes les capacités de mon esprit... de me limiter aux expressions du visage, à l'inflexion de la voix. Je ne voudrais pas passer le restant de mes jours à mémoriser des phrases écrites par d'autres. »

C'était une confession intéressante qui intrigua Ward.

« Que préférerais-tu, Faye? »

Il continuait de la désirer comme un fou, mais il n'y avait rien à y faire. Au moins étaient-ils seuls, pour une fois. Elle n'était pas en train de courir sur le chemin du studio, Arthur ne rôdait pas autour d'eux avec un plateau d'argent, et ils n'étaient invités à aucune soirée. Ils avaient besoin d'intimité et elle lui avait proposé de dîner à la maison. L'après-midi ensemble avait été paresseux et enchanteur, avec la piscine, la longue promenade.

« Peut-être aimerais-tu écrire des scénarios? »

Il se tourna vers elle et sourit de son air apeuré.

« Je ne crois pas que j'y arriverais.

– Alors quoi?

– Diriger les acteurs... Un jour, peut-être... »

Elle avait dit ces mots dans un souffle. Pour une femme, c'était une folle ambition, et il ne s'en rappelait aucune qui y fût parvenue.

« Tu crois qu'on te laissera faire?

– Ce n'est pas sûr. Personne n'admettra qu'une femme en soit capable. Pourtant, je sais que j'y arriverais. Quand je vois Saint George en scène, parfois, j'ai envie de hurler, je sais tellement ce que je lui dirais si je pouvais... la façon dont je le dirigerais... quelles instructions je lui donnerais. Il est si simplet... il faut lui faire exprimer les émotions dont il est capable, et, crois-moi (elle leva les yeux au ciel), elles sont rares.

Ward lui sourit et cueillit un œillet rouge qu'il lui piqua derrière l'oreille.

« T'ai-je dit que tu étais ravissante?

– Pas dernièrement, non. (Son regard se fit tendre et admiratif.) Tu me gâtes trop, Ward. Personne n'a jamais été aussi gentil avec moi. »

Elle semblait réellement heureuse. Il ne résista pas à l'envie de la taquiner. Ils avaient dès le début adopté un ton dégagé, sans contrainte, qui leur plaisait.

« Pas même Gable?

– Arrête, monstre. »

Elle lui fit la grimace avant de s'enfuir en courant. Il la poursuivit, puis, l'ayant rattrapée, il la serra dans ses bras. Ils s'embrassèrent sous la charmille à bout de souffle, haletants de désir contenu, et Ward crut qu'il ne pourrait jamais se détacher d'elle, cette fois. Mais il le fit encore, douloureusement.

« Ce n'est pas facile, tu sais. »

Il la regarda, déchiré, et elle hocha la tête, tandis qu'ils regagnaient lentement la maison. Ce n'était pas facile pour elle non plus. Mais elle ne voulait pas que cette liaison fût un échec, comme les autres. Il lui avait dit dès le début ce qu'il attendait d'elle, et l'enjeu était trop élevé pour qu'elle se risquât à la légère. Il lui demandait tout, sa vie, sa carrière, son corps, les enfants qui naîtraient de son corps, et pour cela, elle devait tout quitter... et, elle le reconnaissait, c'était parfois tentant. Elle avait même demandé récemment à son agent d'attendre un peu avant de signer un nouveau contrat. Il l'avait traitée de folle, mais elle lui avait expliqué qu'elle avait besoin de réfléchir. Ce qui devenait de plus en plus difficile avec Ward auprès d'elle.

« Tu me rends folle, toi aussi, Ward », murmura-t-elle tandis qu'ils gagnaient son bureau.

Mais l'endroit était lugubre, renfermé, et surtout si sévère qu'elle décida de faire du thé et de s'installer en haut, dans son boudoir. C'était une petite pièce douce et chaude. Ward alluma un feu dans la cheminée, juste pour le plaisir, et ils s'assirent côte à côte pour le contempler.

« On m'a fait une offre pour un très beau film », dit-elle sans grande conviction.

Elle n'était pas sûre de vouloir le tourner, et son indécision avait exaspéré son agent.

« Qui doit jouer avec toi?

– Personne encore, mais ce ne sont pas les stars qui manquent.

– Tu veux le faire? »

Sa voix ne donnait aucun signe d'énervement, il

lui posait la question, simplement, mais elle laissa passer du temps avant de répondre, le regard figé dans la contemplation du feu.

« Je n'en ai aucune idée. (Elle le regarda, l'air satisfait, comblé même.) Tu me rends terriblement paresseuse, Ward.

– Et qu'est-ce que cela a de si mal? »

Il enfouit son visage dans le cou parfumé et se mit à l'embrasser, tandis qu'une main se perdait dans son corsage et se mettait à jouer avec ses seins. Elle voulut l'arrêter, mais la sensation était trop agréable, et elle n'avait jamais voulu le repousser, mais ce n'était décidément pas raisonnable... non... mais ces doigts brûlants étaient si délicieux! Leurs bouches se trouvèrent et la passion monta en eux, pressante. Ils ne semblaient jamais vouloir respirer. Sa jupe lui remonta au-dessus du genou, tandis qu'une main explorait ses cuisses, montait... tout son corps en trembla. Soudain Ward s'écarta d'elle. Torturé et haletant, il la regarda, puis se prit le visage entre les mains.

« Faye... je ne peux plus... j'ai trop envie de toi... »

Il lui était impossible de se retenir plus longtemps, il la désirait trop, depuis trop longtemps. Il la regarda de nouveau, les larmes aux yeux, avant de l'embrasser rien qu'une fois encore, et ce fut ce baiser qui décida de leur vie. La façon dont elle le lui rendit lui prouva qu'elle était à lui, et silencieusement, elle se leva pour l'entraîner jusqu'à la chambre immensément blanche. Et, sans plus attendre, il la coucha sur le lit, dans la fourrure de renard blanc. Il lui ôta un à un ses vêtements, dévorant son corps de baisers, lui parlant tout bas, tandis que les doigts de Faye le déshabillaient avec douceur, et ils se retrouvèrent nus dans la somptueuse fourrure blanche, puis soudain enlacés, assemblés l'un à l'autre, et il ne fut plus question de résistance ni de bonnes manières. Faye cria, submergée de désir pour lui, et dès qu'il fut en elle, Ward fut incapable de se maîtriser plus longtemps. Ils se donnèrent l'un à l'autre avec une violence qui à des yeux étrangers aurait semblé destructrice, mais qui n'était que l'expression d'une passion totale, la première de leur vie. Et lorsque enfin elle reposa en silence dans le creux de ses bras, dans l'infinie douceur de la fourrure, il la regarda avec un amour neuf et inconnu jusqu'alors.

« Faye, je t'aime plus que ma vie.

– Ne dis pas cela... »

L'étendue de sa passion l'effrayait parfois. Il l'aimait tant... mais si son amour s'éteignait un jour? Elle ne l'aurait jamais supporté.

« Pourquoi, puisque c'est vrai?

– Je t'aime, moi aussi. »

Elle le regarda avec un sourire comblé, et il se pencha pour l'embrasser encore, surpris de sentir son corps la réclamer de nouveau, surpris aussi de son empressement à lui répondre, et ils firent ainsi l'amour pendant des heures, jamais rassasiés, comme pour rattraper tout le temps perdu loin l'un de l'autre, comme si des siècles d'attente impuissante s'étaient écoulés.

« Et maintenant, mon amour? »

Il était minuit lorsqu'il s'assit au bord du lit et lui sourit pendant qu'elle se relevait lentement, s'étirait et souriait à son tour à l'homme qu'elle aimait avec tant de passion.

« Si nous prenions un bain? »

Et puis soudain, elle se souvint et mit une main sur sa bouche, horrifiée.

« Mon Dieu, j'ai oublié de te faire à dîner!

– Mais non, pas du tout. (Il l'attira à lui.) Je me suis régalé. »

Elle rougit. Il écarta doucement ses longs cheveux blonds de son visage, avant de passer avec elle dans la salle de bain en marbre blanc. Elle emplit la baignoire d'eau chaude et savonneuse, et ils s'y glissèrent. Ward la chatouilla du pied à certains endroits subtils tout en lui mordillant les doigts de pied.

« Je t'ai posé une question, il y a un instant. »

Elle fronça légèrement les sourcils, incapable de se rappeler.

« Qu'est-ce que c'était? »

– Je t'ai dit : Et maintenant? »

Un sourire énigmatique se dessina sur le visage de Faye.

« Et je t'ai proposé de prendre un bain...

– C'est charmant, mais tu savais bien ce que je voulais dire. Je ne veux pas me limiter à une liaison, Faye. »

Il était un peu embarrassé et en même temps follement heureux de la façon dont ils avaient passé cette soirée.

« Bien que ce soit tentant, je le reconnais », ajouta-t-il.

Elle ne dit rien, se contentant de le regarder, le cœur battant.

« Voulez-vous m'épouser, Faye Price?

– Non. »

Elle s'était levée, le laissant stupéfait, et sortit de la baignoire.

« Où vas-tu? »

Elle se retourna vers lui, magnifique dans sa nudité parfaite, au milieu du marbre blanc.

« Je ne veux pas avoir à dire à mes enfants que leur père a demandé ma main dans une baignoire. »

Ward éclata de rire.

« Je vais arranger ça. »

Il sauta de la baignoire, enleva Faye dans ses bras et la déposa toute mouillée sur le jeté de lit en renard. Puis il s'agenouilla devant elle et la contempla avec une évidente adoration.

« Veux-tu m'épouser, mon amour? »

Un sourire espiègle, un sourire de bonheur illumina le visage de Faye, terrifiée aussi de la décision qu'elle allait prendre. Mais elle n'avait plus le choix. Ce n'était pas seulement de lui avoir appartenu, mais elle le voulait. « L'autre voie »... la belle vie... se marier, avoir des enfants avec lui... Et avec lui, elle se sentait le courage d'y arriver. Elle devrait tout abandonner, mais sa carrière ne comptait déjà plus.

« Oui. »

Ce n'était qu'un murmure. Il l'embrassa fougueusement, avant qu'elle change d'avis, et lorsqu'ils reprirent leur souffle, ils éclatèrent d'un bon rire heureux et fou.

« Tu le veux vraiment, dis-moi, Faye? »

Il voulait en être totalement sûr... Il le fallait... avant qu'il ne devienne complètement fou, jusqu'à renoncer pour elle au reste du monde.

« Mais oui... oui... oui... oui...

– Je t'aime, Faye. Ah! comme je t'aime! »

Il la prit dans ses bras, et elle rit parce qu'il la serrait si fort, soudain. Jamais elle n'avait été aussi heureuse.

« Dis-moi, chérie... (Il lui souriait, les cheveux blonds tout ébouriffés, les yeux aussi brillants que des saphirs.) Tu crois qu'on devra aussi dire aux enfants dans quelle tenue tu te trouvais lorsque je t'ai demandée en mariage? Parce que vous êtes dans de beaux draps, madame Thayer!

– Mon Dieu... je n'y avais pas pensé! »

Elle rit dans ses bras et un moment après, ils étaient couchés dans la fourrure blanche. Des heures passèrent avant qu'ils retournent dans la baignoire, remplie d'eau chaude à nouveau. Il était déjà quatre heures du matin, et Faye comprit qu'elle ne dormirait pas avant de retourner travailler. Ils restèrent une heure entière dans la baignoire, discutant de leurs projets, de leur vie, de leur secret, du moment le plus propice pour le révéler à tout le monde. Ils se réjouirent d'avance du choc que provoquerait non pas l'annonce de leur mariage, mais celle de l'abandon de sa carrière. Et comme elle le lui dit, elle en tremblait, mais plus d'excitation que de panique. Elle réalisait maintenant que tout au fond d'elle-même, secrètement, elle y avait soigneusement réfléchi. Elle avait toujours su ce que désirait Ward et ce qu'il était prêt de son côté à lui offrir, et elle ne regrettait rien. Qu'abandonnait-elle, en fin de compte? Une carrière qu'elle aimait, mais qui avait déjà atteint son apogée. Elle avait gagné un Oscar, reçu les applaudissements du public et réalisé une douzaine de bons films. Il était temps qu'elle se retire. Une autre vie l'attendait, une vraie vie de femme. Assise dans la baignoire, elle sourit à son futur mari et un sentiment nouveau l'envahit, fait de paix, de confiance et de certitude d'avoir choisi la meilleure voie.

« Tu es bien sûre de ne pas le regretter? »

Ward voulut douter encore, mais son bonheur était trop grand. Il voulait commencer à chercher une maison l'après-midi même, mais elle lui rappela qu'elle n'était pas entièrement libre. Elle avait encore devant elle au moins un mois de tournage.

« Pas une seconde.

– Quand penses-tu finir ce film?

– Eh bien, si Saint-George se tient à peu près correctement, le 1er décembre.

– Alors nous fixerons la date du mariage le

15 décembre. Où veux-tu passer ta lune de miel? Au Mexique? A Hawaii? Ou en Europe? »

Il ponctua ces mots d'un sourire épanoui, et le cœur de Faye se gonfla de tout l'amour qu'elle éprouvait pour lui.

« Comment se fait-il que j'aie eu la chance de te rencontrer? »

Elle n'avait jamais été aussi heureuse qu'en cet instant. Avec lui.

« C'est moi qui ai une chance folle. »

Ils s'embrassèrent avant de quitter à regret la baignoire. Faye descendit faire du café, pensant qu'elle devrait remettre un peu d'ordre dans sa chambre avant de partir. Il la conduisit aux studios dans la Duesenberg, et ils chantèrent tout le long du chemin, comme deux gosses fous qu'ils étaient. Les deux prochains mois seraient difficiles, mais ils auraient tant à faire... tant à préparer... tant de projets à bâtir pour leur avenir.

BEVERLY HILLS
1946-1952

CHAPITRE 5

LE mariage fut célébré à l'église presbytérienne de Hollywood, sur North Grover Street, près de Hollywood Boulevard. Faye remonta l'allée centrale avec une grâce mesurée, la tête droite, dans une exquise robe de satin ivoire ornée de perles en arabesques, les cheveux relevés par un diadème du même satin rehaussé de perles, un voile presque imperceptible et sans fin flottant autour d'elle. Sa chevelure semblait de l'or cascadant sur ses épaules, et sa gorge était parée d'une rivière de diamants. C'était un cadeau de mariage de Ward, un des bijoux préférés de sa grand-mère maternelle.

Abe Abramson avait conduit Faye jusqu'à l'autel, et Harriet Fielding était sa dame d'honneur. Faye l'avait décidée à venir en dépit de furieuses protestations. Harriet ne put retenir ses larmes lorsque Abe confia Faye à Ward devant l'autel. Le jeune couple était plus beau et plus rayonnant qu'aucun couple de cinéma. Et lorsqu'ils sortirent ensemble de l'église, au soleil de Hollywood, des centaines de personnes se pressaient pour les féliciter. Des admirateurs leur jetaient des poignées de riz et des pétales de roses, des jeunes filles s'égosillaient pour obtenir un autographe, les femmes pleuraient d'émotion, les hommes avaient l'œil tendre. Le couple disparut dans la nouvelle Duesenberg que Ward avait achetée quelques semaines plus tôt pour l'occasion, sorte de cadeau nuptial à sa femme et à lui-même, et ils roulèrent jusqu'au Biltmore pour la réception, rejoints par Abe, Harriet et quatre cents amis. Ce fut le plus beau jour de la vie de Faye, et les photographes s'en donnèrent à cœur joie.

Mais ils furent encore plus nombreux trois semaines plus tard, lorsque Ward et elles rentrèrent de leur voyage de noces à Acapulco. Faye annonça la décision qu'elle avait prise deux mois plus tôt et qu'elle avait eu la sagesse de tenir secrète jusqu'à cette date; Abe lui-même en fut surpris. Les gros titres le clamèrent brièvement ce soir-là : « Faye Price renonce à sa carrière pour épouser un milliardaire. » C'était dit sans détour, et plutôt exagéré, mais en gros, c'était ce qu'elle avait décidé, pas tant pour les « milliards » de Ward, bien que ce fût plus facile, mais parce qu'elle sentait que de toute façon sa carrière était derrière elle. Elle voulait désormais consacrer sa vie à son mari et à ses enfants, et Ward n'était certainement pas le dernier à se réjouir de sa décision. C'était un bonheur fou que de l'avoir tout à lui, de paresser au lit jusqu'à midi, de faire l'amour à tout moment, de prendre dans leur chambre leur petit déjeuner et même le déjeuner si cela leur chantait, de danser toute la nuit chez Ciro, au Mocambo ou chez leurs amis. Et Ward s'amusait comme un enfant à lui acheter des toilettes de rêve qui s'ajoutaient à une garde-robe déjà impressionnante. Les trois manteaux de fourrure semblaient ternes à côté des merveilles qu'il lui avait offertes, deux longs manteaux de zibeline de styles et de nuances différents, une extraordinaire étole de renard argenté, un renard roux, un chinchilla bleu, toutes les fourrures imaginables, et plus de bijoux qu'elle ne pourrait en porter une vie entière. Il ne se passait pas de jour sans que Ward revienne avec une boîte enrubannée provenant de l'une ou de l'autre des plus prestigieuses boutiques de la ville. C'était chaque jour Noël, et devant tant d'amour et de générosité, Faye ne trouvait plus ses mots.

« Oh! Ward! C'est trop, vraiment trop! »

Elle était nue dans un nouveau manteau de renard roux, un collier d'énormes perles fines autour du cou, sans rien d'autre pour couvrir le corps si jeune et si sublime qu'il adorait.

« Pourquoi? »

Il s'assit pour la contempler avec un sourire de contentement, l'éternelle coupe de champagne à la main. Il semblait boire par barriques mais n'était jamais ivre; aussi Faye le prenait-elle bien. Elle lui sourit tendrement.

« Tu n'es pas obligé d'en faire autant, Ward. Je t'aimerais dans une cabane de roseaux, si nous n'avions que des journaux pour nous couvrir.

– Quelle idée répugnante... (Il fit la grimace, puis cligna de l'œil en contemplant ses longues jambes au galbe parfait.) Quoique... finalement... je te verrais bien dans la page des sports, sans rien d'autre.

– Idiot! (Elle courut à lui pour l'embrasser encore et il posa sa coupe pour la prendre sur ses genoux.) Tu es sûr que tu es assez riche, Ward? On ne devrait pas dépenser tant d'argent, maintenant que je ne gagne plus rien. »

Elle se sentait encore un peu coupable de ne plus travailler, mais les moments avec Ward étaient si divins qu'elle n'arrivait pas à regretter le cinéma. Comme elle l'avait dit aux journalistes, « c'était le passé ». Pourtant, elle s'inquiétait un peu, à la longue. Depuis trois mois qu'ils étaient mariés, il avait déjà dépensé une fortune.

« Ma chérie, je peux en dépenser dix fois plus! »

C'était une intention généreuse, quoiqu'un peu différente de ce que lui avaient dit ses hommes d'affaires. Mais ils étaient si timorés! Aucune sensibilité, aucun style, aucun sens de la vie et de l'amour. Toujours à l'importuner avec leurs mises en garde mesquines... Il connaissait bien, lui, l'étendue de sa fortune, et il y avait largement de quoi s'amuser un peu, pour un temps au moins. Plus tard, ils reprendraient une vie « raisonnable », sans que ni lui ni Faye aient à travailler, cela allait de soi. Il ne l'avait jamais fait et ce n'était pas maintenant, à vingt-huit ans, qu'il allait commencer; il s'amusait trop, et auprès de Faye il avait trouvé le paradis.

« Où veux-tu que nous dînions ce soir?

– Je ne sais pas... »

Elle n'osait l'avouer, mais elle adorait le décor exotique et banal du Coconut Grove, avec ses palmiers et ses silhouettes de bateaux blancs dans le lointain. Elle se croyait en mer, et les palmiers lui rappelaient Guadalcanal, leur première rencontre...

« On retourne au Grove, reprit-elle, ou tu en as déjà assez? »

Il rit de nouveau et appela le maître d'hôtel pour qu'il prenne les réservations. Ils avaient engagé une armada de domestiques pour tenir leur nouvelle maison.

Ward ayant finalement décidé de ne pas réintégrer la somptueuse villa de ses parents, il avait acquis pour Faye un merveilleux domaine qui avait autrefois appartenu à une reine du cinéma muet. Le jardin était immense, presque un parc, avec un lac et des cygnes, plusieurs jolies fontaines, de longues allées ombragées. La maison elle-même était un petit Versailles. Il y avait bien assez de place pour les dix enfants dont il la menaçait sans cesse. Ils l'avaient meublée avec les précieuses antiquités de la maison de Faye, laquelle s'était enlevée aussitôt après la mise en vente; ils avaient choisi parmi les meubles des parents de Ward ceux qu'ils préféraient et acheté le reste ensemble, dans des ventes aux enchères et des magasins d'antiquités de Beverly Hills. L'installation était presque finie, et Ward parlait de vendre la maison de ses parents, trop vaste, sombre, et vieillotte à leur goût. Ses hommes d'affaires lui avaient toujours conseillé de la garder, pour le cas où, une fois marié, il voudrait l'habiter. Il y tenait, à cette maison, c'était certain. Mais il était clair qu'ils n'y vivraient jamais, et les conseillers de Ward étaient maintenant pressés qu'il s'en sépare, pour réinvestir l'argent dans une meilleure source de revenus, ce dont Ward ne se préoccupait pas trop.

Ils firent une longue promenade dans le jardin cet après-midi-là et s'assirent près du petit lac, bavardant et s'embrassant tour à tour. Ces journées étaient paradisiaques, ils ne semblaient jamais fatigués l'un de l'autre. Faye leva des yeux rêveurs et souriants lorsque Arthur les rejoignit avec deux coupes de champagne. Elle était reconnaissante à Ward de lui avoir laissé Elisabeth et Arthur, et ceux-ci paraissaient satisfaits de leur nouvelle vie. Arthur avait accepté Ward, bien que ce dernier fût d'une extravagance folle. Un jour, il avait même commandé pour Faye une calèche attelée de six chevaux blancs pour la promener dans le parc, et il y avait six nouvelles voitures au garage, que les deux chauffeurs passaient leur temps à astiquer. N'ayant jamais connu un tel luxe, Faye était souvent prise d'un terrible sentiment de culpabilité. Mais Ward avait une façon si charmante et si gaie de lui présenter les choses qu'elle entrait dans le jeu; et les jours s'écoulaient, plus vite qu'elle ne pouvait les compter.

« Tu laisses réchauffer ton champagne... »

Ward lui sourit. Jamais elle n'avait été aussi belle, même au sommet de sa carrière. Elle avait pris du poids, ses joues brillaient de santé et ses yeux étaient du vert le plus chatoyant, surtout dans le soleil qui les pailletait d'or. Il avait sans cesse envie de l'embrasser... dans le jardin... dans leur chambre... dans la voiture. Il aimait l'embrasser partout, à toute heure. Il l'adorait et elle était folle de lui.

Mais plus que tout, elle était heureuse, comblée, et cela se voyait sur son visage tandis qu'elle le fixait tendrement et refusait le champagne.

« J'aimerais mieux de la limonade.

– Pouah! »

Il fit une affreuse grimace et elle éclata de rire. Main dans la main, ils rentrèrent à la maison, où ils jouèrent paresseusement à l'amour avant de se préparer pour le dîner. C'était une vie idyllique, mais Faye savait que ces jours bénis n'étaient pas éternels. Ils auraient des enfants, et ceux-ci grandiraient. On ne pouvait passer sa vie à s'amuser. Mais tant qu'ils le pouvaient, ils profitaient de ces instants magiques, et leur lune de miel semblait ne jamais devoir s'arrêter.

Ce soir-là, au Grove, Ward lui offrit une magnifique bague où scintillaient deux énormes émeraudes en poire. Faye en eut le souffle coupé.

« Ward! Mon Dieu... mais pourquoi?... »

Il se délectait de sa stupéfaction, de sa joie, à chaque nouveau présent.

« C'est pour notre troisième anniversaire, petite étourdie! »

Cela faisait trois mois, exactement, trois mois qui avaient été les plus heureux de leur vie, ciel bleu sans nuages. Il glissa la bague à son doigt, et ils dansèrent pendant des heures. Mais lorsqu'ils regagnèrent leur table, Ward lui trouva l'air fatigué. Ils avaient veillé plusieurs soirs de suite, plusieurs mois en fait, mais c'était bien la première fois qu'elle semblait si lasse.

« Tu te sens bien, ma chérie?

– Oui, oui. »

Elle sourit mais mangea très peu et ne but pas, et dès onze heures se mit à bâiller, ce qui ne lui ressemblait guère.

« Eh bien, je crois que ça y est. La lune de miel est finie. Je commence à t'assommer.

– Non! Pourquoi dis-tu ça?... Je suis désolée, chéri, mais je...

– Je le vois bien... Tant pis, il faudra que je me fasse une raison. »

Il ne cessa de la taquiner pendant tout le chemin, mais lorsque, une fois à la maison, il sortit de la salle de bain, il la trouva profondément endormie, roulée en boule dans leur grand lit, belle à croquer dans sa chemise de nuit de satin rose. Il voulut la réveiller, sans résultat : elle n'était plus là. Le lendemain, la cause en fut évidente. Elle se leva et rendit aussitôt son petit déjeuner. C'était la première fois qu'il la voyait malade. Paniqué, il insista pour appeler le médecin, en dépit de ses protestations.

« Par pitié, Ward, ce doit être la grippe. Tu ne vas pas déranger ce pauvre homme. Je me sens très bien.

– On ne le dirait pas, tu es verte. Maintenant recouche-toi et attends le docteur. »

Mais ce dernier ne vit aucune raison pour que Mme Thayer restât au lit, à moins qu'elle tînt à y rester huit mois entiers. Selon ses calculs, le bébé était prévu pour novembre.

« Un bébé? Un bébé! Notre bébé! »

Ward en était fou d'excitation et de soulagement. Il se mit à danser dans la pièce après le départ du médecin, provoquant les éclats de rire de Faye. Mais bien vite, il se précipita à son chevet, la suppliant de lui dire de quoi elle avait besoin, ce qu'il pouvait faire pour elle. La nouvelle et la réaction de Ward avaient enchanté Faye, et, bien entendu, il y eut un écho immédiat dans les journaux. « L'ex-reine de l'écran attend son premier enfant. » Aucun détail de leur vie ne restait longtemps secret. Ward n'aurait jamais pu tenir sa langue, de toute façon. Il claironnait la nouvelle à qui voulait l'entendre, traitait Faye comme si elle était faite du cristal le plus délicat, et les cadeaux dont il l'avait inondée auparavant n'étaient rien comparés à ce qu'il lui offrait maintenant. Elle n'avait pas assez de tiroirs et de boîtes pour ranger tout ce luxe délirant.

« Ward, ça suffit, maintenant! Je ne sais même plus où les mettre.

– Alors, bâtissons une villa rien que pour tes bijoux. »

Il éclata d'un rire espiègle, et Faye eut beau continuer ses reproches, rien n'y fit. Lorsqu'il ne la couvrait pas de bijoux, il achetait des landaus, des poneys, de petits manteaux de vison et des ours en peluche; il fit même construire dans le parc un manège de chevaux de bois grandeur nature. Il permis à Faye d'y monter en octobre lorsqu'elle vint l'admirer.

Elle se sentait remarquablement bien après les premiers mois pénibles, bien qu'elle fût aussi gonflée qu'un ballon.

« Il suffirait de m'attacher un panier aux talons, et on pourrait me louer aux touristes pour survoler Los Angeles », dit-elle un jour à une amie, au grand effroi de Ward.

Il la trouvait splendide, toute fragile qu'elle était, et il était si ému qu'il ne se sentait pas le courage d'attendre un mois de plus. Elle avait un lit réservé dans la meilleure clinique de la ville, et le meilleur médecin.

« Je veux le meilleur pour mon amour et mon bébé, répétait-il en insistant pour la gaver de champagne quand elle ne lui trouvait plus aucun goût. »

Souvent, elle souhaitait qu'il éprouve la même sensation. Il n'était jamais ivre mais buvait trop. Il avait toujours un verre à la main; le soir, lorsqu'ils sortaient, le scotch remplaçait le champagne. Mais elle n'aurait jamais osé s'en plaindre : il était si bon pour elle... Comment aurait-elle pu lui reprocher un si petit défaut? Et lorsqu'il demanda qu'une caisse de leur champagne préféré fût envoyée par avance à l'hôpital, pour fêter l'heureux événement, elle sut qu'il ne pensait pas à mal.

« J'espère qu'ils le garderont au frais. »

Et aussitôt il ordonna à Westcott, le maître d'hôtel, de téléphoner à l'hôpital pour leur conseiller la meilleure température, ce qui fit rire Faye plus qu'elle ne pouvait se le permettre.

« Tu ne crois pas qu'ils ont d'autres chats à fouetter, Ward? »

Elle savait pourtant que la clinique était habituée à ce genre de requêtes : c'était là que naissaient tous les enfants de stars.

« Je ne vois pas ce qu'ils pourraient avoir de plus important à faire que de garder au frais le champagne pour ma femme adorée?

– Personnellement, je vois plusieurs possibilités... »

Son regard était si éloquent qu'il la prit doucement dans ses bras et ils s'embrassèrent comme deux jeunes amoureux qu'ils étaient. Il avait faim d'elle, même maintenant, mais le médecin le leur avait interdit. Et Faye n'avait plus la patience d'attendre que cela redevînt possible.

« C'est presque pire qu'au tout début de notre rencontre », se plaignit-il une nuit, forçant ses lèvres à sourire avant de quitter le lit pour se verser du champagne.

L'enfant était prévu dans trois jours, mais le docteur les avait avertis qu'il pouvait avoir plusieurs semaines de retard, chose fréquente chez les premiers-nés.

« J'en suis vraiment désolée, chéri. »

Elle était réellement fatiguée. Depuis plusieurs jours, tout mouvement l'exténuait. Elle avait refusé de se promener avec lui dans le jardin cet après-midi-là, même lorsqu'il lui eut parlé du poney nain qu'il venait d'acheter. Et le soir même, elle se dit trop fatiguée pour dîner. Elle était montée se coucher à quatre heures de l'après-midi. A deux heures du matin, elle ne dormait pas, gros ballon de soie rose au col orné de plumes de cygne.

« Tu veux du champagne, ma chérie? Ça t'aiderait peut-être à dormir. »

Elle secoua la tête, son dos lui faisait mal et, depuis plusieurs heures, elle était dans un état nauséeux. Pour finir, elle avait presque l'impression d'avoir attrapé la grippe.

« Je crois que rien ne pourrait m'aider à dormir. »

Il y avait bien un remède, suggéra-t-elle un moment après, mais c'était justement ce qui leur était interdit.

« A mon avis, tu seras de nouveau enceinte avant d'avoir quitté la clinique, dit Ward en riant. Je ne pourrai certainement pas me retenir plus d'une heure après la naissance du bébé. »

Cette pensée la fit rire.

« Voilà au moins une perspective réjouissante. »

Pour la première fois depuis neuf mois, elle avait l'air dolent. Il l'embrassa doucement avant d'aller éteindre. Mais dès qu'il eut le doigt sur l'interrupteur, il entendit derrière lui un cri aigu. Se retournant, il vit son visage crispé par la douleur, puis soudain plus rien. Ils se regardèrent, étonnés.

« Qu'est-ce que c'était?

– Je ne suis pas sûre. »

Elle avait parcouru quelques livres spécialisés, mais quant à la façon dont commençait le travail, Faye n'était guère fixée. D'ailleurs, tout le monde avait dit que les dernières semaines, il pouvait se produire plusieurs fausses alertes. Il y avait peu de chances, pensèrent-ils tous les deux. Mais la douleur avait été fulgurante. Ward décida de laisser la lumière allumée, au cas où cela se reproduirait. Vingt minutes plus tard, rien ne s'étant passé, il se releva pour éteindre, et de nouveau elle cria, mais cette fois la douleur la fit se tordre sur son lit et la sueur perla à son front.

« J'appelle le médecin. »

Il sentait son cœur battre violemment et ses paumes étaient moites. Faye était devenue pâle, effrayée.

« Ne sois pas bête, chéri, je vais bien, je t'assure. On ne va pas le déranger chaque nuit pendant un mois. Si ça se trouve, ça prendra des semaines.

– Mais tu devais accoucher dans trois jours!

– Oui, mais il m'a parlé de retard. Reposons-nous maintenant, on verra demain matin.

– Tu veux que je laisse allumé. »

Elle hocha la tête. Il alla éteindre avant de se glisser précautionneusement à côté d'elle, comme s'il craignait, en secouant le lit, de faire exploser son ventre et de voir naître le bébé, là, tout de suite. Faye eut un petit rire dans le noir. Mais soudain son souffle se fit court et elle lui prit la main qu'elle serra très fort. Elle haleta, cherchant sa respiration lorsque la douleur fut passée, et se dressa sur son séant.

« Ward... »

Il restait couché, se demandant que faire, bouleversé par le ton de sa voix. Elle semblait si vulnérable, si terrifiée... Instinctivement, il la prit dans ses bras.

« Ma chérie, il faut appeler le médecin.

– Ça m'ennuie de le déranger à cette heure.

– C'est son travail, Faye. »

Mais elle insista pour qu'ils attendent le matin. A sept heures, Ward n'avait plus aucun doute. C'était sûrement cela. Et il se moquait de cette histoire de fausse alerte; les contractions se suivaient toutes les cinq minutes et elle serrait les dents pour ne pas crier à chaque douleur. En désespoir de cause, Ward la quitta et appela le médecin, qui sembla satisfait de la nouvelle et suggéra :

« Ça va probablement prendre du temps, monsieur Thayer, mais il vaut mieux l'installer tout de suite à la clinique.

– Est-ce que je peux lui donner quelque chose pour la soulager?

– J'aurai une meilleure idée lorsque je l'aurai vue.

– Que voulez-vous dire? Nom d'un chien, elle n'en peut plus... Il faut que vous lui donniez quelque chose... »

Ward lui-même avait désespérément besoin de prendre un verre, quelque chose de plus puissant que du champagne, cette fois.

« Nous ferons tout notre possible, monsieur Thayer. Tranquillisez-vous et amenez-la-moi à la clinique le plus vite possible.

– Je serai là dans dix minutes, docteur. »

Celui-ci ne répondit pas, mais il n'avait aucune intention d'être sur les lieux avant une heure au moins. Il voulait prendre une douche et se raser, il n'avait pas fini de lire son journal et il connaissait trop bien son métier pour ignorer qu'il faudrait des heures, voire un jour entier, avant l'accouchement. Il n'avait donc aucune raison de se presser, quel que fût l'affolement du futur jeune père. Il saurait lui parler en arrivant là-bas, et les infirmières se chargeraient de le tenir à distance. La semaine d'avant, un homme avait réussi à pénétrer dans la salle de travail, mais le service de surveillance l'avait emmené de force en le menaçant de le mettre en prison s'il ne se tenait pas tranquille. Ce genre d'incident n'était pas à craindre avec Ward Thayer.

Et il était ravi d'accoucher Faye Price, c'était un fleuron de plus à sa couronne.

Lorsque Ward retourna dans leur chambre, il fut horrifié : Faye était affalée dans la salle de bain au milieu d'une mare, avec un air hébété, douloureux.

« Je viens de perdre les eaux. »

Sa voix était rauque, ses yeux agrandis par la peur.

« Mon Dieu, Faye, j'appelle l'ambulance.

– Non, ce n'est pas la peine, ça ira. »

Mais à l'évidence, ça n'allait pas, et elle était aussi bouleversée que lui.

« Qu'a dit le docteur?

– Il veut que je te conduise tout de suite à la clinique.

– Tu sais, Ward, dit-elle en le regardant droit dans les yeux, je ne crois pas que ce soit une fausse alerte. »

Elle semblait plus détendue. Il l'aida à se relever et à marcher jusqu'à la penderie.

« Qu'est-ce que je dois mettre? »

Elle regardait ses placards ouverts, indécise. Ward grogna d'impatience.

« Pour l'amour du Ciel, Faye, prends n'importe quoi... mais fais vite. Que dirais-tu d'une robe de chambre?

– Ne sois pas ridicule. Et s'il y a des photographes? »

Ward la regarda et lui sourit.

« Ne t'en fais donc pas. Viens, je vais t'aider. »

Il sortit une robe du placard, l'aida à l'enfiler, puis à descendre. Il voulut la porter, mais elle insista pour marcher. Et quelques minutes plus tard, elle était confortablement installée dans la Duesenberg, la couverture de zibeline autour des jambes, assise sur une pile de serviettes. Le chauffeur les conduisit jusqu'à la clinique, et Ward l'aida à descendre. Elle fut aussitôt emmenée en chaise roulante. Ward resta dans le hall à faire les cent pas. Six heures s'écoulèrent ainsi. Il avait en vain demandé à voir le médecin en arrivant, puis finalement, à deux heures et demie, il le vit accourir dans le couloir en blouse bleue, le calot de chirurgien encore sur la tête, le masque à son cou et la main chaleureusement tendue.

« Félicitations, c'est un beau et gros garçon! »

Le médecin sourit. Ward, sur le coup, ne sut que lui dire, comme s'il ne s'y était pas vraiment attendu, même après toutes ces heures passées à arpenter le hall comme un enragé. Il n'aurait pu supporter d'attendre une demi-heure de plus.

« Il pèse trois kilos huit cents, et votre femme se porte comme un charme.

– Est-ce que je peux la voir? »

Il se sentait défaillir de soulagement. Faye allait bien, le bébé était en parfaite santé, il revivait.

« Dans quelques heures. Elle dort pour l'instant.

C'est un sacré boulot, vous savez, de mettre au monde ces petits bonshommes. »

Le docteur sourit encore. Il ne dit pas à Ward combien l'accouchement avait été difficile, au point qu'il avait envisagé une césarienne. Et il n'avait pas voulu endormir Faye avant que la tête de l'enfant soit sortie. Ils avaient attendu la dernière minute, la naissance de l'enfant, avant de l'anesthésier. Il avait été plus facile de la recoudre, ainsi, et il n'y avait aucune raison de la réveiller. Sa tâche était finie.

« Merci infiniment, docteur. »

Ward lui serra fougueusement la main, avant de se ruer hors de la clinique. Il avait un cadeau pour elle à la maison, une énorme broche de diamants avec la bague et le bracelet assortis, bien rangés dans leur écrin capitonné de velours bleu de chez Tiffany. Mais surtout, de toute urgence, il avait besoin d'un verre. Le chauffeur fila jusqu'à la maison, et Ward se précipita à l'intérieur. Quelle incroyable journée! Il se versa un double scotch, s'étira dans un fauteuil, respira et réalisa enfin qu'il avait un fils. Il aurait voulu monter sur le toit pour crier sa joie! Et il lui tardait de retrouver Faye. Il vida son verre d'un trait, s'en versa un second, et courut au premier étage regarder une fois de plus le cadeau qu'il lui destinait. Elle serait contente, mais lui l'était bien plus. Mon Dieu... un garçon!... un fils! Leur premier-né. Tandis qu'il se douchait, se rasait et s'habillait pour retourner à la clinique, il ne cessait d'imaginer tout ce qu'ils feraient ensemble un jour. Voyager, s'amuser, entre hommes. Toutes choses qu'il n'avait jamais vécues avec son père. Lui serait différent. Ils joueraient au tennis, au polo ensemble, ils iraient pêcher dans les hauts-fonds du Pacifique Sud, ils voyageraient, profiteraient de la vie ensemble. Ce fut un Ward rayonnant qui reparut à la clinique, à cinq heures, et demanda à l'infirmière d'apporter le champagne dans la chambre de Faye. Mais lorsqu'il entra, sur la pointe des pieds, elle était encore inconsciente. Elle ouvrit les yeux, ne le reconnut pas tout d'abord, puis sourit, ses cheveux flamboyants entourant d'un halo, sur l'oreiller, son visage encore pâle. Elle avait un air presque éthéré pendant qu'elle le considérait d'un œil somnolent.

« Alors... Qu'est-ce qu'on a eu...? »

Sa voix s'évanouit et ses yeux se fermèrent. Ward se pencha pour l'embrasser et murmura :

« On ne te l'a pas dit? »

Il sembla choqué; l'infirmière quitta silencieusement la chambre. Faye secoua la tête.

« Un garçon! Un petit garçon! »

Elle lui sourit faiblement et refusa le champagne. Elle ne pouvait s'asseoir. Ward la trouvait très pâle encore et s'inquiétait beaucoup, en dépit des efforts des infirmières pour le rassurer. Il resta un long moment au bord du lit à lui tenir la main.

« Est-ce que ça a été vraiment... très... difficile, ma chérie? »

Sa voix hésitante et quelque chose dans le regard de Faye lui indiqua quel martyre elle avait subi, mais bravement elle secoua la tête.

« Est-ce que tu l'as vu? Il ressemble à qui?

– Je ne sais pas... Je ne l'ai pas encore vu... J'espère qu'il te ressemble. »

Ensuite, il la laissa dormir. Il lui avait apporté le somptueux cadeau et elle se montra convenablement impressionnée, mais il voyait bien qu'elle n'était pas elle-même. Sans doute souffrait-elle beaucoup, sans vouloir l'avouer. Sur la pointe des pieds, il redescendit pour aller voir son fils. L'infirmière le tenait dans ses bras de l'autre côté de la vitre de la pouponnière. Il vit aussitôt qu'il ressemblait à Faye; c'était un gros et beau bébé rond avec un duvet blond sur le crâne. Ward le regarda et le bébé ouvrit la bouche pour pousser ce qui devait être un vagissement plein de santé. Tandis qu'il quittait la clinique et montait dans la Duesenberg, Ward se disait qu'il n'avait jamais été aussi fier. Sachant qu'il y retrouverait tous ses amis, il alla dîner chez Ciro et passa la soirée à se vanter, à offrir des cigares, à se soûler au champagne, pendant que dans sa chambre d'hôpital Faye noyait sa douleur dans le sommeil, s'efforçant d'oublier ce cauchemar.

Elle quitta la clinique moins d'une semaine plus tard, et en arrivant à la maison, elle semblait beaucoup mieux. Elle voulait s'occuper aussitôt du bébé, mais Ward l'avait persuadée que ce ne serait pas raisonnable. Faye avait besoin de toutes ses nuits de sommeil. Ils avaient engagé une nurse qui assura la relève pendant que Faye reprenait des forces.

Deux semaines plus tard, elle était sur pied, le bébé dans ses bras presque en permanence, plus belle encore qu'avant, lui dit Ward.

Ils l'appelèrent Lionel et le firent baptiser le jour de Noël à l'église où ils s'étaient mariés.

« C'est le plus beau des cadeaux de Noël. (Ward sourit à son fils en regagnant la maison, et Faye éclata de rire. Lionel allait sur ses deux mois.) Il est superbe, c'est ton portrait tout craché.

– Moi, je le trouve très mignon, quelle que soit la ressemblance. »

Elle contempla, radieuse, l'enfant endormi dans les bras de son père. Il avait été très sage pendant la cérémonie. Lorsqu'il s'éveilla à la maison, il ne sembla pas offusqué d'être passé de main en main parmi une foule de curieux. Tout ce que Hollywood comptait de célébrités s'était dérangé pour le voir, les plus grands acteurs, producteurs et metteurs en scène, toute la vie passée de Faye, et aussi les amis plus mondains de Ward. On ne cessait de la taquiner d'avoir abandonné sa carrière... « Tu comptes vraiment pouponner pour le restant de tes jours, Faye ? » Elle répondait que oui, et Ward à son côté le confirmait d'un large sourire. Il était si fier de sa femme et de son fils ! Ce jour-là, le champagne coula à flots. Le soir, il l'emmena danser au Biltmore Bowl, comme autrefois. Faye avait eu une remarquable convalescence. Elle avait retrouvé sa silhouette de jeune fille et était en grande forme. Quant à Ward, il trouvait qu'elle n'avait jamais été aussi belle, et les photographes ne l'auraient certainement pas contredit.

« Si je comprends bien, tu es prête à recommencer ? » plaisanta-t-il.

Elle n'en était pas vraiment certaine, quant à elle.

Le souvenir de ses souffrances était encore vif, mais elle était folle de Lionel. Recommencer ne serait peut-être pas si terrible, après tout. Pourtant, quelques semaines plus tôt, elle aurait hurlé rien que d'y penser.

« Que dirais-tu d'une seconde lune de miel au Mexique ? » suggéra Ward, et aussitôt elle adora l'idée.

Ils partirent après le Jour de l'An et goûtèrent trois merveilleuses semaines de vacances à Acapulco. Ils y retrouvèrent quelques amis mais, la plupart du temps, préférèrent la solitude à deux. Ils louèrent un yacht et passèrent deux jours de béatitude totale à pêcher en haute mer. C'étaient des vacances de rêve, mais cela l'aurait été encore plus si, la dernière semaine, Faye n'avait été malade. Elle accusa le poisson, la chaleur, le soleil, sans rien imaginer d'autre. Une fois de retour, Ward insista pour qu'elle voie le médecin, et le diagnostic la stupéfia. Elle était de nouveau enceinte.

Ward fut fou de joie et elle aussi. Tout se passait exactement comme ils l'avaient rêvé au départ. Cette fois, ce fut de la part de tous des taquineries sans fin. « Alors, Ward, tu ne peux pas la laisser un peu tranquille?... Qu'est-ce qui vous arrive à tous les deux?... Laisse-lui au moins le temps de se redonner un coup de peigne, Ward. » Mais ils étaient tous les deux trop heureux, et cette fois, ils envoyèrent promener toutes les recommandations de la terre et firent l'amour presque jusqu'à la fin. Puisque désormais elle serait enceinte neuf mois sur dix, lui dit Ward, ce n'était pas la peine de faire chambre à part. Il joignit le geste à la parole. Les douleurs vinrent avec cinq jours de retard seulement et l'accouchement fut moins pénible. Elle reconnut plus aisément les symptômes du travail, qui commença par un chaud après-midi de septembre. Ils faillirent bien ne pas être à temps à la clinique, tant les contractions étaient fortes et rapides; Faye serrait les dents et les poings lorsqu'ils arrivèrent. Un garçon naquit moins de deux heures plus tard, et Ward à son chevet, ce soir-là, s'effraya moins de la trouver assoupie. Cette fois, il lui offrit une paire de boucles d'oreilles ornées de saphirs et la bague de trente carats assortie. C'était leur second fils. Ils le baptisèrent Gregory. Faye fut encore plus prompte à récupérer. Mais elle se jura d'être plus prudente, au moins « pour un temps ».

Lorsque le bébé eut trois mois, ils partirent sur le *Queen Elizabeth* pour un long voyage d'agrément, emmenant la nurse et les deux garçons, en cabine de luxe. Ils eurent d'immenses suites dans chacun des hôtels où ils descendirent, que ce soit à Londres, Paris, Munich ou Rome. Ils passèrent même quelques jours au soleil de Cannes, avant de regagner Paris, puis New York. Ce fut un merveilleux voyage pour tous les quatre, et Faye était aussi heureuse qu'on peut l'être en compagnie de son mari bien-aimé et de ses deux petits garçons. Elle s'était arrêtée une ou deux fois pour signer des autographes, mais c'était de moins en moins fréquent. Peu de gens la reconnaissaient. Elle était très belle pourtant, mais d'une beauté différente, plus digne peut-être, moins tapageuse et moins sensuelle, sauf le soir, lorsqu'elle sortait avec Ward. Elle adorait sortir avec ses fils en pantalon et pull-over, un foulard noué autour de ses boucles dorées. Pour elle, il n'y avait pas de vie plus parfaite, et Ward était fier comme un pape.

A leur retour, ils trouvèrent la maison inchangée, mais les commérages hollywoodiens avaient pris une tournure inquiétante. La liste noire avait fait son apparition quelques mois plus tôt, et un nombre incalculable d'acteurs, de metteurs en scène, de scénaristes et d'autres gens qu'ils avaient connus se retrouvaient sans emploi. Le mot de « communiste » était sur toutes les lèvres, et des doigts accusateurs étaient pointés dans toutes les directions, au mépris même des liens d'amitié les plus solides. C'était pour beaucoup une bien triste époque, et en un sens, Faye était heureuse de ne plus en être. Et le plus triste, c'était qu'en plus de leur travail ceux qui étaient portés sur la liste noire perdaient aussi leurs amis. On craignait d'être vu en leur compagnie.

Les frères Warner s'étaient empressés d'afficher une énorme pancarte à l'entrée des studios : « De bons films avec de bons citoyens », qui disait bien de quel côté ils étaient.

La Commission d'enquête sur les activités anti-américaines fonctionnait depuis dix ans déjà, mais jamais elle ne s'était prise au sérieux. Et lorsque, en octobre 1947, les « dix de Hollywood » furent condamnés à des peines de prison pour refus de témoigner, ce fut comme si toute la ville avait été prise de folie. Faye en était malade rien que d'écouter les ragots qui circulaient sur ses vieux amis. En 1948, des personnes bourrées de talent, qu'elle et Ward adoraient, étaient contraintes de quitter Hollywood pour s'embaucher comme plombiers, menuisiers, ou accepter tout autre emploi à leur portée. C'en était fini de leur grande époque hollywoodienne, et Faye n'en parlait à Ward qu'avec une peine profonde.

« Je suis bien contente d'en être sortie avant, Ward. Jamais je n'aurais imaginé que les choses puissent en arriver là. »

Ward la regarda attentivement. Certes, elle était heureuse de sa nouvelle vie, mais il se demandait parfois si elle ne regrettait pas sa carrière de star.

« Tu es sûre que ça ne te manque pas, ma chérie ?

– Pas une seconde, mon amour. »

Pourtant, ces derniers temps, elle donnait des signes d'impatience, comme si elle avait besoin de s'occuper davantage. Elle s'était mise à travailler comme bénévole dans un hôpital voisin et passait beaucoup de temps avec les enfants. Lionel aurait bientôt deux ans et Gregory avait dix mois, bébé précieux au sourire heureux et aux boucles dansantes. Mais ce fut encore Faye la plus heureuse de tous lorsqu'elle annonça à Ward, quelques jours avant le premier anniversaire de Greg, qu'elle était enceinte pour la troisième fois.

Cette fois, ce fut plus difficile. Elle se sentait nettement moins bien, même par comparaison avec la première fois, et elle était aussi beaucoup plus fatiguée. Elle n'avait jamais envie de sortir, et Ward trouva qu'elle était beaucoup plus grosse. Le reste de son corps était aussi mince que d'habitude, mais son ventre devint vite énorme, et à Noël, le docteur eut son idée sur la question. Il l'examina soigneusement et lui sourit lorsqu'elle se leva.

« Je crois que les cloches de Pâques vont avoir une petite surprise pour vous, Faye, si elles attendent jusque-là.

– Que voulez-vous dire? »

Elle avait l'impression de pouvoir à peine remuer, et il lui restait encore trois mois à attendre!

« Ce n'est qu'une impression, mais je crois que ce seront des jumeaux. »

Elle le regarda, stupéfaite. Cette éventualité ne lui avait même pas traversé l'esprit. Elle se croyait simplement plus fatiguée, mais, tout bien considéré, c'était vrai qu'elle avait beaucoup plus grossi.

« Vous en êtes sûr?

– Non, mais on pourra vous faire une radio dans un moment. De toute façon, on le saura à l'accouchement. »

Et c'est ce qui se produisit. Elle donna naissance à deux jolies petites filles, à neuf minutes d'écart, et Ward fut si transporté en voyant les deux bébés qu'il perdit complètement la tête. Ce furent, cette fois, deux bracelets sertis de rubis et de diamants. Et deux bagues ornées de rubis. Et deux paires de pendants d'oreilles assortis aux bracelets. Tout en double. Lionel et Greg n'en revenaient pas, eux non plus, en rentrant à la maison avec deux bébés au lieu d'un.

« Une pour chacun, leur dit Ward en déposant avec amour un petit paquet rose dans les bras de chacun des garçons. »

Les jumelles eurent un succès fou. Elles n'étaient pas complètement identiques, mais leur ressemblance était frappante. Ils appelèrent la première

Vanessa : elle était le portrait de sa mère – mêmes yeux verts, mêmes cheveux blonds, même perfection des traits, et aussi la plus calme. C'était la dernière née qui braillait le plus fort lorsqu'elle avait faim, et qui était la première à sourire. Valérie avait le même petit visage parfait, les mêmes grands yeux verts, mais ses cheveux furent dès sa naissance d'un roux ardent qui se mariait bien avec sa forte personnalité.

« Mon Dieu, d'où tient-elle cela? » s'exclamait Ward.

Et plus Valérie grandissait, plus ses cheveux, comme le reste, devenaient splendides. C'était une petite fille d'une beauté saisissante; dans la rue, on se retournait pour la regarder. Souvent Faye s'inquiétait de voir Valérie éclipser sa sœur. Vanessa était toujours calme et semblait accepter de vivre dans l'ombre d'une sœur qu'elle adorait. Elle était jolie, elle aussi, mais plus tranquille, plus éthérée; elle se satisfaisait d'un livre d'images, prenait plaisir à regarder sa sœur tyranniser les deux garçons. Lionel se montrait toujours patient avec elle, mais Greg ne cessait de lui tirer les cheveux, et Valérie apprit très tôt à se défendre. Mais dans l'ensemble, les quatre enfants s'amusaient. Tout le monde s'extasiait sur cette famille : deux magnifiques petites filles trottant dans les allées du parc, jouant avec leur poney nain, et deux beaux petits garçons gambadant autour d'elles, montant aux arbres, déchirant allégrement leurs chemises de soie.

Ils étaient tous assez grands pour monter sur le manège de chevaux de bois, faire des courses avec le poney, goûter tous les plaisirs que leur procurait leur père. Et Ward adorait jouer avec eux. A trente-deux ans, il n'avait pas l'air beaucoup plus âgé qu'eux, pensait Faye, que sa famille comblait. Quatre enfants leur semblaient le chiffre parfait. Elle n'en voulait pas d'autre, et Ward semblait satisfait lui aussi, même s'il continuait, en plaisantant, de lui parler des dix enfants dont il rêvait. Mais Faye levait aussitôt les bras au ciel. Elle avait bien assez à faire avec ceux-là, et elle voulait leur consacrer tout son temps. Ils passèrent de merveilleuses vacances dans la maison que Ward avait acquise à Palm Springs l'année d'avant et où ils venaient souvent l'hiver. Faye aimait se rendre à New York avec lui pour voir des amis. C'était une vie parfaite, heureuse, et si différente, si éloignée de l'enfance misérable de Faye et solitaire de Ward.

Il lui avait tout raconté. Sa vie de « pauvre petit gosse de riches », pourvu de tous les biens matériels, mais privé d'affection. Ses parents n'avaient pas le temps de s'occuper de lui, accaparés qu'ils étaient l'un par son travail, l'autre par ses ventes de charité, lorsque ce n'étaient pas de longs voyages à l'étranger où ils ne l'emmenaient jamais. Aussi Ward s'était-il juré de ne jamais commettre la même erreur. Faye et lui emmenaient toujours les enfants partout où ils allaient, en week-end à Palm Springs, dans tous leurs voyages, même au Mexique. Ils aimaient les avoir avec eux, et, comblés de tant d'attentions, les enfants s'épanouissaient chacun à sa façon. Lionel était plutôt calme, perspicace et sérieux, c'était tout le portrait de Faye. Ce sérieux énervait parfois Ward. Lionel était moins remuant que Greg, qui jouait pendant des heures au football avec son père, sur la pelouse. Greg ressemblait davantage à Ward enfant, nature insouciante, sportive et gaie... ou davantage à ce qu'il aurait été, si on s'était occupé de lui. Quant à Valérie, elle était de plus en plus belle. C'était la plus exigeante des quatre, la plus consciente de ses charmes, et à cause de cela, Vanessa semblait ne rien exiger du tout. Valérie lui prenait ses poupées, ses jouets, ses vêtements préférés, et Vanessa n'y prêtait aucune attention. Elle était trop heureuse de tout donner à sa sœur. Elle-même s'intéressait à d'autres choses, au regard de sa mère, aux mots gentils de Ward, à une sortie au zoo, à tenir la main de Lionel; elle avait son petit monde à elle, un monde de rêves, et passait des heures penchée sur le livre d'images, ou couchée sous un arbre, à regarder le ciel. C'était la rêveuse de la famille. Elle restait de longs moments sur la pelouse, fixant le soleil, les nuages, les oiseaux de passage, à se chantonner parfois un petit air pour elle toute seule.

« J'étais comme ça à son âge, remarquait Faye en souriant, tandis qu'elle et Ward la contemplaient.

– Et à quoi rêvais-tu, ma chérie? (Il l'embrassa dans le cou et lui prit la main, le regard aussi chaud que le soleil du matin.) Rêvais-tu déjà de devenir une star de cinéma?

– Parfois, mais j'étais alors bien plus âgée. »

La petite Vanessa ne savait pas encore ce qu'était un film.

Il lui sourit d'un air heureux.

« Et de quoi rêves-tu maintenant? »

Il était si heureux avec elle! Elle avait balayé sa solitude. Et elle était insouciante. C'était très important pour lui. Ses parents avaient mené une vie si sévère, si réglée par le travail et les occupations de toute sorte. Lui voulait jouir de la vie avec sa femme. Ils ne mourraient pas à quarante ans comme ses parents. Leur vie ne serait qu'une suite de bonheurs et de plaisirs. Il la regarda de nouveau, immobile devant lui, belle et paisible comme un tableau de la Renaissance italienne, tandis qu'elle réfléchissait à sa question.

« Je rêve de toi, mon amour, et des enfants. J'ai là tout ce que je pourrais souhaiter au monde, et même davantage.

– C'est bien. Je veux qu'il en soit toujours ainsi. »

Et il tint parole, tandis que les enfants grandissaient et que le temps passait.

Ward continuait de boire beaucoup trop de champagne, mais sans malice, toujours de bonne humeur, et Faye l'aimait énormément, en dépit de ses défauts enfantins.

Ses hommes d'affaires venaient le voir plus fréquemment que par le passé pour lui parler de la fortune de ses parents et de ce qu'il en restait, mais Faye ne se mêlait pas de ses affaires. C'était l'argent de Ward, et elle était bien trop occupée avec Lionel, Gregory, Vanessa et Val. Mais elle constata, à peu près à l'époque du second anniversaire des jumelles, que Ward buvait davantage, et plus de scotch que de champagne, et elle s'en inquiéta.

« Quelque chose te tracasse, mon chéri?

– Bien sûr que non. »

Il sourit, feignant l'insouciance, mais il y avait de la peur dans ses yeux. Faye se demanda ce qui se passait. Mais il lui répéta qu'elle se faisait des idées, malgré le va-et-vient insistant et les coups de fils des hommes d'affaires. Puis, tout naturellement, cela sembla de nouveau secondaire. Ils oublièrent une nuit leur décision initiale, et dans le renouveau de passion qui suivit la soirée des Oscars où elle se rendit avec Ward en avril 1951, ils abandonnèrent toute prudence. A la fin de mai, Fay fut certaine.

« Encore? »

Ward parut surpris et content, mais elle sentait que cette fois il prenait moins d'intérêt à la nouvelle. Il avait bien d'autres préoccupations en tête, dont elle ignorait encore tout.

« Tu es fâché, ou quoi? »

Elle ne plaisantait pas, et il la prit aussitôt dans ses bras avec un large sourire.

« Mais non, charmante idiote. Seulement s'il n'était pas de toi. Sinon, de quoi serais-je fâché?

– Cinq enfants, c'est un peu trop, tu ne crois pas? (Elle doutait pour la première fois. Il est vrai qu'elle trouvait leur famille parfaite telle qu'elle était.) Et si j'avais encore des jumeaux?

– Eh bien, cela nous en ferait six! Ça me paraît un bon chiffre. Nous parviendrons peut-être au score prévu de dix, un de ces jours. »

Mais à cet instant, les enfants pénétrèrent en se bousculant dans la pièce, et ce furent des cris perçants, des culbutes, des rires et des cheveux arrachés. Faye hurla à Ward par-dessus leurs têtes :

« Dieu nous en préserve! »

Il lui sourit et tout se passa bien jusqu'en janvier, lorsque naquit Anne Ward Thayer, la plus petite des enfants de Faye, si minuscule et si frêle qu'on avait peur de la toucher. Si minuscule et si frêle que Ward refusa tout net de la prendre dans ses bras. Il semblait heureux, pourtant, et acheta à Faye une énorme émeraude en pendentif, mais le cœur n'y était pas, semblait-il. Faye se dit qu'elle ne pouvait espérer qu'il dérange la fanfare municipale pour fêter la naissance de leur cinquième enfant, mais elle était déçue de ne pas le voir plus enthousiaste.

Quelques jours plus tard, elle en sut la raison. Cette fois, les hommes d'affaires ne cherchèrent même pas à parler à Ward : ils s'adressèrent directement à elle, pensant qu'il était grand temps qu'elle fût mise au courant... Sept ans après la fin de la guerre, les chantiers navals Thayer ne faisaient plus de bénéfices, et cela depuis quatre ans. Ils étaient dans le rouge depuis plusieurs années, en dépit de leurs tentatives pour que Ward regarde les choses en face et réduise l'échelle de production. Ils auraient voulu qu'il vienne travailler au chantier, comme son père. Mais Ward avait refusé et ignoré leurs suppliques. Non seulement il avait laissé le chantier aller à vau-l'eau, mais il avait dilapidé sa fortune, s'entêtant à leur répéter qu'il ne voulait pas gâcher sa vie à travailler, qu'il voulait rester avec sa famille. Et maintenant, il ne restait plus rien, depuis près de deux ans. Faye s'assit lentement, pâle comme la mort, les laissant parler, et soudain tous les moments où il avait semblé soucieux, absorbé, buvant plus que de coutume, tous ces moments diffus lui revinrent en mémoire. Depuis deux ans, il n'avait plus un sou, seulement des dettes monumentales accumulées dans de folles dépenses. Elle les écoutait sans les voir, terrorisée par leurs paroles. Ce fut presque en titubant qu'elle les reconduisit jusqu'à la porte. Et lorsque Ward revint, en fin d'après-midi, il la trouva assise, droite sur une chaise de la bibliothèque, l'attendant silencieusement.

« Bonsoir, chérie. Que fais-tu en bas si tôt? Tu devrais te reposer. »

Se reposer? Comment l'aurait-elle pu quand ils n'avaient plus un sou vaillant, quand elle aurait déjà dû se mettre en quête d'un travail? Tout ce qui leur restait, c'étaient des dettes. Lorsqu'elle leva les yeux vers lui, il vit que quelque chose de terrible s'était produit.

« Faye? Qu'est-ce qui ne va pas, ma chérie? »

Des larmes tremblaient devant ses yeux. Elle ne savait par où commencer. Puis, soudain, les larmes jaillirent et elle se mit à sangloter. Comment avait-il pu jouer un jeu aussi dangereux? Il n'avait donc rien dans la cervelle? Quand elle repensait à tous les bijoux qu'il lui avait achetés, les voitures, les fourrures, la maison de Palm Springs, les poneys pour le polo... cela ne cessait pas... et Dieu seul connaissait l'étendue de leurs dettes.

« Qu'est-ce qu'il y a, ma chérie? »

Il s'accroupit près d'elle, mais elle ne faisait que pleurer, pleurer, sans pouvoir s'arrêter. Enfin, elle respira un bon coup et lui prit le visage dans les mains. Comment pouvait-elle en vouloir à cet homme? Elle n'avait jamais voulu le reconnaître, mais ce n'était qu'un enfant, un gosse, qui se prenait pour un homme. A trente-cinq ans, il avait moins de maturité que leur fils de six ans. Lionel était déjà sage et avait le sens des réalités, mais Ward... Ward... Ses yeux étaient pleins du chagrin d'une vie finie, tandis qu'elle se forçait au calme et lui expliquait ce qu'elle venait d'apprendre.

« Bill Gentry et Lawson Burford sont venus tout à l'heure, Ward. »

Il n'y avait dans sa voix aucun ressentiment, seulement du chagrin, pour lui et pour leurs cinq enfants. Ward prit aussitôt un air contrarié. Il se leva et marcha jusqu'au bar, où il se versa un grand verre de whisky. L'après-midi s'annonçait bien, pourtant. Il la regarda par-dessus son épaule, l'œil interrogateur.

« Ne te laisse pas faire par ces deux-là, Faye, ce sont des emmerdeurs. Que voulaient-ils?

– Te ramener à la raison, je suppose.

– Que veux-tu dire par là? (Il la regarda, l'air énervé, et s'assit.) Que t'ont-ils dit?

– La vérité, Ward. (Ward devint pâle, comme Faye quelques heures plus tôt.) Ils m'ont dit que tu n'avais plus rien. Que les chantiers navals devaient fermer leurs portes et que nous devions vendre cette maison pour payer nos dettes... Tout va changer, Ward. Nous ne sommes plus des enfants, nous devons cesser de croire que nous vivons dans un royaume enchanté et que nous ne sommes pas soumis aux mêmes tensions que les autres. »

La seule différence entre eux et les autres, en fait,

c'est que Ward n'avait jamais travaillé un seul jour de sa vie et qu'ils avaient cinq bouches à nourrir. Si seulement elle avait su! Elle n'aurait jamais eu ce dernier enfant. Elle n'éprouva aucune culpabilité à cette pensée, même si elle adorait ce bébé. Leurs vies étaient en jeu, maintenant, et elle avait la conviction que Ward ne ferait rien pour redresser la situation; il n'en était pas capable. Mais elle, si. Et ce n'était pas lui qui allait ramener le navire à bon port, ce serait elle. Elle n'avait pas le choix.

« Ward, il faut que nous parlions de tout ça. »

Il se leva d'un bond et traversa la pièce.

« Une autre fois, Faye, je suis fatigué. »

Elle se leva, sans se soucier de sa propre faiblesse. Elle ne pouvait se permettre ce luxe.

« Suffit, Ward! Ecoute-moi un peu! Jusqu'à quand vas-tu continuer à jouer ce jeu avec moi? Jusqu'à ce qu'on t'emprisonne pour dettes? Qu'on nous expulse de cette maison? Si j'en crois Lawson et Bill, il ne nous reste plus un sou, ou si peu. »

Ils lui avaient révélé crûment la vérité. Tout serait vendu, et cela couvrirait tout juste leurs dettes. Que se passerait-il ensuite? C'était ce qu'elle se demandait.

Ward lui fit face.

« Et que me suggères-tu, Faye? De vendre mes voitures? D'envoyer mes enfants travailler? »

Il avait l'air horrifié; tout son univers s'effondrait.

« Il faut regarder la vérité en face, Ward, même si elle fait peur. »

Elle vint lentement à lui, les yeux brillants, mais elle n'était pas en colère contre lui. Elle avait réfléchi tout l'après-midi et comprenait exactement quel homme il était. Elle ne voulait pas qu'il continue à se bercer d'illusions, ni à l'aveugler elle aussi.

« Il faut que nous fassions quelque chose, Ward.

– Et quoi? »

Il s'affala dans un fauteuil comme un ballon qui se dégonfle. Il y avait déjà pensé auparavant, mais le problème dépassait sa compétence. Il avait sans doute eu tort de lui cacher la gravité de la situation, mais comment aurait-il pu lui avouer à quelle extrémité il se trouvait réduit? Il n'aurait jamais eu le cœur de le faire. Au lieu de cela, il lui offrait un nouveau bijou, et le plus stupide, c'était qu'il savait que cela n'intéressait pas vraiment Faye. Ce qui comptait pour elle, c'étaient les enfants et lui... car elle l'aimait, n'est-ce pas? C'était ce qui lui faisait tellement peur chaque fois qu'il envisageait de tout lui avouer. Et si elle le quittait? Cette seule pensée lui était insupportable. Et maintenant qu'elle savait tout, il la regardait, inquiet, et, ô miracle, ce qu'il lisait dans ses yeux n'était pas de la colère ni de la déception, mais de l'espoir. Elle n'allait pas l'abandonner, elle restait à ses côtés. Les larmes emplirent ses yeux, et il enfouit son visage dans les genoux de Faye, sanglotant à la pensée de ce qu'il lui avait fait.

Faye lui caressa les cheveux et lui parla doucement pendant ce qui sembla des heures. Lorsqu'il fut calmé, elle n'avait pas bougé. Elle avait décidé de ne pas partir, pas encore du moins. Mais elle n'allait pas non plus le laisser fuir la réalité plus longtemps.

« Ward, nous allons vendre la maison.

– Et où irons-nous? »

Il était comme un enfant effrayé. Elle lui sourit.

« Ailleurs. Nous renverrons les domestiques, vendrons la majeure partie de tout ce qu'il y a ici, les livres rares, mes fourrures, mes bijoux, tout ce luxe inutile. »

Cette idée la peinait, uniquement parce que c'était lui qui lui avait offert tout cela, à des moments importants de leur vie. Mais elle savait que ça représentait beaucoup d'argent, et ce n'était pas le moment de faire du sentiment.

« A combien crois-tu que se montent nos dettes?

– Je n'en sais rien. »

Elle attira contre le sien son visage niché sur ses genoux.

« Nous allons le calculer précisément, Ward, ensemble. Nous sommes ensemble sur cette galère, mon amour, et c'est ensemble que nous allons nous en sortir.

– Tu crois vraiment que c'est possible? »

La perspective lui semblait terrifiante, même avec elle.

« J'en suis certaine. »

C'est du moins ce qu'elle lui dit, bien qu'elle ne fût plus certaine de rien, maintenant.

Au ton de sa voix, Ward sentit un profond soulagement l'envahir. Une fois ou deux, entre deux caisses de champagne, il avait pensé au suicide. Il connaissait exactement l'étendue de sa faiblesse. Il n'était en rien préparé à ce qui leur arrivait. Et sans Faye, il aurait sans doute préféré la solution extrême. Avec elle, cela ne semblait guère plus facile. Elle l'obligea dès le lendemain à revoir ses hommes d'affaires. Le médecin lui avait dit qu'il était encore trop tôt pour sortir, mais elle n'en avait cure. Après cinq grossesses, les règles de prudence l'impressionnaient moins, et surtout, elle ne voulait pas laisser Ward affronter seul cette épreuve. Elle se tint à ses côtés jusqu'à la fin, impitoyable. Il n'était plus question de se dérober, pour lui comme pour elle. Selon les hommes d'affaires de Ward, ils étaient endettés de trois millions et demi de dollars.

A l'annonce de la somme, Faye faillit s'évanouir. Ward devint blême. On leur expliqua qu'ils devraient tout vendre et qu'avec de la chance, il leur resterait un peu d'argent à investir, mais il ne serait pas possible d'en vivre comme avant. Ils seraient obligés de trouver du travail, au moins l'un d'entre eux, précisa Bill Gentry avec un œil sur Ward. Peut-être Faye envisageait-elle de reprendre sa carrière d'actrice? Mais sept années s'étaient écoulées depuis son dernier film; personne ne lui demandait plus d'autographes, son nom ne faisait plus les gros titres des journaux. Elle était passée de mode. Elle aurait certainement pu réussir un *come-back* si elle l'avait voulu, elle n'avait que trente-deux ans. Mais jamais cela n'aurait été comme avant. D'ailleurs, elle avait une autre idée en tête. Mais elle y penserait plus tard.

« Et les chantiers? »

Les questions de Faye étaient intelligentes, directes, et Ward était soulagé de n'avoir pas à parler. Tout cela l'embarrassait. Il avait une envie folle de boire quelque chose. Mais Faye s'obstinait, et les financiers étaient sûrs de leurs chiffres.

« Vous allez devoir déposer votre bilan.

– Et la maison? Combien croyez-vous que nous en tirerons?

– Un demi-million, si vous trouvez quelqu'un qui en tombe amoureux. En tout état de cause, sans doute moins que ça.

– Parfait. C'est un début... Nous avons aussi notre maison de Palm Springs. »

Elle sortit un papier de son sac. La veille, après que Ward se fut endormi, elle avait dressé la liste de tout ce qu'ils possédaient, sans oublier le chien. Elle espérait pouvoir récupérer cinq millions de dollars, quatre en mettant les choses au pire.

« Et ensuite? demanda Ward en la fixant pour la

première fois avec amertume. Nous habillerons les enfants de guenilles et nous irons mendier dans les rues? Il faut bien que nous ayons un toit, Faye. Et des domestiques, des vêtements, des voitures. »

Elle hocha la tête.

« Une voiture seulement, Ward. Et si c'est encore au-dessus de nos moyens, nous prendrons l'autobus. »

L'expression de Ward lui fit peur, soudain. Elle se demanda s'il parviendrait à surmonter l'épreuve. Mais ils n'avaient pas le choix et elle l'aiderait à franchir cette mauvaise passe. Elle ne savait qu'une chose : elle n'était pas prête à renoncer à Ward.

Après deux heures d'âpre discussion, les hommes d'affaires se levèrent et leur serrèrent la main, mais le visage de Ward avait une expression sinistre. Il avait vieilli de dix ans en deux heures, et pendant leur retour dans la Duesenberg, il ne desserra pas les dents. Les larmes lui brûlaient les yeux à l'idée que c'était peut-être la dernière fois qu'il montait dans sa voiture.

La nurse les attendait. La petite Anne avait de la fièvre. C'était sûrement Val qui lui avait passé son rhume et elle était inquiète. Distraitement, Faye décrocha le combiné du téléphone pour appeler le médecin, mais elle laissa le bébé dans les bras de la nurse et refusa de la prendre un peu plus tard, avec un geste irrité et un ton brusque qui ne lui ressemblaient guère. « Je n'ai pas le temps. » Elle avait bien assez de soucis comme ça. « Assez », c'était la liquidation de leur luxueux train de vie. A la pensée de tout ce qu'ils avaient accumulé en sept ans, elle était fatiguée d'avance. Mais il fallait en passer par là, et c'était à elle de s'occuper de tout. Ward en était incapable.

Elle téléphona à tous les agents immobiliers de la ville pour leur demander de venir voir la maison, contacta de nouveau les hommes d'affaires, prit rendez-vous avec plusieurs marchands d'antiquités et commença à trier ce qu'ils vendraient et ce qu'ils conserveraient. Et lorsque à midi, le lendemain, Ward la vit encore assise à son secrétaire, sourcils froncés, l'air aussi résolu qu'une femme d'affaires endurcie, il fut stupéfait et secoua la tête, décontenancé. Elle leva les yeux vers lui, le sourcil toujours froncé, mais ce n'était pas à son intention.

« Que fais-tu aujourd'hui?

– Je déjeune au club. »

Une chose de plus à laquelle il devrait renoncer, ses clubs, mais elle s'abstint de le lui rappeler. Elle se contenta de hocher la tête, et un moment après, il était sorti. Il ne revint qu'à six heures, de très bonne humeur. Il avait joué au tric-trac et avait gagné neuf cents dollars sur un ami. « Et si tu avais perdu? » Faye garda cette réflexion pour elle-même et monta tranquillement au premier. Elle ne voulait pas le voir jouer avec les jumelles, ivre comme il l'était, dans la situation où ils se trouvaient. Et elle avait tant à faire! Demain, il faudrait congédier les domestiques... mettre les voitures en vente... et quand elle en aurait fini avec la maison, il y aurait encore Palm Springs... A cette pensée, les larmes lui vinrent aux yeux, non tant de regret qu'à cause du fardeau que tout cela représentait. Et c'était inévitable. Elle avait l'impression de vivre un cauchemar, ou un de ces rêves étranges où tout va de travers. En à peine plus de vingt-quatre heures, leur vie entière avait été réduite à néant; mais elle préférait ne pas y penser. C'était trop atroce. Alors que quelques jours plus tôt son esprit était occupé à tout autre chose... le bébé... le beau cadeau de Ward. Ils pensaient passer quelques jours à Palm Springs, et maintenant, du jour au lendemain, tout cela était fini... balayé... pour toujours. C'était à ne pas y croire. Elle monta lentement l'escalier, le cœur lourd, inquiète de ce qu'il allait advenir d'eux. La nurse l'arrêta au passage, comme elle l'avait déjà fait plusieurs fois ce jour-là. Mais Faye n'avait pas le temps. Elle était bien trop dépassée par les événements. La femme en blanc se tenait en haut des marches, le bébé contre son sein dans la couverture rose que Faye avait achetée pour les jumelles, un biberon à la main, l'air menaçant.

« Voulez-vous le donner au bébé maintenant, madame Thayer? »

L'Anglaise la considérait, hostile, ou du moins était-ce l'impression de Faye qui pensait à la façon dont la nurse avait, toute la journée, cherché à la culpabiliser.

« C'est impossible, madame McQueen, je suis désolée... (Elle détourna les yeux, sentant la culpabilité la frapper au cœur.) Je suis trop fatiguée... »

Mais ce n'était pas cela. Elle voulait faire le tri de ses bijoux avant que Ward ne monte. Elle avait rendez-vous avec la maison Klein le lendemain et devait décider rapidement de ce qu'elle voulait vendre. Elle savait qu'elle en obtiendrait un bon prix. Impossible de rebrousser chemin, maintenant... ni de prendre le temps de s'occuper d'Anne, pauvre petite enfant chétive. « Demain soir, peut-être », murmura-t-elle à la nurse en se précipitant vers sa chambre pour ne pas la regarder en face. Tout serait plus facile si elle ne voyait pas l'enfant, sortie depuis si peu de son ventre. Une ou deux semaines plus tôt, ce bébé était pourtant son seul souci. Mais plus maintenant... plus du tout. Les larmes aux yeux, elle courut s'enfermer dans sa chambre. Mme McQueen la regarda partir, hocha la tête en signe de désapprobation, et se dirigea vers la nursery, à l'étage au-dessus.

CHAPITRE 6

En février, le personnel de chez Christie's vint chercher les meubles. Ils prirent toutes les antiquités de valeur, les six services de fine porcelaine ancienne que Faye et Ward avaient achetés au cours des sept dernières années, les lustres en cristal, les tapis persans. Ils ne laissèrent que le strict nécessaire. Et Faye fit en sorte que les enfants soient tous à Palm Springs avec la nurse, exhortant Ward à s'en aller lui aussi.

« Tu veux te débarrasser de moi? »

Il lui jeta un regard par-dessus le verre de champagne qu'il avait en permanence à la main, depuis qu'elle le connaissait; mais les verres étaient devenus plus grands.

« Ne dis pas de bêtises. »

Elle s'assit près de lui en soupirant. Elle avait passé la journée à poser des étiquettes. Rouges sur les objets qui s'en allaient, bleues sur ceux qui restaient, et ils étaient rares. Elle voulait vendre tout ce qui avait de la valeur, ils se contenteraient du reste. C'était déprimant pour tous, mais il fallait « voir les choses en face ». Formule que Ward avait appris à détester, mais Faye était sans pitié. Maintenant qu'elle savait la vérité, elle ne voulait pas qu'il la fuie plus longtemps. Elle l'aidait de tout son possible, mais il n'était pas question que Ward continue de se mentir à lui-même. C'était elle qui traitait directement avec les hommes d'affaires mais dans le fond de son cœur, elle en était peinée. Elle savait qu'indirectement c'était une façon de le castrer. Mais que pouvait-elle y faire? Il n'allait pas tricher ainsi toute sa vie, s'endetter encore... Elle frissonnait rien que d'y penser. Non, il valait mieux prendre le taureau par les cornes et tâcher de repartir de zéro. Ils étaient encore jeunes, ils s'aimaient, ils avaient les enfants. Pourtant, de temps à autre, elle était aussi terrifiée que Ward. C'était comme d'escalader une abrupte paroi de montagne. Impossible de regarder en arrière. Il fallait continuer à aller de l'avant, courageusement.

« J'ai vendu le manège hier. (C'était devenu leur seul sujet de conversation : ce qui était vendu, ce qui ne l'était pas. La maison était invendue, et cela l'inquiétait.) C'est un hôtel qui me l'a racheté, un assez bon prix.

– Merveilleux. (Il se leva brusquement et s'en fut remplir son verre de nouveau.) Je suis sûr que les enfants seront ravis.

– Je ne pouvais pas faire autrement. »

... Mais lui, si, songea-t-elle soudain, et elle s'efforça de chasser cette pensée de son esprit. Ce n'était pas sa faute à elle s'ils avaient tout perdu. Mais ce n'était pas une raison pour en vouloir à Ward. Il n'avait jamais connu d'autre mode de vie. Personne ne lui avait appris à prendre ses responsabilités. Et il avait toujours été merveilleux avec elle.

Elle le vit, ses yeux fixés sur elle, désespéré avec son verre à la main. Pendant un instant, un bref instant, elle eut la vision de ce qu'il serait plus tard, quand il serait vieux. Jusqu'à présent, ce n'était encore qu'un enfant, un beau, un joyeux, un insouciant jeune homme, mais soudain, en l'espace de deux mois, il semblait que le poids du monde fût tombé sur ses épaules. Il avait vieilli. Elle avait même remarqué quelques cheveux blancs mêlés aux blonds, et de petites rides au coin des yeux.

« Ward... »

Elle le fixa de loin, cherchant les paroles qui le

consoleraient, qui les aideraient à mieux supporter la dure réalité. Des questions terrifiantes roulaient dans leurs deux têtes comme des trains fous. Où allaient-ils vivre? Qu'allaient-ils faire? Que se passerait-il lorsque la maison serait vendue?

« Si seulement je ne t'avais pas mêlée à toute cette histoire. (Il s'assit, plein de remords, de pitié envers lui-même.) Je n'avais pas le droit de t'épouser. »

Mais il l'avait tant désirée, il avait eu si désespérément besoin d'elle, surtout après la guerre, après la mort de sa première femme... Faye avait été extraordinaire. Et elle continuait à l'être, quand tout était contre elle. Oh! il se détestait pour ce qu'il lui avait fait.

Elle vint lentement à lui et s'assit sur le bras du fauteuil. Elle était plus mince qu'avant la naissance d'Anne, plus mince en fait qu'elle ne l'avait été depuis des années. Car elle avait de dures journées, debout à l'aube, remplissant des caisses, triant des montagnes de choses. Elle faisait une partie du ménage, aidée d'une des deux bonnes qui leur restaient. Leur vaste personnel était maintenant réduit à ces deux femmes qui se chargeaient de la cuisine et du ménage pour eux tous, la nurse qui s'était occupée des enfants depuis la naissance de Lionel, six ans auparavant, et l'Anglaise qu'ils avaient engagée pour Anne. Faye pensait réduire ce nombre, mais elle avait encore besoin de ces deux-là pour l'aider à tout emballer et à fermer la maison. Les autres domestiques étaient partis depuis longtemps. Arthur et Elisabeth les avaient quittés en pleurant, six semaines plus tôt, désespérés de perdre leur maîtresse après tant d'années. Les deux chauffeurs avaient été congédiés, ainsi que le maître d'hôtel et une demi-douzaine de femmes de chambre. Ils n'auraient sans doute besoin de personne, au bout du compte, s'ils trouvaient une maison assez petite. Mais elle ne s'en était pas encore occupée, elle voulait d'abord vendre Beverly Hills. Et Ward se reposait entièrement sur elle.

« Tu préfères peut-être que nous divorcions? »

Il attendait, son verre vide de nouveau, mais pas pour longtemps. Jamais pour longtemps, ces derniers temps.

« Non. (Elle parla haut et clair dans la pièce presque nue.) Jamais. Si j'ai bonne mémoire, le maire a dit : « Pour le meilleur et pour le pire », et si les choses vont mal en ce moment, eh bien tant pis. Il faut l'accepter.

– Accepter, hein? On vend nos tapis sous nos pieds, le toit au-dessus de nos têtes, nous mangeons et payons le personnel avec l'argent que nous prêtent tes hommes d'affaires et tu te contentes de hausser les épaules? Comment vivrons-nous ensuite? »

Il se versa un autre verre, et elle se retint à grand-peine de lui demander d'arrêter de boire. Elle savait qu'il finirait par le faire. Tout redeviendrait normal un jour. Peut-être.

« Nous trouverons une solution, Ward. Que faire d'autre?

– Je ne sais pas. Je suppose que tu comptes reprendre ta carrière où tu l'as laissée. Mais tu n'es plus de la prime jeunesse, tu sais. »

A sa façon d'articuler, elle voyait bien qu'il était ivre, mais ne se démonta pas.

« Je le sais, Ward. (Sa voix était douloureusement calme. Cela faisait des semaines qu'elle y pensait.) Mais tu verras, ça s'arrangera d'une façon ou d'une autre.

– Pour qui? Pour moi? »

Il s'avança vers elle, pour la première fois menaçant. La tension de ces terribles journées était telle que tout pouvait arriver entre eux maintenant.

« Bon sang, Faye, je n'ai jamais travaillé de ma vie. Que crois-tu que je vais pouvoir faire? M'embaucher chez Saks pour vendre des chaussures à tes amis?

– Ward, je t'en prie... »

Elle se retourna pour qu'il ne vît pas les larmes qui lui embuaient les yeux, mais Ward la saisit par le bras et la força brutalement à faire demi-tour.

« Allez, dis-nous tes projets, mademoiselle Réalité. Toi qui es si active à nous sortir de là! Si tu n'avais pas été là, on aurait continué à vivre comme avant, tout simplement! »

Le mot était lâché, c'était sur elle qu'il reportait les torts, maintenant, ou du moins essayait-il d'y croire. Elle le connaissait trop bien, ce qui ne l'empêcha pas de le fustiger à son tour.

« C'est-à-dire que nous aurions cinq millions de dettes sur le dos, au lieu de quatre.

– Nom de Dieu... on croirait entendre ces deux poules mouillées de Gentry et de Burford! Ils ne savent même pas distinguer leur cul d'un trou dans la terre. Et alors? Qu'est-ce que ça peut faire qu'on ait des dettes? C'était pas la belle vie? »

Il lui jeta de loin un regard noir, mais cette fureur s'adressait plus à lui-même qu'à Faye. Elle aussi se mit à crier :

« Mais c'était un mensonge, nom de Dieu! Ce n'était que reculer pour mieux sauter! Ils nous auraient expulsés, de toute façon!

– Parce que ce n'est pas ce qui se passe, maintenant?

– Si, mais c'est nous qui vendons, Ward. Et avec un peu de chance, il nous restera de l'argent quand les dettes seront payées. De l'argent que nous pourrons investir pour tenir encore quelque temps.

Et tout ce qui compte pour moi, c'est que nous restions ensemble avec les enfants. »

Mais il ne voulait plus l'entendre : il sortit en claquant la porte, la faisant vibrer sur ses gonds. Les mains de Faye en tremblaient encore une demi-heure après. Ils vendirent la maison trois semaines plus tard, jour sombre entre tous. Ils en obtinrent moins que prévu. Les acheteurs – un acteur connu et sa femme – savaient leur situation désespérée et la maison avait perdu de son éclat. Les jardiniers étaient partis et les pelouses étaient à l'abandon, sans compter les vilaines traces laissées par le manège. Tous les beaux meubles étaient partis et les grandes pièces semblaient affreusement nues sans les lustres et les rideaux. Le couple ne leur versa qu'un quart de million de dollars, et ils ne se montrèrent guère agréables avec Faye. Ils se pavanèrent dans tout le domaine, ne se gênant pas pour faire des commentaires désobligeants à l'agent immobilier, en présence de Faye. L'offre vint le lendemain et il fallut une semaine de négociations pour faire monter la somme au niveau final. Burford, Gentry et Faye ne furent pas de trop pour décider Ward à l'accepter, ce qu'il fit en désespoir de cause. Ils avaient fini par le convaincre : c'était la seule chose à faire. Il signa l'acte lui-même, avant de s'enfermer dans son bureau avec deux bouteilles de champagne et une troisième de gin. Il s'assit face à la photo de ses parents et pleura silencieusement, pensant à la vie de son père et à celle qui l'attendait maintenant. Faye ne le revit que plus tard ce soir-là et n'osa pas parler lorsqu'il entra dans la chambre. Il lui suffisait de regarder l'expression de son visage pour avoir envie de pleurer. C'était la fin de son univers, la fin de tout ce qui faisait sa vie, et soudain elle eut terriblement peur pour lui. Tiendrait-il le choc? Elle-même avait vu la pauvreté de près, pas très longtemps, il est vrai, mais assez pour savoir ce que cela signifiait. Et elle était aussi anxieuse que Ward. Elle avait l'impression de courir depuis des mois sans savoir si elle pourrait s'arrêter un jour, s'ils se retrouveraient enfin. C'était le pire cauchemar de sa vie. L'idylle était finie, il ne restait que le choc, la réalité dans ce qu'elle avait de plus cru, la tragédie de ce qu'il avait fait, et la vie enlaidie pour toujours... Mais elle le refusait, elle refusait d'abandonner la lutte, pour lui, pour elle, pour les enfants. Jamais elle ne le laisserait s'abandonner au désespoir, se perdre dans la folie de l'alcool.

Il se tenait dans l'embrasure de la porte, la regardant, inquiet de ce qu'elle pouvait penser, l'air brisé. Il entra à pas lents et s'assit.

« Je regrette tout ce que j'ai fait, Faye. Je ne t'ai même pas aidée à surmonter tout cela. »

Elle s'efforça de lui sourire; les larmes lui brûlaient les yeux.

« Ça a été dur pour tout le monde, Ward.

– Mais tout est ma faute... c'est ça le plus terrible. Je n'aurais peut-être pas pu modifier le cours des événements, mais j'aurais pu au moins limiter les dégâts.

– Tu n'aurais jamais pu faire revivre une industrie sur le déclin, Ward, même si tu l'avais voulu de toutes tes forces. Tu ne dois pas t'en vouloir pour ça. (Elle s'assit sur le bord du lit et haussa les épaules.) Pour ce qui est du reste... (Elle sourit tristement)... nous avons eu du bon temps.

– Et s'il nous arrivait de mourir de faim, Faye? »

Pour un homme qui avait vécu toutes ces années à crédit, c'était une drôle de question. Mais il avait finalement affronté la réalité de la situation, ce soir-là, et il savait que, toute fureur oubliée, il avait désespérément besoin d'elle. Et en pleine tourmente, elle lui restait fidèle.

Faye se montrait calme, beaucoup plus calme qu'elle ne l'était réellement. Elle voulait lui donner ce qu'il n'avait pas. La foi, la confiance. C'était exactement son rôle d'épouse, tel qu'elle l'entendait.

« Nous ne mourrons pas de faim, Ward. Nous saurons l'éviter. Je n'ai jamais connu la faim jusqu'à présent, même si parfois je n'en suis pas passée loin. »

Elle eut un sourire las. Son corps lui faisait mal après des jours et des jours passés à remplir, à pousser, à trimbaler des caisses.

« Vous n'étiez pas sept, alors.

– C'est vrai. »

Elle le regarda tendrement pour la première fois depuis des semaines.

« Mais je suis heureuse qu'il en soit ainsi.

– Vraiment, Faye? »

La détresse qu'il éprouvait l'avait dégrisé quelques heures plus tôt. Il n'avait pu rester dans cet état mais se sentait tout aussi léger.

« Cela ne t'effraie pas de nous avoir tous pendus à tes jupes, surtout moi. J'ai beaucoup plus peur que les enfants. »

Elle s'approcha de lui et passa une main dans ses cheveux couleur de sable. Il ressemblait tellement à leur fils Gregory, et semblait même plus enfant, plus fragile que lui.

« Tout ira bien, Ward... je te le promets », murmura-t-elle avant de l'embrasser doucement sur le front.

Il leva son visage vers elle. Les larmes coulaient le long de ses joues, et il ravala un sanglot.

« Je t'aiderai, chérie, je te le promets. Je vais faire tout mon possible... »

Elle acquiesça silencieusement, d'un battement de cils et, attirant son visage contre le sien, il l'embrassa pour la première fois depuis des années, lui sembla-t-il. Un peu plus tard, il la rejoignit au lit, mais rien ne se passa. Il ne se passait rien depuis longtemps déjà. Leur esprit était accaparé par trop de choses. Pourtant, l'amour était toujours là, bafoué mais tenace. C'était tout ce qui leur restait maintenant. Le reste avait disparu.

CHAPITRE 7

Ils quittèrent la maison en mai, et ni Faye ni Ward ne purent retenir leurs larmes, persuadés de laisser derrière eux une existence, un univers qu'ils ne connaîtraient jamais plus. Lionel et Gregory pleuraient aussi. Ils étaient assez grands pour comprendre qu'ils quittaient pour de bon la maison chaude et sûre qui avait abrité leur enfance. Et ils sentaient que leurs parents avaient peur. Tout semblait différent, sans qu'ils sachent pourquoi ni comment. Seules Vanessa et Val semblaient peu affectées par ce qui se passait, tout en percevant un peu du malaise général. Mais elles n'avaient que trois ans et étaient ravies de retourner à Palm Springs.

Ward les conduisit dans la seule voiture qui leur restât, un vieux break Chrysler qu'ils avaient conservé naguère pour l'usage des domestiques. Les Duesenberg avaient été vendues, ainsi que le coupé Bentley de Faye, la Cadillac et le reste du garage.

Pour Faye et Ward, c'était comme s'ils enterraient définitivement leur jeunesse. La maison de Palm Springs devait être libérée dès le mois de juin. Mais d'ici là, ils avaient au moins un lieu où laisser les enfants pendant qu'ils cherchaient un logement. Faye avait une liste de maisons à louer, et leurs affaires attendaient au garde-meuble. Elle comptait descendre avec eux, puis rentrer seule à Los Angeles pour trouver une maison tandis que Ward s'occuperait de la liquidation de Palm Springs. Il avait insisté pour se charger au moins de cela, avec tout ce qu'elle aurait à faire à Los Angeles de son côté. Cette fois, elle n'aurait à toucher à rien, il s'agissait uniquement de trouver un logement convenable. Mais elle savait que ce ne serait pas une mince affaire. Une fois vendus les chantiers, la maison de Beverly Hills, avec tous les meubles, les objets d'art, la collection de livres anciens, les voitures et la maison de Palm Springs avec la majeure partie de son contenu, ils avaient juste assez pour payer leurs dettes, plus environ cinquante-cinq mille dollars qui, bien investis, rapporteraient assez pour les faire vivre. Ils allaient louer une maison. Faye espérait trouver quelque chose à bon marché. Et dès qu'ils se seraient installés et que les enfants seraient à l'école, à l'automne, elle chercherait du travail. Ward parlait de faire de même, mais elle avait davantage confiance en sa propre capacité de réussir; pour elle, ce serait plus facile. Elle avait déjà travaillé, et à trente-deux ans, il n'était pas trop tard, du moins pour ce qu'elle envisageait. Lionel entrerait à la grande école et Greg retournerait à la maternelle, avec les jumelles. Elle aurait beaucoup de temps libre. Elle n'avait gardé que leur première nurse pour s'occuper d'eux tous, y compris du bébé, et se charger de la cuisine et du ménage. Anne n'avait que quatre mois et ne causait pas encore trop de soucis. C'était la période idéale pour que Faye s'absente de la maison. Et en pensant à cela sur la route de Palm Springs, de nouveau elle sentit la culpabilité l'envahir au sujet du bébé. Elle s'était beaucoup donnée aux quatre autres et peu à la petite Anne, qu'elle avait à peine vue depuis sa naissance. La catastrophe était survenue aussitôt après. Tout en conduisant, Ward la regardait de temps en temps, et la voyant soucieuse, il lui tapota tendrement la main. Il lui avait promis de boire moins dès leur arrivée à Palm Springs, et elle espérait qu'il tiendrait sa promesse. La maison était beaucoup plus petite, ses ivresses n'échapperaient certainement pas aux enfants. D'ailleurs, il avait à faire, et Faye espérait que cela le tiendrait éloigné de l'alcool.

Elle rentra deux jours plus tard à Los Angeles par le train et prit une chambre à l'hôtel Hollywood Roosevelt. Les maisons qu'elle visita étaient toutes sinistres. De petites pièces affreuses avec de minuscules jardins dans des quartiers mal fréquentés. Elle éplucha toutes les adresses, rappela toutes les agences, et à la fin, en désespoir de cause, avisa une maison qui semblait un peu moins moche que les autres, et assez grande pour huit. Il y avait quatre grandes chambres au premier, et elle avait déjà décidé de faire des chambres doubles : une pour les garçons, une pour les jumelles, une troisième pour Anne et la nurse, elle et Ward se réservant la dernière. Le rez-de-chaussée comprenait un grand salon un peu sombre, avec d'affreux lambris, et dont la cheminée n'avait pas servi depuis des années, une salle à manger donnant sur un jardinet sinistre, et une cuisine démodée, assez grande néanmoins pour y loger une table qui les accueille tous. Elle aurait certainement les enfants beaucoup plus dans les jambes, mais elle tentait de se persuader que c'était mieux, que Ward le supporterait et accepterait ce nouvel environnement et que les enfants ne pleureraient pas lorsqu'ils verraient la tristesse des chambres. L'intérêt de la maison résidait surtout dans son loyer abordable. Et elle était située dans un quartier résidentiel de Monterey Park, bien éloignée, il est vrai, dans tous les sens du terme, de Beverly Hills. Mais ce n'était plus le moment de se leurrer. Lorsqu'elle fut de retour à Palm Springs, elle leur dit ce qu'il en était, sans fioritures. Ce ne serait que temporaire, expliqua-t-elle, comme une aventure qu'ils auraient à vivre ensemble, et chacun devrait y mettre du sien. Et on pourrait planter de jolies fleurs dans le jardin. Mais lorsqu'elle fut seule avec Ward, il la regarda dans les yeux et prononça les mots qu'elle redoutait.

« C'est si moche que ça, Faye? »

Elle respira profondément. Il n'y avait pas d'autre solution que de lui dire la vérité. Il s'en rendrait assez vite compte par lui-même.

« Oui, comparé à ce que nous avions avant. Mais si on fait un effort d'abstraction, ce n'est pas si mal. Les peintures ont été refaites et c'est propre : le peu de meubles qui nous reste pourra y loger. Et nous rendrons l'intérieur plus gai en mettant des rideaux et des fleurs. Et puis (elle respira en s'efforçant de ne pas voir son air abattu), au moins je t'ai avec moi, Ward. Tu verras que tout ira bien. »

Elle lui sourit, mais il se détourna.

« Tu répètes toujours ça! »

Il était en colère contre elle, comme si tout était sa faute. Et au fond d'elle-même, elle finissait par le penser. Peut-être n'aurait-elle pas dû le contraindre à affronter tout cela. Peut-être aurait-elle dû laisser les dettes s'amonceler jusqu'au bout. Mais ils en seraient bien arrivés au même point, de toute façon... Elle ne savait plus que penser. Au moins Ward avait-il tenu parole : à Palm Springs, tout était emballé et il s'était abstenu de boire jusqu'à son retour. Puis il sut qu'elle reprendrait les choses en main et qu'il pouvait de nouveau se laisser aller.

Pour un temps du moins... jusqu'au déménagement.

Il régnait une chaleur écrasante lorsqu'ils quittèrent définitivement la maison pour Los Angeles ce mardi après-midi. Faye avait fait quelques préparatifs à Monterey Park avant de retourner encore une fois à Palm Springs. Elle avait défait quelques caisses, accroché des tableaux aux murs, rempli des vases de fleurs et mis des draps à tous les lits. Elle avait fait tout son possible pour qu'ils se sentent chez eux dans la nouvelle maison. Les enfants y pénétrèrent avec des curiosités de chiots reniflant un nouveau territoire, avant de sauter de joie en reconnaissant leurs jouets et leurs lits. Pleine d'espoir, Faye les regardait faire, mais elle crut que Ward allait s'évanouir lorsqu'il vit le sombre et affreux salon lambrissé. Sentant sur lui le regard de Faye, il ne dit mot, mais il était abattu et luttait contre les larmes. Il jeta un coup d'œil méprisant à ce qui servait de jardin, parcourut du regard la salle à manger, et, remarquant une table placée autrefois dans le dégagement du premier, leva machinalement la tête, s'attendant à retrouver le beau lustre suspendu au-dessus. Il hocha sombrement la tête et regarda Faye. Jamais il n'avait vu pareil intérieur. En fait, c'était la première fois qu'il entrait dans une maison aussi modeste. Il était atterré.

« J'espère qu'au moins c'est donné? »

Il s'en voulut aussitôt pour ce qu'il leur faisait subir, mais le regard de Faye s'attendrit.

« Ce ne sera pas pour toujours, Ward. »

C'était ce qu'elle s'était dit elle-même des années avant, lorsqu'elle rêvait de fuir la pauvreté de sa maison natale. Mais sa vie d'alors était bien pire. Et elle était vraiment persuadée que leur situation ne durerait pas. D'une façon ou d'une autre, ils s'en sortiraient.

Le cœur brisé, Ward jeta un nouveau coup d'œil alentour.

« Je ne crois pas que je pourrai en supporter davantage. »

A ces mots, elle sentit la colère bouillir en elle pour la première fois depuis des mois, et elle cria sa réponse.

« Ward Thayer, chacun dans cette maison fait de son mieux pour accepter la situation, et tu ne feras pas exception à la règle! Tu ne peux plus retourner en arrière! Je ne veux pas te faire prendre des vessies pour des lanternes : ce n'est pas la maison que nous avions avant, mais c'est notre maison, tu entends, la mienne, la tienne, celle des enfants. »

Elle tremblait et il la regarda dans les yeux. Elle était déterminée à faire contre mauvaise fortune bon cœur, et il la respectait pour cela, mais il n'était pas sûr d'en avoir le courage, lui. En se couchant ce soir-là, il était presque certain que non. La maison sentait l'humidité, comme si les poutres étaient trempées depuis des années, tout avait une odeur de moisi, et il n'aimait pas les rideaux que Faye avait accrochés et qui provenaient des communs de leur ancienne maison. C'était comme s'ils étaient devenus les domestiques dans leur propre maison, un cauchemar surréaliste et insoutenable. Mais c'était pourtant bien de leur maison qu'il s'agissait, tout cela était réel, et il devrait s'en contenter. Il se tourna pour lui parler, pour s'excuser de son attitude, mais Faye était déjà profondément endormie, roulée en boule, blottie dans son coin de lit comme un enfant apeuré. Il se demanda si elle était aussi angoissée que lui. Il l'était sans arrêt depuis des mois – même l'alcool ne résolvait rien. Qu'adviendrait-il de leur vie? En serait-il éternellement ainsi? Ils ne pouvaient pas se permettre mieux que ce qu'ils avaient là, et peut-être y étaient-ils condamnés pour toujours. Elle avait bien parlé de situation temporaire, de fortune, elle avait dit qu'un jour ils remonteraient la pente, mais quand et comment cela se ferait-il? Même dans ses rêves les plus fous, au milieu de l'odeur de moisi de l'affreuse chambre peinte en vert zinc, il ne parvenait pas à l'imaginer.

HOLLYWOOD... ENCORE
1952-1957

CHAPITRE 8

CELA faisait six ans qu'il n'avait pas signé de contrat pour elle, et la main de Faye trembla en composant le numéro. Peut-être avait-il pris sa retraite ou n'aurait-il pas le temps de lui parler. La dernière fois qu'il l'avait appelée, au moment de la naissance de Lionel, il avait voulu la persuader de renouer avec sa carrière avant qu'il soit trop tard. Il était assurément trop tard, maintenant, six ans après son départ. Elle n'avait pas besoin de lui pour le savoir. Non, elle voulait un conseil. Elle avait attendu septembre, les enfants étaient tous à l'école, sauf Anne, bien sûr, et Ward était sorti voir de vieux amis, pour chercher du travail à l'en croire. La plupart du temps, cela signifiait seulement de longs repas dans ses restaurants et ses clubs favoris – « nouer des contacts », disait-il, lorsqu'il rentrait à la maison. Peut-être était-ce vrai, mais elle voyait facilement cette situation se prolonger pendant des années, sans mener nulle part, sans doute comme cet appel, d'ailleurs... si Abe refusait de lui parler. De toutes ses forces, elle souhaita qu'il accepte, tout en donnant son nom à la secrétaire. Il y eut une pause interminable, on lui demanda de patienter, puis soudain il fut au téléphone, comme autrefois, il y avait si longtemps...

« Mon Dieu... une voix de revenante... Etes-vous toujours en vie? (La voix résonnait à son oreille, familière; elle eut un petit rire nerveux.) C'est bien vous, Faye Price? »

Elle regretta soudain de l'avoir négligé pendant si longtemps, mais elle avait été occupée avec Ward et les enfants, et Hollywood appartenait à une autre vie.

« C'est moi, la même Faye Price Thayer, avec quelques cheveux blancs en plus.

– On peut toujours arranger ça, mais je suppose que ce n'est pas pour cela que vous m'appelez. A quoi dois-je l'honneur de cette surprise? Avez-vous déjà vos dix enfants? »

La voix de Abe était toujours aussi chaleureuse. Faye était touchée qu'il ait trouvé le temps de lui parler. Il avait été son agent pendant toute sa carrière de star, puis il était sorti de sa vie, et aujourd'hui elle revenait frapper à sa porte. Mais sa remarque la fit sourire.

« Pas dix, Abe, cinq seulement. Je n'ai fait que la moitié du chemin.

– Mon Dieu, ces jeunes... Je m'en étais bien douté dès le départ, rien qu'à voir vos yeux briller, et c'est pourquoi je n'ai plus insisté. Mais vous avez été une grande actrice, Faye, vous auriez pu le rester très, très longtemps. »

Elle n'était pas certaine d'être d'accord avec lui, mais c'était agréable à entendre. Elle aurait sans doute commencé à descendre la pente, un beau jour. Tout le monde en passait par là, et Ward lui avait épargné cette épreuve, mais maintenant... il fallait qu'elle trouve le courage de lui dire ce qu'elle attendait de lui. Mais il avait dû s'en douter en entendant son nom. Il lisait les journaux, comme tout le monde, il savait dans quel pétrin ils se trouvaient. La maison vendue, leurs biens mis aux enchères, les chantiers fermés. La chute avait été vertigineuse, comme pour beaucoup des stars dont il s'occupait. Mais cela ne changeait rien aux sentiments qu'Abe éprouvait pour elle. Il était profondément désolé de ce qui arrivait à Faye, qui se retrouvait sans argent, avec un mari qui n'avait jamais travaillé de sa vie et cinq enfants à nourrir.

« Vous ne regrettez jamais les vieux jours, Faye? »

Elle avait toujours été sincère avec lui.

« A dire vrai, jamais. »

Pas jusqu'à présent, et aujourd'hui, elle avait une autre idée en tête.

« Vous ne devez pas avoir beaucoup de temps à vous, avec cinq gosses sur les bras. »

Mais elle avait besoin de travailler, et, le sachant bien, il décida d'entrer lui-même dans le vif du sujet, pour lui épargner cette gêne.

« A quoi dois-je donc le plaisir et l'honneur de cet appel, madame Thayer? »

Il avait bien son idée, pourtant... un rôle au théâtre... un petit texte dans un film. Il la connaissait trop bien pour savoir qu'elle ne lui demanderait pas la lune.

« J'ai une faveur à vous demander, Abe.

– Allez droit au but.

– Puis-je passer vous voir pour vous en parler? »

Elle avait repris un ton d'ingénue. Il sourit.

« Bien sûr, Faye. Quel jour vous conviendrait?

– Demain? »

Il fut surpris qu'elle veuille le voir aussi vite. La situation devait être désespérée.

« Parfait. Nous déjeunerons au Brown Derby.

– Alors, à demain. »

Pendant un bref instant, elle eut la nostalgie des

jours anciens. Elle n'y avait pas repensé depuis des années, et un secret sourire se dessina sur ses lèvres tandis qu'elle montait au premier, après avoir raccroché. Elle n'espérait qu'une chose : qu'il ne la prenne pas pour une folle.

Le lendemain, il ne lui dit rien de tel, mais s'assit tranquillement en réfléchissant à sa requête. Il avait été peiné d'apprendre les détails de ce qui leur était arrivé et de savoir qu'ils vivaient maintenant à Monterey Park. Cela semblait si loin de leur vie d'avant, à des années-lumière, en fait. Mais Faye paraissait tenir le coup. C'était une battante, il l'avait toujours su, elle était assez forte pour réussir encore. Il se demandait simplement si quelqu'un lui donnerait cette chance.

« J'ai lu quelque part qu'Ida Lupino a dirigé un film pour les frères Warner, Abe.

– Je le sais. Mais ça ne va pas être facile de trouver quelqu'un qui vous fasse confiance, Faye. En fait, ça ne court pas les rues... Que pense votre mari de tout ça? »

Elle respira profondément et le regarda droit dans les yeux. Abe n'avait guère changé. Même corps replet, mêmes tempes grisonnantes, même œil vif, même gentillesse doublée d'exigence, même excès de sincérité. Et surtout, elle l'avait aussitôt senti, il était resté son ami. Il l'aiderait dans la mesure de ses moyens.

« Il ne sait rien encore, Abe. Je voulais d'abord vous en parler.

– Vous croyez qu'il s'opposera à votre retour à Hollywood?

– Pas pour ce que j'envisage cette fois. Il le ferait peut-être si je voulais recommencer à jouer, mais je sais bien que je suis trop âgée, et je me suis absentée trop longtemps.

– A trente-deux ans, ce ne serait pas du gâteau.

Vous n'êtes pas trop âgée, comme vous le dites, mais ce serait surtout dur de refaire surface après toutes ces années. Le public a la mémoire courte. Et les jeunes ont déjà d'autres vedettes. Vous savez (il se cala contre le dossier de sa chaise et tira pensivement sur son cigare), j'aime beaucoup mieux votre idée. Si nous pouvions la vendre à un studio, cela aurait beaucoup de chances d'aboutir.

– Vous essaierez? »

Il pointa son cigare vers elle.

« Vous me demandez de redevenir votre agent, Faye?

– Oui. »

Elle le regarda résolument et il sourit.

« Eh bien, j'accepte. Je vais voir ce que je peux faire. »

Elle le connaissait assez pour savoir qu'il remuerait ciel et terre pour lui trouver quelque chose, et s'il ne trouvait rien, c'était qu'il n'y avait rien à trouver. Et elle avait eu raison de compter sur lui. Il ne l'appela que six semaines plus tard et lui donna un nouveau rendez-vous. Elle n'osa rien lui demander par téléphone et se contenta de prendre l'autobus jusqu'à Hollywood, le cœur battant dans les cahots, puis monta quatre à quatre jusqu'à son bureau. Elle était hors d'haleine lorsqu'elle arriva, mais toujours aussi belle, constata-t-il tandis qu'elle s'asseyait devant lui. Elle portait une ravissante robe de soie écarlate et un léger manteau de lainage noir, derniers restes de sa garde-robe d'autrefois. Elle était magnifique. Il lui tendit la main et vit qu'elle tremblait presque. Il devinait aisément son angoisse.

« Alors?

– Détendez-vous. Je n'ai rien trouvé d'éblouissant, mais c'est un commencement. Enfin, je l'espère, si cela vous convient. C'est un emploi d'assistante à la

Metro-Goldwyn-Mayer, la puissante M.G.M., pour un salaire de misère. Mais mon ami Dore Schary aime votre idée. Il veut voir ce que vous valez. Il sait qu'Ida Lupino travaille pour la Warner et ça lui dirait de vous avoir auprès de lui. »

Schary était à l'avant-garde parmi les directeurs de studio, le plus jeune aussi.

« Est-ce qu'il saura me dire ce que je vaux si je travaille pour quelqu'un d'autre? »

Cela la contrariait, mais d'un autre côté, personne ne la laisserait diriger la mise en scène d'un film sans aucune préparation, elle le savait bien.

Abe secoua la tête.

« Le metteur en scène en question travaille pour lui sous contrat, et Dore sait qu'il ne vaut rien. Si l'on tire quand même quelque chose de ce film, ce sera entièrement grâce à vous. De plus, ce type est ivrogne et paresseux, vous ne le verrez pas beaucoup sur le plateau. Vous aurez le champ libre. Seulement, vous ne tirerez guère d'argent ni de gloire de ce travail. Si c'est bon, ce sera pour la prochaine fois. »

Elle hocha la tête, pensive.

« Le film est bon?

– Il pourrait l'être. (Il lui décrivit les choses telles qu'elles étaient, traça les grandes lignes du script, énuméra les acteurs.) Faye, c'est une chance à saisir. Si c'est vraiment ce que vous avez envie de faire, il faut essayer. Qu'avez-vous à perdre?

– Pas grand-chose, je suppose. (Elle le regarda pensivement, réfléchissant à tout ce qu'il venait de lui dire. Cela lui semblait valable.) Quand dois-je commencer? »

Elle voulait prendre le temps de bien étudier le texte, et Abe savait combien elle aimait travailler, combien elle était consciencieuse, appliquée. Il prit un air penaud.

« La semaine prochaine.
– Si tôt que ça! »

Elle le regarda d'un air affolé. Cela ne lui donnait guère de temps non plus pour préparer Ward à cette idée. Mais c'était tout ce qu'elle désirait, tout ce qu'elle se sentait capable de faire : elle n'en était pas encore certaine, mais elle était prête à essayer. Cela faisait des mois qu'elle y pensait secrètement. Elle fixa Abe Abramson droit dans les yeux et approuva d'un signe de tête :

« C'est d'accord.
– Je ne vous ai pas encore parlé du salaire.
– J'accepte, de toute façon. »

Il lui dit la somme. Tous deux savaient pertinemment que c'était dérisoire, mais l'important était que Faye ait sa chance.

« Vous serez sur le plateau chaque matin à six heures, et même avant si on vous le demande. Vous travaillerez sans doute jusqu'à huit ou neuf heures du soir. Je ne sais pas comment vous vous en sortirez avec les enfants. Peut-être Ward vous aidera-t-il? »

Personnellement, Abe en doutait. Ward n'était pas de ce genre d'hommes. Il était bien trop habitué à avoir autour de lui une armée de domestiques prête à satisfaire tous ses désirs. Et Abe se demandait de quelle aide il pouvait être à Faye, aujourd'hui.

« J'ai encore une bonne pour m'aider.
– Bien. »

Il se leva. C'était comme autrefois... ou presque... Elle lui sourit.

« Merci, Abe.
– De rien, c'est tout naturel, Faye. »

Son regard disait sa pitié pour elle, mais aussi son respect. Pour lui, elle était déjà tirée d'affaire. C'était quelqu'un cette Faye Price.

« Revenez demain si vous pouvez et nous signerons le contrat. »

Il faudrait pour cela qu'elle refasse le long trajet en autobus, qu'elle traverse la ville d'est en ouest jusqu'à Culver City et la M.G.M., mais elle aurait marché sur des tessons de bouteille pour obtenir ce travail ou pour faire plaisir à Abe. Il ne tirerait que dix pour cent de ce qu'elle gagnerait, presque rien, mais il avait l'air de s'en moquer. Et elle aussi. Elle était trop heureuse.

Elle avait un travail! Elle aurait voulu le crier à la ronde tandis qu'elle descendait en courant les escaliers. Et elle se sourit à elle-même le long du chemin dans l'autobus; elle se précipita dans la maison comme l'aurait fait un de ses enfants. Elle trouva Ward assis dans le salon, occupé à cuver les effets d'un autre déjeuner au champagne avec ses amis. Elle se laissa tomber sur ses genoux et lui jeta les bras autour du cou.

« Devine ce qui m'arrive?

– Si tu es de nouveau enceinte, je me tire une balle dans la tête... mais je commencerai par t'en tirer une, d'abord! »

Il lui rit au nez et elle secoua la tête avec un air suffisant qu'il ne lui avait encore jamais vu.

« Manqué! Cherche encore.

– Je donne ma langue au chat. »

Ses yeux étaient rouges et sa bouche pâteuse, mais elle n'en avait cure.

« J'ai trouvé du travail! Comme assistante dans un film qui commence la semaine prochaine à la M.G.M. »

Il se leva si brusquement qu'elle faillit tomber par terre.

« Qu'est-ce qui te prend? Tu es folle? C'est pour ça que tu es sortie? Pour chercher du travail? »

Il avait l'air horrifié et elle se demanda comment

il pensait subvenir à leurs besoins. Cinquante-cinq mille dollars de titres ne suffisaient pas à nourrir deux adultes, cinq enfants et une bonne.

« Comment as-tu pu faire une chose pareille? »

Il s'était mis à hurler. Les enfants les regardaient depuis l'escalier, les yeux écarquillés.

« Il fallait bien qu'un de nous deux travaille, Ward.

– Mais je t'ai dit que j'avais pris des contacts!

– Très bien, comme ça tu trouveras quelque chose toi aussi. Mais d'ici là, je veux faire ce travail. Ça peut être une expérience enrichissante.

– Et dans quel but? Tu veux retourner à Hollywood, c'est ça?

– Oui, mais pas comme avant. »

Elle s'efforçait de rester calme et de lui parler sincèrement. Elle aurait voulu que les enfants s'en aillent et cessent de les fixer ainsi, mais lorsqu'elle leur fit signe de partir, ils ne bougèrent pas. Ward ne leur prêtait aucune attention, comme tous ces jours-ci, d'ailleurs.

« Je crois que nous devrions reparler de tout ça quand nous serons seuls, reprit-elle.

– Pas question. On va tout régler maintenant. (La colère l'enlaidissait.) Pourquoi ne m'en as-tu pas parlé avant?

– Ça s'est décidé au dernier moment.

– Quand? »

Il lui lançait les mots comme autant de pierres au visage.

« Aujourd'hui.

– Parfait. Tu vas leur dire que tu as changé d'avis. Que ça ne t'intéresse plus. »

Elle ne put en supporter davantage et sentit la colère la gagner à son tour.

« Et pourquoi ferais-je une chose pareille? Je veux ce travail, Ward. Je me fiche qu'il soit mal payé, je me fiche de ce que tu en penses. Je veux le faire et je le ferai. Et un jour tu m'en seras reconnaissant. Il faut bien que l'un de nous se jette à l'eau. »

Aussitôt, elle regretta ces paroles.

« C'est-à-dire toi, n'est-ce pas?

– Apparemment. »

Elle pouvait bien continuer maintenant, le mal était fait.

« Parfait. »

Ses yeux jetaient des éclairs. Il attrapa sa veste sur le dossier de la chaise.

« Alors, je n'ai plus rien à faire ici.

– Mais si, Ward, tu dis n'importe... »

Mais elle n'avait pas prononcé ces mots qu'il claquait la porte. Valérie et Vanessa se mirent à pleurer, tandis que Gregory lançait à sa mère un regard triste.

« Il ne va jamais revenir, maman?

– Mais si, mon chéri. »

Elle monta les rejoindre, très lasse soudain. Pourquoi lui compliquait-il ainsi la vie? Pourquoi était-il aussi susceptible? Sans doute parce qu'il buvait trop, se dit-elle en soupirant. Elle embrassa Lionel, caressa les cheveux de Greg et prit les jumelles dans ses bras. Elle était assez forte pour les porter toutes les deux en même temps. Elle était assez forte pour faire un tas de choses. C'était peut-être la raison de son conflit avec Ward. Il était jaloux de cette force et c'était de plus en plus difficile de la lui cacher. Elle voulait lui demander pourquoi il agissait ainsi avec elle, mais en réalité, elle connaissait déjà la réponse. Parce qu'il était incapable de surmonter la réalité, il ne lui restait plus qu'à se blâmer ou à se retourner contre elle. Dans les deux cas, c'était elle qui en payait le prix. Ce qu'elle fit cette nuit-là, restant éveillée jusqu'à quatre heures à l'attendre, se rongeant les sangs, imaginant un accident, la voiture écrasée contre un arbre. Mais il rentra, à quatre heures et quart, puant le gin. Il parvint à grand-peine à se mettre au lit dans l'obscurité. Inutile d'essayer de lui parler maintenant. Elle lui ferait part de ses projets au matin.

Mais lorsqu'elle lui en parla, il ne sembla nullement impressionné.

« Pour l'amour du Ciel, Ward, écoute-moi. »

Il n'avait pas les idées claires. Et Faye devait retourner à Hollywood pour signer son contrat et prendre le script.

« Je n'écouterai rien du tout! Tu es complètement folle, comme moi autrefois. Tu rêves, tu divagues! Tu ne t'y connais pas plus que moi dans la direction d'acteurs!

– C'est vrai, mais je vais apprendre. C'est là tout l'intérêt de ce travail, et je ferai ce film, et un autre ensuite, dix peut-être. Mais au moins j'aurai appris un métier, et je ne vois rien d'insensé là-dedans.

– Conneries.

– Ward, écoute-moi. Les producteurs sont des gens qui ont des tas de contacts, qui connaissent d'autres gens qui ont de l'argent. Ils n'ont pas besoin de posséder un centime ni d'aimer les films qu'ils produisent, même s'ils font semblant pour les besoins de la cause. Ce sont des intermédiaires. Ils servent de trait d'union entre les capitaux et le cinéma. Que rêver de mieux, pour toi? Tu connais beaucoup de gens, tu as une foule de contacts. Je suis sûre que certains de tes amis aimeraient investir dans des films et s'intéresser un peu à ce qui se passe à Hollywood. Et un jour, si tout se passe bien, nous pourrions faire équipe ensemble. Toi comme producteur, moi comme metteur en scène. »

Il la regarda comme s'il avait affaire à une folle.

« Et pourquoi ne pas nous lancer dans le music-hall, pendant que tu y es? Tu es complètement dingue, ma pauvre Faye! Tu vas te ridiculiser. »

Elle ne voulut pas en entendre davantage. Ward n'était pas mûr pour l'espoir. Il ne comprenait même pas qu'on puisse espérer. Mais Faye, elle, pouvait. Elle voyait clair. Si seulement il cessait de tourner le dos à la chance! Elle prit son manteau et son sac, et le dévisagea.

« Ris tant que tu veux, Ward Thayer. Un jour, tu seras bien obligé de reconnaître que j'ai raison. Et si jamais tu as encore assez de cran pour te conduire en homme, tu seras peut-être tenté par mon idée. Elle n'est pas si folle que tu aimes à le croire. Repenses-y si tu en trouves le temps, entre deux verres. »

Sur ce, elle sortit. Et pendant les deux mois qui suivirent, elle et Ward se virent à peine. Il dormait encore lorsqu'elle quittait la maison le matin, à quatre heures, pour attraper l'autobus qui la conduisait, après un trajet interminable, jusqu'aux studios de la M.G.M. Et quand elle rentrait le soir à la maison, il était plus de dix heures, les enfants dormaient et Ward était le plus souvent sorti. Elle ne lui demandait jamais où il allait. Elle prenait un bain chaud, mangeait un morceau et s'endormait après avoir jeté un œil sur le texte du lendemain. Au matin, tout recommençait. N'importe qui se serait tué à ce rythme, mais Faye tenait bon. Le metteur en scène avec qui elle travaillait détestait ce qu'elle faisait et lui rendait la vie impossible chaque fois qu'il venait sur le plateau, ce qui, heureusement, arrivait rarement. Et elle se fichait des consignes qu'il lui donnait. Un lien magique l'unissait aux acteurs et elle obtenait d'eux ce que personne ne pouvait en obtenir. Cela se vit aux rushes quotidiens, et surtout au montage final qui fut montré à Dore Schary. Abe l'appela chez elle à la fin de janvier, une semaine après la fin du tournage. En rentrant à la maison, Faye avait découvert que Ward était parti pour plusieurs jours. Il avait dit à la bonne qu'il allait au Mexique « voir des amis » et Faye restait sans nouvelles. Elle avait senti un frisson le long de sa colonne vertébrale lorsque la bonne lui avait transmis le message, mais elle s'était forcée à penser que tout allait bien. Elle avait reporté son attention sur les enfants, qu'elle avait à peine vus depuis le début du film. Elle jouait avec Anne lorsque le téléphone sonna.

« Faye? »

La voix familière d'Abe retentit au bout du fil. Elle sourit.

« Oui, Abe.

– J'ai de bonnes nouvelles pour vous. »

Elle retint son souffle. Mon Dieu, pourvu qu'ils aient aimé son travail! Depuis une semaine, elle était sur le gril, attendant leur réaction.

« Schary a dit que vous étiez tout simplement fantastique.

– Oh! mon Dieu... »

Des larmes lui brûlèrent les yeux.

« Il veut vous donner un autre travail.

– C'est moi qui dirigerai, cette fois?

– Non, c'est encore un emploi d'assistante, mais le cachet est plus important! Et cette fois, il veut que vous travailliez avec quelqu'un de bien. Il pense que vous apprendrez beaucoup avec lui. »

Il cita un nom qui lui coupa le souffle. C'était un metteur en scène qui avait dirigé Faye des années auparavant, et Dore Schary avait raison. Elle ne pouvait être à meilleure école. Certes, elle voulait diriger elle-même, mais il fallait patienter. Elle avait tout cela en tête tandis qu'il lui expliquait le nouveau projet qui lui plut aussitôt.

« Qu'en dites-vous?

– C'est d'accord. »

De toute façon, ils avaient besoin de cet argent, et Dieu seul savait où se trouvait Ward. Ce voyage au Mexique était vraiment la goutte d'eau qui faisait déborder le vase, et elle comptait bien le lui dire quand il rentrerait. Cela et beaucoup d'autres choses, d'ailleurs. Elle voulait lui parler de son nouveau film. C'était une occasion unique et elle n'avait personne d'autre à qui en parler. Elle s'était sentie trop seule sans lui.

« Quand dois-je commencer?

– Dans six semaines.

– Parfait. J'aurai le temps de m'occuper un peu de mes enfants. »

Abe remarqua qu'elle ne mentionnait pas Ward, ce qui était le cas depuis longtemps, d'ailleurs, et il n'en était pas surpris. Il n'aurait pas donné deux sous de la survie de leur mariage. Ward apparemment ne s'adaptait pas aux circonstances, et tôt ou tard, Faye trouverait sa voie et le laisserait derrière elle; c'était l'évidence même, du moins aux yeux d'Abe. Il n'avait jamais compris à quel point Faye tenait à Ward. Sans famille, avec peu d'amis, ayant abandonné sa carrière de star pour se consacrer entièrement à lui et aux enfants, elle avait dépendu de Ward pendant des années et continuait à dépendre de lui en dépit des circonstances. Elle avait besoin de lui, tout comme il avait besoin d'elle, ou du moins le pensait-elle. Ce fut pour elle un choc terrible lorsqu'il rentra du Mexique, bronzé, heureux, en pleine forme, un long et mince cigare cubain aux dents, une valise de crocodile à la main, dans un de ses anciens costumes blancs. Elle crut qu'elle allait voir la Duesenberg garée devant la maison. Il entra, avec un regard à peine honteux. Il croyait la trouver endormie, minuit ayant depuis longtemps sonné, mais elle était occupée à lire le nouveau texte.

« Tu as fait bon voyage? »

La froideur du ton masquait la solitude et la douleur. Mais elle était trop fière pour les lui montrer... maintenant du moins.

« Oui... Je m'excuse, je ne t'ai pas écrit.

– Tu n'en as sans doute pas eu le temps. »

Quelque chose dans l'expression de son visage l'horripilait, et elle avait parlé d'un ton sarcastique, où se mêlaient de la colère et de l'amertume. Il ne s'excusait même pas d'être parti. Et elle devina vite pourquoi.

« Avec qui étais-tu?

– De vieux amis. »

Il posa ses affaires et s'assit à l'autre bout du lit. Cela ne se passait pas aussi facilement qu'il l'avait prévu.

« Très intéressant. C'est drôle que tu ne m'en aies pas parlé avant de partir.

– Ça s'est décidé au dernier moment. Et tu étais si occupée avec ton film... »

C'était donc cela. Il se vengeait parce qu'elle avait trouvé un travail, et pas lui. Elle le détesta.

« Je vois. C'est tout à fait clair. Mais la prochaine fois qu'il te prendra l'envie de partir trois semaines, tu pourras peut-être essayer de m'appeler au studio. Tu seras surpris de constater à quel point il est facile de me joindre!

– Je ne le savais pas. »

Il pâlit sous le bronzage.

« Puisque tu le dis. »

Elle n'eut qu'à le regarder une fois, droit dans les yeux, pour comprendre. Restait à trouver le moyen de le confondre. Les journaux du lendemain lui facilitèrent la tâche. Tout s'y trouvait, noir sur blanc. Elle n'eut qu'à les jeter en travers du lit.

« Tu complimenteras pour moi ton agent de presse et aussi ton agence de voyages. Je suis par contre nettement plus réservée sur tes goûts féminins. »

C'était un tel déchirement intérieur qu'elle crut mourir sur le coup. Mais elle n'en montra rien. Elle ne voulait pas qu'il sache combien elle était meurtrie par cette passade. Et elle savait aussi que c'était sa façon de réagir à tout ce qui leur était arrivé, de prouver qu'il faisait encore partie de l'univers auquel on l'avait arraché. Mais c'était peine perdue, Ward, tout cela n'était plus... à moins de retrouver cette vie perdue par un mariage.

Ward fut presque suffoqué lorsqu'il lut ce qui était écrit dans le journal. « L'ex-milliardaire Ward Thayer IV et Maisie Abernathie seront bientôt de retour du Mexique. Ils viennent de s'offrir trois semaines de détente sur le yacht de Miss Abernathie au large de San Diego et sont descendus au Mexique voir des amis et taquiner le poisson. Tous deux semblent nager dans le bonheur et on se demande ce que Ward a fait de son ex-reine du cinéma... » Faye le regarda avec des yeux où pour la première fois se mêlaient l'horreur et la haine.

« Tu peux leur dire que je divorce. Cela ne fera pas les gros titres, mais au moins les choses seront plus claires pour toi et ta Miss Abernathie! Salaud, c'est comme ça que tu pensais régler notre situation, en t'affichant avec des filles comme elle? Vous me faites mal au cœur, tous les deux. »

Maisie Abernathie était de ces riches héritières pourries de fric et imbues d'elles-mêmes qui couchent avec tous les hommes qu'elles rencontrent... « mais pas avec moi », disait toujours Ward en plaisantant. C'était fait, maintenant.

Faye sortit de la chambre en claquant la porte. Quand il descendit, elle était partie conduire leurs quatre aînés à l'école. Elle leur avait consacré la plupart de ses journées depuis des semaines pour rattraper le temps perdu pendant son premier film. Ils lui manquaient cruellement lorsqu'elle travaillait, mais ce n'était pas à eux qu'elle pensait lorsqu'elle rentra et trouva Ward qui l'attendait en bas, dans une robe de chambre de soie bleue achetée autrefois à Paris.

« Il faut que je te parle. »

Il se leva à son approche, l'air terrorisé, mais elle monta l'escalier sans lui adresser un regard. Elle lirait son texte à la bibliothèque publique du quartier.

« Je n'ai rien à te dire. Tu es libre d'aller où bon te semble. Je trouverai un avocat, il pourra prendre contact avec Burford. »

Elle commençait à se convaincre que Maisie Abernathie ne serait pas seulement sa maîtresse d'un jour, mais de tous les jours.

« Ce serait trop simple, Faye. »

Il l'attrapa par le bras. Elle le regarda en face, et ce qu'il vit sur son visage lui fit presque peur. Il n'avait jamais senti pareil mépris, et la honte l'envahissait peu à peu.

« Ecoute-moi, Faye... Il fallait à tout prix que je parte d'ici... avec les enfants qui criaient tout le temps... toi toujours absente... cette maison affreuse... Je ne pouvais pas en supporter davantage.

– Eh bien, réjouis-toi, tu n'habites plus ici. Tu peux t'installer dès maintenant chez Maisie à Beverly Hills. Je suis sûre qu'elle sera ravie de te recevoir.

– A quel titre? Comme chauffeur? J'emmerde Maisie Abernathie. Quand je pense que je n'ai même pas un emploi, et toi, tu n'arrêtes pas de travailler! Que peux-tu comprendre à ce que je ressens? Je ne peux plus supporter cette vie. Je ne suis pas fait pour ça, Faye... Je ne sais pas... »

Il relâcha son bras et Faye le fixa sans aucune sympathie. Cette fois, il était allé trop loin. Son goût pour la boisson, son apitoiement sur lui-même, ses mensonges perpétuels tandis qu'il gaspillait leurs dernières ressources, tout cela elle pouvait le pardonner, mais pas sa liaison avec Maisie. C'en était trop. Pourtant, il semblait pitoyable.

« Ce n'est pas ma faute. Tu es plus forte que moi. Tu as une qualité que je n'ai pas. Et je ne sais même pas ce que c'est.

– Du cran, voilà ce que c'est. Tu en aurais toi aussi, si tu faisais un effort, si tu restais sobre assez longtemps pour te remettre debout.

– Peut-être que je n'en suis pas capable. J'y ai pensé tous les jours, jusqu'à ce que je m'en aille. Et peut-être est-ce la seule solution, dans le fond.

– Quoi? »

Son visage marquait l'indifférence, mais elle sentait un frisson de terreur lui monter le long du dos.

Il semblait étrangement calme, maintenant, comme s'il savait ce qu'il avait à faire.

« Que je sorte de ta vie, Faye.

– Maintenant? Ce serait vraiment ignoble, Ward. »

En dépit de tout ce qu'elle lui avait dit, elle ne voulait pas perdre cet homme. Elle continuait à l'aimer. Avec les enfants, il était tout ce qui comptait pour elle.

« Comment pourrais-tu nous faire une chose pareille? »

Elle avait les larmes aux yeux. Ward se força à regarder ailleurs, tout comme il s'était efforcé de ne pas penser à elle au cours des dernières semaines. Il ne supportait plus de s'en vouloir à ce point. Tout était sa faute, et il ne pouvait rien faire. Il n'avait rien à lui offrir et elle semblait très bien s'en sortir sans lui. S'il l'avait regardée, il aurait vu sur son visage toute la douleur du monde.

« Ward, qu'est-ce qui nous arrive? »

Sa voix était brisée par l'angoisse. Il soupira avant d'aller à la fenêtre pour fixer le panorama. Mais il n'y avait rien à voir : la maison voisine était à repeindre et le jardinet comme inexistant.

« Je crois qu'il est temps que je sorte d'ici, que je me trouve un travail et que tu oublies mon existence.

– Avec cinq enfants? (Elle aurait ri si elle n'avait pas eu autant envie de pleurer.) Tu comptes les oublier aussi? »

Elle fixa sa nuque, incrédule. Ce qui lui avait toujours semblé impossible était en train de leur arriver. C'était comme un cauchemar, un mauvais scénario.

« Je t'enverrai tout l'argent possible. »

Il se retourna vers elle.

« C'est à cause de Maisie? C'est donc sérieux avec elle? »

Elle ne parvenait pas à y croire, mais tout semblait possible. Peut-être était-il à ce point nostalgique de sa vie d'avant, et Maisie appartenait à ce monde. Il secoua la tête.

« Ce n'est pas ça. Je sens simplement qu'il faut que j'aille vivre ailleurs pour un temps. J'ai le sentiment que je dois te laisser construire une nouvelle vie. Tu finiras sans doute par te remarier avec un de ces grands acteurs de cinéma.

– Si j'en avais eu envie, ce ne sont pas les occasions qui ont manqué, tu sais. Mais c'était toi que je voulais.

– Et aujourd'hui? »

Il se sentit un élan de courage comme il n'en avait

pas eu depuis des années. Il n'y avait pas d'autre solution que de relever la tête. Il n'avait plus rien à perdre, s'il l'avait réellement perdue, elle.

Elle le regarda avec des yeux vides et tristes.

« Je ne sais plus qui tu es, Ward. Je n'arrive pas à comprendre pourquoi tu es allé au Mexique avec cette fille. Peut-être vaut-il mieux que tu la rejoignes. »

Elle disait ça par bravade, mais il mordit à l'hameçon.

« C'est peut-être la meilleure chose à faire. »

Il monta dans sa chambre comme une furie, et un moment après, elle l'entendit marcher bruyamment dans la pièce, préparant sa valise. Elle s'assit dans la cuisine, devant une tasse de café qu'elle fixa sans la voir, pleurant amèrement sur les sept dernières années de sa vie, jusqu'à ce qu'il fût temps de retourner chercher les enfants à l'école.

Mais quand elle revint, Ward était parti. Les enfants n'avaient pas su son retour; aussi n'eut-elle rien à leur expliquer. Elle prépara le dîner, des côtes d'agneau trop cuites, des pommes de terre dures comme de la pierre et des épinards brûlés. Elle n'avait pas le cœur à faire la cuisine, mais elle s'y efforça pour eux, et sa seule obsession était de savoir où il pouvait être – sans aucun doute avec Maisie Abernathie – et si elle avait bien fait d'en finir avec lui. Dans son lit, cette nuit-là, elle revit tout depuis Guadalcanal, tous les bonheurs qu'ils avaient connus ensemble... la tendresse, les rêves... et elle pleura dans la nuit, des heures durant, jusqu'à ce que le sommeil la prît, déchirée, séparée de lui.

CHAPITRE 9

LE second film sur lequel elle travailla lui donna beaucoup plus de mal que le premier; le metteur en scène était en permanence sur le plateau, avec ses ordres, ses exigences, ses critiques incessantes. Plus d'une fois elle dut réprimer une envie folle de l'étrangler, mais lorsque tout fut fini, elle sut qu'il lui avait fait un cadeau d'une rare valeur. Il lui avait appris toutes les ficelles du métier, avait exigé d'elle le maximum et obtenu plus encore. Plusieurs fois, il la laissa même tenir les rênes, pour la corriger ensuite. A la fin du tournage, elle en avait plus appris qu'en dix ans avec un autre et lui en était immensément reconnaissante. En quittant pour la dernière fois le plateau, il lui fit un énorme compliment, et ce fut les larmes aux yeux qu'elle le regarda partir.

« Qu'est-ce qu'il t'a dit? murmura un des accessoiristes, et Faye sourit.

– Qu'il aimerait travailler une autre fois avec moi, mais ça ne se fera pas. Car la prochaine fois, il sait que c'est moi qui prendrai sa place. »

Elle soupira et regarda les acteurs qui s'embrassaient et fêtaient la fin d'un dur labeur.

« J'espère qu'il a raison », ajouta-t-elle.

Il avait effectivement vu juste, car deux mois plus tard, Abe offrait à Faye son premier contrat de metteur en scène à la M.G.M. Dore Schary lui avait donné sa chance et elle ne l'avait pas déçu.

« Toutes mes félicitations, Faye.

– Merci, Abe.

– Vous le méritez bien. »

Le tournage devait débuter à l'automne. C'était une véritable gageure et elle était ravie. Les enfants seraient à l'école, à ce moment-là. Lionel devait entrer au cours élémentaire, Greg au cours préparatoire, et les jumelles seraient en dernière année de maternelle. Anne n'avait pas encore deux ans et courait derrière les quatre autres, s'efforçant de tenir leur rythme, mais restant néanmoins toujours à la traîne. Faye aurait voulu lui consacrer plus de temps, mais elle semblait toujours en manquer. Les aînés la réclamaient à cor et à cri et maintenant, elle allait être accaparée pendant plusieurs mois par l'étude du texte, puis par le tournage. Impossible de laisser tout cela pour s'occuper d'un bébé, Anne était différente des quatre autres; elle n'était pas seulement plus jeune, elle avait plus de mal à communiquer. Il était plus facile de la laisser avec la nurse, qui l'adorait, ou avec Lionel qui avait toujours eu beaucoup d'affection pour elle.

Faye était enthousiasmée par le nouveau film, mais elle ne pouvait s'empêcher de penser à Ward, en se demandant où il pouvait être. Il n'avait plus donné signe de vie depuis son départ. Elle avait lu son nom dans la chronique de Hedda Hopper, sans rien apprendre de précis. Mais le texte ne mentionnait pas Maisie Abernathie, en tout cas.

Heureusement, le film était là pour occuper son esprit. Quelques mois auparavant, elle avait demandé à Abe l'adresse d'un avocat, mais elle ne s'était jamais résolue à l'appeler, malgré sa décision. Quelque chose venait toujours l'en empêcher, et les souvenirs la submergeaient.

Puis, un jour de juillet, Ward sonna à sa porte. Les enfants jouaient dans le jardin qu'ils avaient agrémenté de fleurs. Pour les récompenser, la nurse leur avait fait une balançoire. Et soudain, il fut devant elle, en costume blanc et chemise bleue, plus beau, plus élégant que jamais. Un bref instant, elle eut envie de se jeter dans ses bras, comme autrefois, mais elle se rappela que c'était lui qui l'avait quittée, et Dieu seul savait avec qui il vivait maintenant. Elle se sentit timide et baissa les yeux, avant de risquer un nouveau coup d'œil.

« Oui?

– Je peux entrer?

– Pour quoi faire? »

Elle lui jeta un regard irrité et il sembla gêné, mais elle voyait qu'il ne partirait pas avant de lui avoir parlé.

« Je crois qu'il vaut mieux que les enfants ne te voient pas. »

Ils avaient cessé depuis peu de la questionner au sujet de leur père, et elle pensait bien que Ward n'était pas revenu pour de bon.

« Cela fait près de quatre mois que je n'ai pas vu mes enfants. Tu ne veux pas me laisser leur dire bonjour, au moins. »

Comme elle hésitait, elle s'aperçut qu'il avait maigri. Il semblait plus jeune. Elle ne voulait pas le reconnaître, mais Ward était vraiment très beau. Mais elle n'allait pas se laisser piéger une seconde fois.

« Alors? »

Il ne semblait pas prêt à reculer. Ce fut elle qui s'effaça et lui tint ouverte la porte grillagée. Ward trouva la maison encore plus laide qu'avant, après ces mois d'absence.

« Rien de changé ici, à ce que je vois. »

C'était une simple constatation, mais Faye prit aussitôt la mouche.

« Je suppose que tu habites de nouveau Beverly Hills? »

Le ton avait quelque chose de coupant qui le transperça comme une lame, mais il l'avait voulu. Son départ l'avait profondément meurtrie, et il n'était sans doute revenu que pour la tourmenter. Comment aurait-il pu en être autrement?

Il se retourna tranquillement vers elle.

« Non, je ne vis pas à Beverly Hills, Faye. Tu crois vraiment que j'aurais pu y retourner en sachant que vous continuiez de vivre dans un endroit pareil? »

Il semblait sincèrement scandalisé. Faye ne répondit pas. Curieusement, la réaction de Ward ne la surprenait pas.

« Je me demande ce que tu as pu faire, pendant tout ce temps. »

Eux-mêmes s'étaient débrouillés avec leurs maigres fonds et son salaire, car il n'y avait eu aucune trace des chèques promis par Ward. Faye se demandait de quoi il avait pu vivre pendant ces quatre longs mois, mais elle n'aurait jamais posé la question.

A cet instant, la joyeuse troupe des enfants fit irruption dans la pièce. Dès qu'il vit son père, Lionel s'arrêta sur le seuil, interdit, avant de s'avancer lentement vers lui, les yeux agrandis par la surprise. Mais Greg l'avait déjà dépassé pour se précipiter en criant dans les bras de Ward, suivi de près par les jumelles. La petite Anne se contenta de l'épier de loin en suçant son pouce, se demandant qui était ce monsieur. Elle leva vers Faye un regard interrogateur et tendit ses petits bras pour qu'elle la prenne. Sa mère s'exécuta, tandis que Ward était pris d'assaut par les quatre autres, riant et poussant des cris chaque fois qu'il les chatouillait. Lionel pourtant semblait plus réservé et jetait de temps en temps un coup d'œil inquiet à sa mère, comme s'il avait besoin de savoir ce qu'elle en pensait.

« Tout va bien, Lionel, dit-elle doucement. Tu peux jouer avec ton père. »

Mais il resta sur ses gardes, en spectateur. A la fin,

Ward leur ordonna à tous d'aller se nettoyer, et promit de les emmener ensuite déjeuner d'un hamburger et d'une glace.

« Ça ne t'ennuie pas, au moins? demanda-t-il à Faye après le départ des enfants.

– Non, pas le moins du monde. »

Le ton pourtant n'était pas très chaud.

Elle était mal à l'aise, et Ward ne se sentait guère mieux. Quatre mois, c'était long. Ils étaient presque redevenus des étrangers.

« J'ai trouvé du travail, Faye. »

Il dit cela comme s'il s'attendait à un tonnerre d'applaudissements. Faye réprima un sourire.

« Ah! bon?

– Dans une banque... Oh! ce n'est pas un poste très reluisant. Je l'ai obtenu grâce au père d'un ami. Je passe la journée derrière un bureau et à chaque fin de mois, je touche un salaire. »

Il semblait surpris, comme s'il avait pensé que le travail aurait dû être beaucoup plus pénible, traumatisant même.

« Ah! bon?

– C'est tout l'effet que ça te fait? »

La colère le reprit. Elle semblait si difficile à séduire! Il ne la connaissait pas. Etait-ce le travail qui l'avait désillusionnée à ce point? Il est vrai qu'elle ne passait pas ses journées à attendre qu'un chèque lui tombe tout cuit dans les mains. Il inspira profondément et fit une seconde tentative.

« Tu travailles en ce moment? »

En fait, il connaissait indirectement la réponse. Faye n'aurait pas été à la maison avec les enfants si elle travaillait.

« Non, j'ai encore un mois de liberté. Ensuite, je dois travailler pour la première fois comme metteur en scène. »

Aussitôt, elle se reprocha d'en avoir tant dit. Sa

vie ne le regardait plus, et pourtant elle était contente de lui en avoir parlé. Il était la seule personne à qui elle eût voulu se confier.

« Formidable. (Il dansait d'un pied sur l'autre, cherchant un sujet de conversation.) Il y aura des acteurs connus?

– Quelques-uns. »

Il alluma une cigarette. C'était la première fois qu'elle le voyait fumer.

« Je n'ai reçu aucune nouvelle de ton avocat.

– Je n'ai pas encore eu le temps de m'en occuper, affirma-t-elle. Je vais le faire.

– Ah! bon. »

Il y eut du bruit dans l'escalier et les enfants descendirent dans une grande bousculade. Ward fit monter les quatre aînés dans sa nouvelle voiture, une Ford de 1949 comme neuve. Il lança à Faye un regard d'excuse.

« Ce n'est certainement pas la Duesenberg, mais elle m'est bien utile pour aller au bureau. »

Elle voulut lui dire qu'elle continuait de se déplacer en bus mais se retint. Le break était mort le mois d'avant, et ils n'avaient plus aucun moyen de transport.

« Ça te dirait de venir déjeuner avec nous, Faye? »

Elle voulut refuser, mais les enfants protestèrent si fort qu'elle dut accepter, poussée aussi par la curiosité. Etait-il toujours avec cette Maisie Abernathie? Puis elle se dit qu'elle s'en fichait, maintenant. Mais elle remarqua le regard flatteur de la serveuse posé sur Ward et rougit. C'était un très bel homme qui devait plaire beaucoup aux femmes, plus qu'elle-même ne plaisait aux hommes. Mais elle portait encore son alliance et traînait cinq enfants derrière elle.

« Ils sont formidables », dit-il.

Il la complimentait tandis qu'ils rentraient à la maison, avec quatre diablotins chahutant sur le siège arrière de la Ford.

« Tu t'en es bien tirée, Faye.

– Mon Dieu, Ward, tu en parles comme si tu étais parti depuis dix ans!

– C'est l'impression que j'ai eue, souvent. »

Il se tut un instant, puis profita de ce qu'ils étaient arrêtés à un feu rouge pour se tourner vers elle.

« Vous m'avez manqué, tu sais. »

Elle voulait lui répondre qu'il leur avait manqué aussi mais se contraignit au silence, une fois de plus. Mais quelle ne fut pas sa surprise en sentant sur sa main la main de Ward...

« Prends-le comme tu voudras, mais je n'ai pas cessé un seul instant de regretter ce que j'avais fait. (Il avait parlé bas pour que les enfants n'entendent pas, mais ils faisaient de toute façon un beau chahut derrière.) Et je ne suis jamais sorti avec une autre femme depuis que je suis parti de chez nous. »

« Chez nous »... étranges mots pour désigner un lieu qu'il abhorrait. Mais ses paroles lui étaient allées droit au cœur. Faye tourna son visage vers lui, les yeux pleins de larmes.

« Je t'aime, Faye. »

Elle attendait ces mots depuis quatre longs mois, et instinctivement elle tendit les bras vers lui. Ils étaient arrivés devant la maison et les enfants se précipitèrent au-dehors. Ward leur dit de rentrer, il les rejoindrait dans un moment.

« Chérie, tu ne peux pas imaginer combien je t'aime.

– Je t'aime aussi, Ward. »

Soudain, elle se mit à sangloter et s'écarta de lui pour qu'il vît l'ampleur de sa peine.

« Ça a été si terrible, sans toi...

– Pour moi aussi, Faye. J'ai cru que j'allais mourir tellement j'étais malheureux, loin de toi et des enfants. J'ai compris que vous étiez tout pour moi, même sans notre train de vie d'avant et notre grande maison...

– Tout cela ne compte pas. (Elle ravala ses larmes et sourit.) C'est de toi seul dont nous avons besoin.

– Pas autant que j'ai besoin de toi, Faye Thayer. (Il la regarda, hésitant.) A moins que tu ne sois redevenue Faye Price? »

Elle rit à travers les larmes.

« Pas de danger! »

Elle remarqua qu'il portait toujours son alliance. Mais au même moment, Greg appela son père depuis la maison.

« J'arrive, fiston! Une minute », cria Ward.

Il avait encore tant de choses à lui dire! Mais Faye sortit lentement de la voiture.

« Vas-y. Ils t'attendent depuis quatre mois.

– Et moi, donc! (Puis, soudain repris par le désespoir, il la saisit par le bras.) Faye, je t'en prie... essayons encore. Je ferai tout ce que tu voudras. Je ne bois plus, tu sais. J'ai été un beau salaud... Je n'ai pas un travail fabuleux, mais c'est mieux que rien... Faye... je t'en prie. »

Soudain, il lui fut impossible de cacher plus longtemps tout ce qu'il éprouvait pour elle. Il baissa la tête et se mit à pleurer. Puis il la regarda, une lueur sincère dans les yeux.

« Je ne savais plus que faire de moi-même lorsque tu as commencé à travailler. J'avais l'impression de ne plus être un homme... de ne l'avoir jamais été... mais je ne veux plus te perdre, Faye... je t'en prie... ma chérie, par pitié... »

Il la prit dans ses bras et Faye eut l'impression que son cœur avait retrouvé sa patrie. Elle n'avait jamais renoncé à lui. Elle posa la tête sur son épaule et ses larmes coulèrent de nouveau.

« Je t'en ai tellement voulu, tu sais... j'ai essayé, du moins...

– J'ai voulu te détester, moi aussi, mais je savais que j'étais le seul coupable.

– Peut-être était-ce ma faute, à moi aussi. Peut-être n'aurais-je pas dû me remettre à travailler. Mais je ne savais pas quoi faire d'autre.

– Non, tu as bien fait. Toi et tes idées folles... Faire de moi un producteur de cinéma... »

Son sourire se fit tendre. Quelle chance il avait de la tenir dans ses bras, même si ce n'était que pour une heure ou deux...

Elle répondit par un hochement de tête.

« Ça n'avait rien de fou, Ward. Au contraire, c'est tout à fait réalisable. Je t'apprendrai tout sur la question, et tu pourras venir sur le plateau quand je tournerai mon film.

– Impossible. Je suis un pauvre employé de banque, enchaîné à son bureau de neuf heures du matin à cinq heures du soir. »

Elle rit.

« Bon, bon. Mais rien ne t'empêche de changer d'avis. »

Il poussa un long soupir et l'attrapa par la taille.

« Voilà que tu divagues encore, chérie...

– Peut-être pas... »

Elle leva les yeux vers lui, se demandant ce que la vie aurait encore à lui offrir. Mais c'était déjà bien qu'il fût de retour.

Il était là, hésitant sur le seuil de l'horrible maison de Monterey Park. Courageusement, il la regarda en face.

« Tu veux bien que nous essayions encore?... Je

veux dire... veux-tu me donner une seconde chance, Faye? »

Elle soutint longuement et résolument son regard, et lentement un sourire apparut dans ses yeux, dicté par la sagesse, le désenchantement, la douleur. Elle n'était plus une adolescente. Jamais la vie ne serait plus comme avant. Elle avait connu bien des bouleversements, mais elle avait survécu en affrontant les difficultés. Et voilà que cet homme lui demandait de partager sa vie, cet homme qui l'avait blessée, abandonnée, dupée, trahie? Au fond d'elle-même, elle savait qu'il restait son seul ami, qu'il l'aimait, et qu'elle l'aimait aussi, qu'elle l'aimerait toujours. Il n'avait pas comme elle l'instinct de conservation, il était moins armé pour survivre. Mais peut-être que côte à côte, main dans la main... seulement peut-être... Mais elle avait trop confiance en la vie. Et surtout, elle avait confiance en lui, de nouveau.

« Je t'aime, Ward. »

Elle lui sourit, rajeunie, débarrassée du poids de ces longs mois interminables sans lui. Elle pouvait tout supporter, même la misère, pourvu qu'il reste avec elle.

Il se pencha pour l'embrasser, devant les enfants d'abord médusés, puis gagnés par le rire. Greg riait le plus fort et les montrait du doigt. Ward et Faye succombèrent à leur tour. Comme la vie semblait belle, soudain, plus belle qu'avant, à Beverly Hills! Ils avaient connu l'enfer, un peu comme à Guadalcanal. Mais ils avaient fini par gagner la guerre. Et maintenant la vie renaissait. Pour tous les sept.

CHAPITRE 10

WARD ne revit jamais son meublé de West Hollywood. Il réintégra aussitôt la maison de Monterey Park qu'il avait tant détestée. Jamais elle ne lui avait semblé aussi agréable, tandis qu'il montait allégrement ses affaires dans sa chambre.

Ce furent trois semaines de bonheur total jusqu'à l'automne. Puis les enfants retrouvèrent le chemin de l'école, et Faye commença son nouveau film, son premier comme metteur en scène. Ward insista dès le début pour qu'elle prenne la voiture, tandis que lui-même se rendait au bureau en autobus. Faye gagnait ainsi plus d'une heure et elle lui en était reconnaissante. Ward était beaucoup plus gentil avec elle, maintenant. Il ne s'agissait plus de pendants d'émeraude ou de broches serties de rubis. Non, c'étaient des dîners qu'il lui mitonnait de ses propres mains et qu'il tenait au chaud jusqu'à son retour, c'étaient de petits présents qu'il lui faisait lorsqu'il touchait sa paie, un livre, un poste de radio, un pull chaud pour le plateau. C'étaient de petits mots tendres qu'elle trouvait dans les moments où elle était si fatiguée qu'elle avait envie de pleurer, des bains chauds qu'il lui préparait avec des huiles parfumées qu'il achetait pour l'occasion. Il était si gentil qu'elle en avait parfois les larmes aux yeux. Mois après mois, il lui prouvait à quel point il l'aimait, et Faye en faisait autant. Peu à peu, des cendres de leur ancien couple naquit une relation d'une force inconnue jusqu'alors, et les cauchemars des jours sombres peu à peu se dissipèrent. Ils n'en parlaient jamais, d'ailleurs. C'était trop douloureux.

Sur bien des points, Faye était enchantée de sa

nouvelle vie. Son premier emploi de metteur en scène fut une réussite totale et on lui confia trois autres films en 1954, avec les meilleures stars de Hollywood. Ils arrivèrent tous en tête du box-office. Le nom de Faye couvrait de nouveau les murs de Hollywood, mais ce n'était plus pour son beau visage ou ses talents d'actrice, mais pour ses qualités de metteur en scène, parmi les plus intelligents et les plus doués. C'était surtout dans la direction d'acteurs qu'elle excellait. Elle avait sur eux un tel pouvoir, elle aurait tiré d'un roc un jeu à vous chavirer le cœur, disait toujours Abe Abramson, et Dore Schary partageait cet avis. Tous deux étaient extrêmement fiers d'elle. Lorsque la première offre de 1955 se présenta, Faye en profita pour leur demander ce dont elle rêvait depuis des années. Elle avait beaucoup travaillé Ward depuis son retour et le savait mûr. Mais Abe faillit tomber de sa chaise lorsqu'elle lui dit ses conditions.

« Et vous voulez vraiment que j'en parle à Dore? »

Il était abasourdi. Ce type ne connaissait rien au cinéma, et Faye était complètement folle. Il l'avait déjà pensé lorsqu'elle l'avait recontacté des années auparavant. A l'époque, il n'était pas d'accord avec elle mais n'avait rien dit. Cette fois, il n'y tint plus.

« Vous êtes cinglée, Faye! Jamais ils n'achèteront un produit pareil. Il a trente-huit ans et ne connaît rien au cinéma. Autant choisir mon chien comme producteur!

– Ce n'est pas chic de dire ça, Abe. Mais je me fiche de ce que vous pensez. Ward a appris beaucoup de choses sur la finance depuis deux ans, et c'est un garçon intelligent, qui a des amis influents. »

Mais surtout, Ward était enfin adulte.

« Mais, Faye, jamais je ne pourrai vendre un produit pareil!

– Dans ce cas, vous ne me vendrez pas non plus. Ce sont mes conditions. »

Elle était inébranlable, et Abe commençait à perdre patience.

« C'est une énorme bêtise, Faye. Vous allez tout foutre en l'air. Si ça rate, personne ne voudra plus jamais de vous. Vous savez la difficulté que j'ai eue au début pour faire embaucher une femme comme metteur en scène... Et tout le monde n'attend qu'une chose : que vous vous cassiez la gueule. Personne ne vous redonnera la chance que Dore vous a donnée au début, personne... »

Il était à court d'arguments. Faye leva une main sur laquelle ne brillait plus que son alliance. Les autres cadeaux de Ward avaient été depuis longtemps vendus. Mais ils ne lui manquaient pas. C'était du passé.

« Je sais tout cela, Abe. Et vous savez ce que je veux. Je suis persuadée que vous pouvez le faire. A vous de choisir. Je ne changerai pas mes conditions. »

Il eut envie d'envoyer valser des projectiles contre la porte après son départ. L'attitude de Faye dépassait son entendement. Mais il fut encore plus surpris lorsque la M.G.M. accepta ses conditions.

« Ils sont encore plus cinglés que vous, Faye. »

A l'autre bout du fil, Faye n'en croyait pas ses oreilles.

« Ils ont accepté?

– Vous commencerez tous les deux le mois prochain. Enfin, Ward d'abord. Vous, Faye, n'interviendrez que lorsque le film aura le feu vert. Vous disposerez chacun d'un bureau à la M.G.M., lui comme producteur et vous comme metteur en scène. »

Abe n'en était pas encore remis. Il hocha la tête derrière son bureau.

« Bonne chance... et un conseil : dépêchez-vous de venir signer le contrat avant qu'ils retrouvent leurs esprits et changent d'avis!

– Nous y serons en début d'après-midi.

– Parfait », grogna-t-il.

Quand ils entrèrent dans les bureaux de la M.G.M., Faye eut tout lieu d'être fière de son mari. C'était terrible à dire, mais les épreuves avaient eu sur Ward un effet salutaire. Il avait acquis un air de maturité tranquille, d'intelligence sereine. Abe se prit même à penser qu'il s'en sortirait peut-être, après tout. Et il savait que Faye ferait son possible pour l'aider. Lorsque tout fut signé, il vint leur serrer la main et embrassa Faye, puis il leur souhaita bonne chance. Mais il hocha encore la tête après qu'ils furent partis. On ne savait jamais... après tout...

Le film eut un succès monstre et leur carrière prit aussitôt un essor; ils produisaient et dirigaient deux à trois films par an. En 1956, ils purent enfin dire adieu à la maison que Ward avait tellement haïe, bien qu'ils eussent depuis longtemps fait abstraction de sa laideur. Ils en louèrent une nouvelle pendant deux ans. Et en 1957, après cinq ans d'absence, ils étaient de retour à Beverly Hills. Pas dans la splendeur grandiose d'antan, mais dans une jolie villa bien entretenue, avec un jardin devant et derrière, cinq chambres, un bureau pour chacun et une piscine de dimensions modestes. Les enfants étaient ravis, et Abe Abramson heureux pour eux tous. Pas autant que Ward et Faye Thayer. Ils étaient de retour, comme après de longues années de guerre, et ils s'accrochaient à leur carrière comme les survivants d'un massacre, savourant chacun de leurs précieux instants.

BEVERLY HILLS... ENCORE
1964-1983

CHAPITRE 11

DEPUIS son bureau de la M.G.M., la vue n'avait pas grand intérêt. Il y jeta un coup d'œil distrait tout en poursuivant la dictée. Lorsque Faye entra, elle vit le profil de son mari se détacher dans la lumière de la fenêtre, et elle sourit. A quarante-sept ans, il était aussi bel homme que vingt ans plus tôt. Plus beau peut-être – ses cheveux avaient blanchi et ses yeux étaient du même bleu profond. Son visage seul avait vieilli, son corps restait droit, mince et musclé. Il tenait un crayon avec lequel il scandait ses phrases. Il s'agissait de leur prochain film, qui devait être prêt pour le tournage d'ici à trois semaines, et pas question de dépasser cette date. C'était sa hantise perpétuelle. Les Productions Ward Thayer sortaient toujours à l'heure, et on attendait d'elles qu'elles démarrent à l'heure. Malheur à ceux qui ne s'y pliaient pas! Il ne les réemployait plus. Ward avait beaucoup appris en dix ans. Faye avait vu juste. Il possédait un génie que personne n'aurait soupçonné au départ. Il avait appris à préparer son budget à l'avance et il trouvait des sources de capital auxquelles personne n'aurait osé penser. Il s'était d'abord adressé à ses amis, puis s'était fait une spécialité d'obtenir des fonds de toutes sortes d'entreprises, des groupes cherchant à diversifier leurs activités. Comme aimait le répéter Abe Abramson, « il charmait les portefeuilles comme Orphée les animaux ». Au début, Faye avait passé des nuits entières à travailler avec lui, mais après une demi-douzaine de films, Ward avait pu se débrouiller tout seul, et Faye ne s'occupait que du tournage. Il réglait la partie financière avant qu'elle prenne en main les acteurs, et tous deux allaient de succès en succès. On les appelait la « Grande Equipe » de Hollywood. Et si l'on excepte quelques échecs, fort humains d'ailleurs, leur carrière était sans faute.

Faye était si fière de Ward! Et sa fierté grandissait avec les années. Il ne buvait plus depuis fort longtemps et en dehors de sa lointaine incartade à l'époque de leur séparation, en 1953, il n'y avait jamais eu d'autre femme dans sa vie. Il avait travaillé dur, et bien; elle était heureuse avec lui. Plus heureuse que pendant le conte de fées de leurs premières années, cet âge d'or devenu irréel à ses yeux et auquel Ward se référait rarement. Elle savait qu'il était resté nostalgique, qu'il regrettait cette vie facile, les voyages, la fortune, les douzaines de domestiques... les Duesenberg... Mais la vie qu'ils menaient maintenant était agréable. De quoi auraient-ils pu se plaindre? Ils aimaient leur travail, et les enfants avaient grandi.

Elle sourit calmement à Ward avant de jeter un coup d'œil à sa montre. Elle serait bientôt obligée de l'interrompre. Et comme s'il avait perçu sa présence dans la pièce, il se retourna et lui sourit à son tour. Leurs regards se rencontrèrent et il y eut entre eux cette merveilleuse complicité que l'on continuait à leur envier après toutes ces années. Quelque chose de particulièrement fort unissait Faye et Ward Thayer, un amour que le temps renforçait et qui faisait l'envie de tous. Leur vie n'avait pas été exempte de chagrins. Mais elle leur avait aussi apporté bien des joies.

« Merci, Angela, nous finirons cela cet après-midi. (Il se leva et quitta son bureau pour embrasser sa femme.) C'est l'heure, chérie? »

Il déposa sur sa joue un baiser rapide et elle lui sourit. Ward utilisait toujours le même after-shave, si puissant qu'elle aurait pu le suivre à la trace; et si elle avait fermé les yeux, il aurait éveillé en elle les mêmes images romantiques qu'autrefois. Mais elle n'en avait pas le temps aujourd'hui. Lionel devait recevoir son diplôme de fin d'études au lycée de Beverly Hills. Ils devaient y être dans une heure et demie, et leurs quatre autres enfants les attendaient à la maison.

Faye jeta un coup d'œil à la belle montre Piaget en or, ornée de saphirs, qu'il lui avait offerte l'année d'avant.

« Il faut que nous y allions, chéri. Les troupes doivent être proches de l'hystérie. »

Il lui sourit en saisissant sa veste et la suivit.

« Mais non : seulement Valérie. »

Ils rirent ensemble. Ils connaissaient bien leurs enfants, ou du moins pensaient bien les connaître. Valérie était de loin la plus nerveuse, la plus exubérante et la plus susceptible des cinq, celle dont la mauvaise humeur s'assortissait des exigences les plus intransigeantes. Un caractère qui allait bien avec le roux flamboyant de ses cheveux et qui contrastait avec l'attitude plus réservée de sa sœur jumelle. Greg était lui aussi un garçon débordant d'énergie, mais il en faisait un usage différent; c'était un fanatique de sport, de filles aussi, ces derniers temps. Et puis il y avait Anne, leur « enfant invisible », comme Faye l'appelait parfois. Elle passait le plus clair de son temps dans sa chambre, occupée à lire ou à écrire de la poésie, toujours à l'écart, semblait-il. C'était seulement avec Lionel qu'elle révélait un autre visage, riait et plaisantait, mais dès que les autres l'importunaient un peu trop, elle se rétractait de nouveau. Faye avait l'impression qu'elle était toujours en train de demander : « Où est Anne? », et parfois ils oubliaient jusqu'à son existence. C'était une enfant étrange et sauvage. Faye n'était jamais certaine de bien la comprendre, ce qui pouvait surprendre, s'agissant de son propre enfant, mais n'était pas éloigné de la vérité.

Ward et Faye attendaient devant les ascenseurs de la M.G.M. Ils avaient maintenant toute une série de bureaux à leur disposition. Faye les avait décorés dans une harmonie de blanc, de bleu vif et de chrome deux ans auparavant, lorsque les Productions Thayer Inc. s'étaient définitivement installées dans l'immeuble de la M.G.M. Au début, on leur avait fourni des bureaux temporaires, puis ils avaient pris leurs quartiers vers le centre ville, ce qui les obligeait à passer la moitié de leur vie en voiture, entre deux réunions aux studios. Maintenant, ils étaient tous deux à la fois indépendants et réunis au sein de la M.G.M., avec laquelle ils signaient des contrats de deux ans, tout en gardant le loisir de travailler aussi pour d'autres studios. C'était une situation idéale. Ward était satisfait de la tournure qu'avait prise sa vie, bien qu'il sût en son for intérieur que c'était à Faye qu'il le devait. Il en était si persuadé qu'il le lui avoua un jour; mais elle protesta violemment, lui reprochant de se sous-estimer. C'était vrai qu'il se sous-estimait. La star, cela avait toujours été Faye, elle était toujours si maîtresse de la situation. Elle connaissait tout le monde dans l'industrie du cinéma et tout le monde la respectait. Mais Ward était tout aussi respecté, qu'il le veuille ou non, et Faye souhaitait qu'il en prît enfin conscience. Il était difficile de le convaincre qu'il était quelqu'un d'important. Il semblait toujours en douter. Mais c'était aussi ce qui faisait son charme, cette innocence d'enfant qui l'avait suivi dans l'âge adulte et lui donnait encore la tendresse de la jeunesse.

Leur voiture, une Cadillac noire décapotable achetée deux ans plus tôt, les attendait au parking. Ils avaient à la maison un énorme break qu'ils utilisaient pour sortir avec les enfants et Faye possédait une petite Jaguar vert bouteille qu'elle adorait conduire. Lionel et Greg avaient tous les deux leur permis, et c'était sans arrêt des querelles pour avoir le break : situation qui prendrait fin l'après-midi même, sans que Lionel le sût. A l'occasion de son anniversaire et de la remise des diplômes, qui tombaient presque le même jour, ils lui avaient acheté une des nouvelles petites Mustang qui venaient de sortir. C'était un modèle décapotable rouge vif, avec un capitonnage rouge et blanc. Faye était encore plus émue que Ward lorsqu'ils étaient allés la chercher la veille au soir, avant de la cacher dans le garage des voisins. Et ils bouillaient d'impatience de la lui offrir. Ils devaient déjeuner en famille au *Polo Lounge* pour l'occasion, et une fête était organisée en son honneur à la maison le soir même.

« Cela semble à peine croyable, tu ne trouves pas? (Faye regarda Ward tandis qu'ils roulaient vers la maison, et un sourire nostalgique se dessina sur ses lèvres.) Quand je pense qu'il va avoir dix-huit ans... qu'il va quitter le lycée... Il me semble que c'était hier que nous lui apprenions à marcher. »

Ces paroles réveillèrent les images du passé. Ward fixa pensivement la route, tandis qu'ils roulaient en silence.

« Tu n'as pas changé depuis ce temps-là, tu sais. »

Il lui adressa un sourire flatteur. Faye était très belle. Elle avait bien quelques cheveux blancs, qu'elle masquait sous la teinture, et sa chevelure avait encore cette blondeur dorée qu'il aimait tant. A quarante-quatre ans, son visage restait parfait, son teint clair et lisse, et ses yeux verts dansaient du même feu émeraude. Ward faisait un peu plus âgé qu'elle, à cause de ses cheveux blancs. Sa chevelure blonde avait viré avant l'âge, mais cela lui allait bien, cela rehaussait la jeunesse de ses traits, et Faye l'aimait davantage ainsi. Ward semblait mûri. Elle se pencha pour l'embrasser dans le cou.

« Comme tu sais bien mentir, mon amour! Je me sens vieillir chaque jour, alors que toi tu es toujours aussi éblouissant! »

Il rit, modeste, et l'attira contre lui.

« Et toi tu seras la plus coquine des grand-mères! Toujours à me peloter pendant que je conduis... Tu veux que je te renverse sur le siège arrière?... »

Elle éclata de rire, et il admira le long cou gracieux et sans une ride qu'il avait toujours aimé. Il pensait souvent qu'elle aurait pu poursuivre sa carrière. Elle aurait encore fait une très belle actrice et elle connaissait admirablement bien le septième art. Il s'en rendait compte chaque fois qu'il la voyait diriger. Mais dans cela aussi, elle était excellente. Il y avait si peu de chose que Faye Thayer ne pût faire! Cela l'avait contrarié autrefois, mais aujourd'hui, il était vraiment fier d'elle. Faye faisait simplement partie de ces gens qui réussissaient en tout. Le plus curieux, c'était qu'il semblait en être assez capable, lui aussi, bien qu'il refusât de l'admettre. Il n'avait pas la même confiance qu'elle en ses propres capacités, même maintenant, ni l'élan ni l'assurance qui permettaient à Faye d'aborder tous les domaines sans douter de sa réussite.

Elle jeta un nouveau coup d'œil à sa montre.

« Nous sommes en retard? »

Ward fronça les sourcils. Il ne voulait pas faire faux bond à Lionel. Il ne se sentait pas aussi proche de lui que de Greg, mais Li était son fils aîné, et c'était un grand jour pour lui. Et lorsqu'il verrait le cadeau qu'ils lui réservaient... Ward sourit de nouveau.

« Nous ne sommes pas encore en retard. Qu'est-ce qui te fait sourire?

– J'imagine la réaction de Li quand il verra la voiture.

– Il sera fou de joie! »

Elle aimait tellement son fils, presque trop parfois, pensait Ward; elle était vraiment trop protectrice. Elle ne laissait jamais Li prendre des risques, ni s'exposer autant que se le permettait Greg. Il n'avait pas la force physique de son cadet, disait-elle, ni sa capacité de se battre, de répondre aux coups, au propre comme au figuré. Mais Ward pensait qu'elle exagérait un peu. Lui-même aurait sans doute été beaucoup plus ferme si Faye le lui avait permis. Pour le reste, Li ressemblait tellement à sa mère! Il avait hérité d'elle ce calme entêtement, cette détermination dans tout ce qu'il entreprenait, quel qu'en fût le prix, cette même assurance. La ressemblance était aussi physique, et en clignant des yeux, on les aurait presque pris pour des jumeaux, ce qu'ils étaient sur le plan spirituel, parfois à l'exclusion du reste de la famille. Il arrivait à Ward d'être jaloux de son fils, sans vouloir se l'avouer. Faye l'avait suivi dans sa croissance, partageant ses secrets, se confiant à lui, et cette intimité finissait par exclure les autres, surtout Ward. Lionel était toujours poli et gentil avec lui, mais jamais il ne venait à sa rencontre, jamais il ne se promenait avec lui... pas comme Greg, qui lui sautait au cou chaque fois qu'il rentrait à la maison, chaque soir depuis seize ans et demi, enfin depuis qu'il savait marcher. Il arrivait à Ward de le trouver endormi de son côté du lit conjugal quand il rentrait tard. Greg avait un exploit récent à lui raconter et voulait être certain de se réveiller une fois ses parents de retour. Le soleil se levait et se couchait sur son cher papa, et Ward devait reconnaître que cette admiration passionnée était bien difficile à maîtriser et qu'elle rendait encore plus impénétrable la timide réserve de Lionel. Comment aurait-il fait l'effort de se rapprocher de son aîné avec un Gregory à ses pieds? Pourtant il avait le sentiment, imprécis et diffus, de devoir quelque chose à Lionel.

Même l'idée de la voiture était de Faye. Elle faciliterait ses déplacements à l'université cet automne, et aussi son job de l'été. Il avait trouvé à s'embaucher chez les joailliers Van Cleef & Arpels, sur Rodeo Drive, pour de petits travaux, et il était fou de joie. Ce n'était pas le genre de travail dont Ward aurait rêvé pour lui, et Greg aurait détesté ça, mais Lionel avait fait son choix lui-même; il s'était présenté à l'entretien d'embauche les cheveux fraîchement coupés, arborant son plus beau costume, et à l'évidence, il leur avait fait une forte impression malgré son jeune âge, à moins qu'ils n'aient su qui étaient ses parents. Mais quoi qu'il en soit, il avait obtenu ce travail et en l'annonçant à sa famille le soir même, il était en proie à une excitation enfantine qui ne lui ressemblait pas. Lionel était toujours si posé, si mûr! La nouvelle avait déconcerté Greg, et laissé froides les jumelles. Mais Faye était heureuse pour lui; elle savait ce que ce travail représentait pour lui. Il l'avait obtenu sans l'aide de personne. Elle avait fait signe à Ward de le féliciter, et il s'était exécuté, un peu à contrecœur, pourtant.

« Tu es sûr que tu ne préférerais pas aller avec Greg dans le Montana au mois d'août? »

Greg devait travailler dans un ranch pendant six semaines, après avoir fait du camping avec un groupe d'amis et de professeurs dans le parc de Yellowstone; mais c'était précisément le genre de choses que détestait son aîné.

« Je serai bien plus heureux ici, papa, je t'assure... »

Ses grands yeux verts, comme ceux de Faye, semblaient chargés d'inquiétude. Il avait eu tant de mal à obtenir ce travail, et voilà que son père voulait l'en dissuader... Mais en voyant l'expression de son fils, Ward fit aussitôt marche arrière.

« Je ne faisais que poser la question, Li.

– Ah! bon... Merci, p'pa! » avait lancé Lionel avant de disparaître dans la solitude de sa chambre.

Ward avait fait faire des améliorations dans la maison plusieurs années auparavant; il avait supprimé la chambre d'amis, fait construire une chambre pour la bonne au-dessus du garage, si bien que les enfants avaient chacun leur chambre, même les jumelles, soulagées en fin de compte de ne plus dormir ensemble, même si elles avaient refusé de le reconnaître au départ.

Arrivé dans Roxbury Drive, Ward tourna dans l'allée de la maison. Les jumelles les attendaient déjà devant la porte d'entrée. Vanessa avait mis sa robe et ses sandales blanches, noué ses longs cheveux blonds avec un ruban bleu et passé un sac de paille blanche à son épaule. Ses parents la trouvèrent ravissante. Val l'était aussi, mais d'une façon beaucoup moins discrète. Elle était serrée dans une robe vert vif dernier cri, si courte que l'ourlet était plus près de ses fesses que de ses genoux. Le dos largement décolleté, elle moulait ses formes déjà généreuses. Jamais on ne lui aurait donné les sages quinze ans de sa sœur. Avec ça, des yeux et des ongles faits, et hissée sur des talons aiguilles verts dernière mode. Faye soupira et jeta à Ward un regard découragé, tandis qu'il arrêtait la voiture.

« Mon Dieu, j'aurais dû m'en douter... notre séductrice maison est de sortie... »

Ward eut un sourire bienveillant et tapota la main de sa femme.

« Laisse courir, chérie. Vous n'allez pas vous disputer aujourd'hui... »

Il lui fit un clin d'œil amoureux, dans l'intimité de la voiture, puis sourit.

« Tu n'auras qu'à dire que c'est ta nièce. (Puis, le regard tendre :) Ce sera une vraie beauté un jour, ta fille.

– Sans doute, mais je serai trop vieille et trop gâteuse pour l'apprécier.

– Laisse-la donc vivre sa vie, Faye. »

Il disait toujours cela. C'était sa réponse à tout, sauf avec Lionel, bien sûr. Lorsqu'il s'agissait de son fils, il fallait sans cesse le réprimander, lui expliquer, l'accoutumer à tout. Ward était exigeant avec Li. Beaucoup trop, selon Faye. Il n'avait jamais compris que Lionel était différent, que c'était un être créatif, sensible, aux besoins spécifiques. Mais Val... rien à voir avec Li. Val était une forte tête, belliqueuse, exigeante... C'était de loin la plus difficile des cinq... Ou était-ce Anne, la renfermée ?... Elle ne savait ce qui était le plus compliqué.

Mais lorsqu'elle descendit de la voiture, Vanessa se précipita vers elle avec son gai sourire si simple, et Faye décida que ce jour-là elle remercierait le Ciel pour la plus facile à vivre de ses enfants. Elle dit à Vanessa combien elle la trouvait jolie, lui passa un bras autour des épaules et l'embrassa.

« Ton frère va être fier de toi.

– Tu veux sans doute parler d'Alice au Pays des Merveilles? (Val s'était avancée d'un pas nonchalant, bouillonnant intérieurement en voyant sa mère embrasser Vanessa. Elle avait observé la scène d'un œil critique.) Tu ne trouves pas qu'elle est un peu âgée pour s'habiller comme ça? »

Lorsqu'elle s'approcha, Faye vit avec horreur une épaisse couche noire sur ses sourcils.

« Ma chérie, pourquoi ne vas-tu pas t'enlever un peu de ce maquillage avant de partir? Tu ne crois pas que c'est un peu tôt aujourd'hui pour tout ça? »

Il était plus facile de mettre le blâme sur le compte de l'heure, plutôt que de l'âge. Quinze ans, c'était selon Faye nettement trop tôt pour ces yeux de Cléopâtre, et cela n'avait jamais été son style à elle, d'ailleurs. Mais Valérie n'avait absolument rien des manières de sa mère ni de Ward. Elle avait ses petites idées sur tout, et Dieu seul savait de qui elle les tenait. Sûrement pas de l'un d'entre nous, pensait Faye. Val semblait tout droit sortie d'un film de teenagers hollywoodien, et la caricature était parfois si poussée que Faye en aurait hurlé. Pour l'instant, elle s'efforçait de rester calme, tandis que Val se cabrait sur ses talons verts.

« Il m'a fallu un temps fou pour le mettre, maman, et je n'enlèverai rien du tout. »

Elle avait oublié d'ajouter « surtout pas pour toi », et Faye se demandait si elle aurait tout de même osé.

« Sois raisonnable, ma chérie, tu n'y as pas été à l'économie.

– Allez, la môme, va m'enlever ces saloperies. »

Greg venait d'intervenir, en pantalon kaki et

chemise Oxford bleue, la cravate de guingois et aussi propre qu'après plusieurs années de séjour sous un lit. Ses mocassins étaient défoncés et ses cheveux refusaient de prendre le pli voulu. Mais en dépit de cet évident contraste avec l'allure avenante de son père, c'était la copie conforme de Ward, et Faye sourit en le voyant hausser les épaules en direction de Val.

« Ça fait vraiment cloche. »

Remarque qui augmenta encore la fureur de sa sœur.

« Mêle-toi de tes oignons... t'es un petit con!

– Eh bien, je vais te dire une chose. Je ne sortirai jamais avec un pot de peinture pareil. Et cette robe est trop serrée. Ça fait ressortir tes nichons. (Elle rougit un peu, mais la colère l'emporta. Ça lui plaisait de montrer sa poitrine, mais ce n'était pas à son imbécile de frère de le lui faire remarquer.) Tu ressembles à une grue. »

Il avait dit cela sans y penser, mais elle prit aussitôt la mouche et lui flanqua une gifle, juste au moment où Ward ressortait de la maison.

« Hé! oh! vous deux! cria-t-il. Un peu de tenue. Vous ferez ça un autre jour.

– Il m'a traitée de grue! »

Valérie était furieuse et Vanessa soupira. Elle s'ennuyait à mourir. C'était toujours les mêmes querelles, et au fond d'elle-même, elle donnait raison à Greg – tout en sachant bien que cela n'influencerait en rien Valérie. C'était une entêtée, elle n'en ferait de toute façon qu'à sa guise et rendrait la journée impossible. C'était la centième fois qu'ils remettaient ça sur le tapis.

« C'est pas vrai qu'on dirait une grue, hein, p'pa? »

Greg se défendait contre les coups féroces de sa

sœur. Faye, qui était tout près, entendit un craquement du côté de la chemise Oxford.

« Ça suffit, maintenant! » Mais c'était peine perdue. Elle en avait par-dessus la tête. Ces enfants la rendaient folle! Ils choisissaient toujours leur moment, surtout quand elle rentrait épuisée après une mauvaise journée aux studios. Où étaient les jours bénis où elle s'asseyait calmement auprès d'eux devant la cheminée pour leur lire des histoires? Mais elle était même passée à côté de cela, en fait. C'étaient les nurses et les baby-sitters qui avaient pris sa place la plupart du temps. Parfois, elle se demandait si c'était le prix à payer pour ces années d'absence. Parfois, on ne pouvait plus les tenir, et apparemment c'était le jour. Mais Ward intervint et, saisissant Val par le bras, il lui parla sur un ton qui la neutralisa aussitôt.

« Valérie, va te laver la figure. (C'était dit sans ambiguïté et n'admettait pas de réplique. Elle hésita un moment, et Ward regarda sa montre.) Nous partons dans cinq minutes, avec ou sans toi, mais à mon avis, il vaudrait mieux que tu sois là. (Sur ce, il lui tourna le dos et regarda Faye.) Où est Anne? Je ne l'ai pas trouvée en haut. »

Elle n'en savait pas plus que lui, puisqu'elle était venue avec lui au bureau.

« Elle était pourtant là quand je l'ai appelée, tout à l'heure. Vanessa, tu sais où elle est partie? »

Vanessa haussa les épaules. C'était impossible d'avoir l'œil sur cette fille; elle allait et venait sans jamais prévenir personne, et la plupart du temps, disparaissait dans sa chambre pour lire.

« Je crois qu'elle est en haut. »

Greg réfléchit un instant.

« Il me semble l'avoir vue traverser la rue.

– Où est-ce qu'elle allait? »

Ward commençait à perdre patience. Tout cela

lui rappelait un peu trop l'enfer des vacances en famille lorsqu'ils n'avaient pas encore assez d'argent pour les envoyer tous en colonie de vacances et avoir un peu la paix. Il adorait sa famille, certes, mais parfois elle le rendait fou, comme aujourd'hui.

« Tu sais où elle est allée? »

Il remarqua sans rien dire que Val avait disparu dans la maison, pour alléger un peu son maquillage, espérait-il, et peut-être même changer de robe, bien qu'il sût que c'était trop demander. Effectivement, ce fut la même Val vert vif qui émergea quelques minutes plus tard, tandis qu'ils cherchaient Anne dans tous les coins du jardin. La couche noire empâtant ses sourcils n'avait diminué que de moitié.

« Valérie, sais-tu par hasard où est passée Anne? »

Il semblait exaspéré, prêt à les étrangler tous.

« Ouais, elle est chez les Clark. »

Et voilà, c'était tout simple. Nom de Dieu, cette enfant était toujours perdue! Il se souvenait d'avoir une fois passé des heures, affolé, à la chercher dans tout *Macy's*, à New York, pour finalement la dénicher à l'extérieur du grand magasin, endormie dans leur Rolls de location.

« Ça t'ennuierait d'aller la récupérer, s'il te plaît? »

Il y eut dans les yeux de la gravure de mode une velléité d'objection, mais un coup d'œil à son père lui suffit pour comprendre qu'elle avait mal choisi son jour. Elle fit oui de la tête, avant de courir de l'autre côté de la rue, la mini-robe aux fesses. Ward grommela en direction de Faye :

« Elle pourrait se faire arrêter, dans cette tenue. »

Faye sourit d'un air las.

« Je vais faire démarrer la voiture. »

Du coin de l'œil, elle vit arriver Valérie et Anne. La cadette était beaucoup mieux habillée que les autres, dans une jolie robe chemisier rose impeccablement repassée et d'une longueur décente. Ses cheveux brillaient de propreté, ses yeux luisaient, ses chaussures rouges venaient d'être cirées. Elle était un plaisir pour les yeux, aux côtés de sa tapageuse aînée. Elle monta dans le break et s'assit au dernier rang, non qu'elle fût fâchée, mais c'était sa place préférée.

« Qu'est-ce que tu faisais là-bas ? » demanda Greg en s'installant devant elle entre les jumelles.

Anne était seule à l'arrière, bien qu'habituellement, Lionel ou Vanessa s'assît à côté d'elle. Ce n'était un secret pour personne qu'elle ne s'entendait pas avec Val; et elle n'avait pas de grandes affinités avec Greg. C'était Lionel qu'elle aimait, et aussi Vanessa, qui s'occupait d'elle quand les autres étaient partis. « Vanessa, va t'occuper d'Anne », ordonnait toujours Faye.

« Je voulais voir quelque chose. »

Elle n'en dit pas plus, mais elle l'avait vu... le cadeau de fin d'études... la belle petite Mustang... et elle était heureuse pour lui. Elle n'en parla à personne pendant tout le trajet. Elle voulait que ce fût la surprise, et lorsqu'ils descendirent de voiture, devant le collège, Faye se demanda si elle était au courant. Mais elle se tut jusqu'au bout, se contentant de suivre les autres jusqu'à l'amphithéâtre où elle s'assit en bout de rang. C'était un des jours les plus heureux de sa vie, l'un des plus tristes aussi. Elle était heureuse pour lui, et triste pour elle-même. Car elle savait qu'à l'automne, Lionel irait vivre sur le campus universitaire de l'U.C.L.A., dans un appartement qu'il partagerait avec des amis. Maman trouvait qu'il était encore bien jeune, mais papa pensait que ça lui ferait du bien. Elle savait qu'il avait dit ça parce qu'il était jaloux que Li fût si proche de maman. Mais maintenant il allait partir. Elle ne pouvait imaginer de vivre sans lui. Li était la seule personne à qui elle pût se confier. C'était toujours Li qui s'occupait d'elle, qui lui préparait son déjeuner pour l'école, toujours avec les choses qu'elle aimait. Pas des restes de saucisse desséchée ou des fromages trop avancés, comme l'auraient fait Valérie ou Vanessa. Mais des sandwiches œuf et salade, du poulet, du rôti de bœuf, de la dinde. Il choisissait pour elle les livres qu'elle aimait, restait tard le soir à lui parler, lui expliquait ses maths. Li était son meilleur ami. Depuis toujours... c'était lui qui la bordait dans son lit quand papa et maman étaient encore au travail. Et Li était à ses yeux bien plus un père et une mère que ses parents réels. Aussi, en le voyant monter sur l'estrade dans sa tenue blanche de diplômé, la toque sur la tête, les larmes lui vinrent aux yeux. Elle avait l'impression d'assister en quelque sorte à son mariage... Pour elle, c'était aussi triste... Li épousait une vie nouvelle. Bientôt, il allait la quitter.

Greg regardait son frère avec envie. Si seulement il avait été à sa place! Y serait-il un jour? Ses notes n'avaient pas été fameuses cette année, mais il avait promis à papa de faire mieux l'année prochaine... Le veinard... entrer à l'université. Greg n'approuvait pas son choix, pourtant. L'U.C.L.A., à Los Angeles, c'était une fac de débiles. Lui rêvait d'entrer dans une fac comme Georgia Tech, où il pourrait devenir un as du football, même si Papa parlait de Yale ou d'autres facs de ce genre, à condition d'y entrer, bien sûr, et là aussi, il pourrait jouer au foot... Il en piaffait d'avance... et les filles qu'il se paierait!

Valérie était fort occupée à observer un garçon au troisième rang. Lionel l'avait amené à la maison quelques semaines plus tôt, et elle le trouvait terriblement séduisant. Ses cheveux brillaient, noir de jais, il était grand, avec un teint clair, de beaux yeux noirs et c'était un danseur de première. Il sortait bien avec cette grande bringue de dernière année, mais Valérie se savait nettement plus belle qu'elle. Si seulement elle trouvait l'occasion de lui parler une ou deux fois... mais bien sûr, Li refusait de coopérer. Il ne lui présentait jamais personne. Il y avait aussi John Wells, le meilleur ami de Greg. Il était mignon, mais un peu trop timide. Il devenait rouge comme une tomate chaque fois qu'elle lui adressait la parole. Lui aussi irait bientôt à l'U.C.L.A. Ça serait super de se payer un étudiant, elle n'avait encore que trois flirts à son actif, des garçons de sa classe. C'étaient tous des nouilles qui ne voulaient qu'une chose, lui peloter les seins. Elle garderait le reste pour un étudiant. Peut-être le type du troisième rang...

Vanessa n'avait qu'à regarder sa sœur pour deviner ses pensées. Elle la connaissait trop bien. Elle savait même quels garçons elle préférait. Val était vraiment pénible, elle ne pensait qu'à ça depuis trois ans. Vanessa aimait bien les garçons, elle aussi, mais ça n'allait pas jusqu'à l'obsession; elle préférait de beaucoup lire ou écrire des poèmes. Et puis, elle n'avait encore trouvé personne qui lui plût vraiment. Elle se demandait si Val avait couché. Elle espérait que non. Sinon, elle aurait bousillé sa vie. Bien sûr, il y avait la pilule... mais on n'y avait pas droit avant d'avoir dix-huit ans, à moins d'être fiancée. Une des filles de sa classe avait réussi à l'obtenir en disant qu'elle avait vingt et un ans, mais Vanessa n'aurait jamais imaginé de faire ça et n'aurait jamais osé, de toute façon.

Si elle avait pu lire dans ses pensées, Faye en aurait certainement été soulagée. Tout cela la tourmentait elle aussi. Mais pour l'instant, elle ne pensait ni à Anne, ni à Greg, ni à aucune des jumelles. Elle n'avait d'yeux que pour son fils, si beau, si grand, si candide sur l'estrade, son diplôme à la main, mêlant fièrement sa voix aux autres lorsqu'ils entonnèrent l'hymne de l'école, dans le soleil qui inondait la salle. Elle le dévorait des yeux, consciente que ce moment ne se reproduirait plus jamais, que Li ne serait jamais aussi jeune, aussi pur... Sa vie commençait maintenant... De tout son cœur, elle formula le vœu que ce fût une vie heureuse, pleine de belles choses, et les larmes se mirent silencieusement à couler sur ses joues, tandis que Ward lui passait discrètement son mouchoir. Elle le regarda avec un sourire doux-amer. Mon Dieu, quel chemin ils avaient parcouru... et comme elle les chérissait tous... surtout Ward... et son fils... elle aurait tellement voulu le protéger, lui épargner les malheurs et les souffrances de la vie... les déceptions, les chagrins... et intinctivement, Ward passa un bras autour de ses épaules et l'attira doucement à lui. Lui aussi était fier de son fils, mais les vœux qu'il formulait étaient autres.

« Il est mignon », murmura Faye à son oreille.

A ses yeux de mère, Li n'était encore qu'un enfant.

« C'est un homme maintenant », répondit Ward.

Ou du moins, il espérait qu'un jour il le serait vraiment. Li avait encore l'allure un rien efféminée de l'enfance, et Ward se demandait si c'était irréversible. Li ressemblait tellement à Faye... et au même instant, Li leva les yeux vers la foule, cherchant sa mère. Leurs regards se rencontrèrent comme s'il n'y avait qu'eux au monde. Ward voulut la tirer en arrière, par égard pour elle et aussi pour Li, mais ils étaient tous deux hors d'atteinte. Personne n'avait accès à leur domaine secret.

« Quel garçon merveilleux! »

Ward était content que Li s'en aille à l'automne. Il valait mieux qu'il s'éloigne un peu de sa mère. Et il en fut encore un peu plus certain lorsque Li se précipita pour embrasser sa mère après la cérémonie. Les autres garçons semblaient moins pressés de rejoindre leurs parents que de tenir la main de grandes filles rougissantes.

« Ça y est, maman! Fini, le lycée! »

Il n'avait d'yeux que pour elle et elle était heureuse pour lui.

« Félicitations, mon chéri. »

Elle l'embrassa sur la joue et Ward serra la main de son fils.

« Félicitations, fiston. »

Ils restèrent là un moment, avant d'aller tous ensemble déjeuner au Polo Lounge de l'hôtel Beverly Hills. Et comme l'avait prévu Anne, Li s'assit à côté d'elle dans la voiture. Personne ne s'en étonna, c'était leur habitude, tout comme Ward et Faye étaient accoutumés à s'asseoir sur le siège avant, et Greg et les jumelles sur le siège du milieu.

Au Polo Lounge, c'était la foule habituelle du déjeuner : une clientèle voyante, des robes de soie, des minijupes et des sautoirs en or, un parterre de metteurs en scène, de scénaristes et d'acteurs célèbres, la valse des autographes et des téléphones que l'on se passait de table en table, tout le monde prétendant avoir d'importants coups de fil à donner. Au milieu du repas, Faye se leva de table et fit signe à Lionel de la suivre pour qu'elle le félicite en tête-à-tête, et cela fit rire tout le monde, sauf Ward. Ils avaient parfois des attitudes d'amants, ce qui le contrariait. Mais le repas fut cependant un des plus gais qu'ait connus la famille.

Après le déjeuner, ils rentrèrent à la maison et

piquèrent une tête dans la piscine. Plusieurs copains de Li passèrent le voir, et personne ne s'aperçut que Ward et Faye s'étaient discrètement esquivés chez les Clark. Ward conduisit la Mustang jusqu'au bord de la piscine en klaxonnant si frénétiquement que Faye, assise à l'avant sur une serviette, dans son maillot de bain tout mouillé, piqua un fou rire. D'abord, les enfants les regardèrent sans comprendre, se demandant si leurs parents n'avaient pas perdu la tête. Puis Ward sauta de la voiture et se dirigea vers son fils, à qui il tendit les clefs de la Mustang. Les larmes aux yeux, Li sauta au cou de son père, pleurant et riant en même temps.

« C'est vrai, elle est à moi?

– Tu l'as bien méritée, Li. »

Ward avait lui aussi des larmes aux yeux, ému de la joie de son fils. Cet instant était unique pour l'un comme pour l'autre. Li poussa un cri de joie et étreignit son père de nouveau, tandis que, de loin, Anne souriait.

Il les invita tous à prendre place à l'intérieur, et Ward et Faye laissèrent les enfants s'entasser en riant dans la Mustang, les uns sur les autres, qui sur le siège avant, qui sur le capot.

« Fais attention, Li, l'admonesta Faye, et Ward lui prit la main pour qu'elle s'éloigne un peu.

– Laisse-les faire, Faye. Ils savent ce qu'ils font. »

Et pendant un instant, juste un instant, avant de faire démarrer sa nouvelle voiture, Li s'interrompit et regarda son père droit dans les yeux, pour la première fois peut-être, et les deux hommes échangèrent un sourire. Ce sourire-là valut pour Ward tous les remerciements du monde. Et tandis qu'ils s'éloignaient, il sentit qu'il venait d'établir le premier vrai contact avec son fils, enfin.

CHAPITRE 12

Ce soir-là, une centaine de personnes, des jeunes surtout, se réunirent autour d'un barbecue pour fêter le succès de Lionel. Faye et Ward avaient invité un groupe de rock qui vint jouer sous une tente installée dans le jardin. C'était leur plus grande soirée depuis longtemps et toute la famille était au comble de l'excitation. Greg portait des jeans et un tee-shirt fripé. Ses cheveux étaient mal peignés et il était pieds nus. Faye voulut l'envoyer se changer, mais il lui échappa, et lorsqu'elle se plaignit à Ward, celui-ci répéta comme toujours : « Laisse-le, chérie, il sait ce qu'il fait. »

Faye lui jeta un regard désapprobateur.

« Pour un homme qui avait l'habitude de changer de chemise trois fois par jour et qui ne portait que des costumes blancs, tu ne te montres guère exigeant avec ton fils.

– C'est peut-être justement pour ça. Tout ça, c'est vieux de vingt ans, Faye. Les gens ne vivent plus comme ça aujourd'hui. Nous étions des dinosaures, privilégiés que nous étions. Greg a d'autres chats à fouetter.

– Quoi donc? Le football? Les filles? La plage? »

Elle en attendait plus de Greg : qu'il s'intéressât aux mêmes choses que Lionel. Mais Ward semblait plus satisfait du cancre que de l'intellectuel de la famille. Elle ne le comprenait pas, trouvait injuste qu'il ait toujours si peu exigé de Greg sans jamais apprécier la remarquable réussite de Lionel, mais ce n'était pas une question qui pouvait se régler en une nuit. C'était un différend qu'ils avaient toujours eu, mais elle ne voulait pas se disputer avec lui un jour pareil. C'était drôle, d'ailleurs, ils se disputaient rarement, mais parfois, au sujet des enfants, ils avaient des idées radicalement opposées et échangeaient des mots...surtout à propos de Lionel... mais pas ce soir... pas ce soir, je te prie, se dit-elle en décidant de céder pour une fois.

« Bon, d'accord... tu as raison...

– Laisse-le au moins s'amuser ce soir. Qu'est-ce que ça change, la façon dont il est habillé?

– J'espère que tu penses la même chose de Val. »

Ils devaient faire un effort pour ne rien dire à leur fille. Val portait une mini-robe de cuir blanc sur un chemisier à franges et des bottes assorties qu'elle avait empruntées à une amie.

Tout en lui versant un verre au bar, Ward se pencha vers Faye et lui murmura :

« T'a-t-elle dit sur quel trottoir travaille cette amie? »

Faye rit en hochant la tête. Elle avait l'impression de supporter des lubies d'adolescents depuis si longtemps que plus rien ne l'étonnait. C'était une bonne préparation pour affronter les acteurs à la M.G.M. Aucun d'entre eux ne pouvait être plus impossible, plus exigeant, plus imprévisible que ses enfants, en dépit des efforts de certains.

« On dirait que la pauvre Vanessa fait exprès de contrer sa sœur », dit Ward à Faye.

Elle avait passé une robe du soir rose et blanc qui aurait mieux convenu à une fillette de dix ans, et avec ses ballerines rose tendre et son serre-tête blanc de neige, elle jouait de nouveau Alice au Pays des Merveilles. C'était le jour et la nuit avec Val. A les voir là tous rassemblés, Lionel dans son costume d'été ocre, beau et digne avec sa chemise bleu pâle rayée et une des cravates de son père, s'efforçant de prendre un air adulte, sa nouvelle voiture garée en évidence sur la pelouse devant la maison... Greg dans ses vêtements froissés... Valérie et sa robe de cuir blanc... Vanessa et ses allures de fillette... tous des personnalités, chacun dans son genre, Faye se souvint de nouveau d'une chose et jeta un regard inquiet à son mari par-dessus le verre qu'il venait de lui tendre.

« As-tu vu Anne?

– Elle était près de la piscine avec des amies il y a un moment. Tout allait bien. Lionel la surveille. »

On pouvait toujours compter sur Lionel, mais il était le roi de cette soirée et Ward n'avait même pas détourné les yeux lorsqu'il l'avait vu se verser un grand verre de vin blanc. On pouvait bien lui permettre de s'amuser un peu pour une fois, et s'il se soûlait un soir de remise des diplômes, quel mal y aurait-il? Cela ternirait un peu sa belle image impeccable, pour son plus grand bien, sans doute. Ward était bien plus occupé à tenir Faye éloignée de son fils, et il finit par l'inviter à danser un rock. Valérie les regarda faire, horrifiée. Vanessa s'en amusa, et finalement Lionel vint les interrompre pour entraîner Faye sur la piste à son tour, tandis que Ward faisait le tour des invités pour bavarder et s'assurer qu'aucun des enfants ne faisait de bêtises. Plusieurs étaient complètement soûls, mais comme Lionel, ils fêtaient la fin de leurs études secondaires. Ward se disait qu'à leur âge, il en avait fait autant, pire même, et du moment qu'ils ne prenaient pas le volant ensuite... Ward avait donné des consignes strictes aux garçons chargés du parking; ils ne devaient remettre leurs clefs qu'aux invités encore lucides, adultes ou enfants.

Il trouva Anne assise au bord de la piscine avec John Wells, le meilleur ami de Greg. C'était un gentil garçon qui vouait à son ami un véritable culte, et Ward soupçonnait Anne d'avoir un faible pour lui. Mais il y avait peu de chance qu'il partageât ses sentiments : Anne n'avait que douze ans. Il lui fallait quelques années de plus, même si Lionel la traitait comme une adolescente. Pourtant, elle faisait preuve d'une étonnante maturité, parfois. Plus que les jumelles, plus que Greg, même. Il se demandait de quoi elle pouvait parler avec John, mais elle était si ombrageuse et si timide qu'il n'osa pas s'approcher, craignant de l'effaroucher. En tout cas, elle semblait bien s'amuser. Un peu plus tard, Lionel vint les rejoindre et Ward vit John lever vers lui un visage souriant, aussi admiratif que celui d'Anne... émerveillement de gosses... Ward sourit, et s'en fut arracher Faye à un groupe de voisins et d'amis pour la faire danser de nouveau. Elle restait à ses yeux la plus belle, et ses yeux le lui dirent tandis qu'il lui enlaçait la taille. Il lui tapa sur l'épaule et elle rit en se retournant.

« Voulez-vous danser?

– Mais avec plaisir. »

L'orchestre était bon. Les enfants s'amusaient comme des fous. Et Anne semblait aux anges entre John et Lionel. Anne était grande pour son âge, et les mêmes cheveux couleur des blés que ceux de sa mère à son âge balayaient ses épaules. Elle serait très belle un jour, mais cela semblait loin. Elle se trouvait moins jolie que Faye et moins éblouissante que Val, et elle aimait la beauté calme et distinguée de Vanessa. Lionel lui disait toujours qu'elle était la plus belle de toutes, mais elle le traitait de cinglé, lui montrait ses genoux noueux, ses cheveux « de folle », disait-elle toujours, parce qu'ils encadraient son visage d'un duvet vaporeux. Sa poitrine commençait à se former et cela la mettait mal à l'aise. Tout la mettait mal à l'aise, sauf lorsque Lionel était là. Lionel embellissait sa vie.

« Comment trouves-tu ta nouvelle voiture? »

John sourit au frère aîné de son ami, admirant secrètement la cravate impeccablement nouée. Il appréciait sa façon de s'habiller, mais n'aurait jamais osé le complimenter.

« C'est une blague ou quoi? (Lionel eut un sourire comblé.) Mais j'en suis fou! Je ne pourrai jamais attendre demain avant d'aller faire un tour. »

Il sourit à l'ami de Greg. John fréquentait la maison depuis plusieurs années et il l'avait toujours trouvé sympathique. Il était plus intéressant que la plupart des copains de Greg. Il avait compris ça par hasard en discutant avec lui, un jour que Greg n'était pas là. La plupart du temps, John se fondait dans la masse, mais Lionel avait senti sa vraie nature sous le camouflage. John s'intéressait à autre chose qu'au football, aux bicyclettes et aux filles, toutes choses qui n'avaient jamais passionné Lionel.

« Je dois commencer à travailler la semaine prochaine, et ça va être super de me balader avec *ma* voiture.

– Et où vas-tu travailler? »

John semblait intéressé, et Anne observait leur échange de propos en silence, comme à son habitude. Mais si elle écoutait son frère, elle regardait les yeux de John. Des yeux magnifiques.

« Chez Van Cleef & Arpels. C'est un bijoutier de Beverly Hills. »

Il valait mieux préciser. Aucun ami de Greg ne pouvait savoir de quoi il s'agissait.

Mais John se mit à rire, et cela fit sourire Anne.

« Je le sais bien. Ma mère y est toujours fourrée. C'est vachement joli ce qu'ils vendent. C'est un bon job. »

Lionel prit un air à la fois surpris et content. John ne s'était pas fichu de lui comme les autres sous prétexte qu'il voulait travailler chez un bijoutier.

« Un job en or. J'ai hâte de commencer. (Il eut un sourire radieux et regarda en direction de la voiture.) Surtout maintenant.

– Et en septembre, tu commences l'U.C.L.A. Je t'envie, Li. J'en ai vraiment ras le bol du lycée.

– Bah! tu n'en as plus pour longtemps. Encore un an.

– Ça me semble une éternité. »

John grogna, et Lionel lui sourit.

« Et que comptes-tu faire après?

– Je ne sais pas encore. »

La réponse n'avait rien de surprenant. La plupart de ses amis n'étaient pas davantage fixés.

« Moi, je m'inscris en études cinématographiques.

– Ça c'est chouette! »

Lionel haussa modestement les épaules. Il avait gagné des prix de photographie depuis qu'il avait quatorze ans et cela faisait deux ans qu'il s'était mis au film. Fin prêt pour l'U.C.L.A., il bouillait d'impatience, en dépit de tout ce que son père avait pu lui dire. Ward rêvait pour son fils d'une des grandes écoles de la côte Est. Il avait assez de bonnes notes pour y être admis, mais cela ne lui disait absolument rien. Que papa se rabatte donc sur Greg, s'il y tenait.

Li considéra John avec un sourire de sympathie.

« Tu n'auras qu'à venir me voir à la fac un de ces jours. Tu verras comment ça marche et ça t'aidera peut-être à faire ton choix.

– Merci, j'irai sûrement. »

John le fixa intensément, et un instant leurs regards se croisèrent, mais brusquement John détourna les yeux. Apercevant Greg, il se leva, tout à coup pressé de les quitter. Lionel invita Anne à danser. Elle refusa d'abord en rougissant, mais devant son insistance, changea d'avis et le suivit vers la tente.

« Qu'est-ce que c'est? »

Le garçon avait suivi Val dans l'obscurité tentante de la maison, bien décidé à lui passer la main sous sa jupe, ce qui ne semblait pas trop difficile. Mais sur une étagère du bar, un objet convoité avait attiré ses regards. C'était la première maison où il en voyait un vrai, bien que ce fût un des grands sujets de conversation de Los Angeles.

« Ben tu vois. Et alors? Tu parles d'une affaire.

– Ouais, ouais. »

Il le regarda, fasciné, puis il tendit la main pour le prendre, afin de pouvoir s'en vanter à papa quand il viendrait le chercher.

« C'est à qui? Ta mère ou ton père? »

Val le lui dit à contrecœur :

« Ma mère. Tu veux une bière, Joe? »

Et là, il faillit s'évanouir : il y en avait un deuxième!

« C'est pas vrai! Elle en a deux! C'était pour quoi?

– Arrête avec ça! Je ne m'en souviens plus. Maintenant tu la veux, oui ou non, cette bière?

– O.K., vas-y. »

Ça l'aurait bien plus intéressé de savoir comment Mme Thayer avait gagné ces deux Oscars. Son père le lui demanderait certainement, et sa mère, mais Val semblait peu disposée à entrer dans les détails.

« Elle était actrice, dans le temps? »

Il savait qu'elle était metteur en scène. Tout le monde savait ça. Et son mari était un des gros producteurs de la M.G.M. Mais Valérie était bien plus intéressée par l'alcool et les garçons. Enfin, c'était sa réputation. Lorsqu'elle s'assit, sa jupe ne cacha plus grand-chose, et il jouit d'une vue plongeante entre ses cuisses.

« T'as déjà pris de la drogue? »

Il n'avait jamais essayé mais ne voulut pas l'avouer. Il avait quinze ans et demi, il l'avait connue à l'école cette année-là, mais n'était encore jamais sorti avec elle. Il n'en avait jamais eu le courage. Elle était superbe, mais terriblement mûre.

« Ouais, une fois. (N'y tenant plus, il reposa la question.) Si on parlait un peu de ta mère? »

Ça y était : encore. Elle sauta sur ses pieds, des éclairs de rage dans les yeux.

« Non, pas question!

– Le prends pas comme ça. Je voulais juste savoir, c'est tout. »

Val gagna la porte en roulant les hanches avant de se retourner avec un regard de mépris.

« T'as qu'à lui demander toi-même, pauvre con! »

Sur ce, elle sortit dans un jet de chevelure rouge, et le malheureux fixa désespérément la porte en se murmurant à lui-même :

« Et merde...

– Ouais? »

Greg passa la tête dans l'entrebâillement de la porte pour voir qui était là. L'adolescent rougit et se leva précipitamment.

« Je m'excuse... J'étais entré pour me reposer... je retourne dehors.

– C'est pas grave, reste. Prends ton temps. »

Greg sourit avant de disparaître pour rejoindre une belle brune qu'il venait de repérer. Joe sortit à son tour. La fête se termina par un plongeon général tout habillé dans la piscine. Tout le monde s'amusa beaucoup et il était plus de trois heures du matin lorsque le dernier invité prit congé.

Lionel monta dans sa chambre avec Faye et Ward, tous trois bâillant à s'en décrocher la mâchoire.

« Mon Dieu, quelle équipe nous faisons...! dit Faye en riant. Mais c'était une belle soirée, n'est-ce pas, Li?

– La plus belle. »

Lionel sourit, embrassa sa mère en lui souhaitant bonne nuit, puis s'assit sur son lit dans le peignoir qu'il avait passé sur son maillot de bain. Il s'assit et pendant un instant, fixa le mur devant lui, repensant à cette journée... le diplôme... la cérémonie en blanc... la voiture... les amis rassemblés... et la musique... et soudain, curieusement, il se prit à penser à John, au sympathique garçon que c'était. Il l'aimait plus encore que ses meilleurs amis.

CHAPITRE 13

Le lendemain fut pour Faye et Ward un jour de travail comme les autres. Les enfants pouvaient dormir jusqu'à midi, mais on les attendait à neuf heures au studio. Leur prochain film devait débuter bientôt et ils avaient encore des tonnes de questions à régler. Il fallait toujours faire preuve d'une grande discipline pour continuer, pour travailler, quel que fût leur degré de fatigue, surtout pour Faye pendant le tournage. Elle était toujours sur le plateau avant six heures du matin, souvent même avant l'arrivée des acteurs, pour humer l'atmosphère, s'en imprégner. En réalité, pendant le tournage, il lui était si difficile de s'arracher au plateau pour rentrer chez elle qu'elle passait souvent la nuit dans une loge, mangeant et dormant là, réfléchissant si intensément au scénario qu'il finissait par faire intimement partie d'elle-même, jusqu'à ce qu'elle sente les personnages comme si elle avait été chacun d'eux dans une vie antérieure. C'était pour cela qu'elle exigeait tant des acteurs, mais elle leur enseignait une discipline qu'ils n'oubliaient jamais. La plupart des acteurs de Hollywood parlaient d'elle avec respect. Le talent dont elle faisait preuve était un véritable don, et elle éprouvait plus de plaisir à faire jouer les autres qu'autrefois à jouer elle-même. C'était ce dont elle avait rêvé toute sa vie, et Ward aimait la lueur qui s'allumait dans ses yeux lorsqu'elle pensait à son travail. Cela le rendait bien un peu jaloux, parfois, car s'il aimait lui aussi son travail, ce n'était pas avec la détermination, le feu intérieur qui animaient Faye. Elle se donnait de toute son âme au cinéma. Et c'était à cela qu'il pensait maintenant. Dans quelques semaines, leur nouveau film la lui enlèverait, mais ils espéraient que ce serait le meilleur. Ils étaient au comble de l'excitation, et plus d'une fois, Faye lui avait dit combien elle regrettait qu'Abe Abramson ne fût plus de ce monde. Il aurait adoré ce film. Mais il était mort quelques années plus tôt, en ayant eu la satisfaction de suivre leurs succès et d'assister à la soirée où Faye avait reçu son deuxième Oscar, comme metteur en scène cette fois. Il lui manquait souvent.

Elle se renfonça sur son siège, regarda Ward et pensa à la nuit précédente.

« Je suis heureuse que les enfants se soient si bien amusés.

– Moi aussi. »

Il lui sourit, en dépit d'un affreux mal de tête, tout en se demandant comment il avait pu supporter tant d'alcool autrefois. Maintenant, il ne pouvait plus se le permettre qu'en payant à la boisson un douloureux tribut. La jeunesse était loin... Il se sourit à lui-même... tant de choses changeaient dès que s'ajoutaient quelques années... les cheveux blancs... Mais d'autres restaient les mêmes. Malgré son mal de crâne, il avait fait l'amour avec Faye en sortant de sa douche. Lorsqu'elles commençaient ainsi, les journées étaient toujours merveilleuses. Il posa une main tendre sur la cuisse de sa femme.

« Je suis toujours aussi fou de toi, tu sais... »

Faye rougit de plaisir. Elle était toujours aussi amoureuse de Ward, depuis dix-neuf ans qu'ils vivaient ensemble, plus longtemps si l'on faisait remonter leur idylle à leur rencontre de Guadalcanal, en 1943... Vingt et un ans, au total...

« C'est partagé, tu sais...

– Je m'en réjouis. »

L'air pensif, il s'engouffra dans le parking de la M.G.M. Le gardien leur avait adressé un signe aimable en ouvrant la grille. Toujours aussi ponctuels, ces deux-là... des gens charmants... avec des enfants charmants... et avec ça, durs au travail. On ne pouvait pas dire le contraire.

« Peut-être devrions-nous faire installer une porte de séparation entre nos bureaux, et un verrou à l'entrée du mien...

– Bonne idée, lui murmura-t-elle dans le creux de l'oreille, puis elle lui mordit le cou pour rire avant de se glisser hors de la voiture. Tu as beaucoup de travail aujourd'hui, chéri?

– Pas trop. Je crois que tout est presque prêt. Et toi?

– J'ai rendez-vous avec trois des principaux acteurs. Je crois qu'il faudra que je discute beaucoup avec eux avant de commencer, pour que tout le monde sache bien ce que nous avons l'intention de faire. »

C'était le film le plus difficile qu'elle ait jamais tourné, car il racontait l'histoire de quatre soldats pendant la guerre, pas de ces films légers et tout en rose. L'action serait violente et cruelle, et la plupart des directeurs de studios n'auraient jamais confié ce film à une femme; mais Dore Schary avait eu confiance en elle, une fois de plus, et elle se montrerait à la hauteur, ainsi que Ward. En dépit de leur renommée, il lui avait été difficile d'obtenir des fonds. Beaucoup pensaient que personne n'irait voir un film aussi déprimant. Depuis l'assassinat du président Kennedy l'année d'avant, on ne voulait voir que des films drôles, mais Ward et Faye avaient tous les deux pensé, dès le début, en lisant le scénario, que ce serait leur grand film. Une œuvre brillante, un scénario superbe, comme l'était le roman d'origine. Faye était déterminée à la mener à bien. Ward était sûr qu'elle s'en sortirait, mais il la savait anxieuse.

« Tu verras que tu t'en tireras très bien.

– Je suis morte de trouille.

– Ça se sent. Mais tu verras, dès que ce sera commencé, tu n'y penseras plus. »

Et tout se passa comme il l'avait annoncé. Faye se donna à son film encore plus qu'avant. Elle ne rentrait jamais à la maison avant minuit ou une heure du matin, et même une fois à cinq heures, sans compter toutes les nuits où elle ne rentra pas du tout. Sachant que cette situation se prolongerait, Ward lui avait promis de veiller sur les enfants. Faye travaillait toujours ainsi. Elle se donnait totalement à chaque film, et lorsque tout était fini, elle passait sa vie à plier des chemises, à faire la lessive, à conduire des voitures ici ou là. C'était sa grande fierté, mais pour l'instant, même les enfants étaient loin, bien loin de son esprit.

Ward revint la chercher au studio tard cette nuit-là; il préférait qu'elle ne conduise pas lorsqu'elle était aussi fatiguée ou aussi absorbée par son travail : il craignait qu'elle n'aille s'écraser contre un arbre au bord de l'autoroute. Dès qu'elle fut dans la voiture, Faye s'effondra sur le siège avant comme une poupée de son. Il se pencha pour l'embrasser dans le cou, et elle ouvrit un œil ensommeillé pour lui sourire.

« Je ne sais pas si je vais survivre, cette fois. »

Sa voix était grave et rauque. Elle avait bu des litres de café toute la journée et parlé sans arrêt, encourageant les acteurs, exigeant davantage, et ils ne l'avaient pas déçue.

« Ce sera un grand film, chérie. J'ai vu les rushes cette semaine.

– Et qu'en penses-tu? »

Elle les avait vus elle aussi, mais avec son habituelle tendance à ne relever que les défauts. Depuis deux jours, pourtant, elle reprenait espoir. Les acteurs se donnaient à fond, autant qu'elle-même, pour que ce film fût le meilleur.

« Tu crois que ça va marcher? »

Elle attendit sa réponse avec angoisse. Elle avait plus confiance dans le jugement de Ward que dans celui de quiconque. Mais déjà, il lui souriait.

« Ça marchera si fort que vous crèverez l'écran. Mais c'est surtout pour l'Oscar que ça va marcher, crois-moi.

– Ça, c'est secondaire. Ce que je veux, c'est que le film soit bon. Je veux que nous puissions en être fiers.

– Nous le serons. » Pour Ward, c'était une certitude. Il était toujours fier de sa femme. Ward avait parcouru un si long chemin pour quelqu'un qui n'avait rien fait de ses dix doigts jusqu'à trente-cinq ans. Ce qu'il avait accompli tenait du miracle, et elle s'étonnait jour après jour de sa transformation. Elle était terriblement fière de lui, beaucoup, beaucoup plus qu'il ne pouvait le soupçonner.

Elle laissa retomber sa tête sur le siège.

« Comment vont les enfants?

– Très bien. »

Il préférait lui épargner la liste de leurs petits problèmes ce soir. La femme de ménage menaçait de rendre son tablier, Anne et Val s'étaient encore disputées et Greg avait accroché l'aile de la voiture. Tout ça, c'étaient des détails qu'il réglerait lui-même. Il n'en était pas moins ravi chaque fois que Faye reprenait les rênes du pouvoir conjugal. Il se demandait souvent comment elle supportait les tracasseries quotidiennes. Lui-même se sentait souvent proche de la folie, mais il se garda bien de le lui dire.

« Ils sont tous très occupés. Les jumelles ont fait du baby-sitting toute la journée et Greg part pour son ranch la semaine prochaine. »

Dieu merci, faillit-il ajouter. La maison serait infiniment plus calme sans la perpétuelle sonnerie du téléphone, les portes claquées et une demi-douzaine de copains de Greg en train de jouer au catch avec un de leurs vases préférés.

« On ne voit plus beaucoup Lionel depuis qu'il travaille, ajouta-t-il.

– Il est content? »

Elle rouvrit les yeux. Elle aurait aimé lui poser elle-même la question, mais ne l'avait pas vu depuis des semaines.

« Je crois. Il ne s'est pas plaint, en tout cas.

– Ça ne veut rien dire, Li ne se plaint jamais. (Puis elle pensa à autre chose.) J'aurais dû prévoir quelque chose pour Anne. Mais jamais je n'aurais pensé que tout démarrerait si tôt. »

L'argent était arrivé, et le plateau était disponible. Tout s'était réglé plus rapidement que prévu, et le tournage avait commencé en juin, au lieu de septembre. C'était inhabituel, mais Faye ne voulait pas mettre des bâtons dans les roues en disant qu'elle n'était pas encore libre. L'ennui, c'était que les enfants ne la verraient pas de tout l'été, ce qui compliquait les choses, d'autant qu'Anne avait fermement refusé d'aller en colonie de vacances.

« Que fait-elle toute la journée?

– Elle n'a pas l'air de s'ennuyer. Mme Johnson reste à la maison jusqu'à ce que je rentre. Elle reçoit des amies, elles passent beaucoup de temps dans la piscine. Je leur ai proposé de les emmener à Disneyland la semaine prochaine.

– Tu es un ange. »

Elle s'appuya lourdement sur son épaule tandis qu'ils marchaient vers la maison. Les jumelles étaient encore debout. Val s'était fait faire une coiffure afro toute frisée et portait un bikini qui aurait fait bondir Faye si elle en avait eu la force. Elle en prit note mentalement pour lui faire une observation le lendemain, si elle avait le temps de la voir. Val écoutait de la musique dans le salon, et Vanessa était au téléphone en chemise de nuit, insensible au vacarme de Valérie.

« Où est Anne? » demanda Faye à Val, qui haussa les épaules sans cesser de chantonner.

Elle dut reposer la question pour que Val daignât enfin lui répondre.

« En haut, je crois.

– Elle dort?

– Je suppose. »

Mais Vanessa fit signe que non. Elle avait le chic pour suivre plusieurs conversations en même temps. Faye monta au premier pour embrasser la plus jeune. Elle savait déjà que Greg était sorti avec des amis, et dans la cuisine un mot de Lionel prévenait qu'il dînait dehors avec des collègues de travail. Elle avait ainsi des nouvelles de tous. Faye aimait savoir où se trouvaient ses enfants et c'était un de ses sujets de contrariété sur le plateau. Ward était beaucoup plus permissif, et elle aurait voulu qu'il les tienne de plus près, mais ce n'était pas dans sa nature. Il serait devenu fou s'il avait eu à faire le garde-chiourme, en plus d'avoir à diriger la maison.

Elle ouvrit tout doucement la porte de la chambre d'Anne. Elle aurait juré qu'elle avait vu de la lumière en montant, mais la pièce était dans l'obscurité lorsqu'elle entra. Anne était roulée en boule dans son lit, le dos tourné. Faye resta un long moment sans bouger avant d'aller jusqu'à elle. Elle caressa le doux halo de cheveux blonds.

« Bonne nuit, mon bébé », murmura-t-elle avant de se pencher pour embrasser sa joue.

Puis elle referma délicatement la porte et rejoignit Ward dans sa chambre. Elle lui reparla du film, puis sombra dans un bain chaud avant de s'écrouler dans son lit. Elle entendit les filles monter quelques minutes plus tard; elles tambourinèrent à sa porte et lui crièrent bonne nuit, et Faye n'entendit pas Vanessa entrer dans la chambre de sa petite sœur. La lumière était de nouveau allumée et Anne lisait *Autant en emporte le vent.*

« Tu as vu maman? »

Vanessa interrogea son visage et y vit cette expression indescriptible, ce mélange de froideur et de dissimulation qui s'y trouvait toujours, sauf avec Lionel. Anne secoua la tête.

« Quand ça? »

Elle ne voulait pas reconnaître qu'elle avait éteint la lumière et fait semblant de dormir, mais Vanessa le devina.

« Tu as fait la morte, hein? (Il y eut un long moment d'hésitation, puis Anne haussa les épaules.) Pourquoi as-tu fait ça?

– J'étais fatiguée.

– Ne me raconte pas de salades. (C'était si typique d'Anne.) Ce n'est vraiment pas gentil. Elle a demandé où tu étais dès qu'elle est arrivée. (Le visage d'Anne ne bougea pas et son regard resta impassible.) Je trouve ton attitude mesquine. »

Sur ce, Vanessa tourna les talons, et la voix d'Anne l'atteignit à la porte.

« Je n'ai rien à lui dire. »

Vanessa lui jeta un long regard désapprobateur. Elle ne comprenait jamais cette vérité que Lionel, lui, percevait si bien. Anne avait peur que sa mère n'ait rien à lui dire. Elle n'avait jamais rien eu à lui dire. Depuis qu'elle était toute petite, Anne n'avait qu'entrevu sa mère. Elle était toujours avec des nurses, des bonnes ou des baby-sitters, quand ce n'était pas un de ses frères et sœurs. Sa mère était toujours sortie ou occupée. Elle était sans cesse « fatiguée » ou accaparée par « les soucis », ou bien devait « lire son script » ou « parler à papa ». Quel temps restait-il pour les vrais problèmes dans tout ça? Qui es-tu? Qui suis-je? C'était plus facile de se confier à Li et d'éviter Faye... tout comme elle-même avait si longtemps évité Anne. Maintenant, Faye en payait le prix.

CHAPITRE 14

FAYE était encore en plein tournage lorsque Lionel s'installa dans son nouvel appartement de l'U.C.L.A. avec quatre amis du lycée et commença ses cours. La semaine suivante, il fit un saut sur le plateau pour la voir et attendit patiemment que le tournage s'interrompe. Il prenait toujours un vif plaisir à la regarder diriger, et finalement, après une heure et trois reprises d'une scène particulièrement éreintante, elle libéra les acteurs pour le déjeuner et leva les yeux vers son fils. Elle était si absorbée par son travail qu'elle ne l'avait pas vu arriver. La joie anima aussitôt son visage et elle se précipita pour l'embrasser.

« Comment ça va, mon chéri? Comment trouves-tu ton appartement, tes cours? »

Il lui sembla qu'elle ne l'avait pas vu depuis des années, et soudain ses enfants lui manquèrent cruellement, surtout lui. Elle n'avait pas encore eu le temps de ressentir le vide de son absence, mais elle avait pris l'habitude de l'avoir auprès d'elle, de discuter de tout et de rien avec lui, et maintenant, il n'habitait plus là. Mais le tournage l'absorbait tellement qu'elle n'avait pas eu l'occasion de s'en apercevoir en profondeur.

« Es-tu bien installé, au moins? »

Les yeux de Lionel brillèrent d'enthousiasme.

« Oui, c'est très bien, les autres sont soignés et polis. Dieu merci, il n'y a aucun Greg parmi eux. »

Il fit la grimace, et elle rit en pensant au chaos familier de la chambre de son second fils. Rien n'avait changé.

« Tu n'es pas encore retourné à la maison?

– Si, une fois ou deux pour prendre des affaires. J'ai vu papa, il m'a dit que tu allais bien.

– C'est vrai.

– Ça a l'air super. »

De la tête, il désigna le plateau qu'elle venait de quitter et Faye se rengorgea. Comme son père, Li avait un jugement sûr en matière de films. Elle-même était trop obnubilée par les détails pour avoir une idée d'ensemble, et ils sentaient ça mieux qu'elle. Ils pouvaient prendre du recul, voir les choses différemment.

« C'était une très bonne scène », poursuivit-il.

Elle sourit.

« Ça fait une semaine qu'on est dessus. »

Comme elle en parlait, Paul Steele, leur grande star, dont c'était la scène, s'approcha d'eux. Il jeta un œil sur Lionel avant de fixer Faye plus sérieusement. Paul était aussi perfectionniste qu'elle et elle aimait travailler avec lui. C'était leur second film ensemble. Paul Steele était assurément une des étoiles montantes de Hollywood. Il s'assit à côté d'elle.

« Qu'en as-tu pensé?

– Je crois que la dernière prise sera la bonne.

– Moi aussi, répondit Paul Steele, content qu'elle partage son avis. Hier, je me faisais beaucoup de soucis. J'ai cru que je n'y arriverais jamais. J'ai dû passer la nuit à la bûcher. »

Faye fut comme toujours impressionnée par le sérieux de Paul.

« Ça a été payant, Paul, merci. C'est en se donnant à fond que l'on finit par réussir. »

Mais il y avait peu d'acteurs qui acceptaient de travailler ainsi. Paul était de ce petit nombre. Il se leva et sourit à Lionel.

« Tu es bien le fils de Faye! »

Cela sautait toujours aux yeux des autres. Faye et Li éclatèrent d'un même rire.

« Comment l'avez-vous deviné? »

Steele fronça les sourcils.

« Eh bien... à la couleur des cheveux... au nez... aux yeux. Je crois que tu n'aurais qu'à te peigner comme elle et à mettre une jupe pour qu'on vous prenne pour des jumeaux.

– Je ne crois pas que ça me plairait, dit Faye en riant de plus belle. En fait, ça ne me plairait pas du tout!

– Tant pis, je me consolerai! »

Paul rit à son tour.

« J'ai beaucoup aimé votre dernière scène, monsieur Steele. »

Lionel éprouvait pour lui un profond respect dont Steele fut touché.

« Merci. (Faye fit les présentations et Paul serra la main de Lionel.) Ta mère est le plus impitoyable des metteurs en scène de Hollywood, mais elle fait du si bon travail que ça vaut le coup de suer sang et eau pour elle.

– Voyons, Paul, tu vas me faire rougir. »

Ils rirent tous les trois et Faye regarda sa montre.

« Puisque vous avez une heure devant vous, messieurs, puis-je vous inviter à déjeuner à la cantine? »

Paul prit un air macabre.

« Mon Dieu, voilà qu'elle me torture de nouveau! Ne pourrait-on faire mieux? Venez, ma voiture est garée à côté, c'est moi qui régale. (Mais ils savaient que les environs n'avaient pas grand-chose à leur offrir; en outre, ils n'avaient guère de temps devant eux.) Bon, bon, j'abandonne. Bienvenue, sainte indigestion!

– Ce n'est pas si mauvais que tu le dis », protesta vainement Faye.

Paul et Lionel ne l'écoutaient pas et, criant leur désapprobation, l'escortèrent à regret vers la cantine des studios. Paul demanda à Li s'il faisait ses études. Li expliqua qu'il venait d'entrer à l'U.C.L.A., section cinéma.

« C'est là que je suis allé, moi aussi. Tu t'es déjà fait une idée ?

– Ça me plaît beaucoup. »

Lionel sourit gaiement, ce qui amusa Paul. Li était encore très jeune, mais tout en bavardant avec lui pendant le déjeuner, Paul vit que c'était un garçon brillant, intelligent et sensible, connaissant bien le domaine qui l'intéressait. Ils discutèrent avec animation jusqu'à ce que Faye donne le signal du départ. Mais, de retour sur le plateau, Lionel s'attarda plus que de coutume, désireux de se plonger dans l'atmosphère du tournage. Paul l'invita dans sa loge pendant qu'il se maquillait et qu'on modifiait sa coiffure. Il devait jouer un prisonnier de guerre dans la prochaine scène et Lionel mourait d'envie de rester. Mais il devait retourner à la fac, où il avait trois cours cet après-midi-là.

« C'est dommage. J'aime bien discuter avec toi. »

Paul le regarda avec un franc sourire. Il regrettait que Lionel s'en aille. Il aimait ce garçon... un peu trop, peut-être... mais il ne lui en montrerait rien, par respect pour Faye et pour l'extrême jeunesse du garçon. Il n'avait pas l'habitude de corrompre les autres, et les puceaux n'étaient pas ses préférés. Mais Lionel semblait avoir envie de le revoir, et il en était agréablement surpris. Les yeux de Lionel cherchaient les siens. Paul ne savait plus s'il avait affaire à un enfant ou à un homme.

« J'aimerais beaucoup vous voir travailler un

autre jour. J'ai un après-midi de libre en fin de semaine. Peut-être pourrai-je revenir à ce moment-là? »

Il attendait, plein d'espoir, les yeux brillants comme ceux d'un enfant devant le Père Noël. Paul se demanda si c'était le tournage qui l'excitait tant, ou tout autre chose. Il préféra la prudence.

« C'est à ta mère de décider. C'est elle qui dirige le tournage. Et elle est mon patron. »

Ils rirent ensemble et Lionel tomba d'accord.

« Je vais lui demander ce qu'elle en pense. »

Paul craignait que Faye ne pensât que l'idée venait de lui.

« Alors, à vendredi, j'espère... »

Lionel le regarda avec espoir, mais Paul tourna la tête. Il ne voulait rien commencer entre eux... ou plutôt si... mais ce n'était pas bien... et Lionel était le fils de Faye Thayer... Oh! Dieu que la vie était compliquée, parfois! Il alluma un joint, espérant que cela le calmerait, mais la drogue ne fit qu'accentuer le manque.

Lorsqu'il retourna sur le plateau, il y avait en lui une sensation de faim et de solitude qui le déchirait presque. Cela transparut dans le film. Cette fois, la première prise fut la bonne, du jamais vu, et Faye le félicita chaleureusement. Mais il lui témoigna de la froideur et elle se demanda pourquoi. Elle ne pensait rien de sa gentillesse envers Lionel, connaissant suffisamment Paul pour savoir qu'elle n'avait rien à craindre de lui. C'était un type bien, et quelle que fût sa vie privée, il ne chercherait jamais à profiter de son fils. Elle en était persuadée. Aussi ne fut-elle aucunement contrariée de revoir Li sur le plateau, le vendredi suivant. Lorsqu'il était plus jeune, il était souvent venu. Il n'en avait guère eu le temps, ces derniers mois, mais sa passion pour le tournage n'était pas un secret. Il avait même choisi d'en faire sa carrière. Elle était heureuse de le trouver là, et, bien qu'au début il n'en montrât rien, Paul Steele l'était aussi.

« Salut, Paul. »

Lionel avait dit ces mots avec hésitation. Dès qu'il les eut prononcés, il se demanda s'il n'aurait pas mieux fait de dire « monsieur Steele ». Paul n'avait que vingt-huit ans, mais il imposait le respect autour de lui. A dix-huit ans, Lionel se sentait un enfant, par comparaison.

« Salut. »

Paul prit un air dégagé et le dépassa pour se diriger vers la loge d'un autre acteur en espérant que leurs chemins ne se recroiseraient plus. Mais plus tard dans l'après-midi, Faye lui offrit un verre de vin pendant la pause. Lionel était avec elle, si admiratif que Paul ne put s'empêcher de lui sourire.

« Content de te revoir, Lionel. Comment vont les cours? »

Peut-être qu'en se persuadant que Li n'était qu'un enfant, ce serait plus facile. Mais rien ne l'était plus lorsqu'il plongeait les yeux dans les siens. Ils étaient irrésistibles. Un regard si semblable au sien, mais plus profond encore, plus attirant, plus triste et plus sage par bien des côtés, comme si Lionel cachait en lui quelque terrible secret. Et instinctivement, Paul sut de quel secret il s'agissait. Il avait le même à son âge. C'était un secret de solitude, jusqu'à ce que se tende enfin une main secourable. Jusqu'à ce jour béni, la vie était un enfer où l'on se sentait mortellement exclu du reste du monde, handicapé pour toujours, terrifié par ses propres pensées comme par le jugement des autres.

« Comment as-tu trouvé la prise d'aujourd'hui? »

Inutile de le traiter comme un enfant. Li était un

homme. Tous deux le savaient. Paul le regarda droit dans les yeux, sans honte.

« J'ai trouvé qu'elle était très, très bien.

– Tu aimerais que nous regardions ensemble les rushes d'aujourd'hui? »

Paul aimait les voir chaque fois qu'il le pouvait afin de corriger ses erreurs. Lionel fut extrêmement flatté que Paul l'introduise dans cet univers particulier. Il écarquilla les yeux, intimidé. Faye et Paul éclatèrent de rire.

« Ecoute, lui dit Paul, si tu le prends comme ça, je ne vais rien te laisser regarder. Il faut que tu saches ce que nous allons voir, c'est de la merde pour l'essentiel. Une merde bien humiliante, c'est sûr, mais c'est comme ça qu'on apprend.

– J'aimerais beaucoup voir les rushes avec vous. »

Quand l'obscurité se fit dans la salle de projection, Paul sentit la jambe de Lionel se poser par inadvertance contre son genou. Son corps s'enfiévra aussitôt d'une irrésistible émotion, mais prudemment, il s'écarta et s'efforça de concentrer son attention sur ce qui se passait à l'écran. Lorsque à la fin, la lumière revint dans la salle, Lionel discuta passionnément avec lui de ce qu'ils venaient de voir, et curieusement, ils tombèrent d'accord sur tout. Lionel parlait de cinéma avec brio, faisait preuve d'intelligence et d'intuition; il possédait un instinct certain en matière de style et de technique. Ce n'était guère surprenant : il avait grandi à l'ombre du cinéma. Mais Paul était tout de même impressionné, et il mourait d'envie de continuer la conversation lorsque Faye se prépara à quitter le plateau. Elle devait partir tôt, ce jour-là; pour elle, sept heures trente était encore le milieu de l'après-midi. Elle leur jeta un coup d'œil amusé, tandis qu'ils continuaient leur bavardage.

« Est-ce que tu es venu en voiture, mon chéri? » demanda Faye à son fils.

Elle était fatiguée et rêvait de rentrer se détendre un peu; la semaine avait été exténuante et ils avaient une séquence à tourner à l'aube le lendemain. Elle devrait être debout avant trois heures.

« Oui, maman.

– Bien, en ce cas, les enfants, je vous laisse. Ce soir, ce n'est plus de mon âge. Je file à la maison avant de succomber de fatigue. Bonsoir, messieurs. »

Elle embrassa Lionel, fit à Paul un signe d'adieu et se précipita vers sa voiture. Ward était déjà à la maison en train de préparer le dîner pour les enfants.

Paul fut surpris lorsqu'il pensa à regarder sa montre : presque neuf heures. Il ne restait plus qu'eux sur le plateau. Il n'avait rien avalé depuis midi, et savait, d'après une remarque de Lionel, que celui-ci n'avait rien pris non plus. Quel mal y aurait-il à grignoter un morceau ensemble?

« Tu veux que nous allions manger un hamburger? Tu dois mourir de faim. »

La question semblait innocente. Lionel eut l'air ravi.

« Bonne idée, si vous n'avez rien d'autre à faire. »

Il était si jeune et si humble que c'en était embarrassant. Paul sourit en lui passant un bras autour des épaules, tandis qu'ils se dirigeaient vers le parking. Il n'y avait personne aux alentours, et son geste ne pouvait être mal interprété.

« Tu sais, ça a été un réel plaisir de parler avec toi. Je n'ai rien connu d'aussi agréable depuis des semaines, peut-être même des mois...

– C'est gentil de dire ça... »

Lionel lui sourit et s'arrêta devant sa Mustang. La

Porsche gris métallisé de Paul était garée un peu plus loin.

« Mince, c'est à toi cette bagnole?

– Ouais, je l'ai eue pour mon diplôme au mois de juin.

– Tes parents ne se sont pas foutus de toi! » s'écria Paul, impressionné par la rutilante voiture.

Lui-même, à l'âge de Lionel, n'avait pu se payer qu'un vieux tacot à soixante-quinze dollars. Ses parents n'étaient pas Ward et Faye Thayer, et il n'habitait pas à Beverly Hills. Paul était venu de Buffalo sur la côte Est à vingt-deux ans, mais depuis qu'il vivait en Californie, son existence était un paradis, en comparaison, surtout ces trois dernières années. Sa carrière d'acteur était montée en flèche, d'abord grâce à une liaison fortuite avec un grand producteur de Hollywood; mais ensuite, il n'avait dû son succès qu'à ses propres capacités d'acteur. Peu de gens osaient en douter. Quoi qu'on pût penser de Paul Steele, il avait un sacré talent. La plupart de ceux qui avaient travaillé avec lui n'avaient rien à lui reprocher. Paul était quelqu'un de bien, avec qui il était agréable de travailler, un homme discret, et qui, lorsqu'on avait l'occasion de mieux le connaître, se révélait un joyeux compagnon. Il devenait bien un peu spécial, entre deux films, fumait beaucoup de drogue, prenait même un peu de cocaïne, se shootait aux médicaments, et le bruit courait qu'il organisait chez lui des orgies d'un genre particulier, mais Paul Steele n'abusait jamais de personne; il n'y avait jamais eu d'accidents. Et puis, Paul travaillait si dur, il se donnait tellement qu'il fallait bien, après tout, qu'il se trouve un exutoire. Il était encore très jeune.

Il emmena Lionel au Hamburger Hamlet, sur Sunset Boulevard, et Li le suivit prudemment dans sa voiture. Paul était embarrassé : il ne voulait pas le blesser, ni physiquement ni moralement. Il sentait qu'il l'aimait, plus qu'il n'avait aimé depuis longtemps. Quelle catastrophe que Lionel n'eût que dix-huit ans! C'était bien sa veine. Si beau et encore au berceau! Durant le repas, il ne put le quitter des yeux. Ensuite, ils traînèrent sur le parking, Lionel ne sachant comment le remercier de l'honneur et de la rare faveur qu'il venait de lui accorder en l'invitant, et Paul mourant d'envie de l'emmener chez lui, mais craignant tellement sa réaction qu'ils restaient là, gauchement, l'un devant l'autre. Paul observait le visage de Lionel. Il aurait voulu savoir ce que Lionel savait sur lui-même, mais ce n'était pas encore une certitude. S'il savait, tout serait sans doute différent, mais s'il ne s'en doutait pas encore... Pourtant, rien qu'à le regarder, Paul en était déjà sûr; mais Lionel? Puis soudain, au milieu du parking, Paul comprit que la seule solution était de prendre le taureau par les cornes, pour parler crûment. Il finirait sans doute par lui poser la question franchement. Peut-être se trompait-il. Peut-être pourrait-il faire de Lionel un ami. Mais il ne pouvait pas le laisser partir... pas encore... pas maintenant... pas si tôt.

« Tu trouveras peut-être l'idée stupide, mais que dirais-tu de venir prendre un verre chez moi? »

Il fut presque gêné de dire ça, mais Lionel réagit avec sa candeur habituelle.

« J'adorerais! »

Peut-être savait-il?... Paul devenait fou à essayer de deviner. Il n'y avait aucun moyen de savoir.

« J'habite Malibu. Tu veux me suivre ou laisser ta voiture ici? Je pourrai te ramener après.

– Ça ne vous dérangera pas trop? »

Malibu était à une heure de là.

« Pas du tout. Je ne me couche jamais tôt. Et il est même fort possible que je ne me couche pas du tout cette nuit. Nous avons une prise à l'aube, demain, et quand c'est comme ça, je travaille mieux en ne dormant pas.

– Vous croyez que ma voiture sera en sécurité ici? »

Ils jetèrent un coup d'œil aux environs et décidèrent qu'il n'y avait pas de risque. Le bistrot où ils avaient dîné restait ouvert toute la nuit, il y aurait donc un perpétuel va-et-vient; personne n'oserait voler la Mustang rouge devant témoins. Cela résolu, Lionel se glissa dans la Porsche à côté de Paul, avec l'impression immédiate d'avoir atteint le paradis. C'était comme s'il avait pénétré dans un autre monde. Le siège de cuir était moelleux et profond, le tableau de bord était aussi fascinant que celui d'un avion, et, après avoir démarré au quart de tour, Paul alluma la stéréo qui déversa aussitôt la voix de Roger Miller dans *King of the Road.* Ce voyage à Malibu était comme une expérience sensuelle. Paul rêvait d'un joint, mais il ne voulait pas fumer devant Lionel, craignant sa réaction, et il se retint. Ils n'échangèrent que quelques mots durant le bref trajet, portés par la musique tandis que la Porsche fendait la nuit. Lorsqu'elle s'arrêta enfin devant la maison de Malibu, Lionel était parfaitement à son aise avec son nouvel ami.

Paul mit la clef dans la serrure et ils entrèrent. La maison continuait sur le même ton. Une baie ouvrait sur l'océan, les lumières étaient tamisées, et l'on plongeait dans un salon en cuvette, empli de divans et de coussins accueillants, et décoré çà et là de plantes vertes et d'objets d'art éclairés dans des niches. On trouvait aussi un bar aux lignes élégantes, un mur couvert de livres, et de nouveau la stéréo qui semblait emplir le monde de musique douce tandis que Lionel s'asseyait et regardait autour de lui. Paul jeta sa veste de cuir sur un divan, versa deux verres de vin blanc et vint s'asseoir à côté de lui.

« Eh bien? (Il sourit.) Comment trouves-tu? »

Il devait l'admettre, il était fier de son appartement. Pour un garçon sans le sou de Buffalo, il avait parcouru beaucoup de chemin et il se sentait bien ici.

« C'est très, très beau... je suis séduit.

– N'est-ce pas? »

On n'aurait pu penser le contraire. Avec cette vue sur la plage et la mer, le monde entier semblait à leurs pieds. Une fois leurs verres vides, Paul suggéra une promenade. Il aimait marcher sur la plage, la nuit, et il n'était que onze heures. Il se déchaussa, aussitôt imité par Lionel, et ils foulèrent le sable blanc. Jamais Lionel n'avait été aussi heureux. Il éprouvait une émotion nouvelle chaque fois que ses yeux croisaient ceux de cet homme. Une émotion confuse et troublante. Et il se tut, au bout d'un moment. Ils marchèrent longtemps sur la plage. En revenant vers la maison, Paul s'arrêta et s'assit dans le sable. Ses yeux se perdirent d'abord dans la contemplation de l'océan, puis se tournèrent vers Lionel, et soudain, les mots lui vinrent aux lèvres, tout simples.

« Tu te sens bizarre, n'est-ce pas, Li? »

Il avait entendu sa mère l'appeler ainsi et se demanda si cette familiarité le gênerait. Mais Lionel ne sembla pas choqué et hocha la tête, presque soulagé de pouvoir se confier à cet homme qui devenait son ami.

« Oui... »

Peut-être qu'en étant sincère avec lui, il comprendrait d'où venait cette sensation d'être très vieux et en même temps très jeune.

« Moi aussi, je me suis senti comme ça, avant de

venir en Californie. (Il soupira dans l'air nocturne.) Buffalo, c'était l'enfer. »

Lionel sourit.

« Sûr que ça doit être différent d'ici. »

Ils rirent en chœur, et lorsque leur hilarité se fut apaisée, Paul le regarda.

« Je veux être franc avec toi. Je suis homosexuel, Li. »

Aussitôt, son aveu le terrifia. Et si Lionel le détestait pour ça? S'il le fuyait, là, maintenant?... C'était la première fois depuis des années que Paul craignait ce genre de rejet. Il eut la douloureuse sensation d'avoir fait un immense pas en arrière... d'être de retour à Buffalo... amoureux de M. Hoolihan à l'entraînement de base-ball au printemps... ne pas oser le lui dire... le regarder sous la douche et avoir tellement envie de caresser son visage... ses bras... ses jambes... de le caresser partout... là surtout... Il tourna vers Lionel des yeux angoissés.

« Sais-tu ce que ça veut dire?

– Oui, bien sûr.

– Je ne parle pas seulement d'un état physique. Je suppose que tu comprends quel genre de solitude cela signifie pour un homme? (Paul vida son âme dans ses yeux et Lionel hocha la tête, sans détourner le regard.) Je crois que tu sais ce que ça signifie, Lionel... Car je pense que tu ressens la même chose que moi. Ce n'est pas vrai? »

Des larmes coulèrent silencieusement sur les joues de Lionel, qui secoua la tête, et soudain ne put supporter plus longtemps le terrible regard de Paul; il se prit la tête dans les mains et pleura, déversant en gros sanglots des siècles de solitude et de frustration contenue. Paul le prit dans ses bras et le tint sur son cœur jusqu'à ce que les larmes cessent, puis il lui saisit le menton et amena lentement ses yeux devant les siens.

« Je suis en train de tomber amoureux de toi. Et je ne sais pas quoi faire. »

Jamais Paul n'avait éprouvé une telle impression de libération. C'était si merveilleux de lui avouer un secret! Lionel sentit tout son corps s'enflammer. Il comprenait des choses qu'il n'avait jamais comprises auparavant sur lui-même... des choses qu'il n'avait pas voulu savoir... ou redoutait de voir en face... Mais il les comprenait si bien, maintenant, dans les yeux de cet homme.

« Tu es puceau, n'est-ce pas? »

Il fit oui de la tête et répondit d'une voix rauque.

« Oui. »

Lui aussi tombait amoureux de Paul, mais il ne savait pas encore comment le lui dire. Il espéra que l'occasion se présenterait et que Paul ne l'enverrait pas promener... qu'il le laisserait rester avec lui, toujours...

« Tu n'as jamais couché avec une fille? »

Lionel secoua silencieusement la tête. C'était ce qui lui avait mis la puce à l'oreille. Il n'avait jamais été attiré par une fille. Jamais. Il n'en éprouvait ni le désir ni le besoin.

« Jamais.

– Moi non plus. (Paul soupira et se coucha dans le sable. Il prit la main de Lionel et se mit à en baiser la paume, longuement.) Peut-être est-ce plus simple ainsi. Le choix a été fait pour nous dès le départ. C'est ce que j'ai toujours pensé des gens comme nous. Je sais que nous n'avons pas eu le choix, que tout s'est décidé quand nous étions petits. Je crois qu'en fait j'ai toujours su ce que j'étais. Simplement, j'avais peur de savoir. »

Lionel s'enhardit.

« Moi aussi... J'ai toujours eu peur que quelqu'un le découvre... que quelqu'un le sache... ou devine mes pensées. Mon frère est un tel connard de macho, et mon père veut que je sois comme lui. Mais je ne peux pas... jamais je ne pourrai. »

Les larmes emplirent ses yeux, et Paul lui étreignit la main.

« Tu crois que quelqu'un s'en doute dans ta famille? »

Lionel fit non de la tête.

« Moi-même, je ne l'avais jamais reconnu avant ce soir. »

Mais maintenant, il était certain. Et il acceptait de vivre cette réalité. Avec Paul. Avec personne d'autre. Il l'avait attendu toute sa vie, il n'allait pas le perdre maintenant.

Mais Paul le regardait attentivement.

« Es-tu sûr d'en accepter les conséquences? Tu sais que tu ne pourras plus revenir en arrière. Après, c'est pratiquement impossible de changer de vie... Quelques-uns y arrivent, mais je me demande toujours s'ils sont tellement convaincus... Je n'en suis pas sûr... »

Il se leva sur un coude pour fixer Lionel, toujours couché à côté de lui sur le sable. Ils étaient seuls, personne à des kilomètres. Les maisons avaient des fenêtres brillantes comme des bijoux derrière eux, comme un millier de bagues de fiançailles qu'il lui offrait ce soir... un diadème de petites lueurs d'espoir...

« Je ne veux rien faire que tu ne sois prêt à accepter.

– Je suis prêt, Paul, j'en suis sûr... ma vie a été si solitaire jusqu'à ce soir... Ne me laisse plus jamais seul... »

Paul le prit dans ses bras et l'enlaça si fort qu'il n'y tint plus. Il n'avait rien à se reprocher. Il lui avait donné le choix. Paul n'avait jamais profité de personne et il n'allait pas commencer avec ce garçon-là.

« Viens, rentrons à la maison. »

Il se leva d'un bond gracieux et tendit une main à Lionel, qui le suivit avec un sourire soulagé et heureux. Ils marchèrent main dans la main sur le sable fin de Malibu, échangeant des propos plus animés, soudain. Lionel avait l'impression qu'un poids énorme venait de lui être enlevé. Il savait enfin qui il était, ce qu'il était et où il allait, et trouva que cela était bien ainsi. La peur avait disparu. Ils furent vite dans la maison, revigorés par l'air nocturne. Paul versa encore un peu de vin, but une gorgée et alluma le feu avant de disparaître dans sa chambre, laissant Lionel à ses pensées et à son verre. Et lorsqu'il revint, les lumières étaient baissées, la pièce obscure, avec la seule lueur du feu. Debout au centre de la pièce, nu, Paul lui fit signe sans mot dire. Lionel n'hésita pas un instant. Il se leva et le suivit.

CHAPITRE 15

PAUL reconduisit Lionel à Sunset Boulevard vers quatre heures du matin, et ils restèrent un moment à se regarder, au milieu du parking. C'était bizarre de se retrouver là. Tant de choses s'étaient passées depuis leur dîner dans ce petit bistrot! C'était incroyable. Lionel avait l'impression d'avoir des ailes. Cette nuit avait été la plus belle de sa vie. Il savait enfin qui il était, et Paul avait tout fait passer en douceur... C'était cela le plus merveilleux. Et Lionel ne savait comment le remercier.

« Je ne sais pas quoi dire... tu as été si gentil avec

moi..., dit-il en dansant d'un pied sur l'autre, esquissant un sourire timide.

– Ce n'est pas la peine de me remercier, Li. Tu veux qu'on se revoie ce soir? »

Lionel en eut le souffle coupé. Il se sentit de nouveau follement ému. Il n'aurait jamais cru que ce fût si beau, mais Paul était un maître.

« Oui, ça me plairait beaucoup. »

Paul ferma à demi les yeux, réfléchissant à un lieu de rencontre.

« On pourrait peut-être se retrouver ici à huit heures? Tu n'auras qu'à m'attendre dans ta voiture, et ensuite, tu me suivras jusque chez moi. Si je ne suis pas trop crevé, on pourra dîner à la maison, sinon on s'arrêtera en route. Ça te va? »

Ce n'était pas ainsi qu'il procédait d'habitude dans ses entreprises amoureuses, mais le film accaparait ses journées.

« Super! »

Lionel eut un sourire radieux avant de bâiller de sommeil. Paul lui ébouriffa les cheveux en riant.

« Tu ferais mieux de rentrer dormir... Veinard! Moi qui vais bosser comme un dingue toute la journée. »

Lionel le regarda, plein de compassion.

« Tu salueras ma mère. »

Aussitôt, il fut horrifié de ce qu'il avait dit. Mais Paul se mit à rire.

« Je ne crois pas que je le ferai pour l'instant. (Jamais, peut-être. Il n'était pas du tout certain de la réaction de Faye lorsqu'elle découvrirait l'homosexualité de son fils.) Si jamais elle me le demande, je lui dirai simplement que nous avons mangé un hamburger et que tu es rentré à la fac. D'accord? »

Lionel hocha la tête. Et s'il se coupait? Et si lui-même en touchait mot à quelqu'un, un jour?

Cette idée l'effraya, mais en même temps, il songea qu'il faudrait bien qu'ils arrivent à le savoir. Il ne voulait pas vivre en se cachant le restant de ses jours. Mais en même temps, il ne voulait pour l'instant en parler à personne... pas encore... ce serait son secret avec Paul.

« Bonne journée quand même, Paul. »

Il voulut l'embrasser là, en plein parking, mais n'osa pas. Paul lui tapota la joue avec un regard chaleureux.

« Prends soin de toi, aujourd'hui... repose-toi bien, mon amour. »

Lionel sentit dans ces mots tout l'amour qu'il éprouvait pour lui et son cœur battit tandis que Paul s'éloignait. Il salua de la main la Porsche argent pétaradante, avant de s'engouffrer dans sa voiture à lui, avec ses pensées à lui. Il avait à peine assez de patience pour attendre le soir.

Quand le moment arriva enfin, il attendait dans sa voiture, en chemise et sweater éclatants de propreté, et pantalon de daim impeccable, les cheveux peignés avec soin et le visage parfumé d'un nouvel après-rasage qu'il avait acheté spécialement l'après-midi même. Paul perçut tout cela en sortant de sa voiture et il en fut touché. Lui-même n'avait pas eu le temps de se doucher avant de quitter le plateau, mais il ne voulait pas arriver en retard. Il enlaça Lionel et ils s'étreignirent. Il était clair que le garçon était heureux de le revoir. Li était au septième ciel.

« Comment ça s'est passé, Paul?

– Très bien. Grâce à toi. (Il sourit généreusement. Lionel était radieux.) Je me suis rappelé tout mon texte, et tout a coulé de source, sauf en fin d'après-midi. Je suis complètement crevé. (Il baissa les yeux sur sa tenue. Il portait encore le treillis de soldat de sa dernière scène, mais personne ne lui avait rien dit lorsqu'il avait quitté le plateau). Allons chez moi, je veux me laver et changer de tenue. »

Il aurait aimé l'emmener dîner ou du moins prendre un verre dans un bar pour homosexuels, mais il sentait qu'il était encore trop tôt pour l'introduire dans cet univers. Lionel n'était pas prêt. Paul voulait une liaison différente des autres, un secret connu d'eux seuls, et il était prêt à jouer le jeu pendant un temps, à négliger ses amis habituels pour rester seul avec lui. Lionel décida d'abandonner une seconde fois sa voiture pour refaire le trajet auprès de Paul, et ils s'arrêtèrent à un supermarché sur le chemin de Malibu. Ils achetèrent de la bière et du vin, de quoi faire une salade, une livre de fruits et deux steaks. C'était un dîner sain pour deux. Lionel affirma qu'il savait faire la cuisine.

Il n'avait pas menti : lorsque Paul sortit de sa douche, une serviette autour des reins, Lionel lui tendit un verre de vin avec un sourire.

« Le dîner sera prêt dans cinq minutes.

– Parfait. Je meurs de faim. (Mais il posa son verre pour embrasser passionnément Lionel. Puis leurs yeux se rencontrèrent et Lionel sentit son cœur bondir dans sa poitrine.) Tu m'as manqué aujourd'hui.

– Toi aussi. »

La serviette glissa lentement, et, tout en défaisant fiévreusement sa ceinture, Paul lui murmura à l'oreille :

« Tu crois que les steaks attendront? »

Non que cela comptât pour lui, rien ne comptait plus, que sa jeune chair... Lionel était un des amants les plus excitants qu'il ait eus depuis longtemps. Il était si enthousiaste, si frais, chaque centimètre de sa peau était doux et sentait bon, son corps était jeune et ferme. Il baissa le pantalon de daim jusqu'à ce qu'il trouve ce qu'il cherchait, et Lionel gémit lorsqu'il le prit dans sa bouche. Un moment après, ils étaient enlacés sur le sol mouillé, le dîner depuis longtemps oublié, leurs corps unis par la passion.

CHAPITRE 16

LEUR liaison se poursuivit pendant l'automne. Jamais Lionel n'avait été aussi heureux de sa vie. Il avait d'excellents résultats à la fac et Paul travaillait toujours pour le film des Thayer.

Après plusieurs mois d'absence, Lionel débarqua un jour au studio, mais c'était trop difficile de feindre vis-à-vis de Paul. Il devait lutter avec lui-même pour se forcer à détourner les yeux et il craignait que sa mère ne s'aperçût de quelque chose.

« Elle n'est pas Dieu le Père, tu sais, lui avait dit ironiquement Paul, même si c'est ta mère. Mais je pense néanmoins qu'elle tiendrait le coup si elle savait. »

Lionel soupira.

« Je l'espère... Mais pas mon père. Mon père ne comprendra jamais.

– Tu as tout à fait raison. C'est encore plus dur à accepter pour un père.

– Est-ce que tes parents sont au courant?

– Pas encore. Et je suis encore assez jeune pour qu'ils ne s'étonnent pas que je reste célibataire. Mais dans dix ans, je vais les avoir sur le dos.

– Si ça se trouve, tu seras marié et père de cinq enfants. »

Ils rirent tous les deux de cette absurde éventualité. Cela ne disait rien à Paul. Il n'avait aucun penchant bissexuel. Aucune femme ne lui avait jamais tourné la tête. Mais Lionel, si. Ils passaient la plupart de leurs nuits à faire l'amour dans le grand lit de sa chambre ou sur le divan devant la cheminée... n'importe où, sur le sol... ou la plage. C'était une liaison entièrement sensuelle, érotique, et toutes les parties du corps de l'un éveillaient le désir de l'autre. Lionel avait maintenant la clef de la maison de Malibu, et parfois il s'y rendait directement après les cours, même si le plus souvent il devait repasser à son appartement avant de rejoindre Paul qui finissait sa journée de travail. Mais il n'avait pas couché chez lui depuis des mois, et ses compagnons de chambre ne manquaient pas une occasion de le mettre en boîte.

« Allez, Thayer... dis-nous qui c'est... Quand vas-tu nous la montrer? C'est peut-être une pute pour que tu la caches à tes copains et que tu la sautes sans arrêt?

– Très drôle. »

Il s'efforçait de les ignorer et d'encaisser leurs lourdes plaisanteries, leur admiration, leur jalousie, en se demandant ce qu'ils diraient s'ils apprenaient la vérité. Mais il s'en doutait bien. Ils le traiteraient de sale petit pédé et le flanqueraient sans doute à la porte.

« Tu en as parlé à un de tes amis? » lui demanda Paul une nuit qu'ils étaient nus devant le feu, après l'amour.

Lionel secoua la tête.

« Non. »

D'ailleurs, il n'avait personne d'autre que les garçons avec qui il partageait l'appartement, de typiques petits machos ou de jeunes intellectuels qui ne rêvaient que d'une chose, coucher avec une fille, et se donnaient un mal de chien pour y arriver. Leur vie sexuelle était moins active que celle de Lionel, mais dans un genre différent. Ils auraient été horrifiés s'ils avaient pu le voir en cet instant précis. Pourtant, Lionel était heureux ainsi. Il tourna des yeux tendres vers Paul, qui l'observait attentivement, comme s'il cherchait à deviner ses pensées.

« Tu comptes te cacher toute ta vie, Li? C'est merdique, tu sais. J'en ai tellement souffert moi-même!

– Je ne suis pas encore prêt à le montrer au grand jour.

– Je le sais, Li. »

Paul ne l'avait pas encouragé à le faire et ne l'emmenait nulle part, quitte à se refuser le plaisir de voir ses amis en baver de jalousie. Il ne voulait pas révéler leur secret. Ce n'était qu'une question de temps. Une fois, il était quand même sorti avec Li, sans que l'on découvre de qui il s'agissait. Le fils de Faye Thayer... Ce serait un vrai scandale, et Paul voulait le leur épargner à tous deux, c'était le plus sage. Surtout pour Paul, dont la carrière aurait été compromise : Faye et Ward deviendraient fous de rage en apprenant la vérité. Lionel n'avait que dix-huit ans, et Paul juste vingt-neuf. Paul serait le premier à s'en mordre les doigts. Son agent continuait le plus souvent possible d'associer son nom à celui d'actrices en vue. Cela comptait pour le public. Aucun fan ne voulait d'un homo pour idole.

Pour Thanksgiving[1], en novembre, Lionel passa la journée avec sa famille, mûri, différent d'eux, comme étranger. Il découvrait qu'il n'avait plus rien à leur dire, et leur conversation l'ennuya profondément. Greg était bébé, et les jumelles appartenaient à une autre planète. Il ne parvenait plus à parler

1. Jour d'action de grâces, aux Etats-Unis, qui a lieu le dernier jeudi du mois de novembre.

avec ses parents, et seule Anne semblait supportable tandis qu'il attendait avec impatience le passage des heures. Ce fut avec soulagement qu'après le dîner il put enfin prendre congé et rejoindre Paul. Il avait dit à ses parents qu'il se rendait avec des amis au lac Tahoe, mais il devait passer un week-end tranquille avec son amant. Paul n'avait plus que quelques semaines de tournage, et ils soufflaient un peu.

Le lendemain, lui sembla-t-il, Noël arriva. Lionel se précipita pour faire tous ses achats dès le début des vacances et se rendit ensuite au studio. Paul était dans sa loge.

Ne voyant ses parents nulle part, Lionel entra sans frapper dans la petite pièce qu'il connaissait bien, maintenant, et se laissa tomber sur une chaise. Paul fumait un joint et le lui offrit. Li n'avait jamais autant apprécié la drogue que son ami le prétendait. Il en tira une brève bouffée et lui rendit la cigarette. Les deux hommes se renfoncèrent sur leurs sièges et se sourirent. Paul posa une main tendre sur la cuisse de Lionel.

« Si nous n'étions pas ici, j'aurais quelque chose de super à te proposer. »

Ils éclatèrent de rire. Ils étaient si à l'aise l'un avec l'autre que parfois ils oubliaient qu'ils avaient quelque chose à cacher. Paul se pencha en avant pour l'embrasser.

Ni l'un ni l'autre n'entendirent la porte s'ouvrir et quelqu'un entrer, mais Lionel fut certain d'avoir perçu un halètement de stupeur et, se retournant, il vit sa mère debout devant eux, le visage blême d'horreur, les larmes aux yeux. Il bondit aussitôt sur ses pieds. Paul se leva plus lentement, tandis que tous deux échangeaient un regard atterré.

« Maman, je t'en prie... »

Lionel tendit la main vers elle, avec une énorme

envie de pleurer. Il avait l'impression de l'avoir poignardée en plein cœur. Mais il ne bougea pas, et Faye se contenta de les fixer l'un après l'autre. Elle dut s'asseoir, ses jambes se dérobaient sous elle.

« Je ne sais pas quoi dire. Depuis combien de temps cela dure-t-il? »

Elle leva les yeux sur Lionel, puis sur Paul.

Paul ne voulut pas aggraver davantage la situation, pour aucun d'eux. Ce fut Lionel qui prit la parole, les bras ballants, anéanti.

« Quelques mois... Je... je suis désolé, maman. »

Lionel se mit à pleurer, ce qui brisa la cœur de Paul. Les yeux fixés sur Faye, il se leva et s'approcha de lui. Il se devait d'être à ses côtés, quel que fût le prix à payer pour ce geste. Faye pouvait détruire sa carrière si elle le voulait... Quelle folie de tomber amoureux de son fils! Il le regrettait, maintenant. Mais c'était trop tard, beaucoup trop tard. Le mal était fait.

« Ecoute-moi, Faye. Je ne lui ai fait aucun mal. Et personne n'est au courant. Nous ne sommes allés nulle part. »

Il savait que ce serait un soulagement pour elle. Faye releva la tête.

« Cette idée vient de toi, n'est-ce pas, Paul? »

Elle aurait voulu le tuer, mais quelque chose lui disait qu'elle avait tort, que ce n'était pas entièrement sa faute. Elle regarda tristement le visage mouillé de larmes de son fils.

« Dis-moi, Lionel... Ça t'est déjà arrivé avant? »

Elle ne savait même pas quelle question poser. Peut-être n'avait-elle pas le droit de savoir, après tout. Son fils était un homme, et si Paul avait été une fille, aurait-elle demandé des détails? Mais les réalités de leur liaison lui faisaient peur. Elle en savait peu sur l'homosexualité et aurait voulu en savoir encore moins. Il y avait beaucoup d'homosexuels à Hollywood, mais elle n'avait jamais cherché à savoir qui faisait quoi avec qui. Et maintenant, sans crier gare, son propre fils était du nombre... son fils chéri venait d'embrasser un homme... elle essuya ses larmes et les considéra de nouveau, tandis que Lionel s'affalait sur une chaise en soupirant.

« C'est la première fois, maman... je veux dire, avec Paul. Et ce n'est pas sa faute. J'ai toujours été comme ça. Je crois même qu'au fond de moi je l'ai toujours su. Mais je ne savais pas quoi faire, et il... (il s'interrompit pour gratifier Paul d'un regard presque reconnaissant, qui fit défaillir Faye)... il m'a initié à tout ça si doucement... je n'ai pas pu m'en empêcher. Je suis fait ainsi, maman. Ce n'est sans doute pas ce que tu aurais voulu, et tu ne pourras... (il ravala un sanglot) tu ne pourras peut-être plus m'aimer... mais j'espère que si... »

Il vint jusqu'à elle et lui passa les bras autour du cou, enfouissant son visage dans sa robe. Paul détourna la tête, lui aussi était ému. Il n'avait jamais vécu une scène pareille, même avec sa famille. Lionel leva la tête pour regarder sa mère.

« Je t'aime, maman... je t'ai toujours aimée, je t'aimerai toujours. Mais j'aime aussi Paul. »

C'était l'instant le plus grave de sa vie, et jamais peut-être la vie n'exigeait de lui autant de maturité. Pour l'heure, elle exigeait qu'il se relève et défende ce qu'il était, quelque douloureux que ce fût. Faye serra son fils sur son cœur et embrassa ses cheveux, puis lui prit le visage entre ses mains et le regarda droit dans les yeux. A ses yeux de mère, c'était le même petit garçon que dix-huit ans plus tôt.

« Je t'aime tel que tu es, Lionel, et je t'aimerai toujours. Mets-toi bien ça dans le crâne. (Son regard se durcit.) Quoi qu'il arrive, quoi que tu fasses, je te soutiendrai. (Elle jeta un regard à Paul, tandis que Lionel souriait entre ses larmes.) Je veux seulement que tu sois heureux. Et si c'est ainsi que tu vois ta vie, je l'accepte, telle quelle. Mais je veux que tu sois prudent et réfléchi dans ton comportement et tes fréquentations. Tu as choisi une voie difficile. Ne te fais surtout pas d'illusions là-dessus. »

Il s'en doutait, mais avec Paul, c'était moins difficile, et moins difficile aussi que d'avoir feint toutes ces années. Elle se leva de nouveau et se tourna vers Paul, les yeux brillants de larmes.

« Je ne te demande qu'une chose, Paul. Fais en sorte que cela ne se sache pas. Ne détruis pas sa vie. Et si jamais un jour il change d'avis, laisse-le faire. (Paul hocha silencieusement la tête, et Faye se tourna une dernière fois vers son fils.) Et surtout ne parle pas de ça à ton père. Il ne comprendrait pas. »

Lionel avait la gorge serrée.

« Je le sais bien... je... je n'arrive pas à croire que tu sois aussi extraordinaire, maman... »

Il essuya de nouveau une larme et elle lui sourit.

« C'est que, vois-tu, je t'aime beaucoup. Et ton père aussi. »

Elle soupira tristement et jeta un dernier coup d'œil aux deux hommes. C'était difficile à comprendre pour tout le monde. Tous deux si beaux, si virils, si jeunes! C'était un terrible gâchis, quoi qu'on en dise, et elle ne pensait pas que ce genre de vie pût être heureuse. Certainement pas pour son fils.

« Ton père ne comprendra jamais, en dépit de tout l'amour qu'il peut éprouver pour toi. »

Elle donna le coup de grâce :

« Cela lui briserait le cœur. »
La gorge de Lionel se serra un peu plus.
« Je le sais. »

CHAPITRE 17

Ils finirent le film cinq jours après la Saint-Sylvestre, et la fête qui le couronna fut la plus belle que Paul eût jamais vue. Ce fut un grand événement qui dura toute la nuit. L'on se sépara avec les embrassades et les pleurs habituels. Lui-même se sentait soulagé. Si compréhensive que se fût montrée Faye, il lui avait été difficile de travailler avec elle les dernières semaines. Il savait que cette tension avait nui à la qualité de son jeu, bien que les scènes les plus importantes aient été tournées avant l'incident.

Il se doutait qu'elle avait perçu cette tension et se demandait avec une certaine angoisse si elle lui proposerait un autre rôle. Il adorait travailler avec elle, mais il avait l'impression de l'avoir trahie. Peut-être aurait-il dû s'éloigner de ce garçon, mais il était si beau, si frais, si jeune! Et il s'était convaincu qu'il l'aimait.

Aujourd'hui, il pensait différemment. Li était un garçon adorable, mais beaucoup trop jeune pour lui. Trop simple, trop naïf. Dans dix ans, il aurait sans doute fait un merveilleux amant, mais pour l'heure, il manquait de consistance pour un homme de l'âge de Paul. Il se sentait souvent comme un père pour lui, et les anciens amis de Paul, l'univers homosexuel de Los Angeles, les fêtes et les orgies où il avait coutume de se rendre pour se défouler, de temps en temps, tout cela lui manquait. Il vivait une petite vie pépère, tous les soirs à la maison, devant le feu de cheminée. Il aimait l'amour avec Li, surtout depuis qu'ils s'aidaient d'un peu de nitrate d'amyle, mais il savait que ça ne durerait pas longtemps. Ça ne durait jamais longtemps avec lui. Et ensuite, il devrait vivre avec ce poids sur la conscience. La vie était vraiment trop compliquée parfois, pensait-il en roulant vers Malibu. Mais lorsqu'il découvrit Lionel roulé en boule dans son lit comme un jeune dieu assoupi, il se dit qu'après tout il se pouvait que leur idylle durât longtemps, très longtemps. Il se dévêtit doucement, s'assit sur le bord du lit, et d'un doigt caressa la courbe infiniment gracieuse de la jambe de son amant. Li remua et ouvrit un œil.

« Comment va mon beau prince endormi?... »

Il avait murmuré dans la pièce obscure, éclairée par les rayons de la lune venant de la plage, et Lionel lui tendit les bras en souriant, encore ensommeillé. C'était plus qu'un homme n'en pouvait désirer, pensa Paul en s'abandonnant aux plaisirs de la chair. Ils dormirent tard le lendemain, puis sortirent se promener sur la plage. De retour à la maison, ils discutèrent de la vie. Mais c'était dans ces moments-là que Paul réalisait à quel point Lionel manquait encore de maturité. Il le regarda avec un de ces sourires qui exaspéraient Lionel.

« Tu trouves que je fais bébé, c'est ça?

– Mais non... »

Mais c'était un mensonge.

« Eh bien, c'est faux, j'ai déjà beaucoup d'expérience. »

Et là, Paul agaça davantage Lionel en éclatant de rire; cela dégénéra en une de leurs rares disputes. Ce soir-là, Lionel coucha chez lui, et en se glissant dans son lit pour la première fois depuis des mois, il se demanda si tout allait changer entre eux maintenant que Paul ne travaillait plus. Il aurait toutes ses journées libres, et Lionel était occupé par la fac. Il restait assidu, en dépit de sa liaison avec Paul.

Au bout de quelques semaines, il devint évident que cela compliquait effectivement les choses. Paul ne savait que faire de son temps; il lisait de nouveaux scripts et s'efforçait de décider de ce qu'il allait faire ensuite; mais il restait inquiet au sujet de Faye, et au printemps, il était déjà las de son jeune amour étudiant. Cette liaison ne lui apportait pas assez. Elle avait duré six mois, ce qui pour lui était beaucoup. Lionel sentit cette lassitude avant que Paul en ait parlé. Leur séparation serait particulièrement pénible, mais Lionel préféra aborder franchement la situation. Il ne supportait plus les silences tendus qui s'établissaient de plus en plus entre eux. La maison de Malibu était devenue étouffante.

« C'est fini, n'est-ce pas, Paul? »

Li ne semblait plus aussi jeune, mais il l'était encore trop, s'obstinait à penser Paul. Il n'avait même pas dix-neuf ans. Bon sang! Ils avaient onze ans de différence. Onze ans. Lui-même venait de faire la connaissance d'un homo de quarante-deux ans, et s'était senti tout chaviré devant lui. Paul n'avait jamais eu d'amant aussi âgé et il bouillait d'envie de sortir avec lui. Mais avec Lionel toujours dans ses jambes, c'était impossible. Il le regarda de nouveau et se dit qu'il ne regrettait rien. Peut-être Lionel regrettait-il quelque chose, mais rien pourtant, pendant tous ces mois ensemble, ne le laissait entendre. Li était heureux, et cela influait positivement sur ses résultats scolaires. Il semblait s'être enfin trouvé lui-même. Ça avait peut-être valu le coup, après tout. Paul sourit, tristement. Le moment était venu de voir les choses en face et d'en finir.

« J'en ai bien l'impression. C'est la vie, Li. Mais

nous avons fait un bon parcours, tu ne crois pas? »

Lionel approuva amèrement. Il ne voulait pas s'arrêter là. Depuis quelque temps, pourtant, leur vie à deux n'avait plus la même saveur, sauf au lit. Au lit, ils prenaient toujours du bon temps, mais le contraire eût été étonnant entre deux beaux garçons en pleine forme. Il se demanda si Paul ne lui cachait pas quelque chose.

« Il y a quelqu'un d'autre, c'est ça? »

Paul ne voulut pas mentir.

« Pas encore.

– Mais ça se fera?

– Je ne sais pas... Là n'est pas la question. (Paul se leva et se mit à arpenter nerveusement la pièce.) J'ai simplement besoin d'être seul quelque temps. Ça ne se passe pas pour nous comme pour les autres, tu sais. On ne tombe pas amoureux pour se marier, vivre heureux et avoir beaucoup d'enfants. C'est beaucoup plus difficile pour des gens comme nous. Les homos restent rarement longtemps ensemble. Ça arrive, bien sûr, mais la plupart du temps, ça dure une nuit, ou quelques jours, une semaine au grand maximum, et avec beaucoup de chance, six mois comme pour nous deux... et ensuite, comme ça ne mène nulle part, on se sépare.

– Je trouve que c'est frustrant. Il me faut plus que ça. »

Paul sourit. Il connaissait la vraie réalité des choses.

« Alors, bonne chance, Li. Tu y arriveras peut-être, mais je te le répète, la plupart du temps les choses se passent comme je l'ai dit.

– Et comment tu expliques ça? »

Paul haussa les épaules.

« Bah! la durée, ce n'est pas notre genre. Nous

aimons trop la beauté quand elle est jeune, une peau lisse et gracieuse, un beau petit cul, un corps jeune comme le tien... Et tout ça ne dure pas. »

Lui-même se sentait déjà fané, et parfois il enviait tellement Lionel qu'il devenait brutal avec lui. Mais l'homme plus âgé auquel il pensait le ferait paraître encore beau et jeune, comme Lionel l'était à ses yeux.

« Que vas-tu faire, maintenant?

– Je ne sais pas. Peut-être voyager un peu. »

Lionel leva des yeux inquiets.

« Je pourrai quand même te voir de temps en temps?

– Bien sûr... (Il regarda Lionel avec un reste de tendresse.) Ça a été merveilleux avec toi, Li... je veux que tu le saches. »

Mais le regard que lui rendit Lionel était plus intense que le sien.

« Je ne t'oublierai jamais, Paul... jamais, de toute ma vie... »

Il s'approcha pour l'embrasser, et ce soir-là, Lionel passa une dernière nuit à Malibu. Le lendemain, en le reconduisant sur le campus, Paul n'eut pas besoin de parler pour que Lionel sache qu'il ne le reverrait plus. Pas avant très, très longtemps, du moins.

CHAPITRE 18

En juin 1965, toute la famille Thayer se retrouva dans l'amphithéâtre du lycée de Beverly Hills, sur le même banc que l'année précédente. C'était au tour de Greg de recevoir son diplôme. Comme on pouvait s'y attendre, la cérémonie n'eut pas pour lui la même solennité que pour Lionel. Faye ne versa aucune larme, bien qu'elle fût, autant que Ward, extrêmement émue. Lionel était là, l'air très adulte dans son nouveau costume. Il passait en deuxième année d'U.C.L.A., absolument ravi. Les jumelles semblaient plus mûres qu'à quinze ans. Vanessa ne ressemblait plus à Alice au Pays des Merveilles. Elle portait une minijupe rouge, des chaussures à semelles compensées et un joli chemisier rouge et blanc que sa mère lui avait rapporté de New York, ainsi qu'un sac de cuir verni rouge assorti à l'ensemble. C'était un bouquet de jeunesse et de fraîcheur, avec ses cheveux blonds cascadant dans son dos comme une rivière d'or. Seule Valérie y était allée de sa petite remarque, comme à l'accoutumée, et avait grommelé que sa sœur était vraiment à croquer, pour qui aimait les sucettes à la menthe. Elle-même avait choisi une tenue qu'elle pensait plus discrète : une minijupe, de nouveau, mais de cuir noir, et un tee-shirt en lamé qui épousait encore un peu trop ses formes. Valérie avait déjà un corps de femme, et il était magnifique. Une silhouette pleine, un visage que le maquillage soulignait maintenant plus subtilement, des cheveux d'un roux ardent qui éclipsaient tout sauf le noir et or qu'elle portait. Elle était ravissante et n'aurait déparé aucun cocktail hollywoodien. Quant à sa tenue, elle s'était encore trompée d'heure, mais cela faisait longtemps qu'ils y étaient habitués. Faye était trop heureuse qu'elle n'eût pas choisi un de ses décolletés plongeants, et la minijupe noire était d'une remarquable décence.

« Béni soit le Ciel pour toutes ces petites faveurs », avait-elle murmuré à Ward en montant dans la voiture, et son mari avait souri, reconnaissant là les obsessions habituelles de Faye.

Leurs enfants formaient une sacrée équipe, et ils

étaient tous à un tournant de leur croissance. Même Anne avait mûri. Elle avait treize ans, une poitrine toute neuve et de petites hanches rondes, et Dieu soit loué, elle ne s'était pas perdue au moment du départ, cette année. Le cadeau que devait recevoir Greg pour ses succès scolaires n'était pas une surprise. Il les avait tellement harcelés qu'en désespoir de cause, Ward avait consenti à le lui offrir avec une semaine d'avance. Et il avait débarqué sur la pelouse, tout sourire, dans une Corvette Stingray décapotable jaune canari, qui enthousiasma Greg encore plus que Lionel, si cela était possible. Mais c'était une plus belle voiture que la Mustang rouge, et l'idée cette fois venait de Ward, bien sûr. Greg fila aussitôt dans la rue en pétaradant et fit le tour de ses copains qu'il embarqua pour une balade d'essai. Ward était certain qu'il irait se jeter contre un mur ou se ferait arrêter dans l'heure, mais ô miracle, la bande des neuf réapparut indemne et fonça triomphalement dans Roxbury Drive en hurlant plus fort que la sirène des pompiers. Il y eut une nette odeur de caoutchouc brûlé lorsque Greg tourna en dérapant dans l'allée de la maison. Tous les copains sautèrent de voiture pour se jeter en riant dans la piscine. Ward commençait à se demander s'il n'avait pas commis une imprudence en confiant des clefs de voiture à une pareille tête brûlée. Greg était loin de posséder le calme de Lionel. Ward s'inquiétait de le laisser partir tout seul pour l'université de l'Alabama où il venait d'être admis. Il avait obtenu une bourse en football et grillait d'impatience de quitter le giron familial. Il retournait pour un mois travailler au ranch du Montana, puis devait se présenter le 1er août à la fac pour commencer l'entraînement avec l'équipe de football locale et son célèbre entraîneur, « Ours ». Ward avait hâte de l'y retrouver pour assister au premier match. Faye savait que le football accaparerait beaucoup son époux cette année-là mais ne s'en préoccupait pas trop. Elle avait promis de le suivre chaque fois que possible, bien qu'elle eût un film à finir à l'automne et un autre à commencer le 1er janvier suivant.

Ils virent Greg recevoir son diplôme, comme Lionel l'année d'avant, mais avec un sourire penaud contrastant avec la dignité de son aîné. Il fit signe de loin à sa famille et à ses amis, puis faillit renverser ses camarades en se rasseyant, tant il était large d'épaules. Depuis qu'il avait obtenu cette fameuse bourse, Greg était le héros de l'école, et Ward était si fier de son fils cadet qu'il ne voyait que lui sur l'estrade. Il avait parlé à tout le monde de ses exploits sportifs, et le soir où il avait appris la nouvelle, pour l'université de l'Alabama, il n'avait pu s'empêcher de décocher à Lionel un regard de reproche. Li était en train de tourner un film expérimental sur la danse et le ballet de Los Angeles, et parfois Ward se demandait ce qui se passait dans sa tête. Lionel était si différent de son cadet! Mais enfin, tant qu'il avait de bonnes notes... Faye apparemment le voyait souvent à déjeuner. Mais lui-même le rencontrait rarement. Il venait de négocier le financement d'un nouveau grand film et était extrêmement occupé. Et puis Li semblait en pleine forme. Par bonheur, aucun de leurs enfants ne s'était laissé entraîner par la nouvelle vague hippie, et aucun ne se droguait. Ward avait pourtant conseillé à Faye d'avoir Val à l'œil. Elle était un peu trop sexy et avait un faible pour les garçons plus âgés. Ils l'avaient vue en mai avec un type qui prétendait avoir vingt-quatre ans, mais heureusement, Ward était intervenu à temps pour couper court à cette amourette. Val était intenable. Il avait entendu dire que chaque famille avait ce genre de numéro, mais ils étaient servis. Enfin, jusqu'à présent, en dehors de ses extravagances vestimentaires, de ses maquillages de star et de son goût pour les hommes mûrs, elle semblait se cantonner dans les limites d'une relative bienséance.

La fête qui fut donnée ce soir-là en l'honneur de Greg différa du tout au tout de celle de Lionel l'année précédente. A minuit, ils étaient tous complètement ivres, pour y être allés un peu fort sur la bière, et les trois quarts des invités de Greg étaient nus dans la piscine. Faye voulut les faire expulser, mais Ward s'y opposa. Qu'elle les laisse donc s'amuser pour une fois! Le mieux était d'envoyer Anne et les jumelles se coucher, mais Faye affirmait que c'était impossible. Soit ils fermaient carrément la boutique, soit on laissait la fête poursuivre son cours incertain. Ce fut la police qui trancha, un peu après deux heures, en leur demandant de baisser les décibels. Tous les voisins s'étaient plaints, surtout le couple habitant la maison mitoyenne, réveillé en sursaut par un chœur de douze joyeux costauds qui avaient fait irruption sur leur pelouse, avant de se jeter tous ensemble dans leur piscine. Ward avait pris tout cela à la rigolade car les exploits de Greg le réjouissaient toujours. Faye était nettement plus réservée. L'année d'avant, pour Lionel, on n'avait pas reçu de plaintes. Lorsque la police intervint, Greg était vautré sur une chaise longue, une serviette autour de sa taille nue, enlaçant sa petite amie. Tous deux étaient complètement soûls et dormaient à poings fermés. Ni l'un ni l'autre ne s'éveilla lorsque les invités s'en allèrent, ravis de leur soirée. Faye était soulagée que la maison ait été épargnée. Un seul couple s'était risqué à l'intérieur pour se bécoter dans la chambre de Greg, mais elle les avait vus entrer sur la pointe des pieds et leur avait demandé de sortir aussitôt.

Ils s'étaient exécutés, la tête basse, et n'avaient pas tardé à quitter la fête avec d'autres, qui pensaient pousser plus avant la bagatelle avant de rentrer chez eux. Mais le reste de la troupe préférait des plaisirs plus innocents, comme de se pousser les uns les autres dans la piscine et de s'imbiber de la plus grande quantité de bière possible.

Lorsque s'acheva la fête, Lionel et John Wells étaient toujours assis non loin de la piscine, sur une confortable balancelle installée sous le pommier. Ils discutaient de ses projets cinématographiques. John réalisait son rêve : il était lui aussi admis dans cette université.

La balancelle les berçait doucement tandis que de loin ils observaient la fête. Lionel l'avait fuie assez rapidement, et John l'avait rejoint peu après.

« J'ai beaucoup réfléchi au sujet des beaux-arts », dit John.

Il restait officiellement le meilleur ami de Greg, mais cette année-là, ils avaient, semblait-il, passé beaucoup moins de temps ensemble. John faisait toujours partie de l'équipe de football du lycée, mais ça le passionnait beaucoup moins que Greg et il était soulagé d'en être débarrassé. Il n'avait aucune envie de rejouer au football l'année suivante, en dépit de sa carrure de sportif. Greg l'avait traité de cinglé. John s'était vu offrir une bourse identique à la sienne, et cet imbécile avait refusé! Leur amitié s'en était vite ressentie. Greg ne pouvait pas comprendre que John ait pu laisser passer une occasion pareille. Il avait regardé son ami d'enfance avec un mélange de dégoût et d'incrédulité, et chaque fois qu'ils se rencontraient, maintenant, John se sentait obligé de s'expliquer, comme s'il avait commis un péché impardonnable. Mais Greg ne pouvait voir les choses autrement. Lionel, lui, ne semblait nullement affecté par la décision de John.

Ce n'était pas son goût pour le football qu'il appréciait chez ce garçon.

« Le département des beaux-arts de l'U.C.L.A. est très bien, et puis la section d'art dramatique est très complète. »

Il savait que John n'avait pas encore choisi sa matière principale.

« Ce n'est pas vraiment mon genre! »

John sourit timidement. Il l'avait toujours beaucoup admiré.

« Tu penses que tu habiteras sur le campus, l'année prochaine? »

John hésita.

« Ce n'est pas sûr. Ma mère préférerait que j'habite en cité universitaire, mais ça ne me dit rien. Je crois que j'aimerais mieux travailler à la maison. »

Lionel réfléchit tandis qu'ils se balançaient.

« Je crois qu'un de mes camarades doit déménager. »

Il regarda pensivement, John, se demandant s'il ferait l'affaire. Il était encore très jeune, mais c'était un brave type. Il ne fumait pas, ne buvait pas, ne semblait pas adepte du désordre comme Greg. Celui-ci était d'ailleurs imbattable en la matière. Non, John ressemblait plutôt aux camarades avec qui Lionel partageait l'appartement et qu'il appréciait, pour la plupart. Il leur arrivait bien de s'accrocher un peu le samedi soir, mais ils ne perdaient jamais vraiment la tête, et, à la différence de beaucoup d'étudiants de première et de deuxième année, ils ne vivaient pas comme des clochards. Ils tenaient l'appartement dans un état de propreté fort acceptable; deux d'entre eux avaient des copines qui couchaient souvent là, mais elles ne dérangeaient personne. Lionel allait et venait à sa guise. On ne lui posait plus autant de questions. Il se demandait bien parfois s'ils se doutaient de quelque chose, mais les interrogatoires moqueurs avaient cessé depuis longtemps. C'était un bon groupe, et John ferait sans doute un excellent cinquième larron.

« Ça te dirait, John? Le loyer n'est pas cher du tout, tu sais. Tu crois que ça ennuierait tes parents que tu ne vives pas sur le campus même, au moins pendant un an? Tu sais, l'appart' est juste de l'autre côté de la rue, mais c'est mieux qu'un dortoir. »

Il sourit et ressembla terriblement à Faye. En un an, Lionel était devenu un homme, et c'était même un très beau jeune homme. Les filles se retournaient souvent dans la rue, admirant son ossature racée, sa longue silhouette, ses grands yeux verts sous une crinière dorée. Il portait des vêtements discrets qui soulignaient sa beauté avec désinvolture. Il aurait fait un merveilleux acteur de cinéma, mais ce n'était pas ce côté de la caméra qui l'intéressait. Il se tourna vers John, qui se sentit bizarrement ému.

« Qu'en penses-tu? »

Les yeux du garçon brillèrent d'envie.

« Mon vieux, ce serait le rêve de vivre dans un appart' avec toi. Je vais en parler dès demain matin à mes parents. »

Lionel lui sourit.

« Pas de précipitation. Je vais commencer par dire aux autres que je connais quelqu'un que ça intéresse. Je crois qu'aucun d'entre eux ne s'en est encore occupé.

– De combien est le loyer? Mon père va sûrement me le demander. »

Les parents de John étaient aisés, mais prudents. John était l'aîné de quatre enfants qui entreraient à l'université, l'un après l'autre; c'était un peu la même chose que dans la famille Thayer, bien que le père de Lionel se fît moins de soucis que celui de John. C'est que Ward avait chaque année à son actif deux ou trois films à succès, ce dont ne pouvait se vanter le père de John. Il était chirurgien esthétique à Beverly Hills, et sa femme était décoratrice à ses heures. C'était une très belle femme. Elle s'était fait refaire le contour des yeux l'année précédente, écourter le nez plusieurs années auparavant et devait se faire mettre des implants dans les seins cet été-là. Elle était vraiment superbe en costume de bain. Les sœurs de John étaient également très jolies. Greg était sorti avec deux d'entre elles, et une autre avait eu un faible pour Lionel pendant des années. Il ne s'était d'ailleurs jamais intéressé à elle, et John ne s'était pas demandé pourquoi.

« Si on divise le loyer par cinq, ça ne fait que soixante-six dollars par mois. L'appart' est à Westwood. Il y a cinq chambres, et la propriétaire nous laisse tranquilles. Il n'y a pas de piscine, et on ne peut mettre que deux voitures au garage. Tu auras une belle chambre sur le devant, et la salle de bain est à partager avec deux autres étudiants. Il n'y a qu'un lit et un bureau dans chaque chambre, il faudra que tu apportes le reste, à moins que Thompson ne veuille te vendre ses meubles. Il part pour Yale pendant deux ans.

– Super! Je vais en parler tout de suite à papa! »

Lionel sourit.

« Tu veux venir demain voir comme c'est? On n'est que deux à rester cet été, ce qui va faire une sacrée hausse de loyer. Mais ça serait trop compliqué que je me réinstalle ici. Et puis, je ne sais pas... c'est plus facile, comme ça. Une fois qu'on est parti de chez soi, c'est difficile d'y retourner. »

Surtout dans son cas. Il y aurait eu tellement d'interrogations auxquelles il ne voulait plus répondre. Il aimait cette liberté. D'autant plus que cet été-là, avec un seul compagnon de chambre, il se sentirait vraiment chez lui. Il avait hâte d'y être.

« Oui, je m'en doute... Je peux passer demain ? »

C'était un samedi. Lionel n'avait rien de prévu. Il pensait faire la grasse matinée et ensuite un peu de lessive. Le soir, il était invité chez des amis, mais dans la journée, il était entièrement libre.

« Pas de problème.

– A neuf heures ? »

On aurait dit un enfant de cinq ans rêvant de Noël, et Lionel se mit à rire.

« Pourquoi pas midi, plutôt ?

– D'accord. »

Ils quittèrent la balancelle, et Lionel raccompagna John en voiture. Après l'avoir déposé devant la villa façon palais à la française qu'il habitait à Bel Air, avec Cadillac et Mercedes réglementaires bien en vue dans l'allée centrale, il rentra lentement chez lui, en pensant à John. Il éprouvait pour lui une indéniable attirance, mais était-ce justifié ? Il en doutait et n'aurait de toute façon jamais voulu le forcer. L'offre qu'il lui avait faite de venir habiter avec lui partait d'un bon sentiment. Ce n'était pas une proposition déguisée, mais, il devait le reconnaître, ce ne serait pas facile de vivre si près de lui, à moins que... Ses pensées vagabondèrent. Et tout en arrêtant sa voiture devant l'appartement, il se demanda soudain si Paul avait eu le même sentiment de malaise vis-à-vis de lui. C'était une énorme responsabilité que de vouloir séduire quelqu'un comme John... surtout si c'était la première fois, comme Lionel le soupçonnait... Il en eut froid dans le dos. Qu'est-ce qui lui passait par la tête ? Et si John n'en avait aucune envie ? Ce serait une folie de lui faire du plat. Ces pensées continuèrent de le hanter tandis qu'il se brossait les dents et se couchait. C'était même une folie que de simplement y penser, se disait-il, étendu dans le noir, s'efforçant vainement de chasser John de son esprit. Mais son visage innocent continuait de l'obséder... ses jambes musclées... ses épaules larges... ses hanches étroites... rien que de penser à lui, il sentait venir l'érection. « Non! » Il avait crié dans le noir. Fiévreusement, il se tourna et se retourna dans son lit, se caressant instinctivement, s'efforçant d'oublier John. Mais il n'y parvenait pas, et tout son corps frissonnant de désir, tandis qu'il le revoyait plonger dans la piscine, ce soir... et toute la nuit, Lionel rêva de lui... il se vit courant avec John sur la plage... se baignant avec lui dans des hauts-fonds de mer tropicale... l'embrassant... se couchant près de lui...

Après quelques heures d'un sommeil agité, il s'éveilla, plein d'une douleur sourde qui refusait de se dissiper, et prit sa bicyclette pour faire une longue promenade avant le réveil des autres, impatient de voir midi sonner, en se promettant de dire à John que la chambre avait déjà été louée à quelqu'un d'autre. C'était la seule solution. Il aurait pu lui téléphoner, mais ne le fit pas. Il le lui dirait de vive voix lorsqu'il viendrait à midi... Oui, c'était la meilleure solution... le lui dire en face... Il n'y avait que ça à faire.

CHAPITRE 19

LORSQUE Greg se réveilla après sa boum de fin d'année, il avait la plus atroce gueule de bois de sa vie. Lui qui pensait avoir suffisamment d'expérience en la matière! Il avait mal aux cheveux, le cœur à l'envers et s'était levé à deux reprises cette nuit pour vomir, la première fois sur le sol de la salle de bain. Lorsque à onze heures, il tenta de sortir de son lit, il crut sa dernière heure arrivée. Son père le vit descendre l'escalier en titubant, et, compatissant, lui tendit une tasse de café noir, une tartine de pain et un verre de jus de tomate dans lequel il avait cassé un œuf. Rien que de voir ça, Greg se sentit l'envie de vomir, mais son père insista pour qu'il avale le tout.

« Fais un effort, fiston. Ça te fera du bien. »

Il semblait en parler en connaissance de cause. Greg s'exécuta à contrecœur. A son grand étonnement, il ressentit rapidement un léger mieux. Ward lui donna aussi deux aspirines pour calmer ses maux de tête, et vers midi, Greg se sentit sorti du stade animal. Il vint s'allonger au soleil près de la piscine. Val y était déjà, bronzant les yeux fermés dans un bikini que Faye n'aimait pas lui voir porter quand il n'y avait personne avec elle; en famille, elle laissait faire. Ce n'était guère plus qu'un bout de ficelle, pensait Greg, mais ça lui allait drôlement bien.

« C'était super hier soir, hein, Val?

– Ouais. »

Elle ouvrit un œil pour le considérer d'un œil réprobateur.

« Tu t'es bien soûlé. »

Cela ne lui fit ni chaud ni froid.

« Les parents étaient très fâchés?

– Maman n'était pas contente du tout, mais papa lui a dit que c'était ta fête de fin d'année. »

Elle sourit. La musique était super et elle avait bien bu elle aussi. Ils avaient dansé comme des fous jusqu'à ce que l'alcool lui donne le vertige.

« Tu verras quand ce sera ton tour. Tu ne pourras pas te retenir.

– C'est moi la prochaine. »

Sauf qu'elle devrait partager ses succès avec Vanessa! C'était la barbe d'avoir une jumelle! Il fallait toujours qu'elle partage tout avec quelqu'un d'autre. Faye n'avait jamais compris qu'elle était un être à part, qu'elle avait droit à ses activités propres, à ses amis propres. Faye les traitait collectivement, comme si elles n'étaient qu'une seule et même personne, et Val s'était toujours insurgée contre cette attitude, insistant bien sur ce qui la différenciait de sa sœur, à tout prix. Ils ne comprenaient toujours pas. Ça lui empoisonnait la vie. Mais plus pour longtemps.

Encore deux années à la maison, et Val prendrait ses cliques et ses claques. Vanessa avait dit qu'elle irait étudier dans une fac de l'est des Etats-Unis, mais Val avait son idée. Elle s'inscrirait dans une école d'art dramatique. Pas à l'U.C.L.A., non, dans une vraie école, là où les acteurs de Hollywood vont se perfectionner entre deux rôles. Elle chercherait du travail et louerait un studio. Elle n'allait surtout pas perdre son temps à la fac. Pour quoi faire? Elle serait actrice, plus grande actrice que sa mère. C'était décidé depuis des années, et jamais elle n'était revenue sur sa décision.

« Quelque chose te tracasse? »

Depuis un moment, Greg voyait sa sœur froncer les sourcils d'une façon inquiétante. Lorsqu'elle avait cet air-là, c'était en général qu'elle complotait quelque vilain tour contre un pauvre gars après qui elle en avait. Mais Val se contenta de hausser les épaules en secouant sa longue chevelure rousse. Elle n'avait parlé de ses intentions à personne. Ils lui auraient aussitôt mis des bâtons dans les roues. Greg essaierait de la convaincre de devenir médecin sportif, ou acrobate, ou de postuler pour une bourse comme la sienne. Vanessa lui demanderait de l'accompagner dans l'est, Lionel trouverait une autre idée stupide, comme de faire l'U.C.L.A. parce que lui-même y était. Maman ferait son petit discours sur l'éducation, papa lui rappellerait que le maquillage n'est pas bon pour la peau et Anne la regarderait comme une bête curieuse. Elle ne les connaissait que trop, après seize ans de coexistence. Elle préféra se débarrasser de Greg par un mensonge.

« Je repensais à hier soir. »

Greg se recoucha sous le brûlant soleil californien.

« Ouais... c'était vraiment le plus beau soir de ma vie. »

Il se souvint soudain de la fille qui était avec lui.

« Papa l'a reconduite. Elle a bien failli dégueuler dans la voiture. »

Val fit la grimace et Greg éclata de rire.

« Ben dis donc! Il ne m'a rien dit, pour une fois.

– Heureusement que c'était pas nous. On l'aurait senti passer. »

Elle rit avec Greg comme Anne passait devant eux, se dirigeant vers la balancelle avec un livre.

« Où tu vas, la môme? »

Greg la regarda en clignant des yeux sous les rayons ardents du soleil. Elle était vraiment gracieuse dans son maillot de bain. Sa taille semblait de plus en plus fine et il aurait pu l'enlacer avec ses deux mains. Mais ses seins étaient presque aussi gros que ceux de Val. La petite sœur grandissait, mais elle n'aurait pas accepté qu'on le lui fasse remarquer. Elle était de loin la plus secrète d'eux tous, et il sentait qu'elle ne les aimait pas beaucoup, à part Lionel, bien sûr. Greg avait l'impression de l'avoir à peine entendue parler depuis le départ du grand frère.

« Eh bien, où tu vas? »

Il répéta sa question tandis qu'elle s'éloignait, le visage vide de toute expression. Elle n'avait jamais eu grand-chose à lui dire. Elle n'aimait pas le sport et trouvait ses petites amies stupides. Quant à Val, c'était avec elle qu'elle avait les plus grosses disputes, Val qui la fixait d'ailleurs d'un air peu engageant. Elle trouvait que le maillot de bain d'Anne ressemblait un peu trop à l'un des siens, mais n'en était pas vraiment sûre, et Anne sentait peser sur elle son regard inquisiteur.

« Nulle part. »

Elle s'éloigna sans rien ajouter, serrant son livre sur son cœur.

« Elle est vraiment bizarre, cette nana, murmura Greg lorsqu'elle fut hors de portée.

– Ouais, peut-être. »

Ça n'intéressait pas Val. Elle s'était rendu compte avec soulagement que le maillot n'était pas à elle. Les siens n'avaient pas de ligne jaune sur les côtés.

« Elle a vachement grandi. T'as vu ses lolos? Ils sont presque aussi gros que les tiens.

– Ah! ouais? Et alors? »

Val se leva et rentra le ventre pour faire ressortir sa poitrine.

« Elle a le cul trop bas, de toute façon. »

Anne ne ressemblait à aucun de ses frères et sœurs. Elle n'avait jamais été aussi jolie. Val regarda ses propres jambes, pour décider si elle avait ou non assez bronzé pour aujourd'hui. Si elle restait trop longtemps exposée, elle risquait un coup de soleil, bien que sa peau eût une plus grande tolérance aux rayons ultraviolets que celle de la plupart des rousses. Elle remarqua que Greg commençait à griller, lui.

« Tu ferais bien de t'en aller de là. T'es rouge comme une tomate.

– Je rentre. John a dit qu'il passerait et je veux descendre en ville pour acheter du revêtement de sol pour ma voiture.

– Et Joan? Qu'est-ce que tu en fais? »

C'était la petite blonde que son père avait escortée chez elle la veille au soir. Elle avait les plus gros nichons que Val ait jamais vus. Ils étaient presque choquants, et tout le monde à l'école disait que c'était une fille facile. Ce qui semblait convenir parfaitement à Greg.

« Je la vois ce soir. »

Il couchait avec elle depuis deux mois, c'est-à-dire depuis que l'on avait appris que Greg avait obtenu cette bourse de football à l'université d'Alabama.

« Est-ce que John est dans le coup? »

Elle savait qu'il n'avait pas de petite amie attitrée et elle avait toujours espéré qu'il lui demanderait de sortir avec lui, mais il ne l'avait jamais suggéré, pas plus que Greg.

« Non, il a d'autres projets. Pourquoi? Tu n'en pincerais pas pour lui, petite sœur? »

Greg était vraiment le pire des emmerdeurs, et ils avaient de sacrées disputes. Il adorait la faire enrager et elle marchait toujours. Comme maintenant.

« Mais, non, je posais la question, c'est tout. D'ailleurs, j'ai rendez-vous, mentit-elle.

– Avec qui?

– Ça ne te regarde pas.

– C'est bien ce que je pensais. »

Il se recoucha avec un sourire ironique et elle eut envie de l'étrangler. Anne les observait depuis sa lointaine retraite, sans intervenir.

« T'as rendez-vous avec personne, pouffiasse.

– Si, parfaitement, avec Jack Barnes.
– N'importe quoi. Il sort avec Linda Hall.
– Euh... »

Son visage était rouge, mais ce n'était pas à cause du soleil. De loin, Anne aurait pu affirmer que sa sœur venait de mentir... Elle la connaissait trop bien, mieux que Val ne la connaissait, elle.

« Peut-être qu'il se moque d'elle? » reprit-elle.

Greg se redressa et regarda attentivement sa sœur.

« Ça m'étonnerait, vu l'état dans lequel elle se trouve. A propos, ça faisait longtemps que je voulais te poser la question : tu y es passée, toi aussi? »

Le visage de Val s'enflamma tout à fait.

« Va te faire foutre. »

Elle roula sur la hanche et rentra dans la maison la tête haute. Greg était mort de rire. Elle était vachement appétissante, la petite sœur, il l'avait entendu dire par deux de ses amis dont les jeunes frères étaient sortis avec elle. Elle avait dû tout faire sauf baiser. Il pensait qu'elle était encore vierge, mais c'était impossible à vérifier, et elle mentait à propos de Jack Barnes. Il la soupçonnait d'avoir un faible pour John Wells, mais celui-ci ne s'était jamais intéressé à elle, et Greg aimait mieux ça. On aurait eu l'impression que ça ne sortait pas de la famille et d'ailleurs, Val n'était pas le genre de John. Il préférait des filles plus calmes, moins voyantes. C'était un garçon timide et Greg était à peu près sûr que lui aussi était puceau. Le pauvre. Il ferait bien de se dépêcher. John était sans doute le dernier de la classe à ne pas avoir culbuté une fille, enfin, c'est ce qu'on disait. Ça devenait même gênant pour Greg d'avoir un pote aussi attardé. Les autres pourraient se mettre à penser qu'il était homo, et pire, même, si on continuait de les voir ensemble, ils penseraient la même chose de lui. Là, il ne put s'empêcher de sourire. Après les nuits qu'il venait de passer avec Joan, il n'y avait aucun risque.

« Dis donc, c'est super! »

John était baba devant l'appartement de Westwood. C'était au moins aussi beau que Versailles ou un plateau de Hollywood, en tout cas mieux qu'une chambre miteuse dans la cité universitaire.

« Mon père a trouvé que le loyer était donné. Ma mère, elle, est un peu inquiète que je ne couche pas à la cité U, mais papa lui a dit que puisque tu habitais ici aussi, tu pourrais prendre soin de moi. (Il rougit. C'était idiot d'avoir dit ça.) Je veux dire...

– Ça ne fait rien. »

Lionel luttait contre le souvenir de ses rêves nocturnes, avec l'impression étrange de revivre un film auquel il avait déjà assisté dans le passé, mais cette fois, c'était lui qui jouait le rôle de Paul. C'était une bizarre sensation de déjà vu, et ce n'était pas en faisant visiter les lieux à John qu'il la dissiperait. Leurs chambres seraient séparées par le couloir, mais Lionel était certain d'obtenir la chambre voisine de celle de John s'il acceptait de renoncer à la sienne, la seule pourvue d'une douche individuelle. Les autres auraient tué pour l'avoir, et cela lui serait égal de renoncer à sa chambre si... Mais il chassa cette pensée de son esprit et s'efforça de le concentrer sur John et la visite de l'appartement.

« Il y a une machine à laver dans le garage. En général, personne ne s'en sert pendant des semaines, et puis tout le monde se rue dessus en même temps.

– Ma mère m'a dit que je n'aurais qu'à rapporter mon linge sale à la maison. »

Lionel ne pouvait s'empêcher de penser que John était bien différent de Greg. C'était même incroyable qu'ils fussent amis, même s'ils étaient toujours allés à l'école ensemble, depuis treize ans. C'était une amitié qui tenait surtout à l'habitude. John en serait certainement convenu, s'il y avait réfléchi un peu. Greg et lui n'avaient plus grand-chose en commun depuis deux ans, surtout ces derniers mois. Ils semblaient même en désaccord sur tout, depuis cette histoire de bourse de football jusqu'à la fille du collège avec qui couchait Greg. John ne pouvait la supporter, et du coup il avait vu Greg de moins en moins. Il était devenu plus solitaire. C'était pour lui presque un soulagement de pouvoir discuter avec Lionel, un garçon raisonnable, et qui, de plus, fréquentait déjà la fac où il allait entrer à l'automne.

« J'aime vachement cet appart', Li. Il est vraiment chouette. »

Cela aurait pu être une grange, il l'aurait aimée tout autant. Il y avait une ambiance si adulte, si universitaire, et en même temps décontractée! C'était rassurant de savoir que Lionel serait à ses côtés. Il avait un peu peur d'entrer à l'université et l'idée de la cité universitaire lui faisait horreur, après dix-huit ans à la maison avec ses quatre sœurs. C'était un univers entièrement nouveau, mais pas avec Lionel, pas dans cet appartement-là.

« Ça te dirait de passer l'été ici, John? Ou préfères-tu t'installer à l'automne avant le début des cours? »

Lionel sentait son cœur battre et il se détestait. Quelle différence cela faisait-il que John s'installe dès maintenant ou plus tard? Laisse-le donc tranquille, aurait-il voulu crier, mais il était trop tard pour faire marche arrière et il avait prévenu deux de ses camarades de l'arrivée de John. Ils s'étaient montrés ravis. Cela leur épargnait de passer une annonce ou de téléphoner à leurs amis.

« Je peux m'installer la semaine prochaine? »

Lionel n'en crut pas ses oreilles.

« Si tôt que ça?

– Enfin, peut-être pas... (John rougit nerveusement) si ça te dérange. Je pensais seulement que comme c'est mardi le premier du mois, ce serait plus facile pour le loyer. Et puis cet été, je travaille chez Robinson en ville. Je serai aussi bien ici. »

C'était un grand magasin, ce qui rappela un peu à Lionel sa propre expérience chez Van Cleef & Arpels. Cela lui avait plu énormément et il regrettait de ne pas pouvoir y retourner, mais il voulait travailler sur un scénario de film. C'était plus intéressant pour lui, et avec un peu de chance, si son projet était bon, il obtiendrait un crédit de l'U.C.L.A.

« Non, non, tu as parfaitement raison, John. Je n'y avais pas pensé. De toute façon, la chambre est libre. Mais j'avais pensé que tu voudrais y réfléchir un peu... »

C'était trop tard, il lui avait offert cette chambre et John la prenait. Il lui faudrait en accepter les conséquences, quel qu'en fût le prix pour lui.

« C'est tout réfléchi, Li. Je trouve ma chambre super. »

Et merde. Lionel considéra le grand garçon brun dont le corps délicieux l'avait tourmenté toute la nuit et comprit qu'il n'y avait plus rien à faire.

« Bon, je vais prévenir les autres. Ils seront ravis. Tu leur enlèves de vieilles angoisses! (Puis, dans un bel élan pour s'adapter à son infortune :) Tu veux que je te file un coup de main?

– Je ne veux pas t'embêter... Je pensais emprunter la voiture de mon père pour commencer à déménager quelques affaires demain.

– Je passerai te chercher, ce sera plus simple. »

Le visage de John s'éclaira de nouveau d'une joie enfantine.

« Ça serait vraiment sympa. Mais tu es sûr que ça ne te pose aucun problème?

– Mais non.

– Maman m'a mis de côté un couvre-lit, des lampes et des trucs pour ma chambre.

– Très bien. »

Lionel se sentait défaillir. Dans quelle histoire s'était-il embarqué? John le regardait, plein d'admiration.

« J'aimerais t'emmener dîner ce soir, Li, pour te remercier de tout ce que tu fais pour moi. »

Lionel était à la fois gêné et ému de cette spontanéité.

« Ce n'est pas la peine. C'est tout naturel. Je suis content que ça marche. »

Mais en fait, il ne l'était pas. Il avait peur. Et s'il ne parvenait pas à se contenir? S'il faisait une bêtise? Si John s'apercevait qu'il était homosexuel? Il sentit soudain la main de John posée sur son bras et un frisson lui parcourut la colonne vertébrale. Il aurait voulu lui dire de ne plus le toucher, mais de quoi aurait-il eu l'air?

« Je ne sais pas comment te remercier, Li. C'est comme si une vie nouvelle commençait pour moi. »

Il était si soulagé d'échapper à l'ambiance du lycée de Beverly Hills... Il ne pouvait plus la supporter. Et cela, depuis des années. Il n'en avait parlé à personne. Maintenant, il allait recommencer sa vie ailleurs. Il n'aurait plus besoin de se forçer, d'écouter les réflexions stupides des petits mâles de son âge, de fuir les filles ou de faire semblant de se soûler le samedi soir... même les vestiaires étaient devenus pour lui un cauchemar... tous ces garçons...

cette virilité triomphante... même Greg... surtout lui... il se savait si différent d'eux! Et pourtant, avec Lionel, il n'avait pas l'impression de détonner. Lionel était si calme, si compréhensif, on se sentait si bien avec lui! Même s'il savait qu'ils seraient trop occupés pour se voir tous les jours, c'était agréable de penser que leurs chemins se croiseraient, qu'ils pourraient se parler de temps en temps. Il regarda Lionel dans les yeux et eut presque envie de pleurer tellement il était heureux.

« Je déteste tant le lycée, Li. J'ai vraiment hâte d'en sortir.

– Je croyais que tu l'aimais, au contraire. Tu es un fameux joueur de football. »

Ils entrèrent dans la cuisine, où Lionel lui tendit un Coca-Cola qu'il prit avec plaisir. John était satisfait que ce ne fût pas une bière. C'était ce que Greg lui aurait offert, en pareille occasion.

« Ça aussi, je ne peux vraiment plus le supporter cette année. C'est tellement débile. (Il but une gorgée de Coca et soupira d'aise. Ce verre avec Lionel marquait son entrée dans une vie nouvelle.) Je me suis fait chier chaque minute que j'ai passé dans cette putain d'équipe de foot. »

Lionel n'en croyait pas ses oreilles.

« Pourquoi ça?

– Je ne sais pas. Simplement, je n'arrive pas à m'y intéresser. Je suis bon joueur, mais ça me passe à des kilomètres au-dessus de la tête. Tu sais qu'ils vont jusqu'à en chialer dans les vestiaires lorsqu'ils perdent un match. Même l'entraîneur chiale aussi, des fois. Comme si c'était vital! Le foot, c'est jamais qu'une poignée de gros durs qui se tapent dessus sur un terrain. Ça ne m'a jamais excité.

– Pourquoi y as-tu joué, alors?

– Ça faisait plaisir à mon père. Il y jouait beaucoup avant d'entrer en fac de médecine. Et il me disait toujours pour rigoler que si je me faisais mettre la figure en bouillie par les autres, il me la referait gratuitement. Ça ne m'a pas vraiment encouragé. Ici, j'ai l'impression de vivre dans un rêve, par comparaison. »

Lionel lui sourit.

« Je suis content que tu aimes la chambre. Ce sera sympa d'habiter ensemble, bien que je ne sois pas souvent là. Mais si tu as besoin de quelque chose...

– Tu en as déjà beaucoup fait, Li. »

Comme promis, Lionel passa le prendre le lendemain. Il décapota la Mustang rouge pour qu'ils puissent tout empiler à l'intérieur, mais il ne lui fallut pas moins de trois voyages pour transporter tout le chargement de John. Celui-ci fit des miracles et lorsqu'il y entra le dimanche soir, Lionel reconnut à peine la chambre. Il s'arrêta interdit sur le seuil.

« Mince, comment as-tu fait ça? »

John avait agrafé du tissu sur un mur, suspendu des plantes vertes, accroché des rideaux tout simples et un joli dessin au-dessus de son lit. Deux lampes apportaient une clarté chaleureuse et des posters égayaient l'autre mur. On aurait dit un appartement de magazine, et pour couronner le tout, une peau de mouton s'étalait devant le lit.

« C'est ta mère qui a fait tout ça? »

Lionel savait qu'elle était décoratrice et il n'arrivait pas à imaginer John en train d'installer ce décor en quelques heures. Il y avait même deux caisses recouvertes du même tissu que le mur, des revues dans des paniers et des coussins qui formaient presque un divan sous la fenêtre. C'était comme un petit chez-soi. Lionel demeura bouche bée.

« Non, non, c'est moi qui ai tout fait. »

Il était content de son effet. Tout le monde lui avait dit qu'il avait du talent pour la décoration. En quelques heures, il pouvait transformer n'importe quelle pièce avec les matériaux qui lui tombaient sous la main. Sa mère l'encourageait à développer cette habileté naturelle. Il était bien meilleur qu'elle. Elle-même passait des mois à réfléchir sur un projet.

« J'adore faire ce genre de choses, ajouta-t-il.

– Tu pourras peut-être agiter ta baguette magique dans ma chambre un de ces jours. Elle ressemble encore à une cellule de prison, et ça fait un an que j'y vis!

– Quand tu voudras, dit John en riant. (Il jeta un coup d'œil alentour.) En fait, j'ai deux plantes en trop, et j'allais te demander si tu les voulais.

– O.K. Mais j'ai bien peur qu'elles ne crèvent après quelques semaines de cohabitation avec moi. Je n'ai pas du tout le pouce vert.

– Ça ne fait rien, je m'en occuperai. Je n'aurai qu'à les arroser en même temps que les miennes. »

Les deux jeunes gens échangèrent un sourire et Lionel regarda sa montre. Il était sept heures.

« Si on allait manger un hamburger? »

Ces mots avaient eux aussi une saveur de déjà vu et le souvenir de Paul lui traversa l'esprit. Le malaise s'accentua encore lorsque John accepta et lui suggéra le bistrot où il était allé avec Paul le premier soir. Cela rendit Lionel taciturne et maussade pendant une bonne partie du repas. Il repensait à la nuit qu'il avait passée avec Paul à Malibu. Il était sans nouvelles de lui depuis des mois, mais il l'avait vu dans Rodeo Drive, assis à l'avant d'une Rolls brun et beige conduite par un homme à la quarantaine florissante. Ils discutaient avec animation et se souriaient lorsque Lionel les aperçut, arrêtés à un feu rouge; et Paul avait ri d'une chose que lui avait dite l'autre. Et voilà qu'il se retrouvait ici, avec John... le meilleur ami de son frère. C'était une situation bizarre. Encore plus lorsqu'ils rentrèrent ensemble à l'appartement. Les deux garçons qui continueraient d'habiter là passaient la nuit chez leurs amies, et les autres avaient déménagé dès la fin de l'année scolaire.

« Merci pour ce dîner. »

John lui sourit tandis qu'ils s'affalaient sur le confortable divan du salon. Lionel mit un disque. Deux des ampoules étaient grillées au plafonnier et la pièce était involontairement sombre. John alluma une bougie sur la table basse et jeta un coup d'œil autour de lui.

« Cette pièce aussi aurait besoin d'améliorations. »

Lionel se mit à rire.

« Je suis sûr que tu vas réaménager tout ça en un rien de temps, mais les autres vont certainement te mettre des bâtons dans les roues. Lorsqu'ils sont là, cette pièce est un vrai champ de bataille!

– Je suis habitué, avec mes sœurs, répondit John en riant à son tour. (Puis, soudain sérieux :) Je n'ai jamais habité avec des hommes, sauf mon père, bien sûr. Ça va me faire tout drôle, j'ai tellement l'habitude d'avoir des filles autour de moi. Ça doit te paraître idiot, ce que je dis.

– Mais, non. J'ai trois sœurs, moi aussi.

– Oui, mais tu as Greg. J'ai toujours été si proche de ma mère et de mes sœurs! Elle vont me manquer, au début.

– C'est un bon entraînement avant le mariage, d'avoir des filles auprès de soi. »

Lionel se demanda s'il n'était pas en train de tester John. Si c'était vrai, ce n'était pas chic de sa part. John était encore un enfant... mais il avait le même âge que lui quand il avait rencontré Paul... mais Paul avait beaucoup plus d'expérience... et c'était lui qui en avait, maintenant. Pas autant que Paul à l'époque, mais plus que ce garçon. Mais par où commencer? Comment demander à quelqu'un une chose pareille? Il s'efforça de se rappeler comment Paul s'y était pris avec lui, mais les mots lui échappaient... ils avaient fait cette longue promenade sur la plage... Paul lui avait demandé s'il se sentait bizarre. Mais il n'avait pas de plage sous la main, et John semblait parfaitement à son aise. Un peu timide, malgré tout, moins sûr de lui que Greg, mais c'était un garçon au caractère heureux, agréable... pourtant Lionel ne se souvenait pas de l'avoir vu amoureux d'une fille.

Ils bavardèrent un moment, puis Lionel se leva en annonçant qu'il allait prendre une douche. John décida d'en faire autant. Dix minutes n'avaient pas passé que John frappait à la porte de la salle de bain. Il entra et cria une excuse dans le bruit de la douche sous laquelle Lionel s'était précipité pour tenter de l'oublier, de se purifier l'esprit et la chair sous des torrents d'eau chaude.

« Pardon, Li... aurais-tu du shampooing? J'ai oublié le mien.

– Quoi? »

Lionel écarta le rideau pour entendre et découvrit John, nu à l'exception de ce que cachait une serviette enroulée autour de sa taille. Il se sentit frissonner et tira le rideau de la douche pour que l'autre n'en vît rien.

« J'ai dit : est-ce que tu as du shampooing?

– Oui, bien sûr. (Il s'en était déjà servi et ses cheveux mouillés étaient propres.) Tiens. »

Il le tendit à John, qui disparut avec un remerciement et un sourire, et revint le lui rendre peu de temps après, toujours emmailloté de sa serviette, les cheveux mouillés et très noirs, le corps ondulant des mucles que le football lui avait sculptés.

Lionel en pleine tenue d'Adam allait et venait dans sa chambre, rangeant ses affaires en sifflotant. Il avait allumé la radio. Lorsque John lui rendit le shampooing, John Lennon et Paul MacCartney chantaient *Yesterday*.

« Merci. »

John s'attardait à la porte, et Lionel se détourna, souhaitant qu'il s'en aille. Il ne voulait rien déclencher, surtout il ne voulait pas le blesser. Son mode de vie lui appartenait et il ne cherchait à y entraîner personne. Mais soudain, il sentit la main de John sur son dos et ce fut comme si son corps avait reçu une décharge électrique. Ça allait être éprouvant d'avoir ce garçon si près de lui et de lui cacher son secret. Sans se retourner, il saisit son peignoir accroché à un clou et il l'enfila en hâte avant de faire volte-face. Mais jamais il n'avait vu de plus beau visage que celui de John, plein de chagrin, de douleur et de sincérité. Leurs visages n'étaient qu'à quelques dizaines de centimètres de distance et John le regardait dans les yeux.

« J'ai quelque chose à te dire, Li. J'aurais même dû te le dire depuis longtemps. »

Il y avait dans ses yeux un tel désarroi que Lionel n'y tint plus.

« Quelque chose qui ne va pas? »

Le jeune homme hocha la tête et se laissa tomber sur le bord du lit, avant de fixer tristement Lionel.

« Je sais bien que j'aurais dû te le dire avant de m'installer ici, mais j'avais peur que tu... que tu le prennes mal. (Il le regarda de nouveau, l'air effrayé, avant de lâcher :) Voilà, je suis homo. »

Il regarda Lionel comme s'il venait de lui annoncer qu'il avait tué son meilleur ami et Lionel en ouvrit la bouche de surprise. C'était tout simple, en fin de compte. John avait eu le courage de lui dire la vérité en face, sans savoir ce que serait sa réaction. Il l'en aima encore plus et, s'asseyant sur le lit à côté de lui, il éclata de rire. Il rit à en avoir les larmes aux yeux. John attendait, inquiet. Etait-il devenu fou ou se moquait-il de lui? Ce fut avec soulagement qu'il le vit se calmer enfin. Lionel lui mit les mains sur les épaules et ce fut au tour de John d'être surpris.

« Si seulement tu avais pu lire dans mes pensées depuis que tu es ici... J'étais tellement embêté... (A l'évidence, John ne comprenait rien.) Mon vieux, je le suis moi aussi.

– Tu veux dire que... tu es homo? (Lionel éclata de rire de nouveau.) Toi? Jamais je n'aurais pensé... »

Mais ce n'était pas vrai. Depuis un an, un courant léger, hésitant, avait passé entre eux et pourtant ni l'un ni l'autre n'avait pensé être compris. Ils en discutèrent pendant les deux heures qui suivirent, étendus sur le lit de Lionel, enfin amis. Lionel lui parla de Paul, John lui confessa deux terribles et brèves liaisons. Pas d'amour dans ces liaisons, rien qu'une libération sexuelle ravageuse, angoissée, torturée, rongée par la culpabilité. La première fois, avec un professeur du lycée qui l'avait menacé de le tuer s'il en parlait; la seconde, avec un inconnu assez âgé qu'il avait rencontré dans la rue. Le seul dessein qu'avaient servi ces deux aventures avait été de lui révéler qui il était. Il s'en doutait depuis longtemps, mais il avait toujours pensé que c'était la pire chose qui pût lui arriver. Des gens comme Greg Thayer ne lui auraient plus adressé la parole. Mais Lionel était différent des autres, il comprenait tout cela et regardait le jeune homme avec sympathie, maintenant, avec l'assurance que lui donnaient sur lui ses dix-neuf ans. Une question tracassait John.

« Est-ce que Greg est au courant? »

Lionel secoua aussitôt la tête.

« Seulement ma mère. Elle l'a découvert l'année dernière. »

Il lui expliqua comment. Il s'en voulait toujours de lui avoir causé un tel choc, mais elle avait été adorable avec lui, compréhensive, réconfortante même. Elle l'acceptait tel qu'il était.

« Tout le monde devrait avoir une mère comme la mienne, conclut-il.

– Je ne crois pas que ma mère pourrait l'accepter, elle... ni mon père... Il a toujours rêvé que je sois un homme, un vrai. Si j'ai joué au foot, c'est uniquement pour lui faire plaisir, j'ai toujours eu peur de perdre des dents dans la bagarre. C'est un sport que je déteste, je le déteste. (Ses yeux s'emplirent de larmes.) C'était seulement pour lui faire plaisir.

– Moi, je n'ai jamais été aussi obéissant. C'est vrai que papa a Greg pour ce genre de choses. Je lui ai passé le ballon, si on peut dire. (Il sourit tendrement à l'ami qu'il découvrait enfin après l'avoir fréquenté pendant tant d'années.) J'ai été plus tranquille, comme ça, mais je suppose que j'en ai aussi payé le prix. Mon père n'a jamais approuvé ce que je fais. S'il savait ce que je suis... il en mourrait. »

Ils se sentaient si coupables depuis tant d'années, de ce qu'ils n'étaient pas, de ce qu'ils ne seraient pas, et depuis un an, de ce qu'ils avaient fait. C'était parfois insupportable. Lionel sentait ce poids peser sur lui tandis qu'il regardait John droit dans les yeux.

« Est-ce que tu t'en doutais pour moi? » reprit-il.

John secoua la tête.

« Je ne crois pas. Mais je l'ai souhaité parfois. »

Il lui sourit avec sincérité et lui rendit son sourire, tout en se penchant vers lui pour écarter de son visage ses cheveux encore humides.

« Petit con. Pourquoi ne m'en as-tu rien dit?

– Peur que tu me casses la gueule, que tu appelles les flics, ou pire encore... que tu le dises à Greg. (Il frissonna en y pensant, et en pensant aussi à autre chose.) Est-ce que tous les types qui habitent ici sont homos? »

Lionel secoua aussitôt la tête.

« Pas un seul, j'en suis absolument certain. Tu sais, ça finit par se sentir. D'ailleurs, ils ont tous des copines qui viennent régulièrement coucher ici.

– Est-ce qu'ils sont au courant pour toi? »

Lionel le regarda d'un air entendu.

« Je fais en sorte qu'ils ne se doutent de rien, et tu ferais bien d'en faire autant, sinon, ils nous foutrons dehors.

– Je serai prudent, c'est promis. »

Lionel envisagea de nouveau de changer de chambre avec celui qui partageait la salle de bain de John, puis il oublia cette histoire de chambre pour se tourner vers John, couché en travers du lit. Il se rappela soudain ses rêves de la nuit d'avant et sentit un mélange de soulagement et de désir l'envahir. Il tendit la main vers John qui, étendu près de lui, n'attendait que les lèvres, les mains, la caresse de Li, son jeune corps éperdu de désir implorant l'autre. La bouche de Lionel le trouva et sa langue alluma un plaisir fiévreux en haut des cuisses de John gémissant. Entre les mains de Lionel, il découvrait un bonheur inconnu jusqu'alors. Rien de clandestin, cette fois, ni d'effrayant, ni de coupable dans l'amour dont l'inonda Lionel dans les heures qui suivirent, jusqu'à ce que satisfaits, apaisés, ils finissent par s'endormir dans les bras l'un de l'autre. Ils avaient enfin trouvé ce qu'ils cherchaient depuis si longtemps, sans le savoir.

CHAPITRE 20

Les cours débutèrent à l'automne, sans événement majeur. Lionel et John n'avaient jamais été aussi heureux, mais dans l'appartement, personne n'en savait rien. Lionel avait changé de chambre avant le retour des autres et le plan fonctionna comme prévu. Le soir, ils s'enfermaient dans leurs chambres, se déplaçant à pas de loup, murmurant tard dans la nuit, étouffant leurs gémissements d'extase, et personne ne pouvait se douter qu'ils passaient la nuit ensemble. Ils ne se permettaient un peu plus de liberté que lorsqu'ils étaient seuls à la maison, en cas de week-end prolongé. Mais ils prenaient garde que personne n'en sût rien. Cette fois, Lionel n'en parla même pas à sa mère. Il se contentait de lui dire que tout allait bien à la fac, sans entrer dans des détails sentimentaux. Faye ne voulait pas jouer les inquisiteurs, mais se doutait bien, à son air épanoui, qu'il avait quelqu'un. Elle se contentait d'espérer que ce fût quelqu'un de bien, qui ne le ferait pas souffrir. D'après ce qu'elle savait sur les homosexuels, la vie qu'ils menaient était faite de souffrances, de ruptures, d'infidélités. Elle ne voulait pas que son fils aîné fût condamné à une telle existence. Mais elle savait qu'il n'avait pas le choix et l'acceptait ainsi.

En novembre, elle invita Lionel à la première de son film. Il accepta avec joie. Faye ne fut pas surprise de le voir arriver en compagnie de John

Wells. Elle savait qu'il louait une chambre au même endroit que Lionel et fréquentait lui aussi l'U.C.L.A., mais lorsque après le spectacle, ils se retrouvèrent chez Chasen pour dîner et sabler le champagne avec les jumelles et bon nombre d'associés et d'amis de Faye, elle trouva soudain que leurs regards se croisaient avec une intensité inhabituelle. Ce n'était qu'une impression, bien sûr, mais John semblait beaucoup plus sûr de lui qu'au mois de juin, lorsqu'elle l'avait vu la dernière fois, comme si quelque chose l'avait mûri dans l'intervalle. Mais elle ne parla à personne de ses soupçons. Et elle fut étonnée lorsque Ward la questionna le soir même, tandis qu'ils se déshabillaient. Elle lui parlait avec ferveur de son film, de la réaction du public, des critiques favorables qu'ils espéraient recevoir, lorsque soudain, comme il s'apprêtait à ôter son pantalon, elle le vit froncer les sourcils.

« Tu crois que John Wells est pédé?

– John? »

Elle eut l'air surpris, mais en son for intérieur, elle cherchait à gagner du temps.

« Enfin, Ward, quelle drôle d'idée... bien sûr que non! Pourquoi dis-tu ça?

– Je ne sais pas. Je l'ai trouvé bizarre, ce soir. Tu n'as rien remarqué?

– Non.

– Je ne sais pas... (Il se dirigea jusqu'à l'armoire où il suspendit sa veste, sans cesser de froncer les sourcils.) Il m'a fait une drôle d'impression. (Faye sentit son sang se glacer dans ses veines. Elle se demandait si Ward avait les mêmes soupçons sur son fils. Et tout comme Lionel, elle n'était pas sûre qu'il survivrait à cette terrible réalité, alors qu'il devrait l'affronter un jour. Elle-même ferait tout pour qu'il ne sache rien.) Peut-être devrais-je prévenir Lionel... Il pensera sûrement que je suis devenu fou, mais si j'ai raison, il m'en remerciera un jour. Greg trouve que John a quelque chose qui ne tourne pas rond depuis qu'il a refusé cette bourse. C'est peut-être ça. »

Faye s'énerva.

« Enfin, Ward... Ce n'est pas parce qu'il n'a plus envie de jouer au football qu'il est homo, quand même! Peut-être qu'il a d'autres centres d'intérêt.

– Mais on ne le voit jamais avec une fille. »

Lionel non plus n'en fréquentait pas, mais Faye se garda bien de le lui faire remarquer. Ward pensait que son fils préférait la discrétion dans les affaires de cœur. Mieux valait le laisser sur cette impression.

« Tu vas trop loin, Ward, on dirait une chasse aux sorcières.

– Je ne veux pas que Lionel habite sans le savoir avec un pédé!

– Je suis sûre qu'il est assez grand pour s'en apercevoir tout seul, si c'est le cas.

– Et moi, je n'en suis pas si sûr! Il ne pense qu'à ses foutus films. Parfois, j'ai l'impression qu'il vit dans un autre monde. »

Enfin, se dit Faye, il avait au moins remarqué cela chez son fils aîné.

« C'est un garçon remarquablement créatif. »

Faye avait hâte de le faire changer de sujet. Elle devait le reconnaître, John avait quelque chose de changé. Mais elle avait éprouvé le besoin de le protéger, instinctivement. Elle se doutait qu'il sortait avec Lionel. Li n'avait pas les allures d'un homo, et chez John, c'était encore fugitif. Il lui avait beaucoup parlé de la décoration d'intérieur. Peut-être devrait-elle en discuter avec Lionel.

« Tu as vu son dernier film, chéri? Il est excellent. »

Ward soupira et s'assit en caleçon sur son lit. Il

était encore très beau et, à quarante-huit ans, aussi athlétique que ses fils.

« Entre nous, Faye, ça ne m'a pas du tout emballé.

– Mais c'est la nouvelle vague, mon chéri!

– Il n'empêche que je n'y comprends rien. »

Elle lui sourit. Ward était un excellent producteur, mais n'était guère ouvert aux idées nouvelles. Il passait son temps à réunir des fonds pour ses films à elle, mais les nouvelles tendances, la mode exotique actuelle ne l'intéressaient pas. Il avait détesté le festival de Cannes, cette année-là. La cérémonie des Oscars l'avait enchanté, en revanche, mais il avait été déçu que Faye n'en reçoive pas un de plus. Il lui avait offert une belle bague ornée d'émeraudes pour la consoler, ce qui lui avait rappelé les jours anciens d'avant 1952, l'année où tout avait changé pour eux.

« Tu devrais faire preuve de plus d'indulgence, Ward. Tu verras qu'un de ces jours, il gagnera un Oscar avec ses courts métrages. »

Elle en était convaincue, mais Ward ne sembla pas pour autant impressionné.

« Tant mieux pour lui. As-tu eu des nouvelles de Greg aujourd'hui? Il a dit qu'il appellerait au sujet du week-end qu'il veut que nous passions là-bas.

– Non, il ne l'a pas fait. Je ne suis pas sûre d'être libre, de toute façon. Je dois passer trois semaines à étudier le nouveau texte avec le scénariste.

– C'est sûr?

– Plus ou moins. Pourquoi ne demandes-tu pas à Lionel d'y aller avec toi? »

Ward hésita tout d'abord, puis en parla à son fils.

Il profita de l'occasion pour le questionner au sujet de John.

« Tu ne crois pas qu'il est pédé, Li? »

Lionel s'efforça de rester indifférent devant ce mot qu'il détestait. Il dut faire appel à tout son sang-froid pour ne pas bondir.

« Bon Dieu, papa, qu'est-ce qui te fait penser ça? »

Ward sourit.

« Tu réagis exactement comme ta mère. (Mais son visage s'assombrit aussitôt.) A vrai dire, je ne sais pas. Je trouve qu'il n'est plus le même et il ne parle que de décoration, ces temps-ci.

– C'est ridicule. Ça ne prouve pas qu'il est homo.

– Non, mais s'il se mettait à reluquer les garçons... tu ferais bien de faire attention à lui. Et si jamais tu le trouves un peu trop bizarre, fous-le à la porte. Tu ne lui dois rien. »

Pour la première fois de sa vie, Lionel sentit sa main le démanger, avec une furieuse envie de la lui envoyer dans la figure. Il réussit néanmoins à garder son calme jusqu'à ce qu'il ait quitté la maison paternelle. Il fonça dans la ville à cent à l'heure. Il aurait voulu tuer quelqu'un, surtout son père. Il se précipita dans sa chambre en claquant sa porte qu'il ferma à clef. C'était une des rares fois que les autres le voyaient hors de lui, et ils se regardèrent, interloqués. John regagna sa chambre peu après et s'enferma à son tour, avant de se rendre chez Lionel, en traversant la salle de bain qui séparait leurs chambres.

« Qu'est-ce qui ne va pas, mon amour? »

Lionel leva vers John des yeux qui jetaient des étincelles et fut forcé de reconnaître que John faisait de plus en plus homo. En dépit de son physique musclé, son visage avait quelque chose de pur et de doux, il se peignait différemment et ses vêtements avaient un côté trop parfait, trop élégant, trop soigné. Pourtant, il l'aimait, il aimait son talent, son cœur chaleureux, sa générosité, son corps, son âme, il aimait absolument tout en lui. Si John avait été une fille, ils seraient déjà fiancés et cela n'aurait surpris personne. Mais ce n'était pas le cas, et on le traitait de pédé.

« Qu'est-ce qui ne va pas? »

John s'assit sur une chaise et attendit.

« Rien, je n'ai pas envie d'en parler. »

John leva calmement les yeux au plafond avant de fixer son ami.

« Tu es stupide. Mieux vaut t'en décharger tout de suite. (Et puis, il se douta soudain que cela avait à voir avec lui.) Est-ce que j'ai fait quelque chose qui t'a déplu, Li? »

Il semblait si inquiet, si meurtri que Lionel se leva pour lui caresser la joue.

« Mais, non... ça n'a rien à voir avec toi... Ce n'est rien. Je me suis disputé avec mon père, c'est tout.

– Est-ce qu'il t'a parlé de nous? (Il avait eu l'impression que Ward l'observait la nuit de la première.) Il se doute de quelque chose? »

Lionel aurait voulu rester dans le vague, mais John avait abordé la question trop franchement.

« Peut-être. Mais je crois plutôt qu'il se fait des idées.

– Qu'est-ce que tu lui as dit? »

John était inquiet. Et si M. Thayer en parlait à ses parents? Ils avaient tant de choses à cacher! On pouvait l'arrêter, l'exiler quelque part... C'était terrifiant rien que d'y penser. Mais Lionel l'embrassa dans le cou et s'efforça de le calmer. Il savait que John se faisait beaucoup de souci.

« Relax, vieux. Il ne sait même pas ce qu'il dit. Il n'est au courant de rien. »

John avait les larmes aux yeux.

« Tu veux que j'aille m'installer ailleurs?

– Non! (Lionel avait presque crié.) Si tu devais

t'en aller, je partirais avec toi. Mais ce n'est pas nécessaire.

– Tu crois qu'il dira quelque chose à mon père?

– Pas de panique. Il a juste essayé de savoir et on s'est disputés, c'est tout. C'est pas la fin du monde. »

Afin d'apaiser Ward, Lionel se rendit malgré tout dans l'Alabama avec lui, pour le match de Greg, et ce fut un des week-ends les plus mortels qu'il ait jamais passés. Il détestait le football presque autant que John et n'avait rien à dire à son frère. Mais le pire, c'étaient ces silences interminables et douloureux avec son père, qui ne se tint plus de joie lorsque, un de leurs joueurs s'étant blessé, l'entraîneur envoya Greg le remplacer, juste à temps pour qu'il marque le but décisif, à deux secondes et demie de la fin du match. Lionel s'efforça de montrer le même enthousiasme que son père, mais le cœur n'y était pas, et ce fut avec soulagement qu'il reprit l'avion pour Los Angeles. Il discuta avec son père, essaya de lui expliquer sa conception du cinéma, les films sur lesquels il travaillait en ce moment. Mais tout comme lui-même s'était senti complètement déplacé pendant le match, Ward sembla ailleurs pendant qu'il décrivait son dernier projet avant-gardiste.

« Tu crois vraiment que tu pourras un jour gagner de l'argent avec des films pareils? »

Lionel le regarda, stupéfait. Cette idée ne lui avait jamais traversé l'esprit. A la fac, ils essayaient de nouvelles techniques, s'efforçaient de peaufiner le langage cinématographique. Personne ne se souciait que ce fût rentable ou non. Leur objectif était bien plus élevé. Les deux hommes se fixaient sans se comprendre, chacun persuadé que l'autre n'était qu'un imbécile, et sentant pourtant ce qu'il y avait de paradoxal à prétendre qu'ils respectaient mutuellement leurs idées. C'était pour eux une terrible tension nerveuse. Ils furent soulagés lorsque Faye les accueillit à l'aéroport. Ward lui parla aussitôt du but marqué par Greg, s'indigna qu'elle n'ait pas suivi le match à la télé, et tandis qu'il discourait, Lionel lança à sa mère un regard qui disait assez qu'il ne pouvait en supporter davantage. Elle en rit en son for intérieur : elle connaissait si bien leurs différences! Et pourtant, elle les aimait tous deux, comme elle aimait Greg et les jumelles. Chacun était différent des autres, et exigeait d'elle des choses différentes.

Elle déposa d'abord Ward à la maison et lui promit d'être de retour pour l'apéritif, une fois Lionel reconduit. Cela lui donnait quelques minutes pour parler à son fils en se lamentant sur ce week-end assommant.

« Ça a été si pénible que ça, mon chéri? »

Elle sourit en voyant son expression, et il grogna en laissant tomber sa tête sur le dossier du siège avant. Jamais de sa vie il ne s'était senti aussi las.

« Affreux. C'était comme si j'étais sur une autre planète et que j'essayais de discuter avec les habitants. Comme ça pendant tout le week-end. »

Faye se demanda si sa lassitude provenait uniquement de son peu d'intérêt pour le sport, ou aussi de l'effort qu'il avait dû faire pour que son père ne se doute de rien, mais elle le garda pour elle.

« Mon pauvre chéri! Comment va Greg?
– Comme d'habitude. »

Il n'avait pas besoin de lui en dire plus. Elle savait qu'ils n'avaient pas grand-chose en commun. Parfois, il lui semblait étrange qu'ils fussent tous deux ses fils. Elle se risqua enfin à lui poser la question qui l'avait tourmentée pendant tout le week-end :

« Est-ce que ton père t'a parlé de John? »

Le visage de Lionel se crispa et il se redressa.
« Non, pourquoi? Est-ce qu'il t'a dit quelque chose? »

Il la regarda droit dans les yeux, inquiet de ce qu'elle allait répondre. Il ne lui avait encore rien dit à propos de John, mais il savait qu'elle devinait ces choses-là sans qu'on les lui explique. Il se demanda ce qu'elle en pensait. C'était peut-être à ses yeux jouer un peu trop avec le feu, et il ne l'aurait pas contredite là-dessus.

« Je crois que tu ferais bien d'être prudent, Li.

– Je le suis, maman. »

Il lui sembla très jeune et elle eut un élan de tendresse vers lui.

« Est-ce que tu es amoureux de lui? »

C'était la première fois qu'elle lui posait cette question. Il hocha la tête avec gravité.

« Oui.

– Alors, sois prudent, je t'en prie, pour lui comme pour toi. Est-ce que ses parents sont au courant? »

Lionel secoua négativement la tête, et Faye frissonna en rentrant à la maison, après l'avoir déposé chez lui. Un jour, tout cela apparaîtrait au grand jour et l'un d'eux, plusieurs peut-être, en ressortiraient meurtris... John, Lionel... les Wells... Ward... elle ne se faisait pas autant de souci pour John et sa famille, bien qu'elle les aimât beaucoup... mais elle était terrifiée à l'idée de la réaction de Ward... et de Lionel... Elle pensait que Lionel surmonterait la crise. Il était adulte et, sans qu'il en eût conscience, il se préparait à cette éventualité, qu'elle vînt de son père ou de quelqu'un d'autre. Lionel n'était pas du genre à se cacher le restant de ses jours. Mais Faye n'était pas sûre que Ward tiendrait le choc. Une partie de lui-même serait détruite, elle le savait, et sa terreur en était d'autant plus grande. Mais elle était impuissante. Lionel lui avait promis d'être discret. Lionel qui, en ce moment même, dans la chambre soigneusement close, embrassait John en soupirant. Le week-end avait été si long sans lui...

CHAPITRE 21

Le jour de Noël, Lionel retrouva les siens pour le repas de fête traditionnel. Greg n'était revenu que pour quelques jours, avant le prochain match où Ward devait de nouveau l'accompagner. Ensuite, ils prendraient l'avion pour assister à la finale. Ward aurait aimé que Lionel vienne aussi, mais celui-ci avait d'autres projets, dit-il, ce qui contraria Ward. Faye fit diversion à point nommé en apportant l'énorme dinde et du champagne pour tous. Valérie en but un peu trop, mais tout le monde était après Vanessa, magnifique dans sa nouvelle robe, avec sa nouvelle coupe de cheveux. Elle était amoureuse, pour la première fois, d'un garçon qu'elle avait rencontré au bal du lycée quelques semaines plus tôt, et cette idylle la mûrissait. Même Anne avait remarquablement changé en un an. Elle avait beaucoup poussé ces derniers mois, et presque rattrapé les jumelles. Elle n'était encore qu'une rose en bouton, mais prête à s'épanouir. Lionel porta un toast en son honneur pour leur rappeler, ce qui la fit rougir, qu'elle aurait quatorze ans dans quelques semaines. Après le déjeuner, il s'assit auprès d'elle devant la cheminée et ils bavardèrent comme autrefois. Lionel la voyait beaucoup moins qu'il ne l'aurait souhaité, maintenant, surtout à cause de ses études. Mais il l'adorait toujours autant, et ce sentiment était partagé. Anne le surprit en lui demandant des nouvelles de John; elle eut un drôle d'air en lui posant cette question, comme si elle en était amoureuse. Lionel fut étonné de ne pas s'en être aperçu plus tôt. Mais ce n'était pas surprenant. Anne avait un caractère si renfermé, si clandestin...

« Il va bien. Je crois qu'il s'en sort bien à la fac. On ne se voit pas très souvent.

– Mais il habite bien toujours dans le même appartement que toi? J'ai vu Sally Wells l'autre jour et elle m'a dit qu'il s'y plaisait beaucoup. »

Sally Walls avait le même âge qu'Anne, mais elle était beaucoup plus adulte. Lionel espéra de tout son cœur que Sally n'avait rien deviné de leur situation, et surtout, rien dit à Anne. Elle n'avait pas l'air de savoir, pourtant. Les yeux d'Anne avait encore la lueur d'espoir et d'innocence des enfants.

« Oui, il habite toujours avec nous.

– Je ne l'ai pas vu depuis très longtemps. »

Elle le considéra avec une telle mélancolie qu'il eut envie de rire de son air angélique. Mais il se retint.

« Je lui dirai bonjour de ta part. »

Elle secoua la tête en signe de remerciement. A cet instant, les autres entrèrent dans la pièce. Ward ralluma le feu et tous furent ravis de leurs cadeaux. Ward et Faye échangèrent un regard heureux et se sourirent. Cette année avait encore été une belle année.

Lionel fut le premier à prendre congé, de même que John chez les Wells. Leurs colocataires étaient partis en vacances. Ils avaient la maison tout à eux. Plus besoin de se cacher ni de s'enfermer à clef. C'était merveilleux de pouvoir enfin se détendre, d'être soi-même! L'éternelle prudence dont ils devaient faire preuve leur imposait une tension difficile à supporter, surtout pour John, qui devenait de jour en jour plus efféminé. Maintenant, il pouvait remplir la maison de fleurs et passer de longues heures au lit l'après-midi avec Lionel, qui avait suspendu ses activités cinématographiques pour les vacances. Les deux garçons firent une longue promenade, discutèrent beaucoup et finirent la soirée devant le feu, en se gavant de saucisses chaudes et de vin blanc.

Ils se sentaient des adultes, des hommes libres, si libres que ce n'était même pas la peine de fermer à clef la porte d'entrée, décidèrent-ils, tout heureux. Ils n'entendirent pas le père de Lionel entrer le lendemain de Noël. Il voulait essayer de convaincre son fils de l'accompagner dans le sud pour voir jouer Greg. Ward frappa, et comme personne ne répondait, entra doucement. Il ne fut plus question de football lorsqu'il trouva les deux garçons allongés devant le feu, tout habillés, mais la tête de John posée sur les genoux de Lionel qui, penché sur lui, lui murmurait des mots tendres. Ward s'arrêta net et poussa un hurlement presque animal qui les fit sursauter et lever les yeux. Lionel blêmit. Ils bondirent sur leurs pieds, tremblants. Hors de lui, Ward se précipita vers John et lui flanqua une gifle terrible qui le fit aussitôt saigner du nez. Il voulut frapper Lionel, mais celui-ci lui saisit le bras, les larmes aux yeux. Ward pleurait aussi, mais de rage, en les accablant d'insanités.

« Fils de pute... petite putain!... »

Ces mots s'adressaient à John, mais il les criait aussi à son fils, les yeux aveuglés par la fureur et les larmes, des yeux qui refusaient de croire ce qu'ils avaient vu. Il aurait voulu que son fils efface cette image horrible, qu'il lui dise que c'était un mirage, qu'il avait rêvé, mais non, c'était vrai, d'une vérité criante. Lionel était terrorisé et s'efforçait de tenir son père à distance. John s'était mis à pleurer. C'était un cauchemar, mais Lionel s'efforçait de rester calme. Il avait l'impression que sa vie entière était remise en cause, et il fallait à tout prix qu'il puisse s'expliquer... Peut-être Ward comprendrait-il?... Il avait toujours désespérément cherché à lui faire comprendre qu'il était différent de Greg... différent d'eux tous... lui expliquer ce qu'il ressentait... et il ne sentait même pas les larmes qui lui dégoulinaient sur les joues, ni la gifle que lui donna finalement son père, lorsqu'il parvint à se libérer.

« Par pitié, papa... arrête... il faut que je te parle...

– Je ne veux rien entendre! (Tout son corps tremblait et Lionel craignit soudain qu'il n'ait une crise cardiaque.) Je ne veux plus jamais vous revoir! Sales petits pédés! (Il les regarda tous les deux.) Petites salopes! (Puis, se tournant vers Lionel :) Tu n'es plus mon fils. Je ne veux pas d'une pédale dans la famille. Je ne veux plus te voir à la maison, tu entends? Je ne paierai pas un sou de plus pour ton entretien. A partir de ce jour, je ne te connais plus. Et surtout n'approche pas de ma famille, tu entends? »

Il hurlait et pleurait en même temps et s'avança vers John, menaçant. Tous ses rêves venaient de voler en éclats. Son fils aîné était pédé. C'était plus qu'il n'en pouvait supporter, plus que de perdre toute sa fortune vingt ans plus tôt, plus que la crainte de voir Faye le quitter... à ses yeux, c'était pire que la mort. C'était une perte qu'il ne comprendrait jamais, une perte qu'il s'infligeait en un sens à lui-même, sans s'en rendre compte.

« Je ne veux plus te voir, est-ce clair? »

Lionel hocha douloureusement la tête et Ward sortit en titubant. Il faillit tomber dans l'escalier. C'en était trop pour lui; il descendit directement au bar le plus proche et enfila quatre scotches. A huit heures, Faye, inquiète, appela Lionel. Elle ne voulait pas le déranger, mais ils devaient recevoir des invités à six heures et Ward n'était pas encore rentré. Ce n'était pas dans ses habitudes. On l'avait vu quitter le studio au début de l'après-midi et elle n'avait aucune idée de l'endroit où il avait pu aller.

« Dis-moi, mon chéri, est-ce que ton père t'a téléphoné aujourd'hui? »

Lionel était encore sous le choc. John était affalé sur le divan, sanglotant toujours, atterré par ce qui s'était passé, terrorisé à l'idée que Ward irait tout raconter à ses parents. Lionel s'était efforcé de le calmer. Il l'avait obligé à mettre un sac de glace sur son nez et sa joue meurtris. Il éprouvait lui-même une angoisse terrible, mais personne n'était là pour le consoler. Et ce fut la voix encore tremblante qu'il répondit au téléphone, d'abord incapable de parler. Faye frissonna, comprenant soudain que quelque chose n'allait pas.

« Li, mon chéri, que se passe-t-il?

– Je... euh... je... »

Ses paroles étaient inintelligibles et, soudain, il se mit à sangloter à son tour. John se redressa et le regarda, étonné. Li avait fait preuve d'un tel calme, d'une telle maîtrise de soi, jusqu'à présent, et voilà qu'il s'effondrait à son tour.

– Maman... je... ne peux pas... je...

– Oh! mon Dieu... (Quelque chose de terrible venait de se produire. Peut-être Ward était-il blessé, et on avait appelé Lionel. La panique la prit.) Calme-toi, mon chéri. Calme-toi et essaie de m'expliquer ce qui se passe...

– Papa est... venu... (De grands sanglots lui étreignaient la poitrine, des pleurs qui ne venaient pas.) Il... je... »

Et soudain, elle comprit.
« Il t'a trouvé avec John? »
Elle imagina le pire, qu'il les avait découverts dans leur lit, et à cette pensée, Faye se sentit défaillir. C'était une scène qu'elle-même n'aurait pas supportée, malgré sa tolérance. Mais Lionel était dans l'incapacité physique de la rassurer sur ce qu'avait vu son père.
Il ne put lâcher qu'un seul mot avant de s'effondrer complètement au bout du fil.
« Oui... (Il fallut de longues minutes avant qu'il puisse reprendre la parole.) Il a dit qu'il ne voulait plus me voir... que je n'étais plus son fils...
– Mon Dieu... mon chéri, calme-toi. Tu sais bien que ce n'est pas vrai, il finira par comprendre... il a dit n'importe quoi... »
Pendant une heure, elle lui parla au téléphone, s'efforçant de le réconforter. Ses invités étaient déjà partis, après avoir bu plusieurs cocktails. Elle lui proposa de passer les voir pour en parler avec eux, mais Li répondit qu'il préférait rester seul avec John et c'était aussi bien. Elle voulait être là lorsque Ward rentrerait.
Lorsqu'il reparut, elle fut horrifiée de l'état dans lequel il s'était mis. Il s'était arrêté dans plusieurs bistrots et revenait complètement ivre. Pas assez, pourtant, pour avoir oublié ce qu'il avait vu et ce qu'il savait maintenant sur son fils. Il jeta à sa femme un regard plein de haine et de désespoir mêlés. Il lui en voulait, à elle aussi.
« Tu savais, n'est-ce pas? »
Elle ne voulait pas lui mentir, mais elle ne voulait pas non plus qu'il imagine toute une conspiration dans son dos.
« Je m'en doutais pour John.
– Ce fils de pute... (Il tituba jusqu'à elle et elle vit du sang sur sa chemise. Il s'était coupé en tombant,

sur le chemin du retour. Mais il ne la laissa pas s'approcher.) Tu sais bien que je veux parler de notre fils... ou est-ce qu'il faut que je l'appelle notre fille maintenant? (Il puait l'alcool et elle eut un mouvement de recul lorsqu'il s'approcha et la saisit par le bras.) C'est ce qu'il est, et tu le savais? Est-ce que tu le savais?

– Ward, c'est quand même notre enfant, quoi qu'il ait fait. Il est honnête et c'est un bon garçon... ce n'est pas sa faute s'il est comme ça.

– Alors c'est la faute à qui? A moi? »

C'était ce qui le tourmentait le plus. Pourquoi Lionel avait-il tourné comme ça? Il se l'était inlassablement demandé en traînant d'un bar à l'autre, et il n'avait aimé aucune des réponses qui lui étaient venues à l'esprit... il avait trop laissé Faye s'occuper de lui... il n'avait pas passé assez de temps avec son fils... toujours avec Greg, toujours pour Greg... il l'avait effrayé... il ne l'avait pas assez aimé... les reproches étaient légion, mais ils aboutissaient toujours au même point. Son fils était un pédé. D'où tenait-il ça? Comment était-ce arrivé? Comment cela avait-il pu lui arriver? C'était un affront personnel à sa virilité... son fils, une pédale... ces mots le transperçaient comme du feu, et de nouveau, devant sa femme, il ne put retenir ses larmes.

« Cesse de t'en vouloir, Ward. »

Elle lui passa un bras autour des épaules et le conduisit jusqu'au lit, où ils s'assirent côte à côte. Ward s'appuya pesamment sur elle.

« Ce n'est pas ma faute », gémit-il.

C'était une plainte d'enfant perdu, et elle eut pitié de lui. Elle-même s'était posé ces questions depuis un an, mais c'était sans doute plus pénible encore pour lui. Elle avait toujours pensé qu'il ne s'en remettrait pas. Il était moins fort qu'elle, moins sûr de lui, moins certain de ce qu'il avait apporté à ses enfants.

« Ce n'est la faute de personne, ni de toi, ni de moi, ni de lui, ni même de John. C'est simplement sa façon d'être. Il faut que nous l'acceptions tel qu'il est. »

Mais dès qu'elle eut dit cela, il la repoussa et se releva en vacillant, sans lâcher son bras qu'il serrait à lui faire mal.

« Je ne l'accepterai jamais. *Jamais!* Tu entends? Je le lui ai dit. Il n'est plus mon fils.

– Si, il l'est! (La colère la prenait elle aussi; elle dégagea violemment son bras de l'étreinte de Ward.) C'est *notre* fils, entends-tu, qu'il soit handicapé ou mutilé ou physiquement diminué, qu'il soit sourd-muet, ou malade mental, ou même assassin, il restera notre fils, et Dieu merci, il n'est qu'homosexuel! (Elle pleurait à son tour, et Ward fut impressionné par ses paroles et par la véhémence avec laquelle elle les avait prononcées.) Tu ne peux pas le bannir comme ça de ta vie ou de la mienne! Et il n'ira nulle part ailleurs. C'est notre fils, et tu feras bien de l'accepter tel qu'il est, Ward Thayer, sinon tu peux aller te faire voir! Je ne te laisserai pas rendre ce garçon plus malheureux encore. Ce qu'il vit est déjà assez pénible comme ça. »

Ward la foudroya du regard.

« C'est pour ça qu'il est ce qu'il est! Parce que tu l'as toujours couvé. Tu lui as toujours trouvé des excuses, tu l'as caché dans tes jupes. C'est pour ça qu'il en porte maintenant. Tout est ta faute! Il ne nous manquerait plus qu'il s'habille en fille, pour finir. »

Faye ne put en supporter davantage. C'était trop d'humiliation pour elle et pour Li. Elle s'avança et le gifla de toutes ses forces. Ward ne bougea pas, il se contenta de la considérer avec des yeux durs et froids qui lui glacèrent le sang.

« Je ne veux plus qu'il remette les pieds ici, dit-il. Si jamais il reparaît dans cette maison, je le flanquerai dehors moi-même. Je le lui ai dit et je te le répète, et c'est valable pour tout le monde. S'il y a quelqu'un à qui ça ne plaît pas, qu'il ou elle débarrasse aussi le plancher! Lionel Thayer n'existe plus. C'est clair? »

La rage empêcha Faye de répliquer. Elle l'aurait étranglé de ses mains. Pour la première fois, même avec tout ce qui leur était arrivé, pour la première fois dans sa vie, elle regrettait de l'avoir épousé. Elle le lui dit avant de sortir en claquant la porte.

Elle dormit dans la chambre de Lionel cette nuit-là et le lendemain, au petit déjeuner, la vue de Ward lui brisa le cœur. Il semblait avoir pris deux ans en quelques heures et elle se souvint de ce qu'elle avait dit à Lionel, lorsqu'elle avait découvert qu'il était homo. La vérité pouvait tuer Ward, et c'était vrai : il ne semblait presque plus de ce monde. Lorsqu'elle eut fini de déjeuner, elle souhaita même qu'il fût réellement mort. Ward avait bu sa tasse de café en silence, jeté de loin un œil sur le journal avant de prendre la parole, d'une voix monocorde, glacée. Par un fait exprès, c'était un des rares petits déjeuners qu'ils prenaient tous ensemble depuis des mois. Greg avait encore un jour de vacances avant de repartir pour son grand match dans l'Alabama; les jumelles étaient déjà levées, ce qui tenait du miracle; et Anne venait de descendre. Tous avaient maintenant leurs yeux fixés sur Ward, qui leur expliqua qu'à partir d'aujourd'hui Lionel n'existait plus à ses yeux, qu'il était homosexuel et avait une liaison avec John Wells. Les jumelles se regardèrent avec horreur et Vanessa se mit à pleurer. Greg bondit de son siège, livide, et Faye s'agrippa à sa chaise.

« Tu mens! cria-t-il à son père, prenant plus la défense de son vieil ami que d'un frère qui, à bien des égards, était pour lui un étranger. C'est faux! »

Son père le regarda comme s'il allait le frapper, puis lui indiqua sa chaise.

« Assieds-toi et tais-toi. C'est la pure vérité. Je les ai vus ensemble hier. (Anne blêmit et Faye eut l'impression que sa famille, que sa vie entière venaient d'être réduites en cendres. Elle en voulut cruellement à Ward pour ce qu'il leur faisait subir, surtout à leur fils aîné.) Lionel est désormais indésirable dans cette maison. En ce qui me concerne, je considère qu'il n'existe plus. Est-ce clair? Je vous interdis formellement de le revoir et, si l'un d'entre vous désobéit, je ne veux plus qu'il reparaisse devant moi. Je ne lui donnerai plus aucun sou, je ne veux plus le voir ni lui parler à partir de maintenant. Est-ce que tout le monde a bien compris? »

Ils secouèrent la tête comme des automates, les yeux humides, et Ward sortit aussitôt après. Il prit sa voiture et se rendit chez Bob et Mary Wells. Faye était restée assise à la table du petit déjeuner. Elle regarda ses enfants et ils la regardèrent. Greg luttait contre les larmes. Il se demandait ce que diraient ses amis lorsqu'ils sauraient. Il ne pouvait rien imaginer de plus terrible, il aurait voulu mourir. Mais surtout il avait envie de tuer John Wells, ce petit merdeux, ce faux jeton... Il aurait dû s'en douter quand il avait refusé la bourse à Georgia Tech... Il serra les poings, rageant d'impuissance. Vanessa se tourna vers Faye.

« Tu trouves que c'est juste, toi, maman? » demanda-t-elle.

Ce n'était pas la peine de demander si c'était vrai,

même si cela paraissait incroyable. Leur père avait dit qu'il les avait trouvés ensemble, et aucun des enfants ne pouvait rien imaginer de pire. C'était mystérieux, effrayant et terrifiant, et des images obscènes passaient devant leurs yeux, bien différentes de ce qu'avait vu Ward en réalité, deux garçons étendus devant la cheminée, la tête de l'un reposant sur les genoux de l'autre. Mais il leur avait dit clairement les choses, et il n'y avait plus rien à ajouter.

Faye les regarda tous et son regard s'arrêta sur Vanessa. Elle parla à son tour, d'une voix calme et posée. Jamais elle n'avait ressenti pareille douleur. Ward venait de détruire ce qu'elle avait eu tant de peine à construire en vingt ans. Que deviendraient ses enfants, maintenant? Que penseraient-ils de leur frère? Que penseraient-ils d'eux-mêmes, d'un père qui chassait leur frère de leurs existences, d'une mère qui le laissait faire?... Il fallait qu'elle s'explique. Au diable Ward.

« Non. Je trouve que c'est injuste. J'aime Lionel et je l'ai toujours aimé. Et si c'est ainsi qu'il se sent, si c'est ainsi qu'il veut vivre, je le respecte parce qu'il sait ce qu'il fait et qu'il agit en homme, quelles que soient ses préférences sexuelles. Je le soutiendrai toujours, je veux que vous le sachiez. Quoi que vous fassiez, où que vous alliez, quelque erreur que vous commettiez dans votre vie et quoi que vous deveniez par la suite, en bien ou en mal, que ça me plaise ou non, cela ne m'empêchera jamais de rester votre mère et votre amie. Je serai toujours là pour vous, mes enfants. Il y aura toujours une place pour vous dans mon cœur, dans ma vie, dans ma maison. »

Elle les embrassa les uns après les autres. Tous quatre pleuraient sur le frère qu'ils venaient de perdre par la faute de leur père, sur l'immense déception, le choc d'avoir découvert le terrible secret. Cela les dépassait, mais le message de leur mère était clair.

« Tu crois que papa changera d'avis? »

Val avait parlé tout bas et personne ne s'était aperçu qu'Anne les avait quittés discrètement un moment plus tôt.

« Je n'en sais rien. Je vais essayer de lui parler. Je pense qu'un jour, il reprendra ses esprits. Mais c'est encore trop tôt pour qu'il accepte la réalité!

– Pareil pour moi. (Greg frappa du poing sur la table et se leva.) Ça me dégoûte!

– Pense ce que tu veux, Greg, ça te regarde. Personnellement, je me fiche de ce qu'ils font ensemble, du moment qu'ils ne font de mal à personne, puisque c'est comme ça qu'ils sont. Je les accepte tels quels. »

Elle fixa son fils droit dans les yeux et sentit toute la distance qui les séparait. Greg ressemblait trop à son père. Son esprit était borné, son cœur l'était aussi aujourd'hui. Il courut jusqu'à sa chambre et claqua la porte derrière lui. Faye s'aperçut alors de la disparition d'Anne. Le choc devait être encore plus grand pour elle; elle décida de monter lui parler. La porte était fermée à clef et, quand Faye frappa, Anne refusa de répondre. Les jumelles regagnèrent elles aussi leurs chambres. C'était comme si un deuil avait frappé la maison. Peu après, Faye rappela Lionel et apprit que Ward s'était rendu chez les parents de John.

Chez les Wells, c'était l'hystérie. Ils avaient téléphoné à leur fils. Il y avait eu des torrents de larmes de part et d'autre, et après avoir raccroché, John était allé vomir dans la salle de bain. Mais malgré leurs cris, leurs pleurs et leurs reproches sans nombre dont ils l'avaient accablé, ils lui avaient dit qu'il restait leur fils, qu'ils ne partageaient pas du tout le point de vue de Ward, qu'ils l'aimaient toujours et acceptaient aussi Lionel. Faye en eut les larmes aux yeux et fut secrètement ravie lorsque Lionel lui dit que Bob Wells avait jeté Ward dehors sans ménagement.

L'après-midi même, Faye rendit visite aux deux garçons. Elle voulait redire à Lionel qu'elle restait toujours aussi solidement à ses côtés. La mère et le fils restèrent longtemps enlacés; Faye serra aussi John dans ses bras. Ce n'était pas facile à accepter, et ce n'était certainement pas ce qu'elle aurait désiré pour son fils, mais la vie était ainsi faite. Elle lui dit aussi qu'il serait toujours le bienvenu à la maison, qu'il faisait toujours partie de la famille en dépit de tout ce que pouvait raconter Ward, et qu'à partir de maintenant, ce serait elle qui lui paierait ses études et subviendrait à ses besoins. Si son père voulait lui couper les vivres, c'était son affaire, mais Faye serait toujours là. Elle en prenait désormais la responsabilité. Lionel l'écouta en pleurant et promit de se trouver un emploi le plus vite possible. John dit qu'il ferait de même. Ses parents lui avaient dit qu'ils continueraient de l'entretenir tant que dureraient ses études, que rien ne changerait pour lui.

Mais Ward ne changea pas de position lorsqu'il rentra ce soir-là. Faye ne l'avait pas vu de la journée, mais elle n'eut qu'à lui jeter un coup d'œil pour savoir qu'il avait encore fait la tournée des bistrots. Il répéta au cours du dîner que Lionel était indésirable à la maison, qu'il le considérait comme mort. Aussitôt, Anne se leva et fixa sur lui un regard haineux.

« Assieds-toi! »

C'était la première fois qu'il lui parlait aussi durement, mais elle resta debout, à la surprise générale. C'étaient des événements qu'ils n'oublieraient jamais.

« Je n'ai pas envie de m'asseoir. Tu me dégoûtes. »

Il se leva et la força à se rasseoir. Mais Anne ne toucha pas à son assiette et, dès la fin du repas, elle se leva de nouveau et défia son père.

« Il vaut mille fois mieux que toi.

– Alors fiche le camp d'ici.

– C'est ce que je vais faire ! »

Elle jeta sa serviette dans son assiette encore pleine et disparut de la pièce. Ils entendirent peu après le ronflement de la voiture de Greg. Il avait du mal à affronter tout cela. Vanessa et Val échangèrent un regard soucieux. Elles s'inquiétaient pour Anne.

Cette nuit-là, Anne se glissa hors de la maison et fit du stop jusque chez Lionel. Elle sonna et frappa à la porte. Il y avait encore de la lumière, mais ils n'étaient là pour personne. Ils ne répondirent pas non plus au téléphone lorsqu'elle appela d'une cabine voisine. Ils le laissèrent sonner, sans bouger de leurs sièges. Les dernières vingt-quatre heures avaient été un tel cauchemar qu'ils n'en pouvaient plus. John pensa qu'ils feraient peut-être mieux de répondre, malgré tout. Mais Lionel l'en empêcha.

« Si c'est un des nôtres qui est déjà de retour, il a sa clef. Mais c'est sans doute mon père qui s'est soûlé et revient nous emmerder. »

Ils ne prirent même pas la peine de regarder par la fenêtre. En bas, Anne sortit un crayon de sa poche, déchira un morceau de journal qu'elle prit dans la poubelle, et griffonna un mot pour Lionel. « Je t'aime, Li, je t'aimerai toujours. A. » Elle aurait voulu le voir une dernière fois avant de partir, mais après tout, cela n'avait plus d'importance... Elle glissa le bout de papier dans la boîte aux lettres. Il n'avait pas besoin d'en savoir davantage. Elle ne voulait pas qu'il croie qu'elle l'abandonnait elle aussi, il fallait qu'il en soit sûr. Elle ne pouvait plus supporter la situation depuis qu'il était parti de la maison. Ce serait encore pire maintenant. Elle ne le reverrait jamais. Mais elle n'avait pas le choix, et elle était étonnée de son propre soulagement.

Cette nuit-là, elle rangea calmement ses affaires dans un sac de voyage et se glissa par la fenêtre hors de la maison, de la même façon que lorsqu'elle s'était rendue chez Lionel. Le mur offrait des prises faciles jusqu'en bas. Elle était passée par là bien des fois. Anne était en jeans et tennis, revêtue d'un chaud parka, ses cheveux blonds noués en natte. Elle savait que la nuit serait froide. Dans son sac, elle emportait tout ce à quoi elle tenait, et en quittant la maison, elle n'eut pas un seul regard en arrière. Elle se fichait pas mal d'eux, tout comme ils se fichaient d'elle. Elle descendit à pas feutrés jusqu'à la route et marcha jusqu'à Los Angeles, où elle fit du stop sur l'autoroute en direction du nord. Elle fut surprise de constater à quel point c'était facile. Elle dit au premier conducteur qui s'arrêta qu'elle allait à Berkeley pour les vacances de Noël. Il ne lui posa aucune question et la conduisit jusqu'à Bakersfield, où il la déposa.

Entre-temps, Faye avait trouvé son message. Anne avait laissé sa porte ouverte et le papier se trouvait sur son oreiller : « Papa, te voilà débarrassé de deux d'entre nous maintenant. Salut, Anne. » C'était tout. Pas un mot à quiconque, pas même à Faye. Elle crut que son cœur allait s'arrêter de battre lorsqu'elle trouva le morceau de papier. Elle et Ward appelèrent immédiatement la police. Faye appela aussi Lionel. Il avait lui aussi trouvé le message d'Anne. Faye au désespoir se demandait si elle tiendrait le coup, cette fois, tandis qu'elle attendait l'arrivée des policiers. Ward était assis dans le salon, assommé.

« Elle n'a pas pu aller bien loin. Elle est sans doute chez une amie. »

Mais Valérie, avec sa brusquerie habituelle, leur enleva aussitôt ce dernier espoir.

« Elle n'a pas d'amis. »

C'était triste, mais vrai. Son seul copain, c'était Lionel, que son père venait de chasser de chez lui. Faye regarda Ward avec une rage contenue, mais à cet instant, on sonna à la porte. C'était la police. Faye souhaita de toute son âme qu'ils la retrouvent avant qu'il lui soit arrivé quelque chose. Mais ils n'avaient aucun indice qui puisse aiguiller les recherches. Et pendant ce temps, l'heure tournait...

CHAPITRE 22

QUAND la première voiture l'eut déposée à Bakersfield, à deux cents kilomètres de Los Angeles, Anne dut attendre plusieurs heures une autre voiture. Celle-ci la conduisit tout droit jusqu'à Fremont, où elle en trouva une autre plus aisément. Il lui fallut dix-neuf heures en tout pour parvenir à San Francisco, mais dans l'ensemble, elle était étonnée que ce soit si simple. Tous avaient été gentils avec elle. Ils n'avaient vu en elle qu'une collégienne en vacances, une de ces « hippies », plaisantèrent même deux d'entre eux. Aucun ne pensa qu'elle n'aurait que quatorze ans dans quelques semaines. Lorsqu'elle fut enfin à San Francisco, elle déambula dans Haight Street, aussi éblouie que si le sol avait été pavé d'or. Les rues étaient pleines de jeunes habillés de couleurs vives, de vêtements qu'ils avaient confectionnés eux-mêmes. Il y avait des

Hare Krishna en tunique orange et le crâne rasé, des garçons avec des cheveux jusqu'à la taille, des filles avec des fleurs dans les cheveux. Tous avaient l'air heureux. Ils se parlaient, ils partageaient de la nourriture. On lui proposa un cachet de L.S.D. qu'elle refusa avec un sourire timide.

« Comment t'appelles-tu? » lui demanda quelqu'un et elle répondit « Anne » dans un murmure.

Cela faisait des années qu'elle rêvait de venir ici, pour se débarrasser enfin des étrangers avec qui elle vivait – sa prétendue famille. Anne les détestait. Elle était contente, finalement, que les choses aient tourné de cette façon. Lionel avait John et peut-être qu'elle-même rencontrerait bientôt quelqu'un. Lionel saurait de toute façon qu'elle continuait de l'aimer, et quant aux autres... elle s'en moquait. Elle espérait bien ne jamais les revoir. Sur la route de San Francisco, elle avait même sérieusement envisagé de changer de nom, mais une fois dans les rues de Haight-Ashbury, elle avait compris que personne ne ferait attention à elle. Il y avait là des filles et des garçons qui semblaient plus jeunes qu'elle. Sa famille ne se douterait jamais qu'elle était ici. Elle n'en avait parlé à personne. « Anne » était un prénom anonyme. Et puis avec son visage passe-partout, ses cheveux d'un blond tout ce qu'il y a de plus ordinaire, elle ne risquait rien... ce n'était pas comme la chevelure d'or pâle de Van, ou le rouge flamme de Val. L'auraient-elles voulu que les jumelles n'auraient pu s'enfuir bien loin. Mais Anne n'avait pas ce problème. Elle se serait fondue dans n'importe quelle foule. C'était ce qu'elle faisait depuis des années au sein de sa propre famille. Personne ne savait jamais quand elle était là, quand elle n'y était pas, quand elle rentrait ou quand elle sortait. « Où est Anne? » Combien de fois les avait-elle entendus poser cette question! Ici, ce serait un jeu d'enfant, par comparaison.

« Tu as faim, petite sœur? »

Elle leva les yeux et vit une fille vêtue d'un drap entortillé autour du corps, avec par-dessus un parka violet tout déchiré. La fille lui souriait en lui tendant un morceau de gâteau aux carottes. Anne craignait qu'il ne soit fourré de L.S.D. ou d'une autre drogue, mais la fille au parka le devina.

« Il n'y a rien dedans. Dis donc, on dirait que tu es nouvelle ici?

– Je viens d'arriver. »

La fille au parka avait seize ans et cela faisait sept mois qu'elle vivait ici. Elle était venue en mai de Philadelphie. Ses parents ne l'avaient pas encore retrouvée, mais elle avait lu leurs annonces dans la rubrique des messages personnels. Elle n'avait nullement l'intention de leur répondre. Il y avait bien un curé qui traînait dans le quartier en offrant de les aider et de prendre contact avec leurs parents s'ils le désiraient, mais il n'avait pas beaucoup de clients et Daphné n'en faisait certainement pas partie.

« Je m'appelle Daphné. T'as un endroit pour dormir cette nuit? »

Anne hésita avant de secouer négativement la tête.

« Pas encore.

– Je connais un coin dans Waller Street. On peut y rester tant qu'on veut à condition d'aider pour le ménage et la bouffe quand les autres le demandent. »

Ils avaient eu deux débuts d'hépatite la semaine d'avant, mais Daphné ne parla pas de ça. D'après ce qu'elle lui dit, tout n'était chez eux que beauté et amour. Les rats, les poux, les morts par overdose, ce n'étaient pas des sujets de conversation pour une novice. Et puis, ce genre d'accidents était fréquent. Ils vivaient une époque particulière. Une ère de paix, d'amour, de joie. Une vague d'amour contre les morts inutiles du Vietnam. Pour eux, le temps n'existait plus, ce qui comptait, c'était le ici-et-maintenant, l'amour, la paix, l'amitié de tous. L'amitié de cette fille rencontrée dans la rue. Daphné l'embrassa sur les deux joues, la prit par la main et la conduisit à la maison de Waller Street.

Là vivaient trente à quarante personnes, la plupart habillées à l'indienne, dans toutes les couleurs de l'arc-en-ciel, mais il y en avait aussi dans des jeans rapiécés ou des tuniques brodées de plumes et de paillettes. Anne se sentait comme le vilain petit canard avec son jean neuf et son col roulé marron. Mais la fille qui l'accueillit à l'entrée offrit de lui prêter une de ses robes et Anne se retrouva instantanément costumée elle aussi. La robe du soir rose pâle provenait d'une boutique de charité de Dividasero Street. Anne glissa ses pieds dans des tongues de caoutchouc, dénoua ses cheveux qu'elle tissa de fleurs. Plus rien ne la différenciait d'eux et en fin d'après-midi, elle se sentait adoptée. Ils mangèrent un plat indien accompagné de pain cuit à la maison. Elle tira quelques bouffées d'un joint qu'on lui offrit et s'allongea dans un sac de couchage. Elle était bien, rassasiée, au chaud, heureuse. Dans les yeux de ses nouveaux amis, elle sentait une chaleur, une compréhension qu'elle n'avait jamais connues jusqu'alors. Elle songea qu'elle serait heureuse parmi eux. C'était si différent de la maison de Beverly Hills... des sanctions que son père avait prises contre Lionel... sa violence... les perfidies de tous... la stupidité de Gregory, l'égoïsme des jumelles... cette femme qui se disait sa mère et qu'elle n'avait jamais comprise... Non, sa place était ici.

Dans Waller Street, au milieu de tous ses nouveaux amis.

Ils l'initièrent trois jours après son arrivée. Cela semblait juste et bon, un acte d'amour suprême dans une pièce pleine d'encens, auprès d'un feu de cheminée. Il faisait bon, et les hallucinations la transportèrent de ciel en enfer et de nouveau au ciel. Elle savait qu'elle serait quelqu'un d'autre lorsqu'elle se réveillerait. Ils le lui avaient dit avant de lui donner des champignons à manger, ainsi qu'une minuscule pilule de L.S.D. dans un sucre. Il fallut un certain temps avant que la drogue fasse effet, mais lorsque sa conscience se mit à dériver, la pièce s'emplit d'esprits amicaux et d'une foule de gens qu'elle connaissait. Puis ce furent les araignées et les cafards et un tas de choses épouvantables; elle hurla et se débattit. Mais ils lui tinrent les mains, et lorsqu'elle se tordit de douleur, ils chantèrent pour elle et la bercèrent comme sa mère ne l'avait jamais fait... ni même Lionel... Elle traversa un désert sur les mains et les genoux, puis arriva dans une forêt enchantée, remplie de petits elfes dont elle sentit les mains sur elle, et de nouveau, les esprits chantèrent. Alors, les visages qui l'avaient veillée toute la nuit et qui avaient patiemment attendu qu'elle soit lavée du mal de sa vie passée s'approchèrent tous ensemble et se penchèrent sur elle.

Elle se sentait purifiée, elle savait que maintenant elle était définitivement des leurs. Les esprits du mal avaient été vaincus, ils l'avaient à jamais quittée, elle était enfin propre... et maintenant, ils pouvaient achever le rituel. Doucement, ils lui enlevèrent un à un ses vêtements et la lavèrent avec des huiles parfumées, chacun massant une portion de sa chair tendre... Elle avait fait un long voyage cette nuit-là et elle avait mal par endroits, mais les femmes la massèrent doucement, lui préparèrent son corps. Lentement, elles prirent possession d'elle, écartant ses jambes, pénétrant toujours plus intimement. Elle hurla et lutta tout d'abord, mais elles murmurèrent des mots doux à son oreille, et il y avait de la musique. Elles lui firent boire quelque chose de chaud, versèrent davantage d'huile sur son corps, tandis que ses deux anges gardiens massaient avec tendresse sa partie la plus intime. Elle frémit sous leurs caresses, hurlant de douleur et de bien-être, et ce fut alors que ses nouveaux frères entrèrent en action. Ils s'agenouillèrent devant elle tandis que ses sœurs chantaient, la musique se fit plus forte et des oiseaux volaient très haut, au-dessus d'elle... Ce furent des accès de douleur fulgurante, puis des vagues d'extase qui la soulevaient, et encore et encore ils la pénétrèrent, entrant en elle, puis la quittant, et ce fut alors au tour de ses sœurs de l'entourer et de l'embrasser, toujours plus profond, jusqu'à ce qu'elle ne sente ni n'entende plus rien. La musique s'était tue. La pièce était obscure. Le passé était mort. Elle remua, se demandant si elle avait rêvé, mais lorsqu'elle se redressa, elle les vit tous là, près d'elle, l'attendant dans l'ombre. Elle était partie pendant très longtemps et fut étonnée de les voir si nombreux. Mais elle les reconnut tous et, en pleurant, tendit les bras pour qu'ils viennent l'embrasser. Elle était une femme, maintenant, leur sœur. Ils lui donnèrent un autre cachet d'acide pour la récompenser et cette fois, elle dériva avec eux, tout de blanc vêtue, nouvelle brebis du troupeau. Lorsqu'ils revinrent vers elle, elle partagea cette joie avec eux tous, embrassant elle aussi, caressant ses sœurs comme elles l'avaient caressée. Elle était une des leurs et c'était maintenant son privilège, lui expliquèrent-ils, l'expression de leur amour partagé. Elle participa plusieurs fois au rituel les semaines suivantes et chaque fois qu'une tête nouvelle se présentait à Waller Street, c'était Pervenche qui l'accueillait, avec des fleurs dans ses cheveux blonds et son doux sourire... Pervenche qui s'appelait Anne, autrefois... Elle vivait surtout de L.S.D. et n'avait jamais été aussi heureuse de sa vie.

Trois mois après son arrivée, un de ses frères la prit pour femme. Il s'appelait Lune, c'était un grand garçon mince et beau, aux cheveux argentés et au regard tendre. Il la couchait dans son lit tous les soirs et la berçait. Il lui rappelait un peu Lionel, en un sens. Elle le suivait partout et accourait dès qu'il l'appelait avec ce sourire de mystique qui l'attirait si fort.

« Viens, Pervenche... viens me voir... »

Elle avait appris les gestes qu'il aimait, savait lui préparer ses décoctions d'herbes à l'exacte température, savait quand il était en manque ou avait besoin de ses caresses. Et lorsque arrivait une nouvelle fille, c'était maintenant Pervenche qui voyait ses sœurs la première, leur versait doucement de l'huile sur le corps, les accueillait dans la tribu, préparant doucement leurs corps pour les autres, de ses doigts légers. Lune était toujours très fier d'elle et il lui donnait du L.S.D. en supplément. C'était étrange à quel point cette vie était différente de celle d'avant. Une vie pleine de couleurs et de gens qu'elle aimait, et qui l'aimaient. Rien ne subsistait de l'affreuse solitude d'autrefois. Elle les avait tous oubliés. Et lorsque au printemps, Lune caressa son ventre et lui dit qu'elle attendait un enfant et ne pourrait plus participer au rituel, elle pleura.

« Ne pleure pas, petit amour... Tu dois te préparer pour un plus grand rituel. Nous serons tous à tes côtés lorsque ce petit rayon de lune percera le ciel et viendra à la vie, mais d'ici là... »

Il lui interdit les cachets d'acide, mais la laissa fumer autant de marijuana qu'elle en désirait. Il se moqua d'elle lorsque son appétit augmenta.

Le bébé commençait tout juste à se voir lorsqu'un jour qu'elle se promenait dans Haight Street, elle vit un visage du passé, qu'elle reconnut, mais sans savoir de qui il s'agissait. Pensive, elle rentra à la maison de Waller Street en parler à Lune.

« J'ai rencontré quelqu'un que je connais. »

Cela ne l'inquiéta pas. Il leur arrivait à tous de croiser des gens qu'ils connaissaient, dans leurs cœurs et dans leurs âmes, et parfois même de façon plus concrète. La femme et l'enfant de Lune étaient morts dans un accident de bateau, juste avant qu'il quitte définitivement sa maison de Boston pour venir ici. Et il les voyait sans arrêt dans sa tête, surtout pendant le rituel. Aussi n'était-il guère surpris que Pervenche ait rencontré quelqu'un qu'elle connaissait. C'était le signe qu'elle avait atteint un plus haut niveau d'élévation et il en était heureux. Cet enfant de lui qu'elle portait l'amènerait encore plus haut.

« Qui était-ce, mon bébé?

– Je ne sais pas. Je n'arrive pas à me rappeler son nom. »

Il consentit exceptionnellement à lui donner un peu d'acide ce soir-là, et le nom de Jésus continua de la hanter, mais elle était sûre que ce n'était pas lui.

Lune lui sourit. Plus tard, il lui donnerait des champignons et de nouveau de l'acide, mais il fallait qu'elle reste pure pour l'enfant. Elle devait prendre juste assez de drogue pour garder un état extatique. Mais il ne fallait pas qu'elle s'envole trop haut, cela ferait peur à l'enfant. Et ce bébé leur appartenait à tous, après tout. Ils y avaient tous participé, les frères et les sœurs ensemble. Lune était convaincu qu'il avait été conçu la première nuit de son initiation, lorsqu'elle était au centre du rituel. Leur enfant en serait béni entre tous et au moment même où il le lui rappela, le nom de John lui revint clairement à l'esprit, et soudain, elle se souvint de lui.

CHAPITRE 23

« Es-tu sûr? »

Lionel le fixait d'un air incrédule. C'était la troisième fois que John lui faisait le coup. Ils avaient tous deux délaissé la fac trois mois plus tôt, au désespoir de tous, pour aller à San Francisco, à la recherche d'Anne. Ward avait refusé d'écouter Faye lorsqu'elle avait voulu lui apprendre la nouvelle, et Bob Wells craignait que ce ne fût qu'un prétexte pour laisser tomber leurs études et retrouver la communauté homosexuelle qui vivait librement à San Francisco.

Mais Lionel était certain qu'Anne s'y trouvait. San Francisco était le refuge de tous les fugueurs, et, bien qu'il n'en ait rien dit à ses parents, il savait que c'était un endroit où on pouvait vivre des années sans être retrouvé ou dénoncé. Ils étaient des milliers là-bas, entassés dans des appartements minuscules, grouillant comme des fourmis dans les maisons de Haight-Ashbury, des maisons peintes de toutes les couleurs, avec des fleurs, des tapis persans, de l'encens, de la drogue et des sacs de couchage dans tous les coins. C'était un lieu unique, une époque d'exception, et Lionel pressentait qu'Anne en faisait partie. Il l'avait senti dès qu'il avait débarqué à San Francisco. Tout le problème était de la retrouver dans cette fourmilière humaine. Pendant des mois, John et lui avaient passé chaque rue au peigne fin, sans succès, et leur temps était compté. Ils avaient promis d'être de retour à la fac pour le mois de juin, afin de rattraper leur retard en suivant les cours d'été.

« Si au bout de trois mois, vous ne l'avez toujours pas trouvée, leur avait dit Bob Wells, il faudra abandonner les recherches. Elle peut aussi bien être à New York, à Hawaii ou au Canada. »

Mais Lionel était sûr de son fait. Anne était allée à San Francisco pour chercher l'amour que sa famille n'avait jamais su lui donner. John était d'accord avec lui. Et il était certain de l'avoir vue près d'Ashbury ce jour-là, l'air hébété, drapée dans un couvre-lit violet, une couronne de fleurs sur la tête, et les yeux si vitreux qu'il se demandait si elle l'avait vu. Mais pendant un instant, rien qu'un instant, il avait eu l'impression qu'elle l'avait reconnu. Elle avait poursuivi son chemin, nonchalamment. Il l'avait suivie jusqu'à une vieille baraque au bord de la ruine qui semblait abriter une colonie de drogués et de fugueurs. L'odeur de l'encens flottait jusque dans la rue, et ils étaient une vingtaine assis sur les marches de l'entrée, en train de chanter un chant indien en se tenant par la main, riant doucement et s'interrompant parfois pour faire signe à des amis. Lorsqu'elle arriva jusqu'à eux, ils s'écartèrent comme les eaux de la mer Rouge et l'aidèrent à grimper jusqu'en haut. Un homme aux cheveux grisonnants l'attendait sur le seuil et la prit dans ses bras pour la porter à l'intérieur. C'était la scène la plus étrange que John ait jamais vue. Il la relata à Lionel, s'efforçant de décrire Anne avec le plus de précisions possible.

« Je dois le reconnaître, ça lui ressemble. »

Mais les autres filles qu'avait rencontrées John lui

ressemblaient aussi. Chaque jour, ils se séparaient et erraient à sa recherche dans le quartier, chacun de leur côté. Si elle s'y trouvait réellement, c'était étonnant qu'ils ne l'aient pas encore repérée. Le soir, ils rentraient à l'hôtel ou Lionel avait loué une chambre avec l'argent de sa mère. Ils dînaient en général d'un hamburger dans une cafétéria voisine. Mais ils ne se rendirent dans aucun bar pour homosexuels. Ils se contentaient d'eux-mêmes.

Au matin, ils reprenaient les recherches. C'était un véritable travail d'amour, comme Faye n'en avait jamais vu. Elle avait pris plusieurs fois l'avion pour aller les aider, mais, comme Lionel le lui expliqua finalement, elle les gênait plutôt qu'autre chose. Elle détonnait au milieu des hippies; ses chemisiers étaient repassés, et même en réduisant la quantité de bijoux qu'elle portait, c'était encore trop, et puis ses jeans étaient trop propres. Cela sautait aux yeux qu'elle était la mère d'un fugueur de Beverly Hills, et les jeunes filaient comme des rats. Aussi Li avait-il préféré le lui dire franchement : « Il vaut mieux que tu rentres, maman. Nous t'appellerons dès que nous aurons un indice, c'est promis. »

Et Faye rentra à Hollywood pour un nouveau film. Cette fois, elle insista auprès de Ward pour qu'il prenne un coproducteur. Il buvait beaucoup trop et ils se disputaient de plus en plus. Ward continuait de refuser tout contact avec son fils, même au téléphone. Lorsque Lionel appela sa mère pour lui parler de ce qu'ils avaient vu à Haight-Ashbury, Ward raccrocha dès qu'il entendit le son de sa voix. Cela compliquait considérablement les communications entre Faye et son fils. Furieuse, elle se fit installer un téléphone personnel pour lui parler en toute tranquillité. Mais elle voyait bien que ses enfants évitaient eux aussi leur frère; ils craignaient les représailles de leur père. Les jumelles ne répondaient jamais au téléphone qu'elle avait fait spécialement installer pour lui. Elles avaient pris les menaces paternelles au pied de la lettre. Lionel était abandonné de tous, sauf de sa mère, qui l'en aimait encore davantage, par pitié pour lui, par reconnaissance pour ce qu'il faisait pour Anne et aussi parce qu'elle se sentait seule. Elle téléphonait à Mary Wells le plus souvent possible pour lui exprimer sa gratitude envers John. Les Wells avaient admis la situation avec beaucoup d'élégance. Ils aimaient leur fils et acceptaient aussi le sien. On ne pouvait en dire autant de Ward, qui ne leur avait plus adressé la parole depuis que Bob Wells l'avait mis dehors, le jour où il était venu tout leur raconter.

Rien n'était comme avant entre Faye et Ward. Malgré la fugue d'Anne, il s'était rendu à la finale de football avec Greg. Il se disait certain que la police la retrouverait. Lorsqu'on la ramènerait, il la punirait, même s'il fallait la priver de sortie pendant dix ans pour qu'elle redevienne raisonnable. Mais il était incapable d'en supporter davantage, et il fuit plus qu'il ne partit avec Greg pour la finale, où il s'amusa comme un fou. En rentrant, il sembla surpris que la police n'ait pas encore réussi à localiser sa fille. Au cours des semaines qui suivirent, il se mit à arpenter sa chambre la nuit, bondissant sur le téléphone chaque fois qu'il sonnait. C'était plus grave qu'il ne l'avait pensé au départ. La police leur avait dit sans ménagement qu'il était fort possible qu'elle soit morte, ou que, si elle était encore en vie, ils ne parviennent jamais à la retrouver. C'était comme s'ils avaient perdu deux de leurs enfants en même temps. Faye sentait qu'ils ne s'en remettraient jamais. Elle s'immergea dans le travail pour oublier sa peine, sans résultat, et passa tout son temps libre avec les jumelles. Elles aussi étaient ébranlées. Vanessa était encore plus calme qu'auparavant; sa grande histoire d'amour s'était achevée rapidement. Et même Valérie était plus réservée. Elle se maquillait beaucoup moins, sortait peu. Ses minijupes étaient moins choquantes et sa garde-robe ne s'était pas renouvelée. Tout le monde à la maison semblait attendre un signe qui ne viendrait peut-être pas. Plus les jours passaient, plus Faye en venait à penser que sa fille était morte.

Elle se remit à fréquenter les églises, ce qu'elle n'avait pas fait depuis des années. Elle ne disait rien à Ward lorsqu'il ne rentrait pas le soir. Au début, il reparaissait vers une heure ou deux heures du matin, quand les bars fermaient, et il était facile de deviner où il était allé; mais peu à peu, il ne rentra plus. La première fois que cela se produisit, Faye fut certaine qu'il s'était fait tuer. Mais il rentra sur la pointe des pieds le lendemain matin à six heures, son journal sous le bras, avec un air qui lui fit peur. Il n'était pas ivre, mais il ne lui fournit aucune explication. Et soudain, un nom qu'elle avait depuis longtemps oublié lui revint en mémoire... Maisie Abernathie... Elle se souvint du jour où Ward était parti pour le Mexique avec cette fille. A l'évidence, il ne s'agissait pas de la même, mais Ward avait eu le même regard... et cette façon d'éviter le sien. Dès lors, elle coupa tout lien avec lui. Il rentrait de moins en moins à la maison, mais Faye ne ressentait plus rien, tant elle était accablée par la tragédie qu'elle vivait. Elle ne continuait que par instinct de survie. Ses journées étaient accaparées par le travail, ses nuits par la culpabilité, et entre les deux, elle faisait tout ce qu'elle pouvait pour les jumelles. Mais leur famille n'existait plus.

Elle sut la vérité par les rumeurs de la M.G.M. Ward sortait avec la vedette d'un show télévisé, et si ce que l'on disait était vrai, c'était du sérieux. Faye espéra seulement que les journaux n'en parleraient pas, pour qu'elle n'ait rien à expliquer aux jumelles. Elle avait assez de soucis comme ça. Et juste au moment où elle pensait qu'elle allait s'effondrer, Lionel l'appela. Il était sorti cet après-midi-là avec John et ils avaient suivi la fille que John avait identifiée. Li était certain que c'était Anne. Elle lui avait semblé hébétée, droguée, elle paraissait avoir pris du poids. Elle était enveloppée dans une espèce de sari violet, mais tous deux étaient certains que c'était elle.

De grosses larmes coulèrent sur les joues de Faye en l'écoutant.

« Tu es bien sûr que c'est elle? »

Lionel répondit qu'il l'était autant que possible. Elle semblait dans le cirage et son corps était emmailloté dans cet étrange accoutrement. Ils ne l'avaient vue que de loin, entourée des membres de sa secte. S'ils avaient pu crier « Anne! » et qu'elle se fût retournée, ils n'auraient eu aucun doute. Lionel redouta d'avoir donné un faux espoir à sa mère.

« Non, nous n'en sommes pas absolument sûrs. Je t'appelais pour savoir ce que tu veux que nous fassions, maintenant.

– La police nous a dit d'appeler.

– Et si ce n'est pas elle?

– Apparemment, ils sont habitués à ce genre de cas. Même si ce n'est pas Anne, ce sera sans doute une autre des filles qu'ils recherchent. Ils m'ont dit qu'il ne fallait pas hésiter à les appeler si nous pensions savoir où elle se trouvait. Il paraît qu'il y a là-bas un curé, le père Paul Brown, qui les connaît tous. Il rend de grands services à la police. (Les garçons le connaissaient et convinrent de le contacter en même temps que la police.) Tu crois que je peux venir vous rejoindre dès ce soir? »

Elle n'avait rien pour occuper ses soirées après le travail. Ward n'était jamais là. Il ne prenait même pas la peine de rentrer pour la forme. Il s'attendait sans doute à ce qu'elle lui fasse une scène, mais elle n'en avait pas la force. Elle se demandait si les rumeurs étaient vraies lorsqu'elles parlaient d'une liaison durable. Il lui semblait incroyable de divorcer après toutes ces années, mais c'était pourtant probable, maintenant... si seulement ils retrouvaient Anne... et si Lionel retournait en fac... elle s'occuperait alors de Ward... du divorce...

Sa ligne privée avec Lionel sonna à minuit cette nuit-là. Elle sut que ce ne pouvait être que lui. Ward ne téléphonait plus lorsqu'il ne rentrait pas, et de toute façon, il l'aurait appelée sur la ligne ordinaire.

Elle décrocha le combiné et retint son souffle.

« C'est toi, Li?

– Les flics pensent eux aussi que c'est elle. Nous les avons mis sur sa piste. Ils ont une demi-douzaine d'homme en civil du Narcotic Bureau qui travaillent dans le coin et font aussi la chasse aux fugueurs. Ils ont parlé avec le père Brown. D'après lui, elle s'appelle Pervenche. Il la connaît, mais il ne croit pas qu'elle soit aussi jeune qu'Anne. »

Anne aurait eu quatorze ans et demi, mais elle avait toujours fait plus vieux que son âge. Lionel ne parla pas à Faye des autres révélations du père Brown : qu'elle vivait dans une secte aux curieuses pratiques érotiques, notamment l'amour en groupe. Ils avaient tous été arrêtés plusieurs fois, mais on n'avait rien pu prouver contre eux, ni sur leurs pratiques ni sur le fait qu'ils hébergeaient un grand nombre de mineurs. Ils affirmaient tous qu'ils avaient plus de dix-huit ans et c'était impossible à vérifier. Le prêtre leur avait aussi révélé qu'ils prenaient une grande quantité de L.S.D., ainsi que des « champignons magiques », comme s'ils désignaient le peyotl hallucinogène. Le pire, c'était que cette fille attendait un enfant. Mais Lionel n'osa pas le dire à sa mère, pas encore, du moins.

« Dis-moi, maman, tu veux qu'elle soit arrêtée ou qu'ils la questionnent simplement? »

Ils n'en étaient encore jamais arrivés à ce stade auparavant. Faye sentit son cœur défaillir en pensant qu'il s'agissait sans doute de son enfant. Elle n'avait pas revu Anne depuis cinq mois, et Dieu seul savait ce qui avait pu lui arriver dans l'intervalle. Elle ne se laissa même pas aller à cette pensée et concentra son esprit sur ce que Lionel venait de lui demander.

« Serait-il possible qu'ils la sortent de cette maison le temps que tu puisses la regarder? »

Lionel soupira. Il en avait débattu avec la police toute la journée.

« Ils ne peuvent le faire que si c'est bien Anne. Sinon, et si la fille n'est pas en fugue et majeure, elle peut les poursuivre pour abus d'autorité. Les hippies ne font pas ça en général, mais les flics préfèrent être prudents. Ils ont dû se casser le nez plusieurs fois. »

Il semblait si las qu'elle compatit et soupira à son tour. Elle voulait retrouver Anne à tout prix.

« Dis-leur de faire leur boulot, mon chéri. Il faut que nous sachions si c'est elle ou non. »

Lionel acquiesça à l'autre bout du fil.

« J'ai rendez-vous avec des flics en civil demain matin à dix heures. Ils vont surveiller la maison et la faire filer. Nous allons essayer de lui parler. Sinon, ils l'arrêteront sous un prétexte quelconque. »

Faye sembla choquée.

« Est-ce qu'elle se drogue? »

Lionel hésita et interrogea John du regard. Ils ne

pouvaient plus supporter l'ambiance de Haight-Ashbury, la saleté, la drogue, toute cette foule de jeunes, de fugueurs, de mineurs. Ils étaient sur le point d'abandonner lorsqu'ils avaient trouvé cette piste... Si seulement ce pouvait être elle...

« C'est à craindre, malheureusement. A condition que ce soit bien Anne. Elle n'a pas l'air en très bonne forme.

– Est-elle malade? »

Il y avait une telle angoisse dans la voix de Faye qu'il en fut bouleversé.

« Non, juste groggy. Elle vit dans une drôle de maison, une sorte de secte orientale.

– Mon Dieu... »

Peut-être lui avait-on rasé le crâne. Faye n'arrivait pas à se l'imaginer ainsi. La visite de ce quartier bizarre l'avait déroutée, la première fois qu'elle était montée à San Francisco pour les aider. Elle avait même été soulagée lorsqu'ils lui avaient demandé de repartir. Mais maintenant, elle voulait retourner là-bas. Elle avait l'intime conviction que cette fois, il s'agissait bien d'Anne, et elle voulait être là lorsqu'ils la récupéreraient. Elle repensa à la naissance d'Anne. Elle la revoyait bébé... Comment tout cela pouvait-il avoir passé si vite?

« Nous te rappellerons demain, maman, dès qu'il y aura du nouveau.

– Je serai au bureau toute la journée. Dois-je réserver une place sur le vol de l'après-midi, au cas où...? »

Lionel sourit.

« Non, je te rappellerai, que ce soit elle ou non.

– Merci, mon chéri. »

C'était vraiment le plus merveilleux des fils, et elle se fichait qu'il fût homosexuel. C'était un meilleur fils que Greg ne l'avait jamais été, bien qu'elle l'aimât autant. Greg n'était pas aussi sensible. Il n'aurait jamais laissé tomber ses études pendant trois mois pour rechercher sa sœur. En fait, lorsqu'il était revenu pour Pâques, il avait traité son aîné de cinglé. Ward lui avait aussitôt jeté un regard glacial parce qu'il avait prononcé le nom interdit, et elle avait dû prendre sur elle-même pour ne pas le gifler devant Greg. Elle lui en voulait trop et se disait que ce serait peut-être un soulagement de demander le divorce. Mais son esprit était bien trop accaparé par Anne.

Elle resta éveillée dans son lit longtemps après le coup de fil de Lionel, revoyant Anne petite fille, se souvenant des mots drôles qu'elle avait eus, de sa façon de toujours se cacher, de sa passion pour son grand frère. Anne était née au mauvais moment, mais ce n'était pas sa faute. Le désastre était arrivé quelques mois seulement après sa naissance, et Faye avait été trop occupée par la vente de la maison, de leurs antiquités, de ses bijoux, et par le déménagement dans cette affreuse bicoque de Monterey Park. Puis il y avait eu le départ de Ward, ses propres efforts pour trouver du travail... Ses autres enfants étaient assez grands pour pouvoir davantage se passer d'elle. Mais il n'en avait pas été de même pour Anne... jamais... elle avait toujours travaillé depuis, et Anne avait été sacrifiée, mise au rancart. Faye se remémorait les moments où la nurse était venue, plusieurs mois après la naissance d'Anne, lui demander de prendre l'enfant dans ses bras, de lui donner le biberon, et de sa réponse : « Pas maintenant... je n'ai pas le temps. » Elle l'avait envoyée promener ainsi des centaines de fois. Anne en gardait les séquelles. Mais comment aurait-elle pu expliquer à une enfant de cet âge qu'elle l'aimait, mais n'avait simplement pas le temps... On n'avait pas le droit de faire un enfant si on ne pouvait se consacrer au moins un peu à lui. Lorsqu'elle avait conçu Anne, Faye était libre comme l'air, la vie était belle et facile. Malchance, mauvaise époque... mauvaise mère, se répétait-elle sans arrêt dans le grand lit vide, se demandant s'il était trop tard, si Anne la détesterait toute sa vie pour ce qu'elle lui avait fait. C'était possible. Il y avait parfois des accrocs dans le tissu de la vie qui ne se raccommodaient jamais, comme sa relation avec Ward... avec sa fille... la relation entre Lionel et son père... des accrocs dans leur famille, irréparables. Tout cela la torturait.

Elle se leva à six heures, n'ayant pas dormi de la nuit. Mais il lui était impossible de dormir avec cette incertitude au sujet d'Anne. Elle prit une douche, s'habilla, attendit que les jumelles soient prêtes pour l'école, puis se rendit à son bureau de la M.G.M. Elle était étonnée que Ward ne fasse même pas semblant de rester son mari. Il ne l'appelait pas, ne cherchait pas à expliquer pourquoi il ne couchait plus à la maison. Lorsqu'il lui arrivait encore de rentrer, il dormait dans la chambre de Greg et ils n'échangeaient pas un mot.

Ce jour-là, elle l'aperçut en descendant plus tard dans la matinée, mais ne lui dit rien. Ce n'était pas la peine de le mettre au courant pour Anne avant d'être certain qu'il s'agissait bien d'elle.

Au début de l'après-midi, elle crut que son cœur allait s'arrêter de battre lorsque la secrétaire lui dit que son fils Lionel était en ligne. Fébrilement, elle appuya sur le bouton pour avoir la communication.

« Li?

– Pas d'affolement, maman. Tout va bien. »

Il tremblait de la tête aux pieds mais il ne voulait surtout pas qu'elle le sente. Ils avaient eu un mal de chien à la sortir de là, mais la police avait bien manœuvré et personne n'avait été blessé, pas même Anne. Elle était un peu dans le cirage, mais elle ne parut pas s'offusquer qu'on l'enlève à la secte. Le vieux n'avait pas été aussi accommodant et les avait menacés d'un bâton en criant bien fort que les dieux les puniraient de lui avoir volé son enfant. Mais elle s'était laissé emmener sans résistance. Elle avait souri à Lionel en semblant le reconnaître. Mais elle était sous l'effet d'une grande quantité de drogue, et lorsqu'elle reprendrait ses esprits, le choc serait sans doute terrible. Les flics étaient habitués à ce genre de choses et il y avait un médecin auprès d'elle.

Faye l'écouta en retenant son souffle, puis explosa :

« Mais enfin, est-ce que c'est bien Anne? »

Elle ferma les yeux, espérant de toute son âme.

« Oui, oui, maman, c'est elle, pas de doute là-dessus. Elle va bien, enfin, plus ou moins... »

Ils l'avaient enfin retrouvée! Lionel regarda John. Les derniers mois avaient tissé entre eux un lien qui, ils le sentaient, durerait toute leur vie. Un lien comparable à celui du mariage. Lionel se hâta de rassurer sa mère, toujours anxieuse au bout du fil.

« Elle va bien. Nous sommes au commissariat de Bryant Street, avec elle. Si tu le leur demandes, ils me la confieront. Je pourrai te la ramener d'ici un ou deux jours, le temps qu'elle se réhabitue.

– Réhabitue à quoi? »

Il avait beaucoup à lui dire, mais il ne pouvait pas encore. Pas au téléphone, en tout cas. Il fallait qu'il la prépare.

« Elle a vécu très loin de nous pendant longtemps, maman. Il faut qu'elle se réadapte au monde réel. Sa vie dans la secte était très différente, tu sais. »

Il souhaita qu'elle ne prenne jamais connaissance de ce que lui avait raconté la police. Ils connaissaient bien les rites de la secte. Il aurait craint pour la vie de sa mère si elle avait su la vérité, même si Anne ne semblait pas trop s'en ressentir. Lionel lui avait en fait trouvé l'air plus heureux que jamais. Mais c'était certainement l'effet de la drogue, et elle ne serait sans doute pas aussi gaie lorsqu'elle redescendrait sur terre. La police avait pensé un moment l'arrêter pour usage de stupéfiants, mais comme Anne n'avait que quatorze ans et avait sans doute été contrainte, ils avaient abandonné cette idée. Ils voulaient savoir si les Thayer avaient l'intention de poursuivre les membres de la secte pour enlèvement ou attentat à la pudeur. Lionel savait que c'était à ses parents d'en décider. Faye s'efforçait de comprendre, au-delà des mots, ce que son fils essayait de lui expliquer.

« Tu veux dire qu'elle est droguée? »

Il hésita, mais il fallait bien qu'elle sache.

« Oui, c'est ça.

– Des drogues dures, comme l'héroïne?... »

Faye pâlit. En ce cas, sa vie serait compromise pour toujours. On ne se libérait jamais de l'héroïne. Mais Lionel la rassura aussitôt.

« Non, non, plutôt de la marijuana, et sans doute aussi un peu de L.S.D. et d'autres hallucinogènes.

– Est-ce que la police va la garder?

– Non. Je crois que je vais la ramener à l'hôtel, pour qu'elle prenne un bain et se repose un peu. (Il ne voulait pas dire :« se désintoxique ».)

– J'arrive par le prochain avion. »

Lionel serra les dents. Il voulait à tout prix rendre sa sœur un peu plus présentable avant l'arrivée de Faye, et le « prochain avion » ne lui laissait guère de temps. Il y avait en tout cas une chose qu'il ne pourrait cacher à sa mère.

« Maman, je voulais aussi te dire... »

Elle avait bien senti qu'il y avait autre chose.

Anne devait être blessée... quelque chose comme ça...

« Qu'est-ce que c'est, Li?

– Eh bien, elle est enceinte.

– Oh! mon Dieu! (Elle fondit aussitôt en larmes.) Mais elle n'a que quatorze ans!

– Je le sais bien, maman. Je suis désolé...

– Est-ce qu'ils ont aussi arrêté le garçon? »

Il n'eut pas le cœur de lui avouer que l'enfant avait sans doute été conçu, non pas par « un garçon », comme elle disait, mais par trente membres masculins de la secte ou davantage. Il resta dans le vague et dit que c'était à Anne d'en décider. Après cela, Faye ne put retrouver son calme. Elle inscrivit rapidement sur son bloc de bureau : « Appeler le docteur Smythe. » Il se chargerait de la faire avorter. Il s'était occupé d'une de ses actrices l'année d'avant et s'il refusait d'opérer une enfant de cet âge, elle emmènerait Anne à Londres ou à Tokyo. Il n'était pas question de la laisser dans cet état. Elle avait sans doute été violée. L'idée d'Anne enceinte était encore plus terrible que tout le reste. Elle pleurait encore après avoir raccroché puis resta un long moment le visage enfoui dans ses mains. Enfin elle respira profondément, se moucha et releva la tête pour descendre affronter Ward. Il fallait qu'il soit mis au courant. Anne était aussi sa fille, en dépit de tout ce qui les séparait. Elle se demanda comment ils s'en sortiraient sur le plan professionnel, s'ils divorçaient. Rien n'était encore changé dans ce domaine, mais c'était une situation qui ne pouvait durer. Et maintenant qu'Anne était retrouvée, Lionel rentrerait à Los Angeles. Elle n'avait plus aucun prétexte pour échapper à la confrontation nécessaire avec Ward. Elle entra chez sa secrétaire, qui sursauta en la voyant.

« M. Thayer est là? »

Elle savait qu'il y était. Elle l'avait aperçu peu de temps auparavant.

La secrétaire la regarda d'un air gêné et laissa tomber son stylo sur le sol.

« Non... Euh... Il n'est pas là, répondit-elle en évitant son regard.

– C'est faux. (Faye n'était pas d'humeur à écouter ces sornettes.) Je suis absolument certaine qu'il est ici.

– C'est-à-dire que... il est bien là, mais il a demandé qu'on ne le dérange pas.

– Il est sans doute fort occupé sur le divan de son bureau, c'est ça? (Les yeux de Faye lançaient des éclairs. Elle n'était pas dupe de ce qui se passait, et dans leurs bureaux, en plus. Il ne manquait pas de culot.) Je ne savais pas que les divans de la maison servaient autant. (Elle se dirigea vers la porte du bureau de Ward et la secrétaire prit un air affolé.) Ne vous inquiétez pas. Je lui dirai que je suis entrée par la force. »

Sur ce, elle ouvrit la porte. La scène qu'elle découvrit était en fait assez convenable. Ward et Carol Robbins, la vedette d'un mélo qui passait chaque jour à la télévision, étaient tous deux décents et causaient de part et d'autre de son bureau. Il lui tenait la main, et tout laissait à penser qu'ils étaient très amoureux. C'était une jolie blonde avec de longues jambes et des seins énormes. Elle jouait une infirmière dans ce feuilleton et les hommes aimaient voir craquer les boutons de sa blouse. Faye se dirigea droit sur Ward, qui lâcha précipitamment la main de sa belle et leva vers sa femme un regard inquiet.

« Ils ont retrouvé Anne. J'ai pensé que tu aimerais le savoir. »

Il écarquilla les yeux, et elle vit qu'il était bouleversé. Pendant un instant, il oublia la présence de la starlette et ne regarda que sa femme.

« Est-ce qu'elle est saine et sauve?

– Oui. »

Elle ne lui parla pas des drogues ni de l'enfant qu'Anne attendait. Elle ne voulait pas que la fille soit mise au courant pour que cela se sache dans tout Hollywood dès l'heure du déjeuner.

« Qui l'a retrouvée? La police? »

Faye secoua la tête.

« Lionel. (Il y eut un éclair de triomphe dans ses yeux en voyant le visage de Ward se durcir.) J'y serai dans deux heures. Je vais essayer de la ramener dès ce soir à la maison. Tu pourras toujours passer la voir demain, lorsqu'elle se sera reposée. »

Il eut l'air surpris.

« Qu'est-ce qui m'empêche de rentrer la voir ce soir? »

Un petit sourire amer se dessina sur les lèvres de Faye et elle jeta un regard en coin à la fille épanouie, assise de l'autre côté du bureau.

« C'est à toi de voir. Tu as tout ton temps, il me semble, tu peux attendre demain. »

Elle le fixa de nouveau et Ward rougit sous ses cheveux blancs. Il avait encore vieilli au cours des six derniers mois. Il aurait bientôt cinquante ans, mais en paraissait davantage. Il s'était pavané avec cette fille, avait beaucoup bu et, avant cela, il avait connu deux émotions fortes. Cela avait laissé des traces sur son visage, mais Faye ne le plaignait pas. Elle avait vieilli elle aussi. Ward n'avait rien fait pour la soutenir. Il l'avait abandonnée pour se consoler dans les bras de cette fille. Elle regrettait presque de ne pas en avoir fait autant, mais elle s'était trop inquiétée pour Lionel et pour Anne. C'était maintenant qu'elle aurait aimé rencontrer quelqu'un et elle allait vite se rattraper. A quarante-six ans, elle n'était pas encore hors du circuit. Elle toisa son mari avec un mépris évident.

« Je dirai à Anne de t'appeler lorsque nous serons de retour, si elle en a envie », ajouta-t-elle.

Affolé par le ton de sa voix, il jeta un coup d'œil inquiet à la blonde plantureuse, tandis que Faye sortait du bureau.

Elle trouva la secrétaire occupée à réduire un Kleenex en lambeaux, persuadée que son patron allait la tuer; mais Faye avait l'air parfaitement calme. Elle lui fit un signe de tête avant de sortir et de courir dans le couloir. Elle devait être à l'aéroport dans une heure.

Faye venait de fourrer une brosse à dents dans son sac lorsque Ward entra en coup de vent.

« On peut savoir ce qui t'a pris? »

Son visage était écarlate, mais Faye ne pouvait deviner qu'il avait renvoyé Carol. Elle était partie en larmes, l'accusant de vouloir se débarrasser d'elle, ce qu'il envisageait d'ailleurs. En ce qui le concernait, il s'estimait toujours marié avec Faye, bien qu'elle eût semblé l'avoir oublié. Cette liaison n'avait été qu'un passe-temps, même si ces dernières semaines elle avait pris malgré lui une tournure plus sérieuse.

Faye le regarda avec une indifférence qui n'était feinte qu'en partie.

« Je n'ai pas le temps de te parler. Mon avion décolle à trois heures.

– Parfait. Nous discuterons dans l'avion. Je viens avec toi.

– Je n'ai pas besoin de ton aide. »

Le regard de Faye était froid; celui de Ward, triste.

« Tu n'as jamais eu besoin de moi, je le sais. Mais Anne est aussi ma fille. »

Pendant un moment, Faye ne sut que répondre. Elle releva finalement la tête, et ne put résister à l'envie de le blesser. Il lui avait fait trop de mal ces derniers temps.

« Tu emmènes ton amie? »

Ward baissa les yeux.

« Il faudra que nous reparlions de tout ça un jour. »

Elle approuva. Ils n'auraient certainement pas la même approche du problème.

« Je sais, et je m'occuperai de toi quand tout sera réglé pour Anne et Lionel. Je suppose que dans quelques semaines, tout sera redevenu à peu près normal. J'aurais alors tout le temps d'engager un avocat.

– Parce que c'est décidé? »

C'était un choc, mais il s'y attendait. Il n'avait rien fait pour l'empêcher, et maintenant, c'était trop tard. Il se sentait vaincu par la vie. Son mariage était détruit, son fils était pédé, sa fille s'était enfuie, et Dieu seul savait ce qui lui était arrivé.

C'était un spectacle accablant, mais Faye ne semblait nullement ébranlée. Faye ne coulait jamais. Elle continuait à nager jusqu'à l'autre berge, et elle semblait avoir réussi. Il en était heureux pour elle.

« Je suis désolé que nous en soyons arrivés là.

– Moi aussi. Mais tu ne crois pas que tu es seul responsable de cette décision? Tu ne m'as même pas téléphoné pour t'excuser. Tu t'es contenté de ne pas rentrer à la maison. Je suis même étonnée que tu n'aies pas encore fait tes valises. Chaque fois que je rentre le soir, je m'attends toujours à ne plus trouver tes affaires.

– Nous n'en sommes pas encore là, Faye.

– Je ne vois pas ce qui peut te faire dire ça. Il y a

assez longtemps que tu es parti, non, même si tu ne t'es pas donné la peine de m'en avertir. »

Cela semblait idiot de se disputer alors qu'ils venaient de retrouver Anne. Ils auraient dû s'embrasser de soulagement, au lieu de se livrer ce duel pénible. Mais ils s'étaient perdus pendant trop longtemps.

« Je ne savais pas quoi te dire, Faye.

– Sans doute. Tu t'es contenté de fuir. »

Il savait qu'elle avait raison, et que c'était la seconde fois qu'il agissait ainsi, mais il n'avait pas la force. Carol était entrée dans sa vie, il s'était senti un homme. Cela avait un peu amorti le choc de savoir son fils homosexuel... il ne sentait plus ce poids sur lui... cette remise en cause... mais dans le même temps, il avait bafoué Faye. Il le comprenait clairement. Mais comment aurait-il pu le lui expliquer? Il n'y avait rien à faire. Faye se dirigea vers la porte.

« Je t'appellerai dès que nous serons de retour. »

Il la regarda d'un air penaud.

« J'ai déjà réservé sur le vol de trois heures. J'ai pensé que c'était celui que tu prendrais.

– Ce n'est pas la peine que nous y allions tous les deux. »

Faye ne tenait pas à ce qu'il vienne. Elle avait assez de soucis. Elle voulait simplement que Ward s'excuse de s'être aussi mal conduit. Elle eut un geste exaspéré, mais il l'implora du regard.

« Je ne l'ai pas vue depuis cinq mois, Faye.

– Et tu ne peux pas attendre un seul jour de plus? (Il semblait résolu. Elle en prit son parti.) Bon, d'accord. La voiture du studio m'attend en bas. »

Elle se retourna en direction de la porte, et il la suivit. Il ne desserra pas les dents jusqu'à l'aéroport;

il voyait qu'elle n'avait aucune envie de lui parler. Leurs sièges n'étaient pas voisins dans l'avion. Lorsque le steward voulut leur faire la faveur de les faire changer de place avec d'autres passagers, Faye l'en découragea. Aussi, lorsque Ward monta dans l'appareil, il ne douta plus que leur union était rompue pour toujours. Le plus dur, c'était que la starlette ne représentait rien. Elle ne lui avait servi qu'à confirmer sa virilité, à apaiser sa douleur.

Faye consentit à prendre le même taxi que lui, jusqu'à l'hôtel où se trouvait Lionel, mais le regard qu'elle lui lança lui indiqua clairement qu'elle ne fléchirait pas.

« Je veux que tu saches une chose, Ward. Ces deux garçons viennent de sacrifier cinq mois de leur vie pour la retrouver. Ils ont abandonné un semestre d'université et ils ont passé chaque jour à la chercher. Si nous avions dû compter sur la police, nous ne saurions toujours pas où elle se trouve. Et si jamais tu leur dis un seul mot désagréable, c'en sera fini avec moi. Attends-toi à ce que je te saigne jusqu'au dernier sou. J'ai droit à une vengeance. Mais si tu tiens à un divorce à l'amiable, un conseil : respecte ton fils et John Wells. Tu m'as bien comprise? »

Elle le regarda durement. Ward avait cet air de chien battu qui ne l'avait pas quitté de la journée. Mais c'était bien fait pour lui, pensa Faye.

« Et si je ne veux pas d'un divorce à l'amiable?

– Alors, ce n'est même pas la peine de venir avec moi, Ward. »

Elle leva le bras pour héler un taxi, mais il la retint plus brutalement qu'il ne l'aurait voulu.

« Ce n'est pas ce que j'ai voulu dire. Comment peux-tu être si certaine que je veuille divorcer? Je ne t'ai pas donné mon accord. Je n'en ai même pas parlé. »

Elle lui rit amèrement au nez, devant l'entrée de l'aéroport.

« Ne sois pas ridicule. Je t'ai à peine vu depuis quatre mois, tu ne couches même plus à la maison, et tu espères que je vais rester ta femme? Tu me prends pour plus bête que je ne le suis. »

Sans parler des dégâts, irréparables sans doute, qu'il avait causés à leur famille.

« C'est moi l'idiot, Faye.

– Je suis tout à fait d'accord avec toi. Mais ce n'est ni l'heure ni le lieu d'en discuter. (Elle se tourna vers lui, au comble de l'exaspération.) Je ne sais vraiment pas ce que tu fabriques ici.

– Je suis venu pour Anne... et pour te parler... Ça fait si longtemps que je ne t'ai vue, Faye.

– Ce n'est pas ma faute.

– C'est la mienne, je le sais. »

Il semblait prêt à accepter le blâme, comme s'il avait enfin recouvré ses esprits. Mais c'était trop tard. Trop tard pour tous les deux.

Faye lui jeta un regard sceptique.

« Après ce qui s'est passé ce matin, est-ce que ta petite infirmière ne t'aurait pas envoyé promener, par hasard?

– Non, c'est moi qui l'ai envoyée promener. »

Ce n'était vrai qu'en partie. La gosse avait vingt-deux ans et il commençait à se sentir ridicule auprès d'elle. Il allait s'en débarrasser au plus vite. C'était une folie de se lier à une fille de ce genre, mais cette liaison lui avait servi de soupape de sûreté. Il comprenait maintenant à quel point il avait besoin de Faye. Mais elle s'était cloîtrée dans sa douleur, elle avait coupé tous les ponts avec lui. Pendant ces cinq mois, ils n'avaient rien eu à se donner. Il fallait à tout prix qu'elle lui accorde une seconde chance. Si seulement elle acceptait de l'écouter! Mais rien ne permettait de l'espérer. Elle avait trouvé un taxi et se retournait vers lui, tenant la portière ouverte.

« Tu viens, oui ou non, Ward?

– As-tu entendu ce que je t'ai dit? J'ai rompu avec cette fille!

– Je m'en fiche.

– Parfait. Au moins les choses sont claires.

– Oui, parfaitement claires, Ward. Tout est fini entre nous. Finito. Rompu. The End. Ou est-ce qu'il faut te le dire en chinois? »

Elle donna l'adresse au chauffeur pendant qu'il montait et se renfonça dans le taxi.

« Il se trouve que je ne suis pas d'accord avec toi. »

Faye était si furieuse qu'elle faillit le pousser hors du taxi, mais elle s'efforça de rester calme et de baisser le ton pour que le chauffeur n'entende pas.

« Tu ne manques vraiment pas de culot. Pendant six mois, tu nous as abandonnés, tu t'es foutu de moi pour aller faire le clown avec une fille qui a presque trente ans de moins que toi, et maintenant, magnanime, Monsieur décide de rentrer à la maison. Eh bien, tu peux aller te faire voir, Ward Thayer. Pour moi, c'est le divorce. »

Elle vit le coup d'œil du chauffeur dans le rétroviseur, mais Ward n'y prêta aucune attention.

« Je veux rester ton mari.

– Un beau salaud, voilà ce que tu es.

– Je le sais. Mais ça fait vingt et un ans que nous sommes mariés et je ne veux pas te quitter.

– Et pourquoi? Tu n'as pas hésité à le faire il y a cinq mois. »

Mais tous deux savaient pourquoi. Ward n'avait pas supporté le choc que lui avait causé Lionel. Faye eut un élan de compassion pour son mari.

« Tu sais très bien pourquoi j'ai agi comme ça.

– Ce n'est pas une raison.
– Je n'avais pas d'autre moyen de me rassurer sur ma virilité.
– Belle excuse!
– Il se trouve que c'est la vérité. (Il regarda en direction de la vitre, puis se retourna vers elle.) Tu ne peux pas comprendre?
– Et maintenant? Tu comptes le punir encore?
– Je lui suis reconnaissant d'avoir retrouvé Anne. »
Le ton de sa voix disait le contraire.
« Tu ne lui pardonneras jamais, n'est-ce pas?
– Je ne peux pas oublier ce qu'il est.
– C'est ton fils, Ward. Et le mien.
– Pour toi, ce n'est pas la même chose.
– Peut-être. Mais je l'aime, de toute façon. Je trouve que c'est un garçon extraordinaire. »
Ward soupira.
« Sans doute... Ecoute, je ne sais plus où j'en suis. J'ai été dans le brouillard pendant si longtemps! Je n'arrive pas à y voir clair... et il y a aussi Anne... »
Faye fronça les sourcils, repensant à ce que Lionel lui avait dit. Il fallait le mettre au courant, sinon le choc risquait d'être encore pire. Elle lui parla doucement pour la première fois depuis des mois.
« Lionel pense qu'elle est droguée. »
Ward tourna aussitôt vers elle un visage inquiet.
« Quel genre de drogue?
– Il ne sait pas encore. Sans doute de la marijuana, du L.S.D.
– Il y a pire, je suppose.
– Oui, il y a pire, poursuivit Faye. Elle est enceinte. »
Ward ferma les yeux, les rouvrit et la regarda.

« Mais enfin, que nous est-il donc arrivé en six mois? Toute notre vie est en morceaux... »

Elle lui sourit. Ward avait raison. Mais elle avait confiance. Peu à peu, ils recolleraient tous les morceaux et ils se sortiraient de là. Ils avaient déjà triomphé des épreuves. Ward la regarda dans les yeux et lui prit la main.

« Ça a été l'enfer pour nous deux. »

Elle ne le contredit pas et ne retira pas sa main. Ils avaient tant besoin l'un de l'autre, maintenant, au moins pour quelques heures, et elle lui était soudain reconnaissante d'être venu. Même si ensuite ils se séparaient de nouveau.

Le taxi fila dans la ville. Ils ne dirent plus rien, tous deux perdus dans leurs pensées, songeant à leur fille.

CHAPITRE 24

ILS arrivèrent à l'hôtel San Marco un peu après cinq heures. C'était un petit hôtel modeste derrière Dividasero Street. Lionel et John y habitaient depuis plus de quatre mois. Faye leva les yeux sur la façade avant de se précipiter à l'intérieur, Ward sur ses talons. Elle savait que leur chambre se trouvait au troisième et grimpa dans l'escalier avant que le portier ait eu le temps de s'interposer. Elle n'avait envie de parler à personne et voulait simplement voir sa fille. Elle en avait même oublié la présence de Ward lorsqu'elle frappa, doucement, à la porte de la chambre. Peu après, Lionel ouvrit. Il la regarda dans l'entrebâillement de la porte, sembla hésiter, puis la laissa entrer. Faye avait eu le temps de voir une forme allongée, le dos tourné.

Elle portait le peignoir de Lionel, ses cheveux avaient poussé et elle était pieds nus. Un instant, Faye crut qu'elle dormait. Mais Anne se retourna lentement pour voir qui était là, et Faye aperçut son visage barbouillé de larmes, ses yeux cernés qui paraissaient immenses dans son visage émacié. Faye eut un coup au cœur mais s'efforça de n'en rien montrer. Anne s'était métamorphosée en cinq mois. Elle avait maigri, mûri, et son visage était si différent qu'elle l'aurait à peine reconnue. Sur une photo, elle se serait trompée. C'était une chance que John ait eu l'œil plus exercé.

« Bonjour, ma chérie. »

Faye s'avança lentement vers le lit, craignant de l'effaroucher, comme un oiseau blessé. Anne gémit et se roula en boule, lui tournant le dos. Elle sortait peu à peu des limbes où l'avaient plongée plusieurs mois de drogues diverses. Lionel et John l'avaient nourrie de jus d'orange et de bonbons pour qu'elle tienne le coup. Ils l'avaient forcée à ingurgiter un hamburger qu'ils étaient allés lui acheter. Elle l'avait vomi juste après, mais pour Lionel et John, qui avaient vu son état quand la police l'avait cueillie quelques heures plus tôt, elle avait meilleur aspect. Lionel avait craint que sa mère ne la voie dans cet état. Il lui jeta un coup d'œil inquiet, redoutant sa réaction. Il n'avait pas encore osé tourner les yeux vers son père. C'était la première fois qu'il le revoyait depuis le jour fatal où Ward l'avait surpris avec John à l'appartement. Mais il était venu, si ce n'était pour eux, du moins pour Anne.

« Elle n'est pas dans son assiette, maman. »

Il avait parlé à voix basse. Anne ne s'était pas retournée. John lui tendit un gâteau qu'elle prit d'une main tremblante. Elle avait faim et mal au cœur en même temps, elle aurait voulu être ailleurs.

Elle voulait retourner à Haight... chez ses amis... retrouver Lune... le rituel... sa place était là-bas. Des larmes lui serraient la gorge tandis qu'elle essayait d'avaler le morceau de gâteau. Elle se recoucha et ferma les yeux.

« Est-ce qu'elle est malade? »

Ils parlaient d'elle comme si elle n'était pas là. Lionel ne s'expliqua qu'à contrecœur.

« Elle est en train de récupérer. Elle ira mieux dans quelques jours.

– Tu crois que nous pourrons la ramener ce soir? »

Faye avait hâte de l'avoir de nouveau à la maison, pour la faire examiner par le médecin de famille et pour la conduire au plus vite chez le docteur Smythe. Elle ignorait à quel mois de grossesse elle en était, mais il devait être encore assez tôt.

Lionel secoua la tête.

« Je ne crois pas qu'elle soit en état de voyager, maman. Donne-lui au moins un jour ou deux pour se réhabituer.

– Se réhabituer à quoi? A nous? »

Ward intervint pour la première fois, évitant les yeux de son fils tandis qu'il lui parlait.

« Est-ce qu'elle a vu un docteur? (Lionel secoua la tête.) Je crois que c'est la meilleure chose à faire. »

Il s'approcha doucement du lit et regarda sa fille. Elle était encore très sale, son corps était couvert de crasse, son visage souillé de larmes, ses yeux semblaient immenses dans son visage tout blanc. Il s'assit auprès d'elle et lui caressa les cheveux, les larmes aux yeux. Pourquoi avait-elle fait ça? Pourquoi donc s'était-elle enfuie?

« Je suis content de te revoir, Anne. »

Elle ne se déroba pas, mais elle le regarda avec des yeux d'animal craintif. Il laissa son regard errer lentement le long de son corps et s'arrêta à mi-chemin avant de remonter vers son visage. Il s'efforça de masquer son émotion : il était bien trop tard pour interrompre la grossesse. Il tourna des yeux désespérés vers sa femme et se leva pour interroger Lionel de nouveau.

« Est-ce que tu connais un médecin en ville?

– La police m'a donné une adresse. Les flics veulent vous voir, de toute façon. »

Ward approuva. S'il parvenait à parler avec son fils, il ne pouvait se résoudre à regarder John. L'unique lit de la pièce, un grand lit sur lequel était couchée Anne, parlait de lui-même. Il s'efforçait de ne pas y penser.

Il sortit son stylo-plume et griffonna le nom des policiers qui avaient aidé à la retrouver, en particulier celui des deux hommes qui l'avaient conduite ici. Lionel lui dit qu'ils leur donneraient tous les détails, et Ward en frémit d'avance. Mais il fallait qu'ils sachent.

Faye s'approcha à son tour et s'assit au bord du lit. Mais cette fois, Anne broncha. Faye avait l'impression de rendre visite à un enfant condamné, dans un hôpital. Ses yeux restèrent rivés sur le visage d'Anne, qui se mit à pleurer.

« Va-t'en... je ne veux pas te voir... je veux m'en aller...

– Oui, ma chérie... on va tous rentrer à la maison... tu vas retrouver ta maison... ton lit...

– Je veux retourner avec Lune et mes amis... »

Elle sanglotait comme une enfant de cinq ans. Faye ne lui demanda pas qui était Lune. Elle supposa que c'était le père de l'enfant. A cette pensée, elle baissa les yeux vers le ventre d'Anne, s'attendant à le trouver encore plat. En le voyant gonflé, elle réprima à grand-peine un hurlement. Anne devait être enceinte de quatre ou cinq mois, d'après son expérience. Elle décida de lui poser aussitôt la question, ce qui contraria Ward. Il ne voulait pas qu'elle la brusque. Lionel avait raison. Elle avait besoin de temps pour se réhabituer à eux tous. Elle était partie loin, très loin d'eux, et pendant longtemps.

« Ça fait combien de temps que tu es enceinte, Anne? »

Elle avait voulu parler avec douceur, mais sut instantanément qu'elle avait échoué. Sa voix était angoissée, dure, coupante. Lionel regarda ses parents, désespéré.

« Je n'en sais rien », répondit Anne, les yeux clos.

Elle ne voulait plus voir sa mère. Elle la détestait. Elle l'avait toujours haïe, mais elle la haïssait encore plus aujourd'hui. C'était sa faute si on l'avait enlevée à Lune et aux autres, sa faute si on ne la laissait pas retourner auprès d'eux. Elle avait gâché leur vie, à toujours les pousser, à toujours les obliger à satisfaire tous ses caprices. C'était fini, maintenant. Elle savait à quel point il était facile de lui échapper.

« Tu n'as pas vu le docteur? »

Faye était morte d'angoisse. Anne secoua de nouveau la tête, les yeux toujours clos. Puis, lentement, elle les rouvrit.

« Mes amis se sont occupés de moi.

– Quand as-tu eu tes règles pour la dernière fois? »

C'était comme si elle était interrogée par la police, mais c'était pire. Au moins, les flics ne posaient pas ce genre de questions. Mais elle n'était pas obligée de lui répondre. Sauf qu'elle répondait toujours à sa mère. Faye avait toujours su comment s'y prendre avec elle. C'était comme si elle s'attendait toujours à être obéie, et Anne se soumit une fois de plus.

« Pas depuis que je suis partie de la maison. »

Faye ne le savait que trop : cela remontait à cinq mois.

« Et tu sais qui est le père? »

C'était monstrueux de lui poser cette question si tôt, et Lionel jeta un coup d'œil à son père, espérant qu'il empêcherait Faye de continuer. Il craignait qu'Anne ne s'enfuie avant qu'on l'ait ramenée à la maison. Et cette fois, ce ne serait pas aussi facile de la retrouver. Mais Anne se contenta de sourire à ce souvenir.

« Oui.

– C'est Lune? »

Anne haussa les épaules. Faye n'était pas préparée à la réponse qu'elle lui fit :

« Oui, avec tous les autres. »

Interloquée, Faye porta une main à sa bouche. Non, ce n'était pas vrai. Elle avait sans doute mal compris.

« Tous les autres? »

Elle fixa son enfant qui n'en était plus une. Anne était une femme, maintenant, une femme mal partie, faussée, mais ce n'était plus une petite fille, et elle attendait un enfant. Soudain, Faye comprit tout et une lueur d'horreur apparut dans ses yeux.

« Tu veux dire que c'est toute la communauté qui t'a fait cet enfant?

– Oui. »

Anne la regarda avec douceur et se redressa sur son séant pour la première fois, avec l'impression que toute la pièce vacillait, et, du regard, elle appela son frère à son aide. Il se précipita pour la soutenir tandis que John lui tendait un verre de jus d'orange. Ils s'attendaient déjà à ce genre de révélation, d'après ce que la police leur avait déjà dit, mais

Faye et Ward n'étaient pas armés. Et puis, maintenant qu'Anne était assise, sa grossesse était encore plus évidente.

A l'idée de ce qu'avait dû endurer son innocente enfant, Ward sentit qu'il perdait patience. Il regarda fermement Lionel, ignorant sa fille.

« Je vais téléphoner tout de suite aux inspecteurs. »

Il avait la ferme intention de faire mettre tous ces salauds en prison. Faye pleurait doucement en s'appuyant sur lui tandis qu'ils redescendaient. Mais cela lui était égal qu'on la vît pleurer.

« Mon Dieu, Ward, notre petite fille... Elle ne sera plus jamais comme avant. »

Ward était aussi bouleversé qu'elle, mais il n'en montra rien. Il allait l'aider, tout comme elle l'avait aidé autrefois, en lui offrant une carrière qu'il n'aurait jamais trouvée tout seul, en l'épaulant jusqu'à ce qu'il puisse voler de ses propres ailes. Il ferait tout ce qui était en son pouvoir, et si elle tenait encore à divorcer, il l'accepterait, bon prince. Elle en avait le droit, après ce qu'il avait fait. Il tremblait encore d'avoir revu Lionel et John, mais ce n'était plus le moment de se jeter la pierre, lui pour l'homosexualité de son fils, elle pour la fugue désastreuse de sa fille.

« Elle s'en sortira, Faye. »

Il était surtout important de la convaincre.

« Il faut qu'elle se débarrasse de l'enfant et de toutes ces drogues qu'elle a absorbées. Dieu seul sait ce qu'elle pourrait mettre au monde. Sans doute un débile mental.

– Selon toute probabilité. Tu crois qu'il est trop tard pour qu'elle avorte? »

Elle rit amèrement à travers ses larmes.

« Tu ne l'as pas vue, Ward? Elle est au moins enceinte de cinq mois. »

L'idée la traversa soudain qu'Anne avait pu être enceinte avant de quitter la maison. Elle ne pensait pas que ce fût possible, mais comment savoir maintenant, avec Anne?

Ils se rendirent directement au commissariat de Bryant Street, où on leur indiqua le bureau de la Brigade des mineurs. Il y avait apparemment des centaines de cas semblables en ce moment. Les enfants affluaient de tous les Etats d'Amérique pour se réfugier à Haight-Ashbury. Bon nombre y perdaient plus que leur virginité – leur vie même. On parlait d'enfants de onze ans mourant d'overdoses d'héroïne ou se jetant par la fenêtre sous l'emprise du L.S.D. Des fillettes de treize, quatorze, quinze ans donnaient naissance à des enfants naturels dans ces taudis sans hygiène, pendant que les autres chantaient pour les encourager. Une de ces fillettes était morte d'hémorragie six semaines plus tôt, et personne n'avait appelé d'ambulance. En les écoutant, Faye se réjouissait de l'avoir retrouvée à temps. Elle se blinda contre tout ce qu'on lui raconta sur la secte où Anne avait vécu. Elle eut envie de les tuer lorsqu'elle connut les détails. Ward voulait que toute la secte fût jetée en prison, mais la police leur déconseilla les poursuites. Il était impossible de trouver des preuves contre tous et on ne pouvait pas accuser toute une tribu du viol d'une seule mineure. Et surtout, était-ce ce qu'ils voulaient pour Anne? Ne valait-il pas mieux la ramener chez elle, lui trouver un bon psychiatre et la laisser oublier tout ça, au lieu de la soumettre à un long procès qui durerait au moins un an ou deux, et qu'ils n'étaient pas du tout sûrs de gagner? Les autres auraient sans doute disparu d'ici là, et leurs familles, dont beaucoup étaient riches et influentes, obtiendraient leur libération sous caution. Cela ne servirait à rien. Dans un an ou deux, tout cela leur semblerait un lointain cauchemar, conclurent les policiers. Ce serait vite oublié.

« Et sa grossesse? Et ce type appelé Lune? »

Il devait bien y avoir un moyen, se disait Faye. Mais ils lui répétèrent que rien de concret ne pourrait être prouvé contre lui. Il ne retenait pas les membres de la secte contre leur volonté et personne ne témoignerait contre lui. Anne non plus, selon toute vraisemblance. Ils se rendirent compte rapidement que c'était vrai. Anne éprouvait un amour irraisonné pour cet homme et refusa de parler, même à Lionel. C'était sans espoir, Faye et Ward en convenaient. Si terrifiant que cela pût paraître, la police avait raison. Il valait mieux la ramener à la maison, lui apporter tous les soins nécessaires et la débarrasser du monstre qu'elle portait. Et surtout, qu'elle oublie tout, à condition qu'elle le veuille. Lionel faisait confiance au temps. John ne dit rien. Il redoutait toujours M. Thayer, mais Ward gardait apparemment son calme, sauf lorsqu'il parlait de Lune ou de la secte. Sa fureur était maintenant dirigée contre eux, au grand soulagement de John.

Ils se relayèrent au chevet d'Anne cette nuit-là. Le lendemain, les trois Thayer discutèrent du voyage de retour, en présence de John. Faye avait hâte de la ramener et envisageait même de la faire hospitaliser. Lionel préférait attendre. Anne avait presque recouvré ses esprits, mais elle souffrait de paranoïa, et il faudrait plusieurs jours pour qu'elle redevienne complètement elle-même. Ward était de l'avis de Faye, mais ne voyait pas comment on pourrait la faire accepter dans un avion dans l'état de saleté et d'abrutissement où elle se trouvait. Ils finirent par trouver un compromis. Ward appela la M.G.M. et fit affréter l'avion du studio pour eux tous. L'avion devait passer les prendre à six heures le soir même et les ramener à Los Angeles. Ward retourna au commissariat, puis contacta son avocat, qui fut d'accord avec eux. Ils ne déposèrent aucune plainte, et, à quatre heures trente, l'après-midi même, ils enveloppèrent Anne dans une robe de chambre que Faye lui avait achetée dans Union Street et prirent un taxi jusqu'à l'aéroport. Elle sanglota pendant tout le trajet. Ils se sentaient comme des kidnappeurs, sous l'œil hostile du jeune conducteur. Pas un mot ne fut échangé. Ward la porta jusqu'à l'avion, car elle n'avait pas la force de marcher. Pour la première fois depuis deux jours, il but un grand verre d'alcool une fois dans l'avion; Faye et les garçons apprécièrent un verre de vin. Le voyage était pénible pour tous; Lionel et John souffraient de leurs rapports tendus avec Ward. Il ne leur parlait pratiquement pas. Chaque fois que c'était nécessaire, il s'adressait à eux par l'intermédiaire de Faye, comme s'il craignait d'être contaminé en leur parlant directement. Aussi, lorsque la voiture de la M.G.M. déposa les deux garçons à leur appartement, avant de gagner la maison de Thayer, John laissa-t-il échapper un énorme soupir de soulagement.

« Je ne trouve vraiment rien à lui dire. »

Il prit une bonne bouffée d'air et regarda Lionel avec un air d'excuse, mais celui-ci le comprenait parfaitement.

« Ce n'est pas ta faute. Ni la mienne. Je crois qu'il est toujours aussi mal à l'aise avec nous. »

Ils avaient connu une trêve difficile, et Lionel était à peu près certain que son père n'avait pas changé d'avis et que sa sanction restait toujours valable. Il se sentait tout aussi indésirable à la maison que trois ou quatre mois auparavant, et cette impression était justifiée.

« Ward se comporte avec nous comme si l'homosexualité était une maladie contagieuse et qu'il craignait de l'attraper comme on attrape la grippe! »

Lionel sourit. C'était bon de se retrouver chez soi, après quatre mois d'absence. Faye avait continué à payer le loyer de leur appartement sur le campus. Ils n'avaïent pas revu leurs camarades depuis janvier. Pas question pour eux de retourner chez les Thayer ou les Wells; les commentaires familiaux sur Anne les auraient exaspérés. En gravissant l'escalier de leur maison pour la première fois depuis des mois, ils n'avaient qu'une envie, défaire leurs bagages et retrouver leurs chambres.

Ils comptaient réintégrer la fac pour la session d'été, dans quelques semaines. Il était temps de retrouver la vie réelle, quelle qu'elle fût, mais ils avaient perdu l'habitude de se cacher et de mentir. Lorsque, soudain, ils pénétrèrent dans le salon plein d'étudiants en train de boire de la bière, le supplice de leur vie d'avant leur revint brutalement en mémoire. Il faudrait feindre de nouveau, ce qui les déprima pendant qu'ils rangeaient leurs affaires. Lionel entra dans la chambre de John, et ils se regardèrent inquiets, en se demandant si les autres ne s'étaient doutés de rien. Ils avaient le sentiment que cela devait se voir clairement, maintenant, et après tout, ce n'était peut-être pas si grave, pensa Lionel. Oui, il était homo. Oui, il était amoureux de John. Et alors? Ce fut presque avec défi qu'il se rendit dans la cuisine pour prendre une canette de bière. Personne ne lui dit rien. Ceux qui étaient au courant de la situation étaient contents qu'ils aient retrouvé Anne. L'un des locataires avait une sœur qui avait fait une fugue, elle aussi, une gosse de douze ans, et on ne l'avait toujours pas retrouvée. Ses parents la croyaient morte, mais lui pensait qu'elle devait aussi se trouver quelque part à San

Francisco. Ils en discutèrent un moment et Lionel lui trouva un drôle d'air, comme s'il voulait poser une question, mais sans oser.

Chez les Thayer, tout le monde était atterré. Les jumelles avaient été bouleversées en voyant arriver leur sœur dans les bras de Ward. Elles ne s'attendaient pas à la trouver si malade, et lorsque Anne s'était mise debout sur ses jambes tremblantes et qu'elles avaient vu son gros ventre, Vanessa avait eu un halètement de stupeur. Valérie avait eu du mal à en croire ses yeux.

« Qu'est-ce qu'elle va devenir? » avaient-elles demandé le soir même à Faye, qui ne s'était jamais sentie aussi épuisée de sa vie.

Elle n'avait pas de réponse à cette question.

Ils l'emmenèrent dès le lendemain chez le médecin qui leur assura ne trouver aucune trace de violence. Quoi qu'elle ait fait, elle l'avait fait volontairement. Il prévoyait la naissance pour le 2 octobre, et à supposer que tout soit dans les temps, il suggéra de lui faire prendre ensuite six semaines de repos, pour qu'elle puisse confortablement réintégrer le lycée après les vacances de Noël. Elle aurait en tout perdu une année d'études. Elle finirait tranquillement son premier cycle pour entrer dans le second l'année suivante. Cela semblait tout simple. Tandis qu'Anne les observait en silence, le médecin debout près d'elle, Faye aborda la question dont elle avait préalablement discuté avec lui. Il était bien entendu trop tard pour la faire avorter. Il était également impossible de déterminer quelle quantité de drogues elle avait pu absorber depuis la conception, ni quel effet cela aurait sur l'enfant. Mais même s'il en gardait quelques séquelles, il y avait une foule de couples sans enfant qui auraient été trop heureux de l'adopter. Le mouvement hippie avait été pour eux une véritable aubaine. On trouvait maintenant des douzaines de bébés à adopter, nés de jeunes filles qui ne les auraient certainement pas mis au monde quelques années plus tôt. La plupart appartenaient aux classes moyennes et couchaient avec des garçons du même milieu social, dans les communautés qui avaient fleuri un peu partout. Une fois que leurs enfants naissaient, elles s'en désintéressaient. Il y avait bien entendu des exceptions, mais elles étaient rares. Ces jeunes filles voulaient être libres, goûter pleinement l'ère de soleil, de paix et d'amour qui avait déferlé sur l'Amérique, sans porter ce poids sur leurs épaules. Le médecin ne demandait qu'à les aider, leur dit-il. Justement, à Los Angeles même, il connaissait quatre couples attendant impatiemment un bébé à adopter. C'étaient des personnes respectables qui rendraient le bébé heureux et ce serait un soulagement pour Anne. Elle retrouverait la vie normale d'une fillette de quatorze ans et oublierait ce qui s'était passé. Faye et le docteur échangèrent un sourire, sous le regard horrifié d'Anne, qui se retenait à grand-peine de hurler.

« Vous voulez me prendre mon bébé? (Elle se mit à pleurer et lorsque Faye s'approcha pour lui poser un bras sur les épaules, elle se dégagea.) Je ne vous le donnerai jamais! jamais! Tu entends? »

Mais pour Faye, tout était déjà réglé. Ils la contraindraient au besoin à abandonner l'enfant. Anne n'aurait pas à supporter toute sa vie un petit mongolien qui lui rappellerait le cauchemar qu'ils avaient envie d'oublier. Faye échangea avec le docteur un regard entendu. Il leur restait quatre mois et demi pour la convaincre que c'était pour elle la meilleure solution.

« Plus tard, tu verras les choses différemment, Anne. Tu seras contente de t'en être débarrassée.

D'ailleurs, l'enfant ne sera sans doute pas normal, tu sais. »

Faye essayait de prendre un ton détaché, mais intérieurement, elle paniquait. Et si Anne fuguait de nouveau? Si elle insistait pour garder l'enfant? Ce cauchemar ne finirait donc jamais?

Sur le chemin du retour, Anne se blottit au fond de la voiture, le regard obstinément tourné au-dehors, les joues ruisselantes de larmes.

« Tu ne peux pas garder cet enfant, ma chérie. Il te gâcherait la vie.

– Tu veux plutôt dire la tienne et celle de papa? (Elle tourna vers sa mère des yeux chargés de haine.) Ça t'embête que je sois enceinte, c'est gênant, hein? Tu veux qu'il n'en reste aucune trace! Qu'est-ce que tu comptes faire de moi pendant les cinq prochains mois? Me cacher dans le garage? Vous pouvez tout faire, mais pas me voler mon bébé! »

Elle sortit de la voiture en courant et Faye, perdant patience, se mit à vociférer derrière elle. Les derniers jours – les derniers mois, en fait – avaient eu raison de ses nerfs.

« Si, nous le ferons! Nous pouvons faire tout ce que nous voulons! Tu n'as même pas quinze ans! »

Elle se détesta d'avoir osé dire ça.

Dans l'après-midi, Anne les quitta. Mais elle se rendit seulement chez Lionel, cette fois, et leur raconta en pleurant son histoire.

« Je ne les laisserai jamais me le prendre... Jamais! »

Elle avait elle-même tellement l'air infantile qu'on pouvait difficilement l'imaginer avec un enfant, même si son séjour à Haight-Ashbury l'avait mûrie. Lionel ne savait comment s'y prendre. Il était d'accord avec sa mère, ainsi que John. Ils en avaient parlé la nuit d'avant, murmurant dans leur lit pour que les autres ne les entendent pas. Ils s'étaient sentis nettement mieux à l'hôtel. Un peu comme Anne, ils devaient affronter de nouveau le réel.

« Ecoute, petite sœur... »

Il lui prit doucement la main, le regard compatissant. Il ressemblait tellement à leur mère lorsqu'il avait cet air-là... Mais Anne refusait depuis toujours cette ressemblance. Elle l'en aurait aimé moins. C'était la seule chose, cette extraordinaire ressemblance, qui l'avait rapprochée de son père à une époque.

« Ils ont peut-être raison, poursuivit-il. Ce serait pour toi une terrible responsabilité, tu sais, et ce n'est pas vraiment juste que tu la leur impose. »

Cette pensée ne l'avait pas effleurée.

« Eh bien, je vais trouver du travail et je ne dérangerai plus personne.

– Et qui prendra soin du bébé pendant que tu travailleras? Tu comprends, maintenant? Ecoute, Anne, tu n'as même pas quinze ans... »

Elle se remit à pleurer.

« Tu parles exactement comme eux... »

C'était la première fois que Lionel la trahissait. Cette fois, c'était trop. Elle leva vers lui des yeux où se lisait son désarroi.

« Mais, Li, c'est *mon* bébé... Je ne peux pas l'abandonner!

– Tu en auras d'autres.

– Et alors? (Elle eut l'air épouvantée.) Si on t'avait donné, toi, ça t'aurait consolé que je naisse ensuite? »

Il ne put s'empêcher de rire de cet exemple et la regarda tendrement.

« Je crois qu'il faut d'abord que tu y réfléchisses. Tu n'es pas obligée de prendre ta décision maintenant. »

Elle tomba enfin d'accord avec lui, mais de retour à la maison, elle se disputa avec Val, qui voulait qu'Anne reste à l'intérieur chaque fois qu'elle recevrait des amis.

« Si jamais ils l'apprennent au lycée, ils vont tous se moquer de moi. Et comme tu y seras toi aussi dans un an, je suppose que tu n'as pas envie que ça se sache. »

Le soir même, Faye lui reprocha cette inutile cruauté, mais c'était trop tard. Anne s'était réfugiée dans sa chambre dès la fin du dîner. Elle avait fait ses valises, et, à dix heures, elle sonnait chez Lionel.

« Je ne peux pas vivre avec eux. »

Elle lui expliqua pourquoi, et il soupira. Il savait que c'était pénible pour elle, mais il ne pouvait pas faire grand-chose pour l'aider. Elle dormirait dans son lit pour cette nuit, et le lendemain, ils chercheraient une solution. Lionel appela sa mère pour la prévenir. Elle avait déjà téléphoné à Ward. Lionel eut l'impression que son père devait passer la nuit à la maison, mais il ne fit aucune remarque. Il dit aux autres qu'il coucherait par terre, mais il dormit avec John et rappela à Anne de bien faire attention à ce qu'elle dirait; les autres ne savaient pas qu'il était homosexuel. Lorsqu'ils sortirent tous les trois se promener le lendemain, il fut gêné des questions qu'elle lui posa, mais s'efforça d'être sincère.

« Vous couchez vraiment ensemble tous les soirs? »

Il faillit répondre une chose, mais changea d'avis.

« Oui, c'est ça.
– Comme mari et femme? »

Du coin de l'œil, il vit John rougir.

« Un peu ça, oui.
– Ça fait drôle. »

Elle l'avait dit sans le vouloir et Lionel en rit.
« Peut-être, mais c'est ainsi.
– Je ne sais pas pourquoi ça gêne tellement les gens, comme papa, je veux dire. Si vous vous aimez vraiment, qu'est-ce que ça peut faire, ce que vous êtes, un homme et une femme, ou bien deux femmes, ou deux hommes? »
Il se demanda ce qu'elle avait bien pu voir dans sa communauté et se souvint de ce que lui avait dit la police. Elle avait sans doute eu, elle aussi, plusieurs expériences homosexuelles. Mais il ne lui posa aucune question. D'ailleurs, cela avait sans doute été sous l'emprise de la drogue, et au sein de relations de groupe, compte tenu des pratiques de la secte. Et elle ne se souvenait peut-être même pas de ce qu'elle avait fait. C'était différent de ce qu'il vivait avec John, une véritable histoire d'amour. Il la regarda de nouveau. C'était drôle de la voir sans cesse flotter entre la femme et l'enfant.
« Tout le monde ne juge pas les choses de cette façon, Anne. Ça fait peur à beaucoup de gens.
– Pourquoi?
– Parce que ça s'écarte de la norme. »
Elle soupira.
« Comme d'être enceinte à quatorze ans.
– Sans doute. »
Ce ne serait pas facile avec elle, se dit-il, un peu inquiet de ce qu'ils allaient faire d'Anne. Il en avait discuté avec John une bonne partie de la nuit, mais ils pensaient avoir trouvé une solution. Li en avait parlé à sa mère. Cela faciliterait aussi les choses pour ses parents.
Lionel ne s'était pas trompé. Il avait toujours été intuitif, et cette fois encore, il avait vu juste : Ward avait passé la nuit à la maison, et ce fut lui qui répondit au téléphone de Faye. Il refusa de lui parler. Il ne revenait toujours pas sur sa décision et

agissait comme si Lionel n'existait pas. Mais il ne raccrocha pas et tendit le récepteur à sa femme, qui lui rapporta ensuite la proposition de Lionel.

« Il veut savoir ce que tu dirais s'ils prenaient un appartement près de la fac avec Anne. Elle restera avec eux jusqu'à la naissance du bébé, et, ensuite, elle pourra revenir ici, et ils trouveront quelqu'un pour occuper la chambre. Qu'en dis-tu? »

Elle leva vers lui des yeux attentifs, par-dessus sa tasse de café. C'était bon qu'il soit de retour, en un sens, même si ce n'était que pour une nuit ou deux. Elle aimait le savoir près d'elle pendant ces moments difficiles. Il fronça les sourcils, réfléchissant à l'idée de Lionel.

« Tu crois que c'est sain pour elle de vivre avec ces deux-là? »

Faye se rebiffa aussitôt :

« Tu crois que c'était sain quand elle vivait dans cette secte dégoûtante, Ward? Regarde un peu les choses en face. »

Il ne voulait pas repenser à ce qu'avait pu vivre sa fille. Et il ne voulait pas non plus qu'elle vive avec ces deux pédés. Mais il voyait aussi qu'elle ne pourrait rester à la maison.

Il n'était pas sûr d'aimer l'idée, mais en y repensant, il trouva qu'après tout ce n'était pas si stupide. Les garçons furent soulagés d'apprendre qu'il acceptait enfin. La coexistence avec les autres devenait impossible; ils ne voulaient plus faire semblant. A vingt ans, Lionel n'avait plus peur de reconnaître qu'il était homosexuel, pas plus que John.

Faye les aida à trouver un appartement, exigu mais agréable, dans Westwood, non loin de leur ancien logement, et offrit de l'aménager pour eux. Mais ce fut John qui prit les choses en main, et qui, avec son génie habituel, transforma le tout en un petit bijou. Faye n'avait jamais rien vu de plus joli. Il avait acheté des mètres de flanelle gris perle et de soie rose. Il avait tendu les murs de tissu, recapitonné deux divans qu'ils avaient eus pour cinquante dollars dans une décharge, déniché des gravures anciennes chez des bouquinistes et ranimé des plantes qui semblaient sans espoir. L'appartement ressemblait à un intérieur raffiné, décoré par un professionnel, et John rougit sous ses éloges. Sa mère, encore plus fière de lui, leur offrit un très beau miroir pour orner la cheminée. Elle avait pitié d'Anne et remerciait le Ciel qu'une chose pareille ne soit pas arrivée à l'une de ses filles.

Anne revivait. Elle était heureuse avec eux. Elle se chargeait du ménage, et, un soir où John proposa de lui apprendre à faire le canard rôti, elle leur dit que c'était mieux que dans la communauté. Il était excellent cuisinier et préparait tous leurs dîners. Lionel était retourné à la fac pour suivre les cours d'été de cinéma et rattraper le temps perdu avant l'automne. Mais John avait pris une grande décision. Il n'avait plus envie de continuer ses études. Il trouva du travail chez un décorateur célèbre de Beverly Hills. Celui-ci avait le béguin pour lui, et ce n'était pas une mince affaire que de résister à ses avances quotidiennes, mais il acquit une merveilleuse expérience du métier. Il faisait tout le travail, sans en tirer gloire, mais il adorait les maisons qu'on lui donnait à décorer. Il racontait chaque soir ce qu'il faisait. Il avait obtenu cet emploi en juillet et à la fin du mois d'août, son patron comprit enfin qu'il perdait son temps à lui faire des avances et le laissa tranquille. John lui avait parlé de Lionel en disant que c'était sérieux, et le vieil homme avait ri. Il savait bien, lui, que ça ne pouvait durer. « Des gosses », avait-il dit. Mais il appréciait le travail de John, et il cessa de l'importuner.

Faye passait les voir de temps en temps. Ward

était définitivement revenu à la maison, et ils s'efforçaient de recoller les morceaux de leur amour brisé. Elle en parla avec son fils, un jour qu'ils étaient seuls, sans Anne, lui demandant s'il avait réussi à la persuader au sujet du bébé. La naissance était prévue dans moins de deux mois, et la pauvre enfant était énorme. Elle souffrait terriblement de la chaleur. L'appartement n'avait pas l'air conditionné, et les ventilateurs installés par John ne suffisaient pas. Il avait insisté pour payer la moitié du loyer, puisqu'il travaillait et que Lionel continuait ses études. Faye était émue de le voir se donner autant à son travail et prendre aussi bien soin de ses enfants. Un jour, elle regarda son fils avec une infinie tendresse.

« Tu es heureux, n'est-ce pas, Li? »

Il était important qu'elle le sache. Elle l'aimait tellement! Et elle aimait aussi John; depuis le début, d'ailleurs, mais plus encore maintenant, parce qu'il avait aidé à retrouver Anne.

« Oui, maman. »

Il avait merveilleusement grandi, même s'il n'était pas ce que Ward et elle auraient rêvé. Peut-être était-ce sans importance, après tout? Elle se posait souvent cette question, mais il était encore impossible d'en discuter avec Ward.

« Ça me rassure. Et Anne? Est-ce qu'elle renoncera au bébé? »

Le médecin avait un couple qui se disait intéressé. La femme avait trente-six ans, son mari quarante-deux; tous deux étaient stériles, et les agences les trouvaient trop âgés pour adopter un enfant. Elle était juive, lui catholique, mais toutes les prières n'avaient servi à rien; il ne leur restait plus que l'adoption. Ils ne craignaient pas les séquelles que la drogue pouvait avoir laissées chez l'enfant. Ils étaient désespérés, ils l'aimeraient, quel que fût son état. En septembre, Faye insista pour qu'Anne les voie et leur laisse au moins un espoir. Ils étaient très timides et absolument charmants. Ils la supplièrent presque de leur laisser son enfant. Elle pourrait venir le voir de temps en temps, promirent-ils, mais le médecin et leur avocat le leur déconseillèrent fortement. Il y avait eu à cause de cela de terribles incidents dans des cas identiques, et même une fois un enlèvement après la signature des papiers. Mieux valait couper net, ils insistaient là-dessus, mais le couple aurait de toute façon accepté n'importe quoi. Elle avait des cheveux noirs et brillants, de beaux yeux bruns, une jolie silhouette, et semblait intelligente. Elle était avocate à New York, et son mari, ophtalmologiste, ressemblait assez à Anne. Si l'enfant ressemblait à sa mère, et non au reste de la communauté, comme le redoutait Faye, il pourrait même passer pour le leur. Ils étaient si charmants qu'Anne compatit. Mais elle ne revint pas sur sa décision.

« Comment se fait-il qu'ils ne puissent pas avoir d'enfants? demanda-t-elle tandis que sa mère la reconduisait chez Lionel.

– Je ne leur ai pas posé la question. Je sais seulement qu'ils ne peuvent pas. »

Faye souhaita de tout son cœur qu'elle se montre enfin raisonnable. Elle aurait voulu que Ward essaie de la persuader à son tour, mais il était parti pour quelque temps. Il avait imploré Faye de venir avec lui, pour une « nouvelle lune de miel », avait-il dit. Ils en avaient bien besoin, pour se retrouver tout à fait. Faye avait été touchée, mais elle ne se sentait pas le cœur d'abandonner Anne avant la naissance. Et s'il arrivait quelque ennui, si elle accouchait avant terme, ce qui se produisait parfois chez des mamans de cet âge, avait dit le médecin... Il lui avait dit aussi que pour une fillette de quatorze ans, c'était extrêmement pénible, plus encore que pour une femme de l'âge de Faye, ce qui l'avait surprise. Elle avait quarante-six ans, et les bébés n'avaient plus aucun intérêt pour elle. Elle préférait passer le plus de temps possible auprès de sa fille. Ward partit donc de son côté pour l'Europe avec Greg. Faye était persuadée que cela leur ferait à tous deux le plus grand bien.

L'accouchement était proche, et Anne n'avait encore consenti à rien. Elle était aussi énorme que Faye lorsqu'elle attendait les jumelles et Lionel en avait le cœur déchiré de la voir souffrir à ce point. Elle semblait terrorisée par ce qui lui arrivait. Il ne l'en blâmait pas, lui aussi aurait certainement été affolé en pareil cas. Il espérait seulement qu'il ne serait pas à la fac lorque le moment arriverait. Sinon, John avait promis de quitter son travail pour se précipiter avec un taxi à la maison et l'emmener aussitôt à l'hôpital. John était plus facile à joindre dans la journée. Anne avait bien formulé l'idée folle d'accoucher à la maison, comme ils l'auraient fait dans la communauté, mais ils l'avaient vite remise à sa place. Faye leur avait fait promettre de l'appeler dès qu'il se passerait quelque chose. Lionel avait promis, mais Anne l'avait supplié de n'en rien faire.

« Elle va me voler mon bébé, Li. »

Ses grands yeux bleus l'imploraient et il la plaignit sincèrement. Elle avait peur de tout, maintenant, et sa peur prenait une tournure névrotique.

« Elle n'en fera rien. Elle veut simplement être près de toi. Et personne ne te prendra ton bébé tant que tu ne l'auras pas décidé toi-même. »

C'était encore une façon de l'influencer. Mais aux yeux de Lionel, il n'y avait pas d'autre solution. A quatorze ans et demi, il ne la voyait pas se charger d'un enfant. Elle était encore elle-même un bébé. Il en fut même un peu plus certain la nuit où les douleurs décisives commencèrent. Elle paniqua et s'enferma dans sa chambre, pleurant et criant comme une hystérique. John et Lionel la menacèrent d'enfoncer la porte. En vain. Lionel l'occupa alors en lui parlant sur un ton cajolant, à travers la porte, tandis que John montait sur le toit, pénétrait dans la chambre par un vasistas et ouvrait à son ami. Anne pleurait et gémissait sur son lit, convulsée par la douleur. Lionel aperçut une mare. La poche des eaux s'était rompue une heure avant et les douleurs devenaient sérieuses. Elle se jeta au cou de Lionel en sanglotant, le serrant de toutes ses forces à chaque élancement douloureux.

« Oh! Li, j'ai si peur... si peur! »

Personne ne l'avait prévenue qu'elle aurait si mal. Sur le chemin de l'hôpital, dans le taxi, elle ne cessa de gémir, enfonçant ses ongles dans la main de Lionel. Elle refusa de partir avec l'infirmière et s'accrocha à son frère, le suppliant de ne pas la quitter, mais lorsque arriva le médecin, il lui dit de se laisser faire gentiment. Deux infirmières l'emportèrent sur un chariot, en dépit de ses cris de protestation.

Lionel en était bouleversé et John était livide.

« Vous ne pouvez pas lui donner un calmant? demanda-t-il au médecin, un homme d'une soixantaine d'années qui, lui, gardait le plus grand calme.

– Il ne vaut mieux pas. Ça ralentirait l'accouchement. Elle est jeune, elle oubliera. (Cela semblait difficile à croire. Il leur adressa un sourire compatissant.) C'est dur pour une fille de cet âge. Elles ne sont pas prêtes à donner naissance à un enfant, ni physiquement ni moralement. Mais nous allons tout faire pour l'aider à surmonter cela et tout ira bien. (Lionel restait sceptique. Il l'entendait crier dans le couloir. Il aurait au moins voulu être auprès d'elle.) Avez-vous prévenu votre mère? »

Lionel hocha la tête, tendu. Il était onze heures du soir, Faye dormait peut-être. Mais elle serait furieuse qu'il ne l'ait pas appelée. D'un doigt tremblant, il composa le numéro de son ancienne maison. Ce fut Ward qui répondit. Lionel lui expliqua ce qui se passait.

« Je suis à l'hôpital avec Anne. »

Ward ne perdit pas de temps à passer l'écouteur à sa femme. Pour une fois, il parla à son fils.

« O.K., nous arrivons. »

Effectivement, dix minutes plus tard, ils étaient au Centre hospitalier de l'U.C.L.A., l'air un rien ébouriffés, mais tout à fait éveillés. Le docteur fit une exception et laissa Faye rester près d'Anne, au moins tant qu'elle demeurerait en salle de travail. On ne pouvait savoir combien de temps cela allait durer. Même le médecin qui avait accouché Faye n'en savait rien, lui qui était habituellement si perspicace. Mais encore une fois, à cet âge, rien n'était certain; elle pouvait accoucher en un rien de temps ou traîner pendant trois jours. La dilatation se faisait bien, mais il s'écoulait de longs moments entre les contractions. Elle implorait qu'on la délivre, demandait de la drogue, voulait mourir, toujours cramponnée à la main de sa mère; parfois elle voulait se lever pour s'en aller, et la douleur la pliait en deux, elle s'agrippait aux murs et criait aux infirmières qu'on la sorte d'ici. Faye n'avait rien vécu de plus horrible et, jamais de sa vie, elle ne s'était sentie aussi impuissante. Elle ne pouvait rien faire pour soulager son enfant.

Elle ne la quitta qu'une fois pour sortir dire un mot à Ward. Elle voulait qu'il appelle l'avocat dès le lendemain matin, au cas où Anne consentirait à abandonner le bébé dès sa naissance. Il faudrait lui faire signer aussitôt les papiers. Elle aurait à les signer de nouveau six mois plus tard, pour que tout soit définitivement réglé, mais à ce moment-là, elle n'aurait plus le bébé depuis longtemps et, Faye l'espérait, elle aurait repris une vie normale. Ward lui promit de le faire. Faye lui conseilla de rentrer à la maison. Cela durerait des heures, les trois hommes s'accordèrent là-dessus. Ward déposa Lionel et John, sans leur dire grand-chose, et en rentrant chez eux, les deux garçons furent surpris de constater qu'il était quatre heures du matin. Lionel ne dormit pratiquement pas de la nuit. Plusieurs fois, il se glissa hors de son lit pour appeler l'hôpital, mais il n'y avait rien de nouveau. Anne était toujours dans la salle de travail et le bébé n'était pas né. Elle y était encore lorsque John rentra de son travail l'après-midi du lendemain et trouva Lionel assis près du téléphone. Il était six heures. John n'en revint pas.

« C'est pas vrai! Elle ne l'a toujours pas? »

Il n'arrivait pas à croire que cela prît si longtemps. Elle avait eu les premières douleurs la veille à huit heures du soir et elle était déjà dans de terribles souffrances lorsqu'ils l'avaient amenée à l'hôpital.

« Est-ce qu'elle va bien? »

Lionel était pâle. Il avait l'impression d'avoir déjà appelé l'hôpital un millier de fois. Il y était même passé pendant quelques heures, mais Faye n'avait pas voulu laisser Anne pour sortir lui parler dans le couloir. Il avait remarqué un couple inquiet dans la salle d'attente, en compagnie de l'avocat des Thayer. Il devina de qui il s'agissait. Tous deux étaient encore plus impatients que les parents d'Anne. Mais le médecin pensait qu'il n'y en aurait plus que pour quelques heures maintenant. Ils avaient vu la tête du bébé pendant tout l'après-midi.

Anne était prête à pousser, mais tout cela prendrait encore du temps. S'il ne constatait aucun progrès vers huit ou neuf heures, il lui ferait une césarienne.

« C'est pas possible », répéta John.

Tous deux furent incapables d'avaler quoi que ce soit. Ils se faisaient beaucoup trop de souci. A sept heures, Lionel appela un taxi. Il retournait à l'hôpital.

« Je préfère être là-bas. »

John hocha la tête.

« Je vais avec toi. »

Ils avaient passé cinq mois à la chercher, cinq autres à la veiller. Elle était devenue la petite sœur de John, la maison n'était plus la même sans ses vêtements, ses livres et ses disques étalés partout. Une fois, il l'avait menacée de l'enfermer dans sa chambre si elle ne rangeait pas ses affaires. Elle avait ri, s'était moquée de lui et lui avait dit qu'elle crierait dans tout le quartier qu'il était homo.

Lorsqu'il vit Faye un peu après neuf heures, son expression disait assez ce qu'Anne endurait depuis vingt-quatre heures.

« Ils n'arrivent pas à le sortir de là, expliqua-t-elle à Ward, qui était revenu lui aussi à l'hôpital. Et le docteur préfère éviter la césarienne à cet âge, sauf si c'est absolument nécessaire. »

Ce qu'endurait Anne était pire que tout ce que Faye avait pu voir. Elle hurlait et les implorait tour à tour, la douleur la faisait délirer. Mais il n'y avait malheureusement rien à faire et le cauchemar dura encore pendant deux heures interminables. Anne criait qu'on la tue... elle et le bébé... n'importe quoi... mais finalement, la petite tête émergea et avec elle le reste du bébé, qui sortit lentement et la déchira sauvagement. Ce furent d'affreuses douleurs jusqu'à la fin et ils en comprirent aisément la cause. Le bébé était énorme, il pesait un peu plus de quatre kilos cinq cents, et Faye ne pouvait imaginer punition plus sévère pour l'ossature étroite d'Anne. C'était comme si chacun des hommes qui l'avaient pénétrée avait participé à l'enfant. Il était sorti bien formé, un composé d'eux tous. Faye le regardait sans rien dire, des larmes dans les yeux, pour toutes les souffrances qu'il avait infligées à Anne, pour cette vie qui ne croiserait plus jamais la leur.

Bien des heures auparavant, Anne avait consenti à l'abandonner. Mais à ce moment-là, elle aurait consenti à tout. Le médecin lui mit aussitôt le masque pour l'endormir. Elle n'eut pas le temps de voir l'enfant, ne sut jamais qu'il était si gros, ne sentit pas qu'on la recousait. Faye quitta silencieusement la salle de travail, profondément peinée par ce qu'avait subi sa fille, par cette expérience qui certainement la marquerait à vie, par l'idée qu'elle ne connaîtrait jamais l'enfant, contrairement à elle, qui avait eu Anne avec ses joies et ses chagrins.

Et voilà qu'on lui prenait son premier petit-fils... Elle ne le reverrait jamais... L'infirmière l'avait couché dans un berceau de plastique et roulé jusqu'à la pouponnière, où il serait lavé, avant d'être remis à quelqu'un d'autre.

Une demi-heure plus tard, comme Faye quittait l'hôpital avec Ward, elle aperçut la femme aux cheveux bruns tenant l'enfant dans ses bras, le visage baigné de larmes, un regard tendre dans les yeux. Ils avaient attendu ce bébé pendant quatorze ans, ils l'acceptaient tel qu'il était, sans savoir qui était son père, et malgré les drogues. Ils l'accueillaient avec un amour inconditionnel. Faye serra très fort la main de Ward en sortant. Elle prit une grande bouffée d'air nocturne. Le médecin avait dit qu'Anne dormirait plusieurs heures. Elle était sous sédatifs. Après s'être couchée, cette nuit-là, Faye pleura dans les bras de Ward.

« Ça a été si horrible... elle a crié... si tu savais... »

Elle sanglota, incapable de se maîtriser plus longtemps. Cela avait été insupportable de voir ce spectacle, mais maintenant, tout était fini pour tout le monde. Sauf pour le couple qui avait pris l'enfant d'Anne. Pour eux, tout commençait.

CHAPITRE 25

Ils la laissèrent une semaine à l'hôpital pour permettre à ses blessures, physiques et morales, de cicatriser. Cela se ferait avec le temps, avait dit le médecin, et il l'avait mise sous Démérol et Valium, pour la soulager en attendant. En sortant, l'énorme tête du bébé l'avait déchirée. Mais ces blessures étaient moins graves que les lésions émotionnelles de l'accouchement. Un psychiatre passait la voir tous les jours. Anne refusait de lui parler. Elle restait couchée, les yeux tournés vers le mur ou le plafond. Il attendait près d'elle pendant une heure, puis repartait. Elle ne parla pas davantage à Faye, ni à Ward ni aux jumelles. Pas même à Lionel lorsqu'il vint la voir avec John, à un autre moment que ses parents, par prudence. Il lui apporta un énorme ours en peluche, en espérant que cela ne lui rappellerait pas son enfant perdu. Le bébé avait quitté l'hôpital trois jours après sa naissance. Ses nouveaux parents l'avaient emmené dans une tenue raffinée tout en bleu et blanc de chez Dior, plus deux couvertures tricotées par sa nouvelle grand-mère. Ils avaient envoyé à Anne un gigantesque bouquet de fleurs, mais elle l'avait donné à quelqu'un d'autre. Elle ne voulait rien qui les lui rappelle. Elle se détestait pour avoir abandonné son bébé, mais elle s'était sentie si mal lorsqu'elle s'était réveillée, après l'accouchement, qu'elle n'avait d'abord rien regretté. Mais maintenant, elle aurait voulu voir de quoi il avait l'air, rien qu'une fois... pour pouvoir se souvenir de lui... Ses yeux s'emplissaient de larmes à cette pensée. Tout le monde lui disait qu'elle avait bien fait, mais elle les détestait tous, et elle-même en premier. Elle le dit à Lionel ce jour-là. John avait une forte envie de pleurer. S'il s'était agi de sa sœur, il en serait mort pour elle. Il s'efforça de lui redonner un peu de courage, de la faire sourire. Ses plaisanteries n'étaient pas de très bon goût, mais elles venaient du cœur; il était si triste de la voir dans cet état.

« On pourra toujours repeindre ta chambre en noir. J'ai du très beau velours côtelé noir à la boutique... Et aussi draper du tulle noir autour des fenêtres, et pour finir, une ou deux veuves noires ici et là. »

Il cligna artistement de l'œil et, pour la première fois depuis une semaine, Anne consentit à rire.

Mais lorsqu'elle put sortir de l'hôpital, ce furent Ward et Faye qui vinrent la chercher pour la ramener à la maison. Ils en avaient discuté avec Lionel le matin même, enfin, Faye, plus précisément. Comme prévu, Anne reviendrait vivre avec eux, et les deux garçons pourraient louer sa chambre à un ami ou en disposer comme ils voudraient. Anne n'avait plus rien à faire chez eux.

Elle reçut un choc en apprenant ce qu'on lui avait réservé, mais elle n'avait pas la force de résister à ses parents. Elle resta dans sa chambre pendant les semaines qui suivirent, refusant le plus souvent de manger, envoyant les jumelles au diable lorsqu'elles passaient lui dire bonjour, ce qui ne leur arrivait pas souvent, il faut le reconnaître, bien que Vanessa eût mis plus de bonne volonté que sa sœur. Voulant aider Anne, elle lui apporta disques et livres, et une ou deux fois un bouquet de fleurs. Mais Anne ne se laissait pas séduire par ces cadeaux et gardait son cœur obstinément fermé. Elle ne consentit à descendre déjeuner avec eux que pour Thanksgiving. L'absence de Lionel se faisait sentir, Greg était lui aussi absent, retenu en Alabama par un match de football; dès qu'elle le put, Anne remonta dans sa chambre. Elle n'avait rien à leur dire, pas même à Vanessa, qui faisait des efforts, ou à Faye, dont le chagrin se voyait encore. Anne les détestait tous. Elle était hantée par la pensée du bébé. Il aurait cinq semaines, maintenant. Elle se demandait si elle se souviendrait ainsi de son âge chaque jour de sa vie. Mais enfin, elle n'avait plus mal en s'asseyant, c'était déjà quelque chose, lui rappela Lionel lorsqu'il passa lui dire bonjour après s'être assuré que son père était sorti. Ward savait que Lionel viendrait la voir et il n'avait rien dit, pour ne pas être obligé de l'affronter, lui ou John. Il n'avait pas changé d'avis sur la question. Lorsque, la veille de Noël, Faye le supplia de laisser Lionel partager le déjeuner de fête avec sa famille, il refusa de céder.

« J'ai pris cette décision et je ne compte pas en changer. Je désapprouve son mode de vie et je veux que toute la famille le sache. »

Elle eut beau essayer de le fléchir, il était intraitable. Ward, qui n'avait jamais été un saint, était outré qu'elle osât comparer ses incartades hétérosexuelles avec le mode de vie homosexuel de Lionel.

« C'est simplement pour te rappeler que tu es humain, toi aussi.

– Mais, bon sang, lui c'est un pédé!
– Un homosexuel.
– C'est un malade, je ne veux pas de lui à la maison. Est-ce clair, à la fin? »

C'était sans espoir. Il ne bougeait pas d'un centimètre. Parfois, elle regrettait presque qu'il fût revenu. Leur union n'était plus la même et la question de Lionel n'arrangeait rien. C'était entre eux une source perpétuelle de frictions et de désespoir. Heureusement qu'ils étaient occupés par un film et qu'elle était rarement à la maison!

Elle était contente que Lionel soit passé ce jour-là. Il fallait que quelqu'un puisse parler un peu à Anne, après tout ce qu'elle avait enduré, et il n'y avait que Lionel qui puisse l'atteindre. Faye trouvait particulièrement injuste la sanction imposée par Ward, et elle l'en haïssait. Elle le regarda en rageant intérieurement. Et pourtant, sous la colère perçait l'amour qu'elle avait toujours éprouvé pour lui. Ward Thayer était son univers et sa vie depuis si longtemps que, saint ou pécheur, elle ne pouvait imaginer exister sans lui.

Le jour de Noël, Lionel ne vint donc pas. Dès qu'ils sortirent de table, Anne fila chez lui. Les Wells avaient trouvé un prétexte pour ne pas inviter Lionel. Ils auraient reçu leur fils avec plaisir, mais son amant, cela aurait rendu leur relation trop tangible, en dépit de leur indulgence. John et Lionel avaient préféré passer Noël ensemble. Anne ne fut pas la seule à les rejoindre après le déjeuner; c'était aussi le cas de quelques amis de travail de John et d'un camarade de fac de Lionel.

Anne se retrouva entourée d'une douzaine de jeunes homosexuels, et cela ne la gêna pas, au contraire; elle était plus à son aise au milieu d'eux qu'avec le reste de la famille. Elle était également plus à l'aise avec elle-même, maintenant. Elle avait perdu les kilos qu'elle avait pris et ses yeux brillaient. Elle faisait plus vieille que son âge, était bien plus mûre. Dans quelques semaines, elle aurait quinze ans et retournerait au lycée. Elle l'appréhendait. Elle serait plus âgée d'un an et demi que toutes ses camarades de classe. Mais Lionel lui avait dit d'y retourner courageusement, en serrant les dents, et elle le ferait surtout pour lui.

Ils la laissèrent boire une moitié de verre de champagne et elle resta avec eux jusqu'à neuf heures. Avec ses économies, elle avait offert à Lionel une écharpe en cachemire et à John un magnifique stylo en argent de chez Tiffany. Ils étaient ses meilleurs amis, la seule famille qui comptât à ses yeux. John la ramena à la maison dans sa Volkswagen d'occasion, tandis que Lionel restait avec ses amis. Elle aurait aimé rester, sachant que la fête allait continuer, mais Lionel insista pour qu'elle rentre. Cette soirée n'était pas de son âge. Ils discutaient parfois ouvertement de certains sujets, et tous les invités n'étaient pas aussi discrets que John et Li. Elle avait étreint son frère, puis, une fois chez elle, embrassa John avant de sortir de la voiture.

« Joyeux Noël, ma chérie.

– Toi aussi, John. »

Elle sauta de voiture et courut dans sa chambre pour essayer ses cadeaux. Li lui avait offert un beau pull angora rose avec une écharpe assortie et John, une paire de boucles d'oreilles en perle. Impatiente de les mettre, elle se regarda avec orgueil dans la glace. Elle était si contente de ses cadeaux qu'elle n'entendit pas sa sœur entrer. Val la vit qui s'admirait. Elle était contrariée et d'humeur massacrante. Greg, qui devait sortir avec des amis, avait promis de l'emmener, mais au dernier moment, il avait changé d'avis. Vanessa avait rendez-vous avec son dernier béguin et Val était restée à faire le pied de grue. Même Ward et Faye étaient sortis prendre un verre chez des amis. Il ne restait à la maison qu'Anne et Val.

Val lui jeta un regard de haut.

« Où as-tu pêché ça? »

Elle aurait aimé essayer le pull et l'écharpe mais savait qu'Anne ne les lui prêterait jamais. Val avait accès à presque toutes les affaires de Vanessa, mais Anne fermait toujours sa porte à clef et ne prêtait rien. Elle ne leur demandait rien non plus. Anne était renfermée de nature, et elle ne s'était pas arrangée ces derniers temps.

« C'est Li qui me les a donnés.

– Qu'est-ce qu'il ne ferait pas pour sa chouchoute? »

La remarque blessa Anne, mais elle n'en montra rien. Elle ne montrait jamais rien. Elle avait le génie de la dissimulation.

« Je n'ai pas avec lui les mêmes rapports que toi. »

C'était une réflexion d'adulte et la franchise avec laquelle elle l'avait dit déconcerta Val.

« C'est mon frère aussi, si je ne m'abuse.

– Alors, fais quelque chose pour lui à l'occasion.

– Il ne s'est jamais intéressé à moi. Toujours fourré avec ses tapettes.

– Sors d'ici tout de suite! »

Anne s'avança vers elle, menaçante, et Val recula d'un pas. Anne l'effrayait parfois.

« Bon, bon. Ne le prends pas comme ça.

– Sors d'ici, espèce de pute! »

Ce n'était pas le mot qu'il aurait fallu dire. Val s'arrêta net et lui jeta un regard mauvais.

« A ta place, j'aurais évité de dire ça. Ce n'est pas

moi qui me suis fait engrosser et qui ai été obligée de vendre mon gosse. »

C'était plus qu'Anne ne pouvait en supporter. Elle voulut gifler sa sœur, mais la manqua. L'autre lui attrapa le bras et claqua brutalement la porte dessus. Il y eut un craquement et elles se regardèrent, interdites, tandis qu'Anne dégageait son bras et la giflait de nouveau, avec succès cette fois. Elle lui flanqua sa main en plein dans la figure et la considéra avec mépris en se tenant le bras.

« Si jamais tu m'adresses encore la parole, sale putain, je te tuerai, tu entends? »

Val avait touché une corde si sensible et si douloureuse qu'elle aurait pu mettre ses menaces à exécution, si Faye et Ward n'étaient entrés sur ces entrefaites. En voyant Val le visage rougi et Anne se tenant le bras, ils comprirent aisément qu'elles avaient eu une nouvelle dispute. Ils les grondèrent toutes les deux. Ward leur apporta de la glace, mais Faye préféra tout de même conduire Anne à l'hôpital pour qu'on lui fasse une radio. Anne avait une bonne foulure, mais rien de cassé. Ils lui firent un bandage et, à minuit, elles étaient de retour. Elles venaient de passer la porte lorsque le téléphone sonna. C'était Mary Wells, dans tous ses états. D'abord, Faye ne put comprendre un mot de ce qu'elle lui disait... une histoire de feu... et d'arbre de Noël... puis elle frissonna : était-ce chez les Wells ou chez John? Elle cria dans le téléphone, s'efforçant d'amener Mary à mieux s'expliquer, mais ce fut Bob Wells qui prit finalement le combiné. Il était en larmes. Ward décrocha l'autre téléphone. Ils l'écoutèrent en même temps.

« Il y a eu le feu chez les garçons. Ils ont laissé les bougies sur le sapin en allant se coucher. John est... (Il ne pouvait plus parler. Ils entendaient sa femme sangloter à côté de lui, et loin, très loin, des chants de Noël. Ils avaient des amis à la maison lorsqu'ils avaient appris la triste nouvelle, et personne n'avait pensé à fermer la télévision.) John est mort.

– Oh! mon Dieu... ce n'est pas possible!... et Li? »

Faye avait posé la question dans un murmure. Ward ferma les yeux.

« Il est sérieusement brûlé, mais c'est tout. Nous avons pensé qu'il fallait vous prévenir. On vient de nous appeler... La police a dit... »

Faye ne put comprendre la suite. Elle s'effondra dans un fauteuil, sous le regard terrorisé d'Anne. Ils l'avaient oubliée. Anne fixa sa mère avec angoisse.

« Que s'est-il passé?

– Un accident. Li est brûlé. »

Elle s'assit, blême. Pendant un moment elle avait cru que Li, son cher Li, était mort... mais c'était John... le pauvre John...

« Qu'est-ce qui se passe? »

Anne pleurait et les jumelles venaient de descendre. Faye n'y croyait pas encore. Ce n'était pas possible. Elle lui avait parlé à peine quelques heures plus tôt.

« Je ne connais pas les détails... il y a eu un incendie chez Lionel et John... et John a été tué! Lionel est à l'hôpital... »

Elle se leva. Les jumelles se mirent à pleurer. Instinctivement, Vanessa serra Anne dans ses bras, et elle se laissa faire. Faye se retourna et vit que Ward pleurait en silence et sortait de sa poche ses clefs de voiture. Ils s'en allèrent peu après, laissant Anne effondrée sur le divan, entre Vanessa, qui lui caressait les cheveux, et Val, dont elle tenait la main.

A l'hôpital, Faye et Ward trouvèrent leur fils traité pour brûlures graves sur les bras et les jambes. Il ne put réprimer ses larmes tandis qu'il s'efforçait d'expliquer à sa mère ce qui s'était passé...

« J'ai fait tout mon possible, maman... tout mon possible... Mais il y avait tellement de fumée partout... Je n'arrivais plus à respirer. »

Ils pleuraient tous les deux. Il lui reparla de la fumée, expliqua qu'il avait réussi enfin à tirer John de là pour lui faire le bouche-à-bouche, mais c'était trop tard et lui-même manquait de souffle. Il s'était évanoui juste avant l'arrivée des pompiers. Et il s'était réveillé sur ce lit d'hôpital. Une infirmière lui avait appris la mort de John, étouffé.

« Jamais je ne pourrai me le pardonner, maman... tout est ma faute... c'est moi qui ai oublié d'éteindre ces foutues bougies... »

L'énormité de la perte qu'il venait de faire l'écrasa de nouveau. Faye resta assise près de lui, essayant à travers les larmes de le consoler du mieux qu'elle pouvait, avec tous ces pansements et ces pommades qu'on lui avait mis, mais il semblait sourd à ce qu'elle disait. Il était si accablé par la mort de John qu'il ne sentait pas ses brûlures. Ward resta debout près d'eux, impuissant devant leur douleur, et, pour la première fois depuis des mois, peiné de voir son fils dans cet état. Il le regarda avec tristesse, et soudain le revit tel qu'il était, il y avait si longtemps... courant sur la pelouse... jouant avec l'attelage de poneys dans leur première maison, avant que tout bascule... c'était le même petit garçon sur ce lit d'hôpital, mais devenu un homme. Une barrière infranchissable semblait s'être élevée entre eux. C'était atroce de se remémorer tout cela à la vue de ce corps couché dans ses pansements, secoué de sanglots. Ward s'approcha de son fils et le serra dans ses bras, pleurant lui aussi. Faye s'était levée devant ce miracle, le cœur brisé par ce qui était arrivé à John... et se sentant coupable d'être si heureuse que Lionel ait été épargné.

CHAPITRE 26

L'ENTERREMENT fut intolérable. Faye n'avait jamais rien vu de plus douloureux. Mary Wells était au bord de la crise de nerfs et son mari pleurait encore plus qu'elle. Les quatre sœurs de John était hébétées, sous le choc. Lorsqu'on descendit le cercueil, Mary voulut se jeter dessus et il fallut la retenir. Lionel était si grand, si mince, si pâle dans un costume noir que Faye ne lui connaissait pas qu'elle craignait à tout moment de le voir s'évanouir. Sur sa main libre de pansements, elle remarqua pour la première fois, avec un certain émoi, une discrète alliance en or. Elle se demanda si Ward l'avait remarquée lui aussi, et comprit en la voyant tout ce que John avait représenté pour son fils. Elle le fixa douloureusement. La perte qu'il venait de faire était la plus grande de sa vie, et sans doute n'en connaîtrait-il pas de plus terrible.

Anne pleurait doucement dans son mouchoir aux côtés de Lionel et lui jetait de temps en temps un regard discret pour s'assurer qu'il tenait le coup. La suite des événements était déjà réglée, Faye et Ward en avaient discuté la veille. Lionel reviendrait vivre avec eux, au moins pour un temps. Ward fit quelques pas avec lui après l'enterrement. Greg s'était esquivé à peu près aussitôt qu'ils avaient regagné la maison. John avait été longtemps son ami, mais il n'était que modérément ému.

« Qu'est-ce que je peux y faire? avait-il dit à Val

après la cérémonie, dans un haussement d'épaules. C'était jamais qu'un pédé. »

Mais John avait été son ami, tout de même, et Valérie se souvenait d'avoir eu le béguin pour lui, sans être payée de retour. Ils savaient maintenant pourquoi.

Faye surveillait discrètement Anne. Elle était passée par trop d'épreuves ces derniers mois. Mais elle semblait aller mieux, maintenant... On ne pouvait pas en dire autant de Lionel, qui marchait près de son père comme un automate, obnubilé par le combat qu'il avait mené contre les flammes, obsédé par son incapacité à sortir John de là. Depuis trois jours, ces images passaient et repassaient devant ses yeux. Il ne pouvait ni ne voulait les oublier... jamais... tout était sa faute... C'était lui qui avait oublié d'éteindre les bougies en allant se coucher... ils avaient trop bu ce soir-là. Mais comment avait-il pu commettre une erreur pareille... une erreur de gosse... à son âge... C'était sa faute... c'était comme s'il l'avait tué de ses propres mains.

Il se confia à son père. Il ne se sentait rien de commun avec lui, mais il avait besoin de parler à quelqu'un. Il se demandait si les parents de John lui en voulaient.

« Ils le devraient, tu sais. »

Il tourna vers son père des yeux si affligés que Ward sentit son cœur fondre. Il s'était tellement efforcé de le détester pendant un an... Son petit garçon... C'était un miracle que Li n'ait pas péri lui aussi dans l'incendie. Les moments qu'il goûtait auprès de lui étaient un don du ciel.

« Nous vous en avons beaucoup voulu toute cette année, Li, et nous avons eu tort. »

Ward soupira et tourna les yeux dans la direction des arbres, tandis qu'ils poursuivaient leur marche.

C'était plus facile que de le regarder en face, ce qu'il n'avait pas fait depuis près d'un an, même quand Lionel et John avaient retrouvé Anne.

« Je me suis cassé la tête à essayer de comprendre pourquoi tu es devenu ainsi. J'ai cru que c'était ma faute, je t'en ai voulu... mais j'ai eu tort... »

Il se retourna vers son fils et vit de grosses larmes, reflet des siennes, rouler lentement sur ses joues.

« Je n'avais pas le droit de t'en vouloir ainsi, Li. Tout comme tu ne dois pas t'en vouloir maintenant... Tu as fait ce que tu as pu... (Ils s'arrêtèrent, et Ward prit dans la sienne la main de son fils.) Je sais que tu as fait tout ton possible et que... tu aimais énormément John. »

Il aurait voulu ne pas le savoir, mais il en était ainsi. Il serra son fils dans ses bras, sa joue posée contre sa joue, son cœur battant contre le sien, leurs larmes mêlées. Lionel leva vers son père des yeux de petit garçon.

« J'ai essayé, papa... essayé... mais je n'ai pas pu le sortir à temps... »

De gros sanglots le secouèrent. Ward le serra plus fort, comme pour le protéger contre cette douleur immense.

« Je le sais, Li... »

Il était inutile de lui dire que tout allait bien. Pour John, rien n'irait plus jamais bien. Lionel savait qu'il ne s'en consolerait jamais. C'était une perte irréparable.

Lorsque le père et le fils rentrèrent à la maison, le reste de la famille les attendait. Ce fut un bien morne dîner, après lequel chacun se retira dans sa chambre. Tout ce que possédait Lionel avait disparu dans l'incendie, sauf quelques effets qu'il avait laissés chez ses parents, quelques bijoux noircis par les flammes mais récupérables, et sa voiture, garée devant la maison. Il avait retrouvé son ancienne chambre. Sans rien dire, Faye lui acheta les jours suivants ce dont elle pensait qu'il avait besoin et il fut ému de ce geste. Ward lui prêta des vêtements. Le père et le fils passaient maintenant plus de temps ensemble qu'ils ne l'avaient fait depuis longtemps.

Greg retourna à la fac, et le jour de son anniversaire, ce fut à Anne de retrouver le lycée après un an d'absence. C'était une épreuve, mais impossible d'y échapper. Quelques semaines plus tard, on enleva à Lionel ses derniers pansements, qui révélèrent des cicatrices bien visibles, différentes de celles qui restaient cachées en lui. Personne ne lui fit remarquer qu'il n'était pas retourné à la fac comme les autres. Ils sentaient qu'il n'était pas encore prêt.

Il les surprit beaucoup un jour en invitant son père à déjeuner. Assis en face de lui à une table du *Polo Lounge* qui avait connu tous les grands événements de la famille, Lionel regarda son père droit dans les yeux. Ward observait son fils, attendant qu'il parle. Li faisait plus vieux que son âge. Il ne comprenait pas mieux qu'avant ses préférences sexuelles mais il avait enfin appris à le respecter. Il appréciait ses valeurs, ses opinions, sa façon de penser, et il fut extrêmement déçu lorsque Lionel lui annonça son intention d'arrêter là ses études.

« J'y ai beaucoup réfléchi, papa. Et j'ai voulu t'en parler en premier.

– Mais pourquoi faire ça? Tu n'en a plus que pour un an et demi. Ça va passer très vite. Tu es sous le coup de l'émotion, Li. »

Du moins, il l'espérait. Mais Lionel secoua la tête.

« Je ne peux pas y retourner, papa. Pour moi, c'est dépassé. On vient de me faire une offre pour un film, et c'est ce que j'ai envie de faire.

– Et où ça te mènera-t-il? Dans trois mois, le film sera fini et tu te retrouveras au chômage.

– Comme toi, hein, papa? » plaisanta Lionel.

Ward sourit, mais il n'était pas satisfait de la nouvelle.

« Non, poursuivit Lionel, j'en ai ma claque des études. J'ai besoin de voler de mes propres ailes.

– Mais tu n'as que vingt ans. Pourquoi te presser? »

Tous deux savaient pourtant que Lionel avait déjà beaucoup vécu pour son âge, en partie à cause de John. Il avait souffert et perdu l'être qu'il aimait le plus au monde. Il ne pouvait plus rejouer au petit garçon, même pour faire plaisir à son père, et, bien qu'il refusât de le reconnaître, Ward le savait. La mort de John les avait tous vieillis. Elle lui avait aussi permis de renouer avec son fils. Un fils qui ne serait plus aussi jeune, aussi insouciant qu'avant. Il avait sans doute raison d'abandonner la fac, mais Ward le regrettait.

« J'aurais vraiment aimé que tu continues, Li.

– Je le sais bien.

– Qui t'a offert ce boulot? »

Lionel sourit.

« La Fox. »

Un concurrent, bien sûr. Ward éclata de rire en portant une main à sa poitrine comme s'il avait été touché au cœur.

« Quel choc! J'aurais pourtant préféré que tu n'entres pas dans ce foutu business. »

Il le pensait vraiment, mais Lionel secoua les épaules.

« Vous l'aimez bien, pourtant, maman et toi.

– Oui, mais il y a des moments où nous en avons par-dessus la tête. »

C'était leur sentiment depuis quelque temps, et il voulait proposer à Faye de faire un petit voyage ensemble. Elle venait de finir un film et n'avait plus aucun prétexte pour rester. Soudain, il eut une idée.

« Dis-moi, Li, tu restes encore un peu à la maison, n'est-ce pas ?

– Je pensais me mettre prochainement à chercher un appartement. Je ne veux pas rester dans vos jambes trop longtemps.

– Tu ne déranges personne. (Ward eut un sourire d'excuse, se rappelant combien il avait été dur avec lui.) Est-ce que tu accepterais de rester encore un mois pour t'occuper des filles ?

– Bien sûr. Pourquoi ça ?

– Je veux emmener ta mère en voyage. Elle a besoin de repos, et moi aussi. »

Ils n'avaient pas eu cinq minutes d'intimité depuis qu'il avait rompu avec son actrice et qu'il était revenu à la maison, c'est-à-dire depuis neuf mois. Il était grand temps qu'ils prennent un peu le large. Lionel sourit à cette pensée.

« Je m'en chargerai avec plaisir, papa. Cela vous fera du bien. »

Ward lui sourit tandis qu'ils quittaient le restaurant. Ils étaient amis. Amis comme ils ne l'avaient jamais été. D'homme à homme... quelque curieux que cela paraisse. Et le soir même, Ward exposa son projet à sa femme.

« Je ne veux rien savoir, cette fois. Pas d'excuses. Ne me dis pas qu'il y a le travail, ou les enfants, ou que tu dois voir les acteurs pour discuter du prochain texte. Nous partons dans deux semaines. »

Il avait pris les billets l'après-midi même. Ils partaient pour Paris, Rome et la Suisse. Mais au lieu de se rebeller, Faye le regarda, les yeux brillants.

« C'est vrai? »

Ravie, elle lui mit les bras autour du cou.

« Tout à fait vrai. Et si tu ne viens pas de ton plein gré, je t'enlève. Je compte bien partir pendant trois semaines, peut-être même quatre. »

Il avait secrètement consulté son agenda l'après-midi même et savait qu'elle pouvait se permettre une aussi longue absence.

Ce soir-là, Faye le suivit dans leur chambre d'un pas plus léger et pirouetta dans sa chemise de nuit, tandis qu'il lui parlait en plaisantant de Paris et de Rome.

« Cela fait si longtemps que nous ne sommes pas partis en voyage de noces, ma chérie!

– Je le sais bien. »

Elle s'assit sur le lit et fixa tranquillement son mari. Ils s'étaient perdus deux fois; ils avaient failli perdre deux de leurs enfants... une fille, puis un fils... ils avaient renoncé à leur premier petit-fils et l'amant de leur fils était mort. La vie n'avait été facile pour aucun d'eux. Si on lui avait demandé un an plus tôt s'il restait un espoir de sauver leur couple, elle aurait répondu par la négative. Mais maintenant, en le regardant, elle savait qu'elle l'aimait toujours, ce bougre de Ward, avec ses défauts, ses infidélités, ses faiblesses, et elle lui pardonnait même ce qu'il avait infligé à leur fils. Elle aimait Ward Thayer et l'aimerait sans doute toute sa vie. Il ne lui restait guère d'illusions après vingt-deux ans de mariage, mais elle l'aimait tel qu'il était. Et cette nuit-là, après s'être couchés, ils firent l'amour, comme ils l'avaient fait et refait pendant des années.

CHAPITRE 27

PARIS était délicieux, ce printemps-là. Ils flânèrent le long des quais, goûtèrent la soupe à l'oignon des Halles, descendirent les Champs-Elysées. Ils firent des achats chez Dior, déjeunèrent au Fouquet's et dînèrent chez Maxim's et à la brasserie Lipp. Ils s'assirent à la terrasse du Flore et des Deux Magots, riant et s'embrassant sans arrêt, enlacés comme deux amoureux et se gavant de vin et de fromage. C'était exactement ce dont avait rêvé Ward – une deuxième lune de miel, un voyage d'oubli, après toutes les peines qu'ils avaient connues depuis un ou deux ans, les enfants, les films, les responsabilités. Lorsqu'ils atteignirent Lausanne, Faye s'assit au bord du lac Léman et lui sourit.

« Je suis contente de t'avoir épousé, tu sais. »

Elle avait parlé sur un ton neutre, avant de tremper son croissant dans sa tasse de café. Ward se mit à rire.

« Heureux de l'apprendre. Qu'est-ce qui te fait dire ça?

– Eh bien, dit-elle en regardant les eaux du lac, avec l'air de réfléchir, je trouve que dans le fond tu es quelqu'un de réglo. Il t'arrive de tout chambouler dans ta vie, mais tu es assez honnête pour revenir en arrière et essayer d'arranger les choses. »

Elle pensait à Lionel, soulagée que lui et Ward aient fait la paix. Et elle pensait aussi à sa dernière liaison.

« Je m'y efforce, c'est vrai, mais je n'y arrive pas aussi bien que toi, Faye.

– Foutaises.

– On croirait entendre Val. »

Il la regarda avec un air de reproche et elle rit.

« Tu sais, je ne suis pas plus maligne que toi. Seulement un peu plus têtue.

« Moi, je n'ai pas assez de cran pour tenir comme tu le fais. Il m'arrive d'avoir envie de fuir. »

Il l'avait fait deux fois jusqu'à présent, et chaque fois, Faye avait réussi à le récupérer. Il lui en était reconnaissant. Mais sa réponse le surprit.

« Moi aussi, j'ai eu envie de fuir, tu sais. Mais j'imagine toujours ce qui se passerait si je m'en allais... qui surveillerait Val? Qui s'occuperait d'Anne... de Vanessa... de Greg... de Li... (Elle lui sourit.) Toi, bien sûr. Mais je suis si égoïste dans le fond que je me dis toujours que tout irait mal à la maison si je disparaissais. C'est faux, mais ça m'aide à tenir le coup.

– Je suis content de te l'entendre dire. (Il lui rendit son sourire et lui prit la main. L'amour était toujours là après toutes ces années.) Car tu as raison. Ce serait le bordel complet si tu t'en allais, et je suis content que tu ne sois jamais partie.

– Mais je le ferai peut-être, un jour. J'irai draguer un accessoiriste du studio. »

Cette idée la fit rire, mais Ward ne sembla pas trouver cela drôle.

« Je me suis fait des cheveux plusieurs fois, tu sais. Je ne suis pas toujours ravi de voir certains acteurs te tourner autour. »

C'était la première fois qu'il le lui avouait, et cela la vexa.

« Je me suis toujours très bien conduite!

– Je le sais bien, et c'est pour ça que je t'ai toujours à l'œil.

– Ah! c'est comme ça... »

Elle lui tira l'oreille, il l'embrassa. Peu après, ils rentrèrent, oubliant les Alpes et le lac Léman, leurs enfants et leurs carrières. Ils ne pensèrent qu'à eux pendant les jours de vacances qui leur restaient et ce fut à regret qu'ils reprirent l'avion pour les Etats-Unis.

« Ça a été merveilleux, n'est-ce pas, chéri?

– Paradisiaque. »

Il lui sourit et, lui prenant le bras, elle posa la tête sur son épaule.

« Je passerais bien tout mon temps à ne rien faire.

– Impossible, tu ne pourrais pas. Tu deviendrais folle. Dans une semaine, tu seras plongée dans un film, tu me diras que tout le monde est infernal, qu'aucun des costumes ne convient, que les décors sont mauvais, que les extérieurs sont ratés et que personne ne sait son texte. Tu t'arracheras les cheveux, mais si tu n'avais pas tout cela, tu deviendrais malade d'ennui... Ce n'est pas vrai? »

Elle rit de cette description exacte de sa vie de metteur en scène.

« Eh bien, disons que je trouve qu'il est encore trop tôt pour prendre ma retraite, mais un de ces jours...

– Préviens-moi, ce jour-là.

– C'est promis. »

Mais Ward la connaissait bien. Deux semaines plus tard, tout était exactement comme il l'avait décrit : elle devenait folle, l'actrice principale lui menait la vie dure, deux des acteurs se droguaient, un autre buvait sur le plateau et réapparaissait complètement ivre après chaque repas, un plateau entier avait été détruit par un incendie et les syndicats la menaçaient d'une grève. Tout était redevenu normal, mais après leur voyage, ils se sentaient parfaitement d'attaque. A la maison, Lionel avait la situation bien en main. Anne semblait s'être réhabituée à l'école; les jumelles étaient à peu près sages et les nouvelles de Greg étaient bonnes.

Un mois plus tard, Lionel déménagea de nouveau. Il s'était trouvé un studio et tout en sachant que John lui manquerait, Faye pensait que la solitude lui ferait du bien. Il tournait un film pour la Fox. Ça marchait bien, leur disait-il chaque fois qu'il les appelait. Leur seul problème était Anne, qui aurait voulu vivre avec lui. Lionel l'en avait découragée, lui expliquant qu'elle devait vivre sa vie, comme lui la sienne. Cela avait été une bonne idée autrefois, mais plus maintenant. Il fallait qu'elle redevienne une lycéenne comme les autres, se fasse des amis, renoue avec d'anciens camarades, si elle le voulait. Sa place était auprès de Faye et de Ward.

Anne le vit partir avec des larmes dans les yeux, un samedi après-midi, et elle passa le reste de la journée enfermée dans sa chambre. Mais le lendemain, lorsqu'elle sortit au cinéma avec une amie, Faye reprit espoir. Anne n'avait plus reparlé de sa grossesse depuis longtemps et ne mentionnait jamais le bébé qu'elle avait perdu. Faye espérait que tout finirait par être oublié et s'efforça elle-même de ne plus y repenser en se plongeant dans son film. Elle ne s'interrompit que pour la cérémonie des Oscars, qui devait avoir lieu, cette année-là, au stade couvert de Santa Monica. Elle persuada Lionel et les jumelles de les accompagner. Anne était encore un peu jeune et ils la laissèrent seule à la maison, comme d'habitude, et elle refusa de suivre la remise des Oscars à la télévision.

Pendant qu'elle s'habillait ce soir-là, Faye ne cessa de le répéter à Ward :

Les Oscars ne représentaient plus rien à ses yeux... pas comme quand elle était une jeune actrice... le jour où elle avait reçu le premier.

« Et après tout, dit-elle en attachant son collier de perles, j'en ai déjà gagné deux.

– Et modeste avec ça! plaisanta Ward.

– Ce n'est pas ce que j'ai voulu dire », répliqua-t-elle en rougissant.

Elle était ravissante dans une robe de velours noir qui mettait en valeur sa poitrine encore ferme. Il glissa dans la robe une main coquine qu'elle repoussa. Elle voulait être impeccable ce soir. Tout le monde serait si jeune et beau, et elle avait quarante-sept ans... quarante-sept ans... Comment le temps avait-il pu passer si vite? Il lui semblait qu'hier encore elle avait vingt-deux ans, vingt-cinq... elle était folle de Ward Thayer... et ils allaient danser au Mocambo tous les soirs. Elle regarda son mari, rêveuse, absorbée par ces images du passé, et il l'embrassa doucement dans le cou.

« Tu es très belle ce soir, mon amour. Je suis sûr que tu vas gagner.

– Ne dis pas ça! »

Elle ne voulait même pas y penser.

Leur entente avait été merveilleuse depuis leur retour. Ils semblaient entourés d'une aura d'amour qui parfois les isolait des autres, mais elle n'en avait cure. Elle préférait être seule avec lui, malgré sa tendresse pour les enfants.

En quittant la maison avec les jumelles, en robe longue et colliers de perles empruntés à leur mère, Faye aperçut Anne dans sa chambre et s'arrêta pour lui souhaiter bonne nuit. Elle avait l'air d'une pauvre enfant perdue et Faye regretta qu'elle ne puisse venir avec eux. Mais elle était trop jeune, quinze ans à peine... et c'était un lundi soir, avait-elle rappelé à Ward : Anne avait école le lendemain. Pourtant, elle s'en voulait de la laisser à la maison.

« Bonne nuit, ma chérie. »

Elle embrassa sa fille, un peu inquiète. Anne leva vers elle des yeux qui semblaient toujours lui demander qui elle était. Faye avait espéré que leur expérience commune pendant l'accouchement les aurait enfin rapprochées, mais cela ne s'était pas produit. Dans le fond de son cœur, Anne lui reprochait de l'avoir poussée à donner son enfant, et dès qu'elle était rentrée de l'hôpital, les portes s'étaient fermées de nouveau. Pas moyen de la toucher. Sauf pour Lionel, bien sûr. Anne le considérait comme son père et sa mère.

« Bonne chance, maman. »

Elle dit ça machinalement avant de se diriger vers la cuisine pour se préparer à manger.

Ils passèrent prendre Lionel, très élégant dans un vieux smoking de son père, et il jacassa avec les jumelles à l'arrière de la Jaguar de Faye. Ward se plaignit tout le long du chemin qu'elle ne roulait pas bien; il ne comprenait pas ce que sa femme en faisait. C'était une de ces soirées tendues où chacun prétend ne pas penser à ce qui occupe en fait son esprit.

Tout Hollywood était là, Richard Burton et Liz Taylor, tous deux nominés pour *Qui a peur de Virginia Wolf?* Liz portait un diamant gros comme le poing. Il y avait les sœurs Redgrave, elles aussi nominées... Audrey Hepburn, Leslie Caron, Mel Ferrer. Faye était opposée à Antoine Lebouch, Mike Nichols et d'autres pour l'Oscar de la meilleure mise en scène. Anouk Aimée, Ida Kaminska, les Redgrave et Liz Taylor briguaient l'Oscar de la meilleure actrice; Scofield, Arkin, Burton, Caine et Steve McQueen celui du meilleur rôle masculin. Bob Hope jouait les maîtres de cérémonie et les amusa tous. Puis soudain, Faye crut entendre son nom... elle avait encore gagné. Elle vola jusqu'à l'estrade, les larmes aux yeux, la sensation du baiser de Ward encore sur les lèvres, et se retrouva face à eux tous, serrant dans ses mains la statue d'or, exactement comme ce jour lointain de 1942 où elle avait gagné le premier, comme meilleure actrice... il y avait un siècle, il y avait un jour seulement... vingt-cinq ans... L'émotion était la même.

« Merci à tous... à mon mari, à ma famille, à toute l'équipe, à tous mes amis... Merci encore. »

Elle sourit et quitta l'estrade sous les applaudissements et se souvint à peine de ce qui se passa ensuite.

Il était deux heures lorsqu'ils rentrèrent à la maison. C'était une heure bien tardive pour les jumelles, mais cette soirée n'était pas comme les autres. Ils avaient téléphoné à Anne du *Moulin Rouge,* mais elle n'avait pas répondu. Val avait suggéré qu'elle devait dormir, mais Lionel savait que c'était une façon de leur fermer sa porte, de se venger parce qu'ils ne l'avaient pas emmenée. Et, tout comme sa mère, il trouvait que c'était une erreur de l'avoir laissée à la maison.

Longtemps après, ils reconduisirent Lionel, qui embrassa et félicita de nouveau sa mère avant de les quitter. Les jumelles se montrèrent étrangement silencieuses pendant le reste du trajet. Vanessa dormait à moitié et Val n'avait pas desserré les dents de la soirée. Elle bouillait de rage à cause de la récompense de sa mère. Lionel et Vanessa s'en étaient aussitôt aperçus, mais Faye ne semblait pas réaliser à quel point sa fille était jalouse.

« Ça vous a plu, les filles? »

Faye se retourna vers elles, repensant à son Oscar. Ils l'avaient gardé pour le faire graver, mais elle en sentait encore le poids dans ses mains. Elle n'arrivait pas à croire qu'elle l'avait reçu. C'était son troisième. Elle sourit à Val et fut surprise de l'éclat froid de ses yeux. Cela ne lui était jamais apparu aussi clairement jusqu'à présent : Val n'éprouvait pas que de la colère, de la jalousie.

« C'était très bien. Tu dois être plutôt fière de toi. »

C'était une remarque peu aimable, mais personne ne sembla la ressentir comme Faye. Val avait visé au cœur, et le coup avait porté.

« C'est toujours très excitant, tu sais. »

Val haussa les épaules.

« J'ai entendu dire qu'on les donnait parfois par charité. »

C'était si injurieux cette fois que Faye éclata de rire.

« Je ne crois pas être si dépassée que ça, mais on ne peut jamais savoir. »

Il y avait du vrai dans ce qu'avait dit Val, bien sûr; parfois le jury oubliait quelqu'un et se rattrapait l'année suivante, bien qu'il s'en défendît. Tout le monde savait que les choses se passaient ainsi.

« C'est sans doute ce que tu voulais dire, Val, en parlant de « charité »?

– Sans doute. »

Val haussa les épaules et tourna les yeux vers la fenêtre tandis que la voiture roulait vers la maison.

Elle fut la première à descendre de voiture et à monter dans sa chambre. Elle ne reparla jamais de l'Oscar, pas même à Anne le lendemain. Ni même quand ses camarades de classe l'entourèrent pour la féliciter. C'était une drôle d'idée, elle n'y était pour rien et, en plus, elle s'en fichait. Elle se contenta de hausser les épaules, de jeter un « Ouais, et alors? Vous parlez d'une affaire » avant de changer de sujet pour quelque chose de mille fois plus intéressant, comme le dernier concert de Diana Ross et des Supremes. Elle en avait jusque-là qu'on lui rebatte les oreilles avec Faye Thayer. C'était sa mère, pas la peine d'en faire un plat. Mais Val, elle, leur montrerait un jour quelle actrice elle pouvait être, et Faye Price Thayer aurait l'air bien pâle en comparaison. Plus que quelques mois, et à nous la liberté! Ils verraient ce qu'elle avait dans le ventre. Elle en bouillait d'impatience. Ils allaient voir. Au diable sa mère... Trois Oscars? Et alors?...

CHAPITRE 28

Les jumelles achevèrent brillamment leurs années de lycée deux mois après la remise des Oscars, et Greg rentra d'Alabama juste à temps pour assister à la cérémonie dans son ancien lycée.

Les yeux restèrent obstinément secs cette année-là. Au milieu de la cérémonie, Ward se pencha vers Faye pour lui murmurer : « Tu ne crois pas qu'ils devraient nous décerner un diplôme, à nous aussi? » et Faye pouffa dans sa main. Il avait bougrement raison. Il leur faudrait recommencer la même comédie dans quatre ans, pour Anne. Cela ne finissait jamais. Dans deux ans, Greg sortirait de l'université avec son diplôme. Ils avaient l'impression de passer la moitié de leur vie à regarder défiler des jeunes gens en robe et toque typiques de diplômés américains. Ce fut quand même touchant quand les jumelles reçurent les leurs, même si c'était une scène qu'ils connaissaient par cœur. Elles portaient toutes deux une robe blanche sous la tunique noire, celle de Vanessa très sobre avec un col montant et un bord brodé, celle de Val dans un organdi une fois de plus trop habillé, et assortie de talons vertigineux qui faisaient ressortir ses jambes. Mais ce n'était pas là son plus grand point de désaccord avec sa mère. Valérie avait refusé tout net de s'inscrire à l'université. Elle serait mannequin et actrice et suivrait des cours d'art dramatique à ses moments perdus. Mais pas à l'U.C.L.A., non, dans une école que les « vrais » acteurs continuent de fréquenter entre deux rôles, pour se perfectionner. Elle était certaine de s'y retrouver aux côtés de Dustin Hoffman et de Robert Redford, et elle était également persuadée de faire une entrée fulgurante à Hollywood, en dépit de tout ce que ses parents purent lui dire.

Cela avait été une question brûlante pendant plusieurs mois, mais Val était beaucoup plus têtue qu'eux. A bout d'arguments, Ward l'avait menacée de lui couper les vivres et cela sembla la satisfaire pleinement. Une amie lui avait parlé d'une communauté de jeunes actrices qui vivaient à West Hollywood; là, pour cent dix-huit dollars par mois seulement, elle disposerait d'un lit dans une chambre pour deux. Deux de ces actrices avaient des rôles dans des mélos, une autre faisait des films pornos (cela, Val s'était bien gardée d'en parler à ses parents), une quatrième avait obtenu un grand rôle dans un film d'horreur l'année d'avant, et quatre autres travaillaient régulièrement comme mannequins.

Faye trouvait que cette histoire avait des relents de bordel et le dit à sa fille. Mais les jumelles avaient presque dix-huit ans, Val ne cessait d'insister là-dessus. C'était un argument contre lequel ils ne pouvaient rien. Une semaine plus tard, elle leur apprit qu'elle quittait définitivement la maison.

Quant à Vanessa, tout se passa pour elle comme prévu. Elle s'était présentée à une poignée d'universités de l'est des Etats-Unis, avait été acceptée partout et avait décidé d'entrer à Columbia à l'automne. Elle resterait à Beverly Hills jusqu'à la fin de juin, puis se rendrait à New York, où elle devait travailler pour l'été comme réceptionniste chez un éditeur. Cette perspective l'enthousiasmait. Greg, lui, retournait en Europe avec des amis. Cette année encore, Anne serait seule à la maison. Ils avaient voulu l'envoyer en colonie de vacances, mais elle se trouvait trop âgée. Elle aurait préféré aller camper avec Lionel, mais il devait tourner un film pour la Fox. Ward et Faye avaient une super-production sur les bras. Depuis la dernière cérémonie des Oscars, les offres avaient plu. Faye avait trois projets qui se suivaient pour l'année à venir, et pas un seul moment de libre. C'était une chance, lui rappela Ward, qu'ils aient fait ce voyage en Europe...

La soirée que donnèrent les jumelles pour fêter leur succès fut la plus bruyante de toutes et lorsque le dernier invité prit enfin congé à quatre heures du matin, Faye regarda son mari avec un air exténué...

« J'ai l'impression que nous avons pris un coup de vieux, Ward.

– Parle pour toi. Personnellement, je trouve les filles de dix-sept ans de plus en plus jolies.

– Attention à ce que tu dis, toi! »

Elle pointa un doigt menaçant vers lui, avant de s'affaler sur son lit, qu'elle devait quitter dans moins d'une heure pour se précipiter sur le plateau. Elle avait une scène capitale à mettre sur pied, Ward devait passer la journée avec Lionel et Anne, Val avait un rendez-vous amoureux. Vanessa avait elle aussi ses projets. Quant à Greg, Dieu seul savait où il se trouvait, et avec qui, mais sans aucun doute, il devait s'agir de sport, de bière et de filles. Mais il semblait très bien se débrouiller tout seul, et Faye se rendit joyeusement à son travail, tandis que Ward s'endormait du sommeil du juste.

L'été passa comme un éclair. Valérie s'installa dans l'appartement de ses rêves. Neuf filles y vivaient déjà. C'était une grande baraque à peu près nue, et la moitié des lits n'avaient même pas de draps. Dans la cuisine, il y avait six bouteilles de vodka, deux citrons, trois bouteilles d'eau gazeuse. Aucune trace de nourriture dans le réfrigérateur. Quant aux autres filles, elles étaient tout aussi invisibles. Chacune avait sa vie, ses petits amis, certaines disposaient d'un téléphone privé. Valérie ne s'était jamais sentie aussi heureuse. Elle le dit à Vanessa avant le départ de celle-ci.

« Tout est exactement comme je le rêvais.

– Et l'école d'art dramatique? insista Vanessa, se demandant comment elles avaient pu partager la même matrice, la même vie, la même maison. Il n'y avait pas plus différent qu'elle et sa jumelle. »

Val haussa les épaules.

« Je n'ai pas eu le temps de m'y inscrire. Je suis très prise par les bouts d'essai. »

Dès le mois d'août, elle trouva un filon. Vanessa était partie depuis longtemps et habitait au Foyer Barbizon à New York, en attendant de trouver un appartement à partager avec une amie de travail. Son emploi de réceptionniste était ennuyeux comme la pluie. Elle ne faisait que répondre au téléphone toute la journée. Mais elle attendait la rentrée à Columbia avec impatience. Valérie l'appela un soir très tard pour lui annoncer qu'elle avait un rôle de figurante dans un film d'horreur.

« C'est extra, tu ne trouves pas? »

Il était trois heures du matin et Vanessa bâilla, mais elle ne voulut pas lui gâcher sa joie. Elle lui dit qu'elle était ravie qu'elle ait appelé.

« Qu'est-ce que tu dois faire?

– Je traverse le plateau avec du sang qui me sort par les yeux, le nez et les oreilles. »

Vanessa ne put s'empêcher de faire la grimace.

« Fantastique. Quand commences-tu?

– La semaine prochaine.

– Tu en as parlé à maman?

– Je n'ai pas eu le temps. Je tâcherai de l'appeler la semaine prochaine. »

Toutes deux se doutaient que Faye ne serait pas aussi enthousiaste. Faye n'était pas sur la même longueur d'onde. Elle n'était jamais contente de Val, et il y avait peu de chance qu'elle le fût cette fois-ci. Pourtant, Faye avait commencé au bas de l'échelle, elle aussi. Elle avait tourné à New York dans des films publicitaires un an avant qu'on la découvre. Val, elle, débutait directement au cinéma. Vanessa s'abstint de lui faire remarquer que leur mère n'avait jamais traversé de plateau le visage en sang.

« Comment va ton travail, Van? »

Val se sentait magnanime, elle qui d'habitude ne s'intéressait guère qu'à elle-même, ce que Vanessa savait mieux que les autres.

« Ça va. (Elle bâilla de nouveau.) C'est plutôt rasoir, mais j'ai fait la connaissance d'une fille sympa, du Connecticut. On a décidé de prendre un appartement en commun près de la fac. Elle entre elle aussi à Columbia.

– Très bien.. (Val s'ennuyait déjà et décida qu'il était grand temps de raccrocher.) Je te tiendrai au courant.

– Merci, et bonne chance. »

Elles semblaient assez proches ce soir, mais ce n'était qu'une impression. Il y avait quelque chose qui les liait. Ce lien étrange, Vanessa l'avait toujours ressenti sans le comprendre. Elle enviait d'autres sœurs qu'elle voyait proches. Elle ne se sentait d'affinités réelles ni avec Val ni avec Anne. Elle avait toujours rêvé d'avoir une sœur à qui parler, à qui se confier, et c'était ce qui lui plaisait tant avec cette fille du Connecticut.

En Californie, Anne découvrait cela elle aussi. Un jour, elle avait croisé une fille qui descendait nonchalamment Rodeo Drive en suçant une glace et en balançant un sac rose bonbon au bout de son bras. Elle ressemblait à une publicité de magazine. Elle avait souri à Anne. Celle-ci l'avait trouvée très jolie et, par hasard, elle l'avait revue une heure plus tard en train de déjeuner seule dans un restaurant où Anne s'était arrêtée pour manger un hamburger. Sa mère lui avait donné de quoi s'acheter deux nouvelles paires de chaussures, et elle avait flâné dans la grande artère de Los Angeles, observant la foule paresseuse sous le soleil brûlant. Il faisait chaud, mais l'air était rafraîchi par une brise légère. Anne se retrouva assise à une table voisine de la fille au sac rose. Elles se sourirent de nouveau et les mots suivirent naturellement. La fille avait de grands yeux noisette et de longs cheveux châtains qui lui arrivaient presque à la taille. Anne lui donnait dix-huit ans, et fut surprise de découvrir qu'elles avaient le même âge, à quelques jours près.

« Hello. Je m'appelle Gail.

– Moi, Anne. »

La conversation aurait pu s'arrêter là, s'il n'avait tenu qu'à elle, mais Gail semblait avoir une foule de choses à raconter. Elle lui parla d'une jupe qu'elle avait vue chez Giorgio, en cuir blanc très doux, et ils avaient aussi des bottes super. Anne fut impressionnée par les noms des boutiques et lui parla des chaussures qu'elle avait repérées un peu plus haut. La conversation roula sur les Beatles, Elvis, le jazz, avant de s'arrêter sur les études.

« Je vais à Westlake l'année prochaine. »

Ça n'avait pas l'air de l'enchanter et Anne ouvrit des yeux comme des soucoupes.

« Pas possible! Moi aussi. »

C'était une autre heureuse coïncidence. Gail lui expliqua qu'elle avait eu une mononucléose et un accès d'anorexie l'année d'avant et que, à cause de ça, elle avait manqué une année scolaire. Elle avait quinze ans et un an de retard, mais, bah... Elle haussa les épaules. Anne sentait que la chance était pour la première fois de son côté.

Elle parla avec franchise, elle aussi, mais omit certains détails; il y avait des choses dont elle n'aurait parlé à personne, comme le bébé, mais d'autres qu'elle pouvait dire sans crainte.

« J'ai quitté le collège pendant un an, moi aussi, je suis en retard.

– C'est pas vrai! »

Gail avait l'air enthousiaste. Anne lui sourit. Personne n'avait encore réagi de cette façon à son histoire. Elle sut instantanément que cette fille serait son amie. Elle en avait tellement besoin! Elle s'ennuyait à mourir tous les jours au bord de la piscine de ses parents. Gail viendrait peut-être lui tenir compagnie.

« Qu'est-ce que tu as fait pendant un an? »

Gail semblait fascinée par son aventureuse amie. Anne s'efforça de prendre un air blasé.

« Je suis allée à Haight-Ashbury. »

Gail écarquilla les yeux.

« Wow! T'as fait ça? t'as pris de la drogue? »

Anne hésita une fraction de seconde avant de hocher la tête.

« Oh! tu sais, c'est pas aussi super qu'on le dit. »

Elle connaissait une autre chanson, mais savait aussi quel prix on payait ce genre d'aventure. Et puis, elle voyait bien que cette fille ignorait tout de cette vie-là. Elle était bien trop jolie, trop bien habillée et soignée, un peu gâtée, même, le genre de princesse juive américaine, comme auraient dit certains. Elle intriguait Anne. Toutes les filles de sa classe étaient rasantes et ne lui avaient presque pas adressé la parole lorsqu'elle était retournée au collège à Noël. Celle-là était loin de leur ressembler. Elle avait de l'allure, une sacrée personnalité, c'était évident, et elles s'étaient senties immédiatement attirées l'une vers l'autre. Leur repas était fini, et elles riaient et s'amusaient comme des folles sous l'œil furibond du patron qui les avaient vues rapprocher leurs tables sur la terrasse. Gail suggéra enfin qu'elles remontent ensemble Rodeo Drive.

« Je te montrerai ces fameuses bottes de chez Giorgio, si ça te dit. »

Anne fut encore plus impressionnée lorsqu'elle sut que Gail avait un compte spécial au magasin; tout le monde s'empressa de l'aider dans ses achats. Habituellement, dans ce genre de boutique chic, on s'empressait plutôt d'éconduire les gamines de leur âge, mais pas Gail. Ils l'appelaient par son nom, ils offrirent même un Coca à Anne. Elles passèrent un excellent moment, même si Gail déclara qu'en fin de compte ces bottes ne lui plaisaient pas tant que ça, et elles sortirent du magasin en riant.

« Je vais te montrer les chaussures dont je t'ai parlé, maintenant. »

Anne ne s'était jamais autant amusée depuis des années, depuis toujours, peut-être. C'était un merveilleux après-midi. Elles étaient toutes deux entièrement libres de leur temps.

« Ta mère doit s'acheter beaucoup de choses chez Giorgio pour qu'ils soient si sympas. »

Le visage de Gail devint sérieux l'espace d'un instant; elle regarda en face d'elle, puis de nouveau Anne.

« Ma mère est morte d'un cancer il y a deux ans. Elle avait trente-huit ans. »

C'était si bouleversant qu'Anne ne sut que répondre. Il lui était impossible d'imaginer rien de plus terrible; même ce qu'elle avait vécu n'était rien à côté. Elle n'aimait pas beaucoup sa mère et il y avait des moments où elle la détestait, mais il aurait été horrible qu'elle meure de cette façon, et elle devinait encore dans les yeux de Gail toute la douleur qu'elle avait dû éprouver.

« Tu as des frères et sœurs?

– Non, juste mon père. (Elle regarda Anne avec franchise tandis qu'elles poursuivaient leur marche.) C'est sans doute pour ça qu'il me gâte tant. Il n'a plus que moi. J'essaie de ne pas trop en profiter, mais ce n'est pas toujours facile. (Elle sourit et Anne remarqua que son visage était saupoudré de taches de rousseur.) J'aime en faire à ma tête et il ne supporte pas de me voir pleurer. »

Anne se mit à rire.

« Le pauvre!

– Et toi, comment sont tes parents? »

L'idée même de parler d'eux répugnait à Anne, mais, après ce qu'avait révélé Gail, cela n'aurait pas été gentil de ne pas se prêter au jeu des confidences.

« Oh! ça va bien.

– Tu t'entends bien avec eux? »

Anne haussa les épaules.

« Ça dépend. Ils n'ont pas tellement apprécié que je parte.

– Ils te font confiance maintenant?

– Je crois.

– Et tu penses que tu y retourneras un jour? »

Gail était décidément très curieuse. Mais Anne secoua la tête.

« Non, jamais.

– T'as des frères et sœurs? »

Elles étaient arrivées devant le magasin de chaussures et entraient. Anne fit signe que oui.

« Deux de chaque.

– Eh ben, t'as de la chance! »

Gail sourit de ce sourire éblouissant qui aurait pu faire carrière au cinéma si elle l'avait voulu.

« Tu crois ça!

– Parle-moi d'eux, demanda Gail.

– Eh bien, il y a mon frère Lionel, c'est l'aîné. Il est très sympa. Il va avoir vingt et un ans. (Elle ne lui dit pas qu'il était homosexuel.) Il a abandonné ses études, lui aussi, et il fait des films pour la Fox. (Elle avait parlé comme une professionnelle et cela impressionna Gail.) Mon second frère fait du sport, il est à l'université de l'Alabama, avec une bourse de football. Ça fait deux ans qu'il y est. Mes deux sœurs sont jumelles. Il y en a une qui vient de partir pour la côte Est, où elle doit entrer à Columbia, et l'autre veut être actrice à Hollywood.

– Dis donc, c'est une famille au poil!

– Lionel, oui... On a toujours été copains... Pour ce qui est des autres... (Elle les expédia d'un haussement d'épaules.) Ils sont un peu bizarres, parfois. »

C'était exactement ce qu'ils disaient d'elle, mais maintenant, elle s'en moquait. Elle avait une amie à elle.

Gail acheta deux paires du même modèle dans des couleurs différentes. Puis elle regarda sa montre.

« Mon père doit passer me prendre à quatre heures devant le *Beverly Wilshire.* Tu veux qu'on t'emmène quelque part? »

Anne hésita. Elle avait pris un taxi pour venir, mais ce serait chouette d'accompagner Gail.

« Tu crois que ça ne va pas le déranger?

– Pas du tout. Il adore ce genre de choses. »

Embarquer des inconnues? Anne se mit à rire. Gail avait un côté naïf, mais c'était justement ce qui lui plaisait. Elles traversèrent Wilshire Boulevard et attendirent l'arrivée de la voiture devant le somptueux hôtel. Lorsqu'elle la vit, Anne fut encore un peu plus impressionnée. C'était une superbe Rolls dans deux tonalités de gris. Gail fit des signes frénétiques à son père pour qu'il s'arrête. Au début, Anne crut qu'elle lui faisait une farce, à cause de la luxueuse voiture, mais un homme trapu aux épaules énormes se pencha pour lui ouvrir la portière. Gail sauta à l'intérieur et fit signe à Anne de monter, expliquant aussitôt à son père de qui il s'agissait.

« Salut, papa, je te présente ma nouvelle amie. Elle va dans la même école que moi l'année prochaine. »

Cela ne sembla aucunement le déranger de l'emmener et il lui serra chaleureusement la main. Il n'était pas beau mais avait un visage sympathique. Il s'appelait Bill Stein, et Anne se rappela que c'était un avocat connu du milieu des variétés. Elle était certaine qu'il connaissait ses parents et ne mentionna pas son nom de famille. Elle lui dit simplement qu'elle s'appelait Anne.

Il les emmena manger une glace sur Sunset Boulevard. Bill Stein avait une surprise pour sa fille ce soir-là. Il devait l'emmener dîner dans un restaurant chic de la ville, puis au cinéma avec des amis. Le plus drôle, c'était que le film en question était un de ceux de Ward et Faye, mais Anne se contenta de dire qu'elle l'avait déjà vu et beaucoup aimé, puis ils changèrent de sujet. Elle sentait les yeux de M. Stein sans cesse fixés sur elle, comme s'il essayait de savoir qui elle était, mais peut-être aussi et surtout comme s'il essayait de la faire sortir de sa coquille. Curieusement, elle se sentait en sécurité avec lui, et plus à son aise que d'habitude avec des inconnus. Lorsqu'ils la déposèrent, elle les regarda s'éloigner à regret dans la Rolls grise, impatiente de revoir Gail. Elle lui avait donné son numéro de téléphone dans la voiture et Gail avait promis de l'appeler dès le lendemain pour venir nager dans sa piscine. Anne n'avait pas le courage d'attendre. Elle se demanda si M. Stein conduirait sa fille. Elle fut surprise de trouver son propre père dans le salon en entrant, mais un coup d'œil à la pendule lui apprit qu'il était déjà six heures. L'après-midi avait filé comme une flèche.

« Bonsoir, ma chérie. »

Il leva les yeux du verre de vin qu'il était en train de se verser. Faye n'était pas encore rentrée et le dîner ne serait pas prêt avant une heure ou deux. Il voulait se reposer, regarder les informations, piquer peut-être une tête dans la piscine et savourer ce verre. Il ne buvait plus autant, et seulement du vin. Il fut surpris de trouver à sa fille un air réjoui et se demanda quelle pouvait en être la cause. Anne était trop souvent cachée dans sa chambre.

« Qu'est-ce que tu as fait aujourd'hui? »

Elle le regarda longuement, puis haussa les épaules.

« Pas grand-chose. »

Puis elle disparut au premier, comme d'habitude, et une fois dans sa chambre, s'adossa à la porte fermée, souriant à elle-même en repensant à ses nouveaux amis.

CHAPITRE 29

En arrivant à New York, Vanessa avait trouvé un agréable port d'attache au Foyer Barbizon. Il était réservé aux femmes, situé dans un quartier plaisant entre la 63e Rue et Lexington Avenue, et on y trouvait une piscine, ainsi qu'une cafétéria au rez-de-chaussée. C'était tout ce dont elle avait besoin, pour le temps qu'elle y passait. Louise Matthison y habitait aussi. Le week-end, elles sortaient ensemble à Long Island ou chez des amis de Louise. Elles finirent par dénicher un appartement à louer. Il se trouvait dans West Side, et elle savait que ses parents se seraient évanouis s'ils avaient vu dans quel environnement elle allait vivre. Mais c'était tout près de Columbia, et dans un quartier d'étudiants. L'immeuble n'était pas aussi agréable que le Barbizon, mais Van était plus libre. Elles s'y installèrent un mois avant le début des cours et établirent un roulement pour le ménage et les courses.

Ce jour-là, cela avait été au tour de Vanessa de se rendre au supermarché, et elle grimpait péniblement les marches avec ses deux sacs. Il y avait bien un vieil ascenseur, mais il ne fonctionnait jamais et elle aurait eu peur d'y rester coincée. C'était plus simple de monter les trois étages jusqu'à l'appartement, mais ce soir-là, une fin d'après-midi étouffante du mois d'août, de retour du travail, elle vit soudain en haut des marches quelqu'un qui la regardait. C'était un grand garçon aux cheveux auburn et au visage agréable. Il portait un tee-shirt et un short et tenait une liasse de papiers à la main.

« Besoin d'un coup de main? »

Elle leva les yeux et faillit décliner l'offre, mais elle lui trouva quelque chose de sympathique. Un air à la fois intelligent et désinvolte qui lui plut aussitôt. C'était le genre d'homme qu'elle avait espéré rencontrer chez son éditeur lorsqu'elle avait commencé à y travailler. Elle ne sut pas trop pourquoi, peut-être était-ce uniquement à cause de ces feuillets qu'il tenait à la main. On aurait dit un manuscrit et elle ne se trompait pas beaucoup.

C'était même exactement ça, lui expliqua-t-il en déposant ses deux sacs devant la porte.

« Vous venez de vous installer? »

Il ne l'avait jamais rencontrée, et pourtant il habitait là depuis des années, lorsqu'il avait changé d'université pour s'inscrire en licence, deux ans plus tôt. Ensuite, il avait été trop paresseux pour déménager; il avait beaucoup trop de paperasses dans tous les coins. Il préparait une thèse de philosophie et désirait écrire une pièce de théâtre; mais il oublia tout cela à la vue de cette ravissante blonde. Elle hocha la tête pour répondre et sortit sa clef de son sac.

« Je viens de m'installer avec une amie, il y a deux semaines.

– Vous entrez en année de licence le mois prochain? »

Il connaissait bien ce genre de filles. Il sortait avec elles depuis des années. Il était à Columbia depuis 1962 et cinq années de fac, bientôt six, cela faisait un bout de temps. Elle lui sourit, amusée. Ces derniers temps, les gens s'étaient mis à la trouver plus vieille que son âge, agréable changement après toutes ces années où on l'avait jugée moins mûre et plus jeune que sa jumelle.

« Non, en première année, mais merci tout de même pour le compliment. »

Il sourit ingénument. Il avait de jolies dents et un sourire séduisant.

« De rien. Eh bien, à la prochaine.

– Merci encore de m'avoir aidée. »

Il descendit bruyamment l'escalier avec son manuscrit. Vanessa entendit claquer une porte au deuxième étage. Elle parla de lui à son amie le soir même. Louise lui sourit tout en se mettant des bigoudis pour être présentable au bureau le lendemain.

« Il a l'air charmant. Quel âge lui donnes-tu?

– Je ne sais pas. Il doit être assez âgé. Il m'a dit qu'il préparait une thèse, et il avait un manuscrit sous le bras.

– Il frimait, peut-être?

– Je ne crois pas. Il doit avoir au moins vingt-cinq ans. »

Louise se désintéressa immédiatement de lui; elle venait d'avoir dix-huit ans et trouvait que dix-neuf ans c'était déjà bien trop âgé pour elle. Un garçon de vingt-cinq ans ne l'aurait pas amusée du tout. Ils ne pensaient qu'à coucher dès le premier soir et Louise n'était pas encore prête.

Vanessa avait à peu près deviné juste. Le garçon du dessous avait vingt-quatre ans.

Ils se croisèrent un dimanche soir alors qu'elles rentraient d'un week-end. Elles jonglaient cette fois avec des valises, des raquettes de tennis, l'immense chapeau de Louise et l'appareil photo de Van, et descendaient du taxi qui les avaient ramenées de Pennsylvania Station, de l'autre côté de la ville. Il venait de garer sa vieille M.G. et les observait, les mains dans les poches. Van avait les jambes superbes en short et sandales. Elle avait ce nez retroussé et ces fabuleux yeux verts qu'il avait remarqués dès leur première rencontre.

Il traversa la rue d'un pas nonchalant, en short et tee-shirt, les pieds nus dans des mocassins.

« Salut, les filles. »

Ils ne s'étaient pas présentés et il ignorait son nom, mais il insista pour porter leurs affaires, les deux raquettes et les deux valises, en plus de son propre porte-documents, tandis que Vanessa papillonnait autour de lui en s'efforçant gauchement de l'aider et en se confondant en remerciements. Tout s'effondra en tas devant leur porte et il les regarda en reprenant son souffle.

« Vous en trimbalez des choses, vous alors. (Puis d'une voix douce, tandis que Louise entrait à l'intérieur :) Voulez-vous venir prendre un verre à l'étage en dessous ? »

Vanessa était tentée, mais il lui mettait le grappin dessus un peu trop vite. Elle n'avait pas pour habitude d'accepter les invitations des hommes, et elle ne le connaissait pas. Il aurait aussi pu être l'étrangleur de Boston. Mais il sembla deviner ses pensées.

« Je ne vous violerai pas, c'est juré. A moins que vous ne me le demandiez à genoux. »

Il lui lança un regard admiratif et elle rougit. Il se demanda quel âge elle pouvait avoir. Il lui aurait donné vingt et un ans, mais elle avait dit qu'elle entrait en première année. Peut-être vingt, peut-être même dix-neuf. Elle avait un air calme et serein, un teint de blonde en bonne santé plutôt excitant. Il mourait d'envie de passer la soirée avec elle.

Mais au lieu d'accepter, elle lui proposa de venir boire une bière avec elle et son amie. Ce n'était pas ce qu'il avait voulu mais, n'ayant pas le choix, il accepta avec élégance, referma la porte et jeta un coup d'œil curieux alentour. Elles avaient repeint la pièce en jaune pâle, on voyait partout des plantes vertes et des magazines, des meubles en rotin, quelques imprimés indiens et, au mur, la photo d'une grande famille. Un groupe massif posant derrière une piscine. C'était typiquement californien. Il se demandait de qui il pouvait s'agir, lorsque soudain il reconnut Van à côté d'une fille qui lui ressemblait beaucoup et d'un garçon plus âgé.

« Ma famille. »

Elle n'en dit pas plus et il ne posa pas de question, mais en débarquant de la cuisine avec une canette de bière dans chaque main, Louise éclata de rire.

« Tu ne lui demandes pas qui est sa mère? »

Vanessa devint rouge jusqu'à la racine des cheveux et elle eut envie de l'étrangler. Elle détestait parler de ça, mais Louise trouvait tellement excitant de vivre avec la fille de Faye Thayer! Elle avait vu tous ses films, y compris ceux où elle avait joué étant jeune.

« Alors? (Le grand garçon aux cheveux auburn la regarda avec un sourire complaisant.) Qui est donc cette grande dame?

– Dracula, et ta sœur?

– Charmant.

– Une autre bière?

– D'accord, merci. »

Il aimait sa façon dont ses yeux dansaient lorsqu'elle souriait. Il était mort de curiosité, maintenant. Il examina de nouveau la photo. Il trouvait quelque chose de vaguement familier à tous ces visages, mais rien de précis. Il se retourna vers Vanessa.

« Est-ce que tu vas enfin me le dire, ou dois-je deviner?

– Bon, je cède. Ma mère s'appelle Faye Thayer. »

C'était plus facile de le révéler que de jouer les coquettes pendant des heures. Cela n'avait pas une si grande importance à ses yeux et elle avait depuis longtemps passé l'âge de s'en vanter. Elle avait appris à tenir sa langue. Ce n'était pas si facile d'être la fille d'une célébrité, encore moins avec trois Oscars. Les gens se montraient plus exigeants, plus prompts à critiquer. Vanessa n'aimait pas se compliquer la vie. Le garçon du dessous la fixa avec de petits yeux, en hochant pensivement la tête.

« Très intéressant. J'aime ses films, enfin certains.

– Moi aussi. (Elle sourit. Au moins, il n'en était

pas tombé à la renverse, comme d'autres.) Comment as-tu dit déjà que tu t'appelais? »

Il ne le lui avait jamais dit, en fait. Tout s'était passé cavalièrement, quand il avait monté les sacs.

« Jason Stuart. »

Il lui sourit. Elle n'était pas prétentieuse, en dépit du nom qu'elle portait. Son amie semblait bien plus impressionnée. Il jeta un nouveau coup d'œil à la photo de famille.

« Qui sont les autres enfants?

– Mes frères et sœurs.

– Ils sont une foule, dis donc. »

Il était fils unique et n'avait jamais eu une grande passion pour les familles nombreuses. Il aimait sa vie telle qu'elle était. Ses parents, déjà âgés, s'étaient retirés dans le New Hampshire. L'intégralité de leur fortune, d'ailleurs assez réduite, lui reviendrait un jour. Son père était avocat et possédait une petite étude de campagne qui lui suffisait largement. Son métier ne le passionnait plus depuis longtemps et il en faisait le moins possible. Jason avait d'abord pensé faire son droit, lui aussi, mais il s'était vite rendu compte qu'il préférait se consacrer à l'écriture. Après sa thèse, il avait l'intention d'écrire une pièce de théâtre, confia-t-il à Vanessa après sa troisième bière. Non qu'il eût une passion spéciale pour la boisson, mais il faisait une chaleur insupportable. L'immeuble entier semblait cuire après un jour de fournaise new-yorkaise. Après que Louise se fut couchée, ils sortirent, à la recherche d'un peu d'air. Ils flânèrent dans Riverside Drive; il lui parla de la Nouvelle-Angleterre et elle de Beverly Hills.

« Deux mondes totalement opposés, tu ne trouves pas? »

Il lui sourit. Elle semblait très avancée pour son

âge, et calme, modeste avec ça. Un moment après, elle rit et lui parla de sa jumelle.

« Nous aussi, nous sommes deux mondes opposés. Son rêve, c'est de devenir une grande actrice. Elle vient de dégoter un rôle dans un film d'horreur où elle doit se promener avec du sang qui lui coule par les oreilles. »

Il fit la grimace et ils rirent ensemble.

« J'aimerais bien écrire un scénario de film, un jour, mais je ne jouerais pas pour tout l'or du monde. »

Sans raison particulière, elle pensa à Lionel; il aimerait certainement ce garçon, et Jason l'apprécierait. C'étaient tous les deux des types bien, intelligents, sans prétention.

« Mon frère est metteur en scène de cinéma.

– Eh bien, tu parles d'une équipe!

– Bah! j'y suis habituée. Et puis, maintenant, chacun vit de son côté. Il ne reste que ma sœur cadette à la maison. »

La pauvre petite Anne... Mais ce soir, tout cela semblait si loin, comme dans un autre monde. Elle se demanda s'ils seraient tous réunis un jour, et quand. Cela lui semblait improbable, bien qu'elle eût promis à sa mère d'essayer de les rejoindre pour Noël. Mais qui savait ce qui se passerait entre-temps, et où Lionel, Val ou Greg se trouveraient alors.

« Est-ce que tu aimes ta famille?

– J'aime certains d'entre eux. (Sans bien savoir pourquoi, elle lui parlait en toute franchise. Elle n'avait pas non plus de raison de ne pas être sincère, tant qu'elle n'entrait pas dans les détails, sur Lionel ou sur Anne.) Je me sens plus proche de mon grand-frère, par exemple. Il est vraiment sympa. »

Elle le respectait de plus en plus parce qu'il

défendait ce qu'il était. Elle savait par quelles épreuves il était passé.

« Quel âge a-t-il?

– Vingt et un ans. Il s'appelle Lionel. Mon second frère, Greg, a vingt ans. Ensuite, il y a Val, ma jumelle, qui a bien sûr dix-huit ans, comme moi, et la petite dernière, Anne, qui a quinze ans.

– Dis-moi, tes parents n'ont pas perdu de temps! »

Il lui sourit et Vanessa lui rendit son sourire. Ils reprirent lentement le chemin de la maison, longeant le fleuve Hudson. Jason la raccompagna jusqu'à sa porte.

« On déjeune ensemble demain?

– Impossible, je travaille.

– Je peux te retrouver près de ton travail. »

Cela ne lui disait pas grand-chose, en fait. Il préférait rester à la maison pour écrire. Mais Vanessa était très désirable.

« Ça ne te compliquera pas trop les choses?

– Si. Mais tu me plais. Je peux bien sacrifier une heure ou deux de mon précieux temps.

– Merci. »

Sur ce, elle le quitta.

Il vint la chercher pour une longue promenade, avant de déjeuner de sandwiches aux avocats dans un restaurant végétarien qu'il connaissait. Jason avait une conversation intéressante, même s'il se prenait parfois un peu trop au sérieux. Il trouvait stupide d'écrire des scénarios de cinéma. Le théâtre, voilà ce à quoi elle devait se consacrer.

« Et pourquoi donc? Parce que c'est ce que tu veux faire? Les films de qualité, ça existe, tu sais. »

Il aima cette façon de lui tenir tête. Il voulut l'inviter également à dîner, mais elle déclina l'invitation.

« J'ai promis de sortir avec Louise et des amis. »

Il mourait d'envie de les accompagner, mais se retint. Il se demanda s'il y avait un autre homme, et il y en avait effectivement un, mais c'était l'ami de Louise. Vanessa ne voulait pas avoir l'air trop pressée. Mais elle aimait bien Jason, et lui aussi. Elle repensa à lui ce soir-là tandis qu'ils dégustaient des spaghetti *alla carbonara* dans Houston Street, et il lui sembla qu'un siècle s'était écoulé quand ils rentrèrent enfin à la maison. Elle vit de la lumière au deuxième et se demanda s'il était encore plongé dans son manuscrit. Elle fit le plus de bruit possible en montant et claqua violemment la porte, espérant qu'il téléphonerait. Mais il ne l'appela pas pendant deux jours. Il préférait ne pas brusquer les choses. Lorsqu'il reprit contact, elle était partie pour le week-end. Ils ne se virent qu'au milieu de la semaine suivante, un soir qu'il la croisa rentrant de son travail, lasse, accablée de chaleur, après un interminable trajet en autobus.

« Comment ça va? »

Il lui sourit et elle eut l'air heureuse de le revoir. Elle pensait qu'il l'avait oubliée.

« Très bien. Et la pièce de théâtre?

– Je n'ai eu le temps de rien faire. J'ai passé mon temps à travailler sur cette foutue thèse toute la semaine. »

Il lui expliqua qu'il devait effectuer des remplacements dans une école de garçons à l'automne, pour se faire un peu d'argent. Ça ne l'enchantait pas trop, mais il aurait le loisir d'écrire et c'était tout ce qui comptait pour lui. Son sérieux impressionna la jeune fille. Il était passionné par beaucoup de choses, surtout par elle d'ailleurs, ces derniers temps.

Il l'invita à dîner. Cette fois, elle était libre. Ils se

rendirent dans un petit restaurant italien non loin de là, burent beaucoup de vin rouge et discutèrent jusqu'à une heure, avant de rentrer sans se presser à la maison. Vanessa jetait parfois un coup d'œil inquiet par-dessus son épaule, le quartier n'était guère rassurant. Elle n'était pas encore habituée à New York. Devinant ses craintes, Jason l'entoura d'un bras puissant et elle se sentit aussitôt plus en sécurité. Il monta lentement l'escalier avec elle et sembla hésiter au deuxième. Comme elle continuait de monter, il la prit doucement par le bras.

« Tu veux passer prendre un verre? »

Elle avait déjà beaucoup bu et sentait où il voulait en venir. Il était près de deux heures et, si elle allait chez lui maintenant, c'était un véritable consentement. Elle n'était pas encore prête à s'engager de la sorte avec quiconque, pas même avec lui, même si elle l'aimait beaucoup.

« Pas ce soir, Jason, mais merci quand même. »

Il sembla déçu en la raccompagnant au troisième. En le quittant, Van dut s'avouer qu'elle l'était aussi. Pour la première fois de sa vie, elle s'intéressait vraiment à un homme. Elle s'était amusée avec les garçons jusqu'à présent, mais elle n'était pas comme Val. Elle ne cherchait pas les conquêtes, n'avait encore désiré personne. Certains garçons lui avaient plu, bien sûr, mais jamais à ce point. C'était la première fois, et sentant remuer en elle des émotions inhabituelles, elle comprit qu'elle avait envie de lui.

Les jours suivants, elle s'efforça de penser à autre chose. Elle sortit de nouveau avec Louise et ses amis, et accepta même une invitation à déjeuner avec son patron, qui de toute évidence était attiré par elle. Mais le seul contact de sa main sur son bras la dégoûtait et lorsqu'elle rentrait chez elle, le soir, elle était hantée par le grand garçon roux du deuxième. Ce fut presque un soulagement lorsqu'elle tomba sur lui le week-end suivant. Elle se rendait à la laverie automatique avec son linge sale. Louise était partie et pour une fois, elle était seule. Mais elle ne le mit pas au courant. Elle ne voulait pas l'encourager.

« Comment va notre jeune écolière? »

Il insistait sur la différence d'âge, pour qu'elle ait honte de ne pas vouloir coucher avec lui. Mais elle n'en montra rien.

« Bien. Et ta pièce?

– Ça va. Mais ce n'est pas facile de travailler par cette chaleur. »

Elle remarqua qu'il avait bronzé. Il avait dû passer du temps sur le toit. Ses parents lui avaient demandé de venir quelques jours dans le New Hampshire, mais il préférait New York. Il s'ennuyait avec eux, et la ville avait pris un nouvel attrait. Son cœur battait à l'idée qu'elle vivait sous le même toit que lui. Il n'avait pas été aussi mordu depuis bien longtemps et il se trouvait stupide. Il lui parla d'un ton presque cassant.

« A la prochaine. »

Un coup d'œil lui avait suffi pour savoir où elle se rendait; il calcula combien de temps il lui faudrait. Lorsqu'il entendit un pas dans l'escalier, une heure plus tard, il ouvrit vivement la porte : il ne s'était pas trompé. Elle revenait avec son linge propre. Elle se retourna en entendant sa porte s'ouvrir.

« Rebonjour. Tu veux déjeuner avec moi? »

Elle sentit son cœur bondir dans sa poitrine lorsqu'elle croisa son regard et se demanda si c'était tout ce qu'il voulait faire avec elle.

« Je... bon... d'accord. »

Elle craignait de le décourager définitivement si elle refusait une fois de plus. Ce n'était pas facile d'être une fille seule à New York pour la première fois, et pire encore d'être une vierge en train d'affronter un homme de vingt-quatre ans. Elle le suivit dans son appartement et déposa son sac dans le couloir, se félicitant que ses sous-vêtements se trouvent tout au fond, inaccessibles aux regards.

Il prépara des sandwiches au thon, arrosés de limonade fraîche. Elle trouva le repas exquis. Elle était surprise de se sentir aussi à son aise, tandis qu'ils discutaient dans la chambre en grignotant des chips.

« Est-ce que tu aimes New York? »

Elle dut faire un effort pour lui répondre. Quelque chose d'intense passait entre eux, mais curieusement, elle n'en avait pas peur. Elle avait l'impression de flotter, emportée comme sur une vague par ses pensées à lui, un coussin d'air doux, chaud, sensuel. L'atmosphère était étouffante, l'orage menaçait, mais le seul monde qui existait pour elle, c'était cette pièce et l'espace qui les séparait.

« J'adore New York.

– Pourquoi? »

Ses yeux semblaient fouiller son âme, comme s'il voulait débusquer quelqu'un, quelque chose qu'elle aurait apporté avec elle, mais elle soutint son regard.

« Je ne sais pas encore. Je suis seulement contente d'être ici.

– Moi aussi. »

Sa voix était douce et sensuelle. Elle se sentit physiquement attirée vers lui, irrésistiblement, sans se rendre compte que ses mains l'attiraient vers lui, cherchaient ses cuisses, les caressaient, pétrissaient sa peau, et soudain, elle sentit sur sa bouche le contact de ses lèvres, ses mains sur ses seins, et le désir explosa entre ses cuisses. Renversée sur le divan, elle chercha son souffle et, soudain, le supplia d'arrêter. Surpris, il se releva, le regard interrogateur.

« Arrête, s'il te plaît... »

Il n'avait jamais violé personne et n'avait nullement l'intention de commencer maintenant. Il semblait presque vexé. Les larmes vinrent aux yeux de Vanessa.

« Je n'ai... je n'ai jamais... »

Pourtant, elle le désirait, et soudain, il comprit et la serra dans ses bras. Sa peau était douce et chaude, avec une odeur citronnée dont elle ne savait si elle provenait d'un savon ou d'une eau de Cologne, mais elle aimait ce parfum, comme elle était sûre de l'aimer, lui. Il la regarda avec tendresse, comprenant tout, et l'en désirant davantage.

« Pardon... j'ai été trop vite... (Il s'écarta d'elle pour lui laisser la place de respirer et de réfléchir. Il ne voulait pas la forcer. Pas maintenant, pas la première fois.) Tu préfères que nous attendions ? »

Gênée d'avoir à lui avouer qu'elle était vierge, elle secoua la tête : elle ne voulait plus attendre. Et un moment après, il la porta jusqu'à son lit comme une poupée de chiffon, l'y déposa doucement et se mit à lui ôter le peu de vêtements qu'elle portait. Elle se sentait comme une petite fille dans ses mains. Il se glissa près d'elle. Il s'était tourné après avoir enlevé ses propres vêtements, pour ne pas l'effrayer. Il pensait à tout. Elle se laissa emporter par ses caresses, tandis que le tonnerre et les éclairs se déchaînaient au-dessus d'eux. Et elle ne sut jamais si la tempête était vraie ou reflétait ce qu'elle ressentait auprès de lui. Mais lorsque tout fut consommé et qu'il s'allongea près d'elle, elle lui sourit, tandis que la pluie fouettait les vitres. Il y avait du sang sur les draps, mais il s'en moquait. Il lui prit la tête entre les mains, répéta son nom encore et encore avant de caresser son corps de ses lèvres. Il lui écarta les jambes et laissa sa langue jouer avec elle jusqu'à ce qu'elle crie. Alors, il la pénétra de nouveau et cette fois la tempête n'était pas dans les cieux, seulement dans sa tête, tandis qu'elle criait son nom, transportée, emportée loin dans ses bras puissants.

CHAPITRE 30

« MOTEUR! » cria le metteur en scène pour la onzième fois, et Valérie se précipita de nouveau sur le plateau avec de la peinture rouge lui dégoulinant du nez et des oreilles.

Elle devait se nettoyer chaque fois et tout recommencer. Jamais elle n'avait rien fait de plus assommant, mais enfin, si après ça elle devenait une grande actrice... C'était certain... Quelqu'un allait la découvrir... et elle finirait par tourner avec Richard Burton ou Gregory Peck... à moins que ce ne fût Robert Redford. Dustin Hoffman ne serait pas mal non plus.

Le metteur en scène hurla « Moteur! » pour la dix-neuvième fois et elle recommença. La peinture avait la manie de lui couler dans les cheveux et il braillait qu'elle n'avait pas la bonne consistance. A quoi donc pensait le maquilleur?

Lorsqu'il cria « Coupez! » Faye s'esquiva sur la pointe des pieds. Valérie ne sut jamais qu'elle était venue. Faye avait honte pour elle. C'était un petit rôle pathétique, expliqua-t-elle à Ward cet après-midi-là. Mais en fait, pire que cela, c'était presque dégradant.

« Si seulement elle était assez raisonnable pour s'inscrire dans un cours!

– Bah! elle deviendra peut-être une grande actrice. Tu y es bien arrivée, toi.

– Mais enfin, Ward, c'était il y a trente ans. Tout est changé aujourd'hui. Elle ne sait même pas jouer.

– Comment peux-tu en juger avec un rôle pareil? »

Il s'efforçait d'être impartial et trouvait Faye inutilement dure.

« Eh bien, c'est simple, elle ne sait même pas traverser correctement un plateau.

– Mais comment le pourrait-elle, avec du sang plein la figure? Personnellement, je trouve qu'elle a un sacré cran.

– Et moi, je la trouve complètement folle. »

Mais après celui-là, Val obtint un autre rôle du même genre, au grand dam de Faye, qui lui demanda avec le plus de tact possible si elle était contente de jouer dans ce type de films.

Val le prit aussitôt comme une insulte et regarda sa mère avec des yeux chargés de haine.

« Tu as débuté dans la lessive et les yaourts, je peux bien commencer dans le sang. Et un beau jour, tu verras, je serai aussi connue que toi! »

C'était un objectif ambitieux, et en regardant les deux femmes se défier, Ward était attristé pour Val. Elle voulait si désespérément surpasser sa mère qu'elle en oubliait parfois d'être elle-même, contrairement à Anne, qui semblait s'être enfin trouvée depuis quelques mois. Anne paraissait plus sereine, plus mûre, et se plaisait dans sa nouvelle école. Elle avait une amie avec laquelle elle passait tout son temps, une fille de son âge dont la mère était apparemment morte quelques années auparavant. Les deux adolescentes, inséparables, étaient comme deux sœurs. Le père de Gail était fou d'elle. Il les conduisait partout où elles voulaient, à tous les spectacles, à tous les lieux d'attraction. Il leur servait de chauffeur, passait les chercher et les ramenait le soir. Pour Faye et Ward, c'était une bénédiction. Depuis que Faye avait reçu son Oscar, ils n'avaient pas eu une minute à eux. Ils étaient reconnaissants à Bill Stein de prendre aussi bien soin de leur fille. Ward le connaissait de vue, leurs chemins s'étaient croisés une ou deux fois, mais uniquement sur le plan amical. C'était un homme charmant, et s'il gâtait sa fille, c'était bien compréhensible, il n'avait pas d'autre enfant et était veuf. Il n'avait personne d'autre à gâter, sauf maintenant Anne.

Il lui offrait sans arrêt de jolies choses, un pull lorsqu'il en achetait un pour sa fille, un joli sac à main rouge de chez Gucci, un parapluie jaune de chez Giorgio un jour qu'il pleuvait des cordes. Il n'attendait rien en échange. Simplement, il sentait à quel point elle devait être seule, entre des parents tous les deux occupés. Et il était heureux de faire quelque chose – si peu de chose en vérité – pour elle, tout comme pour sa fille.

« Vous êtes si gentil avec moi, Bill. »

Il trouvait normal qu'elle l'appelle ainsi, il le lui avait demandé plusieurs fois. Elle avait fini par s'y plier, non sans un reste de timidité.

« Pourquoi ne le serais-je pas? Tu es tellement mignonne, Anne. Nous apprécions beaucoup ta compagnie, tous les deux.

– Je vous aime beaucoup, moi aussi. »

Ces paroles étaient sorties tout droit de son cœur privé d'affection, et il la plaignait sincèrement. Il soupçonnait qu'un chagrin secret la rongeait, sans pouvoir deviner lequel. Ce chagrin se lisait sans cesse dans ses yeux.

Il posa une fois la question à Gail, mais elle ne semblait pas au courant.

« Elle n'en parle jamais, papa. Je n'en sais rien... Mais je ne crois pas que ses parents soient très gentils avec elle.

– Je m'en suis aperçu, moi aussi.

– Ce n'est pas qu'ils ne soient pas généreux avec elle. Mais ils ne sont jamais là. D'ailleurs, il n'y a personne chez elle. Tous ses frères et sœurs sont partis vivre leur vie. Elle n'a plus que la bonne. »

Anne dînait seule la plupart du temps, mais elle y était habituée.

« Eh bien, nous n'allons plus la laisser seule, c'est promis. »

Les Stein la prirent sous leur aile et l'entourèrent d'amitié et de chaleur. Et la petite fleur s'épanouissait de jour en jour. Bill aimait la voir jouer avec Gail. Elles faisaient leurs devoirs ensemble ou simplement restaient assises à bavarder; parfois, elles prenaient un bain dans la piscine et riaient pendant des heures d'une plaisanterie à elles. Il adorait leur acheter de jolies choses, voir leurs sourires ravis. La vie était courte, il l'avait découvert avec la mort de sa femme. Il pensait à elle un jour qu'il était assis au bord de la piscine avec Anne. C'était un jour chaud d'automne et Gail venait de rentrer pour préparer le repas.

« Je te trouve bien grave, parfois, Anne. »

Elle se sentait parfaitement à l'aise avec lui, maintenant, et ses paroles ne l'intimidèrent pas. Pas comme au début, lorsqu'elle craignait qu'il ne l'interroge sur un sujet qu'elle n'aurait abordé avec personne.

« A quoi penses-tu dans ces moments-là? reprit-il.

– A plusieurs choses... »

La mort de l'ami de son frère... le bébé qu'elle

avait perdu... à quinze ans, des fantômes la hantaient déjà, mais elle n'entra pas dans les détails.

« Ton séjour à Haight? »

Leurs regards se croisèrent, celui d'Anne plein d'une souffrance qui lui brisa le cœur. Une souffrance impossible à nommer, à consoler. Il espéra qu'il y parviendrait un jour. Elle était comme une seconde fille pour lui et il s'étonnait qu'elle ait pris tant d'importance en si peu de mois. Ils s'étaient profondément attachés à elle, et elle à eux. En dehors de Lionel et de John, ils avaient été les premiers à s'occuper d'elle, à s'intéresser à ce qu'elle était.

C'était du moins ce qu'elle pensait.

« En un sens... (Et là, elle se surprit elle-même en en révélant plus que prévu.) J'ai dû renoncer à l'époque à une chose qui comptait beaucoup pour moi... et parfois, j'y repense, mais ça ne change rien. (Elle avait les larmes aux yeux, et, ému lui aussi, il posa une main sur la sienne.)

– Moi, je n'ai renoncé à rien, mais j'ai perdu malgré moi quelqu'un que j'aimais plus que tout. C'est un peu la même chose, une perte énorme. Mais c'est peut-être pire d'avoir à renoncer à quelque chose volontairement. »

Il pensait qu'elle voulait parler de quelqu'un qu'elle avait aimé et se demanda comment on pouvait en souffrir à ce point à cet âge. Il ne lui vint jamais à l'esprit qu'elle avait pu perdre un enfant. Gail et Anne étaient à ses yeux l'innocence incarnée et c'était ce qu'il chérissait chez elles. Mais le visage qu'elle tourna vers lui révélait une sagesse d'adulte.

« Ça a dû être horrible pour vous lorsqu'elle est morte.

– Oui. (Il était surpris de pouvoir se confier à elle aussi aisément. Mais elle semblait si compréhensive, assise près de lui devant la piscine, sa main dans la sienne comme une vieille amie.) Je n'ai jamais autant souffert.

– Ça a été la même chose pour moi. »

Elle éprouva un besoin soudain de lui parler du bébé, mais elle eut peur qu'il le prenne mal et ne permette plus à Gail de la fréquenter.

« Ça a été si éprouvant que ça, ma chérie?

– Pire encore. »

Chaque jour, elle se demandait où il pouvait être, et si elle avait bien fait. Peut-être le bébé était-il malade, ou mort, ou bien les drogues qu'elle avait absorbées l'avaient-elles rendu anormal, bien qu'il n'y ait eu aucune trace de malformations à la naissance, lui avait-on dit... Son regard rencontra celui de Bill.

« Je suis désolé, Anne. »

Il serra sa main dans les siennes, et, près de lui, Anne ressentit une merveilleuse sensation de chaleur et de sécurité.

Gail réapparut peu après avec le repas. Elle trouva Anne un peu plus renfermée que d'habitude, mais cela lui arrivait parfois. C'était dans sa nature. Elle ne remarqua rien de différent dans l'expression de son père, même si, à compter de ce jour, il sembla avoir les yeux plus souvent fixés sur Anne.

Anne s'en rendait compte, parfois : elle levait les yeux et trouvait ceux de Bill posés sur elle. Un jour qu'ils étaient seuls, attendant le retour de Gail sortie avec une amie, elle eut l'occasion de lui reparler. Elle était arrivée un peu en avance. Bill était en peignoir, il sortait de sa douche. Il lui demanda de faire comme chez elle. Anne s'allongea sur le divan avec un magazine. Mais soudain, elle vit qu'il la regardait. Elle posa le magazine et sentit monter en elle quelque chose qu'elle avait retenu trop longtemps. Sans dire un mot, elle se leva et s'approcha de lui. Il la prit dans ses bras, et l'embrassa passionnément, mais rapidement, et s'arracha d'elle.

« Mon Dieu, Anne, je suis désolé... je ne sais pas ce qui... »

Elle le fit taire par un nouveau baiser, à sa grande surprise. Il comprit qu'elle n'était pas novice en la matière et lorsqu'il sentit sa main le chercher sous le peignoir, il sut qu'Anne avait des secrets insoupçonnables. Il éloigna doucement ces mains dangereuses et baisa le bout de ses doigts. Tout son corps la désirait, elle l'avait caressé d'une façon si provocante qu'il en perdait la tête, mais pas au point de lui faire mal ou de la laisser faire une folie. Elle n'était qu'une enfant. Et il savait que ce qu'il faisait était mal. Elle n'avait que quinze ans, seize bientôt, et pourtant...

« Viens, Anne, il faut que nous parlions de tout ça. (Il s'assit à côté d'elle, serra le peignoir autour de son corps et la regarda droit dans les yeux.) Je ne sais pas ce qui m'a pris.

– Moi, je le sais. (Elle avait parlé d'une voix si douce qu'il crut qu'il avait rêvé.) Je vous aime, Bill. »

C'était la pure vérité, et lui aussi l'aimait. C'était de la folie. Il avait quarante-neuf ans, et elle quinze. C'était un jeu trop dangereux. Il fallait surtout qu'il s'en persuade en la regardant, car il n'aurait pas pu se retenir. Il se pencha et l'embrassa de nouveau. Des vagues de passion l'assaillaient, le torturaient. Il lui prit la main.

« Je t'aime aussi, mais je ne veux surtout pas que nous fassions une bêtise. »

Sa gorge était serrée, et il y avait des larmes dans les beaux yeux d'Anne. Elle était terrifiée par l'idée de le perdre, pour toujours peut-être. Elle n'y aurait pas survécu.

« Et pourquoi pas? Ça n'a rien de mal. Ça arrive bien aux autres.

– Mais pas à nos âges, Anne. »

Peut-être, si elle avait eu vingt-deux ans et lui cinquante-cinq, et s'il n'avait pas été le père de sa meilleure amie... Anne secoua frénétiquement la tête. Elle ne voulait pas se séparer de lui. Il n'en était pas question. Elle avait déjà eu sa part de malheur, elle ne pouvait se permettre de le perdre.

« Ce n'est pas vrai. Cela arrive aussi à des gens de notre âge. »

Il lui sourit. Elle était si sûre d'elle, si adorable, et il l'aimait tant...

« Ça me serait égal que vous ayez cent ans de plus que moi. Je vous aime. C'est tout. Je ne vous lâcherai pas. »

Le ton mélodramatique le fit sourire et il lui imposa silence d'un baiser. Ses lèvres étaient extraordinairement douces et la peau de ses lèvres comme du velours. Mais c'était mal de la désirer. Légalement, ce serait un détournement de mineure, même si elle était consentante. Il la regarda avec gravité.

« Est-ce que tu as déjà fait ça, Anne? Sincèrement. Je ne me fâcherai pas. »

Il avait une façon douce de l'amener à tout lui avouer, et elle n'avait jamais dû se forcer pour être sincère avec lui. Elle devina plus ou moins ce qu'il voulait dire. C'était une chance que Gail fût en retard.

« Pas comme ça. Lorsque j'étais... à San Francisco... (Mon Dieu, c'était si difficile de lui expliquer... mais il le fallait.) Je... »

Elle soupira et il s'en voulut de lui avoir posé cette question.

« Tu n'es pas obligée de m'en parler, Anne.

– Je veux que vous sachiez tout. (Elle s'efforça de faire un récit précis et clinique, mais cela n'en était pas moins terrifiant à dire.) J'ai vécu dans une communauté, j'ai pris du L.S.D. et d'autres drogues, du peyotl... Mais c'était surtout de l'acide. Et le groupe avec lequel je vivais avait des pratiques spéciales... »

Il eut l'air horrifié.

« On t'a violée? »

Lentement, elle secoua la tête, sans le quitter des yeux. Il fallait qu'elle dise tout, quel qu'en soit le prix.

« Je l'ai fait parce que je l'ai voulu, et avec chacun d'eux, je crois. Je ne me souviens plus de grand-chose, maintenant. Je crois que je vivais dans une sorte de transe. Je ne sais plus si c'est un souvenir ou si j'ai rêvé... en tout cas, j'étais enceinte de cinq mois quand mes parents m'ont ramenée à la maison. J'ai accouché il y a treize mois. (Elle sut qu'elle se souviendrait toujours de cette date. Elle aurait pu lui dire combien il y avait de jours, en plus des mois. Cinq, pour être exact.) Et mes parents m'ont forcée à l'abandonner. C'était un garçon, mais je ne l'ai jamais vu. Ça a été la période la plus atroce de ma vie. J'ai fait la plus grave erreur de ma vie en l'abandonnant. Je ne me le pardonnerai jamais. Chaque jour, je me demande où il est, s'il va bien...

– Il t'aurait gâché la vie, ma chérie. »

D'une main, il lui caressa doucement le visage. Il était si triste, si désolé pour elle. Elle était si différente de Gail! A quinze ans, elle avait déjà vécu. Trop, en fait, pour son âge.

« C'est ce que mes parents m'ont dit, soupira-t-elle. Je ne crois pas qu'ils aient raison.

– Que ferais-tu d'un bébé aujourd'hui?

– Je m'occuperais de lui... comme le fait sa nouvelle maman. (Ses yeux s'emplirent de larmes et il la serra dans ses bras.) Je n'aurais jamais dû le donner. »

Il voulut lui dire qu'il lui ferait un autre bébé un jour, mais il trouva l'idée scandaleuse.

A cet instant, ils entendirent la clef de Gail tourner dans la serrure. Bill s'éloigna tranquillement d'Anne, après un dernier regard, une dernière caresse pleine d'un douloureux désir. Tous deux sourirent à Gail.

Pendant les deux mois qui suivirent, Anne le retrouva chaque fois que c'était possible, juste pour bavarder, se promener, partager les mêmes émotions. Gail ne soupçonna rien. Anne espérait qu'elle ne saurait jamais ce qui se passait entre son père et elle. C'était un fruit défendu, mais ils n'auraient jamais pu s'en priver. Ils avaient trop besoin l'un de l'autre. Leur relation était chaste, mais ils sentaient qu'elle ne pourrait le rester longtemps, et lorsque la grand-mère de Gail l'invita pour Noël, ils convinrent d'un plan. Anne dirait à ses parents qu'elle resterait avec eux. Et du jour de Noël au retour de Gail, ils passeraient tout leur temps ensemble. Ils avaient tout prévu. Comme un voyage de noces, en quelque sorte.

CHAPITRE 31

LOUISE avait deviné depuis longtemps ce qui se passait entre sa compagne d'appartement et le garçon du deuxième étage. Elle ne désapprouvait pas cette liaison, bien qu'elle le trouvât un peu âgé pour Vanessa. A vingt-quatre ans, on est déjà un homme. Et elle regrettait de ne plus la voir autant.

Mais elle avait ses amis à elle, et puis elles étaient toutes les deux très occupées par la fac, les dissertations, les dossiers, les devoirs à la maison, les examens... Cela aidant, les mois passaient et c'était à peine croyable que les vacances de Noël fussent déjà là. Le froid était vif et, juste après Thanksgiving, ils eurent leur première neige.

Enfant des éternels étés californiens, Vanessa fut enthousiasmée par la neige. Jason et elle se livrèrent à de folles batailles de boules de neige dans Riverside Park. Ils étaient débordés, entre le Metropolitan Museum, le musée Guggenheim, le musée d'Art moderne, les opéras, les ballets, les concerts à Carnegie Hall et l'attrait permanent de Broadway pour un futur dramaturge. Jason avait une vie culturelle bien remplie et il emmenait partout Vanessa. Elle n'avait pas vu un seul film depuis son arrivée à New York, sauf quelques vieux films à un festival du musée d'Art moderne. Il continuait de la désapprouver sur ce point et travaillait à sa thèse tandis qu'elle bûchait ses examens. Mais dans le fond, elle aimait son sérieux et son purisme philosophique. Cela ne le rendait pas plus rigide, mais plus désirable.

« Tu vas me manquer pendant les vacances. »

Vanessa était allongée sur le divan avec un livre sur les genoux. Elle leva les yeux et le trouva terriblement sérieux avec ses lunettes. Il la regarda à travers ses verres avec un sourire.

« Penses-tu! Tu seras soulagée de retourner enfin à Plastic Land. (C'était ainsi qu'il désignait Los Angeles.) Tu pourras aller au cinéma tous les jours et te gaver de frites et de tortillas à la viande (il avait également horreur de cela) avant de revenir ici. »

Elle sourit de l'idée qu'il se faisait de la Californie. A l'entendre, les gens là-bas couraient dans tous les coins avec des hamburgers, des tortillas et des pizzas dans les mains, la tête hérissée de bigoudis, et allaient danser le rock ou voir des navets au cinéma. Elle se régalait encore plus à l'idée de ce qu'il penserait de Val. Celle-ci jouait dans un autre film d'horreur et cette fois, devait apparaître couverte de limon vert. C'était à mille lieues de la conception que Jason, esthète distingué, avait d'un cinéma de qualité. Mais elle était contente de les revoir tous.

« Qu'est-ce que tu comptes faire? »

Il n'était pas encore décidé la dernière fois qu'ils en avaient parlé. Elle pensait qu'il serait mieux chez ses parents, mais cette idée ne semblait pas l'enthousiasmer. D'ailleurs, elle l'avait remarqué, ses parents ne lui téléphonaient jamais et il parlait rarement d'eux. Elle-même n'appelait pas très souvent chez elle, mais elle n'avait pas, loin de là, coupé les ponts. Elle le vit sourire. Ce qu'elle aimait chez lui, c'était ce côté tendre qui apparaissait maintenant. Elle tendit la main vers le bureau où il était assis et il lui embrassa la paume.

« Tu vas me manquer toi aussi, tu sais. Il va sans doute me falloir des mois pour te reconquérir.

– Tu n'auras qu'à venir avec moi en Californie, un de ces jours. »

Mais ni l'un ni l'autre n'étaient encore prêts à cela. La famille de Vanessa terrifiait Jason et la perspective de le présenter à ses parents effrayait Vanessa. Cela signifierait que leur liaison était sérieuse; en tout cas, ses parents le penseraient sûrement. Or ça ne l'était pas. Ce n'était qu'une charmante première aventure. Elle n'en attendait pas davantage. Du moins, c'était ce qu'elle disait.

« Et puis je te téléphonerai », ajouta Vanessa.

Elle le lui répéta le 23 décembre à l'aéroport. Il avait finalement résolu de rester à New York pour travailler à sa thèse, ce qui semblait à Vanessa une bien triste façon de passer ses vacances. Mais tout irait bien, affirma-t-il, et elle promit de l'appeler tous les jours. Il l'embrassa longuement et passionnément avant qu'elle disparaisse dans l'avion. Puis il enfonça ses mains dans ses poches, enroula son cache-nez autour de son cou et sortit dans l'air glacé.

La neige s'était remise à tomber. Il était effrayé par l'ampleur que prenaient ses sentiments pour elle. Il n'avait voulu qu'une passade, et même la commodité d'habiter dans le même immeuble l'avait séduit. Mais les choses avaient pris un tour nouveau. Il aimait tout chez elle : elle était sérieuse, intelligente, belle, douce et merveilleuse au lit. L'appartement vide lui sembla aussi lugubre qu'un tombeau. Il s'assit devant son bureau, le regard dans le vide. Il aurait peut-être mieux fait d'aller chez ses parents, après tout. Mais c'était trop déprimant. La vie était si limitée dans leur petite ville, et ils étaient si possessifs, ils l'étouffaient. Il les aimait, mais il aimait tout autant la liberté. Son père buvait. Sa mère avait terriblement vieilli, ça lui donnait le cafard. Non, mieux valait la solitude à New York. Il n'avait pas réussi à l'expliquer à Vanessa avant son départ. Sa famille à elle était différente de la sienne. Il avait bien remarqué sa joie de retourner près d'eux. Et cela se sentait aussi au ton enjoué qu'elle eut lorsqu'elle l'appela le soir même.

Elle lui téléphona presque à sa descente d'avion.

« Alors, comment va Plastic Land? »

Il s'efforçait de masquer sa tristesse et elle éclata de rire.

« Tu ne changes pas. Sauf que tu n'es pas là, et c'est problématique. »

Elle aimait Los Angeles, mais New York occupait

maintenant une place spéciale dans son cœur. A cause de lui.

« La prochaine fois, il faut que tu viennes », reprit-elle.

Il frissonna à cette idée. Il ne se voyait pas affrontant une telle famille, si brillante, si haut placée, une grande dynastie du cinéma. Il imaginait Faye en train de préparer le petit déjeuner avec des talons lamé or, et cette évocation le fit rire tandis qu'il poursuivait sa conversation.

« Comment va ta jumelle?

– Je ne l'ai pas encore vue, mais je crois que je vais passer la voir ce soir. Il n'est que huit heures ici.

– Pas étonnant. Ils ne savent pas lire l'heure en Californie, plaisanta-t-il, mais avec un visage d'enfant triste. (Van lui manquait terriblement. Les deux prochaines semaines seraient insupportables.) Salue-la de ma part. »

Il lui avait parlé plusieurs fois au téléphone. Val avait l'air d'être un sacré numéro, bien que fort différente de Van.

« C'est promis.

– Et si jamais elle est devenue verte, fais-le-moi savoir. »

Il n'avait cessé de la taquiner à propos de ce rôle couvert de limon. C'était typique de Hollywood, ils ne savaient faire que ça. Mais Vanessa en avait pris ombrage. Sa mère avait réalisé plusieurs films excellents dans sa vie, et un jour, ils seraient certainement tous aux archives du Musée d'Art Moderne, eux aussi. Elle n'avait que dix-huit ans et défendait sa famille. Il avait vite compris et lâché du lest. Mais Vanessa savait qu'il aurait été horrifié s'il avait pu voir l'endroit où vivait sa jumelle.

Elle avait emprunté la voiture de son père pour se rendre à l'appartement que Val partageait avec une bonne douzaine d'autres filles. Vanessa se dit qu'elle n'avait jamais vu de sa vie un tel désordre ni une telle saleté. De la nourriture pourrissait dans des assiettes ici et là, depuis Dieu savait quand, les lits n'étaient pas faits, quand ils avaient des draps; elle faillit trébucher sur une bouteille de tequila vide dans le couloir; des bas de toutes couleurs et de toutes tailles pendaient dans la salle de bain et l'air était infesté de l'odeur mêlée d'un trop grand nombre de parfums. Et au milieu de tout ce fouillis, Val joyeusement occupée à se peinturlurer les ongles, tout en expliquant à sa sœur le rôle capital qu'elle jouait dans son dernier film.

« Et alors, je sors du marécage en tendant les bras comme ça (elle faillit envoyer valser la lampe en s'exécutant) et je me mets à crier... »

Là aussi, elle fit la démonstration et Vanessa se boucha aussitôt les oreilles. Le cri sembla se prolonger pendant des heures, et elle fut réellement impressionnée. Elle sourit à Val, heureuse de la revoir, même ici.

« T'es devenue une spécialiste, en quelques mois. »

Val se mit à rire.

« J'apprends énormément de choses. »

Vanessa jeta un nouveau coup d'œil alentour.

« Comment peux-tu supporter de vivre ici? »

Entre la saleté, les odeurs, le désordre et les filles à l'avenant, sans doute, Vanessa serait devenue folle en deux jours, mais Valérie ne semblait nullement importunée. Elle avait l'air aussi heureuse qu'un poisson dans l'eau, plus heureuse qu'à la maison, c'était sûr, expliqua-t-elle à Van.

« Ici je peux faire tout ce que je veux.

– C'est-à-dire...? »

Vanessa se demandait ce qu'elle avait bien pu faire depuis trois mois. Val était au courant pour

Jason, bien que Vanessa ne fût pas entrée dans les détails de leurs relations et n'eût aucune intention de le faire maintenant.

« Pas de grand coup de cœur depuis mon départ? » poursuivit Vanessa.

Valérie haussa les épaules. Il y avait plusieurs hommes dans sa vie, un qui comptait réellement et trois autres avec qui elle couchait, mais, sachant que cela choquerait sa sœur, elle ne répondit rien. Ce n'était pas si important pour elle. Un peu de hasch, une bonne cuite et une partie de jambes en l'air dans l'appartement ou la chambre meublée d'un homme de passage. Tant de choses avaient cours à Hollywood que ça ne semblait pas une si grande affaire d'en passer par là, et toutes les filles de l'appartement se refilaient la pilule comme s'il s'agissait de gâteaux apéritifs. Il y en avait toujours une boîte ouverte à la maison. On lui avait conseillé de ne pas mélanger les marques, mais ça semblait marcher quand même. Et en cas de dérapage, elle trouverait bien moyen de se tirer d'affaire. Elle n'était pas aussi bête que sa petite sœur.

« Et toi? Qui c'est, ce type avec qui tu sembles toujours fourrée?

– Jason? »

Vanessa feignit l'innocence et Val éclata de rire.

« Non, King-Kong. Il est sympa?

– Selon mes normes à moi, certainement, mais sans doute pas selon les tiennes.

– Tu veux dire qu'il a un bec-de-lièvre et un pied bot, mais dans le fond il est charmant et tu le trouves sérieux.

– Plus ou moins. Il prépare une thèse de doctorat. »

Vanessa avait l'air drôlement fière de lui; Valérie lui jeta un regard horrifié. Elle détestait les intellectuels. Son genre, c'était le beau mec hollywoodien, avec les cheveux longs et la chemise ouverte, de préférence, le style maître nageur californien.

Elle jeta à sa sœur un coup d'œil suspicieux.

« Quel âge a-t-il?

– Vingt-quatre.

– Tu crois qu'il veut se marier avec toi? »

L'idée en était insupportable, mais Vanessa secoua immédiatement la tête.

« Ce n'est pas le genre, et moi non plus. Je veux finir mon diplôme et revenir ici pour écrire des scénarios. (C'était son grand sujet de dispute avec Jason. Il trouvait qu'elle avait trop de talent pour écrire des « conneries », mais elle insistait sur le fait qu'il existait d'excellents films.) On s'amuse bien, c'est tout.

– Eh bien, fais attention qu'il ne te mette pas enceinte. Tu prends la pilule? »

La franchise de sa sœur embarrassa Van, qui secoua la tête. Elle ne lui avait même pas encore avoué qu'elle couchait avec lui, mais Val la connaissait mieux que personne et fut atterrée par sa naïveté.

« Jason fait attention. »

Vanessa devint rouge comme une tomate et Val éclata de rire, tandis qu'une fille en cache-sexe de satin rouge traversait la pièce. Interloquée, Van regarda sa sœur.

« Maman est venue ici? »

Elle n'imaginait pas que ce fût possible, sinon Faye aurait sorti Valérie de là en moins de deux heures.

« Une seule fois. On a tout rangé et nettoyé. Il n'y avait que moi à la maison ce jour-là.

– Tant mieux. Elle te ferait ta fête si elle voyait ce qu'il en est réellement, ma vieille. »

Cela valait pour tout ce que faisait Val ces temps-ci, des prises de cocaïne aux pipes de haschish, des hommes qui lui servaient de cobayes pour ses rôles dans des films d'horreur. Comme elle le fit remarquer à sa sœur, avec amertume :

« Elle ne me laisse même pas m'amuser un peu. »

On venait de lui proposer son premier rôle dans un film porno, mais elle avait refusé, terrorisée à l'idée que sa mère pourrait le savoir.

Tandis qu'elle roulait en direction de la maison familiale, Vanessa se dit avec tristesse que sa sœur tournait de plus en plus mal. Elle déraillait complètement, et elle n'avait que dix-huit ans. Mais malheureusement, Van savait bien qu'on ne pourrait pas l'empêcher d'en faire à sa tête. Elle descendait la pente à toute allure, tout ça finirait mal. Elle espérait seulement que Val en sortirait sans heurts.

« Comment va ta sœur? » lui demanda son père lorsqu'elle entra.

Il crut percevoir dans ses yeux quelque chose qu'elle ne voulait pas lui dire.

« Très bien.

– C'est si moche que ça, où elle habite? »

Ils n'auraient jamais pu imaginer à quel point. Et elle se demanda s'ils n'en savaient pas un peu plus qu'ils ne voulaient bien le dire. Hollywood était petit, et, si Val couchait à droite et à gauche, il était fort possible que ce soit parvenu à leurs oreilles.

« Ça va. Rien qu'un tas de filles qui foutent le bordel partout et laissent traîner des assiettes sales. (C'était un euphémisme, mais il lui était impossible d'en dire plus, par égard pour Valérie. Elle s'efforça d'adoucir la réalité.) Une version exagérée de nos chambres, en quelque sorte.

– Oh!... si affreux que ça? »

Il se mit à rire, puis l'informa que Greg revenait le lendemain.

Un peu plus tard, Anne descendit avec des yeux brillants que Van ne lui avait jamais vus.

« Salut, petite sœur. »

Van se leva pour l'embrasser et crut sentir un soupçon d'après-rasage dans ses cheveux. Elle n'en aurait pas mis la main au feu, mais... ah! la petite Anne grandissait, elle aussi. Elle aurait seize ans après les vacances et Vanessa trouvait qu'elle devenait de plus en plus belle. Ses jambes étaient longues et minces sous sa robe courte, et elle portait de ravissantes chaussures rouges et un ruban dans les cheveux. Vanessa sourit de cette transformation. Anne faisait aussi âgée qu'elle.

« Où as-tu pêché ce corps de femme, Anne? »

Ward lui jeta à son tour un regard admiratif. Elle avait d'excellents résultats au lycée et s'était fait de nouvelles amies, surtout Gail Stein, une enfant charmante, bien qu'un peu trop gâtée. Mais qu'est-ce que cela pouvait faire qu'elle exhibe des sacs Vuitton et des chaussures Jourdan, si elle était gentille, saine et raisonnable et si son père s'occupait d'elle? C'était une détente après les souffrances qu'avait endurées Anne à San Francisco. Faye et lui s'en félicitaient.

Anne ne resta pas longtemps auprès d'eux et retourna dans sa chambre. Il en fut de même le jour de Noël. Elle disparut dès la fin du repas, mais ils y étaient habitués. Anne se retirait dans sa chambre depuis des années, mais ce soir, c'était pour faire sa valise. Le lendemain, elle s'installerait chez Bill pour les vacances.

CHAPITRE 32

ANNE avait expliqué à sa mère, des semaines auparavant, que Gail l'avait invitée à passer dix jours jusqu'à la fin des vacances de Noël. Faye avait d'abord regimbé, mais Anne avait astucieusement misé sur ses sentiments maternels, lui rappelant que Gail était fille unique et qu'elle n'avait même pas une maman pour lui tenir compagnie. Depuis la mort de sa mère, les vacances lui pesaient. Et Faye avait fini par mordre à l'hameçon.

« Elle n'habite qu'à quelques kilomètres d'ici, Anne. Pourquoi ne venez-vous pas plutôt ici, toutes les deux? Tu n'es pas obligée d'aller coucher chez elle.

– C'est trop la pagaille ici. Et puis, toi et papa n'êtes pas là de la journée, quelle différence ça fait? »

Ses yeux avaient eu une lueur de panique que Ward avait lui aussi remarquée. Il ne voulait pas risquer qu'elle leur fasse une nouvelle bêtise. Ils en avaient assez vu, deux ans auparavant. Mieux valait céder sur de petites choses.

« Laisse-la, chérie. Quel mal y a-t-il? Le père de Gail la couve comme sa propre fille. Il ne peut rien lui arriver. Et elle pourra toujours revenir, si tu le désires.

– Est-ce qu'il y aura d'autres gens chez eux? »

Faye n'avait jamais confiance, chaque fois qu'il s'agissait des enfants.

« Il n'y a que la femme de ménage et la cuisinière. »

Et aussi le jardinier, mais elle savait que ça ne comptait pas. En fait, les deux bonnes ne comptaient pas davantage. Elles devaient partir en vacances dès que Bill aurait mis sa fille dans l'avion de New York, où habitait sa grand-mère. Mais comment Faye aurait-elle pu le savoir? Anne quitta donc la maison avec sa petite valise, dans laquelle elle avait rangé ses plus jolies affaires et des chemises de nuit pleines de fanfreluches, dont deux nouvelles, spécialement achetées pour l'occasion. Lorsqu'elle avait été seule à la maison, elle avait appelé un taxi et laissé un mot d'avertissement : « Je suis chez Gail. Je rentre le 3 janvier. »

Le taxi fila dans Charing Cross Road et la déposa à Bel Air dix minutes plus tard. Le cœur d'Anne battait à se rompre. Bill l'attendait au salon. Gail l'avait quitté quelques heures plus tôt et les domestiques étaient parties, comme prévu. Enfin seuls. Ils en rêvaient depuis des mois, mais maintenant que le moment était venu, l'appréhension leur nouait la gorge. Bill s'était demandé toute la matinée s'il n'était pas fou à lier. Il n'allait pas abuser d'une fillette de quinze ans – car c'était pratiquement cela, n'est-ce pas? – et avait décidé en fin de compte qu'il la reconduirait chez elle dès son arrivée.

Il s'efforça de lui expliquer son point de vue sur le divan moelleux où ils étaient assis. Une peau de tigre s'étalait sur le sol et les murs étaient couverts de photos de Gail accumulées avec les années... Gail à la maternelle... Gail avec un drôle de chapeau... Gail à quatre ans en train de manger une glace... mais ses yeux étaient rivés sur Anne, et autour d'eux, rien n'existait plus. Elle ne voyait que lui, l'homme qui était l'objet de tout son amour et qui, maintenant, parlait de la renvoyer.

« Pourquoi partirais-je?... Je te le demande : pourquoi? Cela fait des semaines que nous avons organisé ce rendez-vous.

– Il ne faut pas que tu restes. Ce ne serait pas

bien. Je suis un vieil homme et tu n'as que quinze ans. »

Il y avait réfléchi toute la nuit, se tournant et se retournant dans son lit, et à la fin, tout lui était apparu clair. Et ce qu'elle pourrait dire n'y changerait rien.

« J'ai presque seize ans, Bill. »

Elle avait les larmes aux yeux. Il lui sourit en écartant doucement ses cheveux de sa figure. Mais cette timide caresse suffit à l'électriser. Anne était le plus doux des fruits défendus, et il ne fallait pas lui permettre de rester plus d'une heure, sinon, il ne répondait plus de rien. Il ne se connaissait que trop. Personne ne l'avait encore attiré à ce point – et c'était un des tours cruels de la vie que de le séduire avec une gamine de quinze ans.

« Je ne suis même pas vierge », reprit-elle.

Elle leva des yeux déchirés dans un visage triste. Elle l'aimait tant : il était tout ce qu'elle voulait. Une récompense, après les années de souffrances et de solitude.

« Là n'est pas le problème, ma chérie. Tes expériences passées ne comptent pas. Ce n'étaient que des rêves hallucinés, sous l'emprise de la drogue. N'y pense plus, cela vaut mieux. Le passé est le passé. Cela n'a rien à voir avec la décision de coucher avec un homme. Ni toi ni moi ne pourrions dominer la situation bien longtemps. Et ensuite, l'un de nous en subirait les conséquences et je ne veux pas que ce soit toi. »

Il ne dit pas que ce pourrait être lui, aussi, qu'il pourrait même finir en prison pour avoir couché avec elle, si jamais ses parents l'apprenaient. Cela pouvait se produire, en dépit de leurs précautions. Anne avait dit à Gail de ne pas l'appeler à la maison, elle ne pourrait pas lui parler avec tous ses frères et sœurs de retour pour les vacances. C'était elle qui téléphonerait tous les jours à son amie, pour qu'elle n'ait aucune raison de l'appeler. Ils avaient pensé à tout.

Et ce qu'il lui disait maintenant lui brisait le cœur : elle n'avait pas peur de souffrir, ni même de mourir, pourvu qu'elle reste avec lui.

Elle le considéra avec de grands yeux tristes.

« Si tu me renvoies, je m'enfuirai à nouveau. Tu es ma seule raison de vivre, Bill. »

C'était un terrible aveu qui lui alla droit au cœur. Elle était passée si jeune par tant d'épreuves, et elle avait un peu raison : elle était bien plus mûre que beaucoup de filles de son âge, plus mûre que Gail, en tout cas. Mais elle avait été exposée à plus de choses : Haight-Ashbury, la communauté, la naissance du bébé, ses difficultés avec ses parents. Il lui semblait injuste de la punir encore, mais c'était pour son bien, se dit-il en se levant, sa main serrant doucement la sienne. Il allait la reconduire lui-même.

Anne refusa de bouger. Elle resta assise, le fixant de ce regard douloureux, de ces yeux qui lui chaviraient le cœur.

« Chérie, je t'en prie... tu ne peux pas rester.

– Pourquoi? »

Il se rassit à côté d'elle. Il savait qu'il ne pouvait lui résister bien longtemps et que si elle ne partait pas aussitôt... il était trop injuste avec elle... après tout, il n'était qu'un homme comme les autres.

« Parce que je t'aime beaucoup trop. »

Il la prit doucement dans ses bras et l'embrassa, avec la ferme intention de la ramener chez elle aussitôt après. Mais lorsqu'il sentit dans sa bouche ce contact de lave en fusion, sa résolution mollit et ses mains cherchèrent instinctivement entre les cuisses. Avec les semaines, ils s'étaient enhardis, chaque fois qu'ils avaient été seuls.

« Je te désire, trop..., chuchota-t-il dans son cou d'une voix rauque... mais nous ne pouvons pas... je t'en prie.

– Si, nous pouvons », répondit-elle dans un murmure.

Elle l'attira à elle dans les profondeurs du divan. Et tous ses arguments un à un s'envolèrent... peut-être que pour cette fois... rien que cette fois... ils ne recommenceraient pas ensuite... Mais soudain, il retrouva ses esprits et s'arracha brutalement à elle. Ses jambes tremblaient, mais il secoua la tête et se releva.

« Non, Anne, jamais je ne ferai une chose pareille.

– Je t'aime de toute mon âme, Bill.

– Moi aussi. Je serais prêt à attendre deux ans, si nécessaire, pour t'épouser. Mais je ne veux pas gâcher ta vie sur un coup de tête. »

A ces mots, elle éclata de rire, et c'était un rire de très jeune fille. Puis elle se leva pour l'embrasser sur la joue.

« Je t'aime tant, mon chéri! Tu parles sérieusement? Tu veux vraiment m'épouser? »

Elle était stupéfaite, ravie, plus heureuse qu'elle ne l'avait jamais été.

« Absolument. »

Il lui sourit tendrement. Le moment était délicat pour lui comme pour elle, mais plus encore pour lui. Il n'en avait pas dormi de la nuit. Mais il avait prononcé ces mots en toute sincérité. Plusieurs fois, il y avait pensé et avait même imaginé que Gail finirait par en accepter l'idée. D'autres hommes épousaient des jeunes filles qui avaient moins de la moitié de leur âge.

« ... Si tu es assez folle pour accepter de m'accorder ta main. Dans deux ans, tu auras dix-huit ans et moi, cinquante et un.

– Ce serait merveilleux.
– Et quand tu auras trente ans et moi, soixante-trois? »

Il la mettait à l'épreuve, il surveilla sa réaction. Ce n'était pas une proposition en l'air. Il ne désirait rien d'autre au monde, il n'y avait aucune raison qu'ils n'obtiennent pas les deux, son bonheur et celui d'Anne. Il rêvait de la choyer, d'écarter le chagrin de sa vie. Il sentait que ses parents n'avaient pas fait grand-chose pour elle depuis sa naissance, certainement moins qu'il n'en avait fait pour Gail. Mais Gail était fille unique et Anne la cadette de cinq enfants, et à ce qu'il avait compris, elle était née à une période difficile de leur vie. Enfin, ce n'était pas une excuse. Il voulait consacrer le restant de ses jours à réparer tout le mal qui lui avait été fait, tout, même le bébé qu'elle avait perdu.

« Ça sonne bien. Mais je sais compter, moi aussi. Quand j'aurai soixante ans, tu en auras quatre-vingt-treize. Qu'en penses-tu? Es-tu sûr qu'à cet âge-là tu ne rêveras pas de quelqu'un de beaucoup plus jeune? »

Elle se moquait de lui; ils éclatèrent de rire ensemble. Bill se sentait plus détendu. La matinée avait été un cauchemar, il était assailli par l'angoisse et la culpabilité, mais maintenant, cela ressemblait davantage à un de ces moments de douce complicité qu'ils avaient déjà connus ensemble, même si c'était la première fois qu'il parlait mariage.

« Alors, c'est décidé? Les fiançailles sont officielles? »

Il lui sourit, elle lui rendit son sourire et se pencha vers lui pour l'embrasser.

« J'accepte les fiançailles et je t'aime de tout mon cœur. »

Il répondit par un baiser si tendre que leurs corps semblèrent se fondre en un seul. Il dut se rappeler à l'ordre et prendre un peu de recul, bien que ce fût vraiment à contrecœur, maintenant... puisqu'il allait l'épouser un jour... quel mal y aurait-il à prendre un peu d'avance... rien qu'une fois... pour sceller tout de suite leur union. Il se cala dans les coussins du divan, la regarda droit dans les yeux et sut qu'il ne pourrait plus être raisonnable.

« Tu me rends fou, tu sais.

– Tant mieux. (Elle avait vraiment l'air d'une femme lorsqu'elle parlait ainsi.) Est-ce que je peux rester encore un peu? »

Il n'y avait pas de mal à cela. Ils étaient déjà restés seuls ensemble, lorsque Gail avait d'autres engagements et que les bonnes étaient de sortie pour le week-end. La seule différence était qu'aujourd'hui, ils savaient que personne n'allait revenir, qu'ils étaient entièrement livrés à eux-mêmes. Il lui proposa de chauffer la piscine et elle trouva l'idée excellente. Elle ne s'embarrassa pas d'un maillot de bain et plongea impeccablement depuis la planche. Il caressa du regard le velours de sa peau, ses membres gracieux. Elle était très belle, alors que personne dans sa famille ne semblait s'en être aperçu. Pour eux tous, elle n'était que la « petite Anne », Anne la tranquille, toujours cachée dans sa chambre. Elle ne se cachait plus, maintenant.

Il se dépouilla de ses vêtements et plongea à son tour, et ils nagèrent comme des marsouins sous la surface, jaillissant ensemble le plus haut possible en se tenant par la taille. Lentement, il l'attira à lui. Impossible d'attendre plus longtemps, il la désirait trop. Leurs corps se rencontrèrent et s'unirent, il caressa son dos, son cou, et l'embrassa tendrement. Puis il l'aida à sortir de la piscine, l'enveloppa d'une serviette et la porta jusqu'à la maison. Les mots étaient inutiles. Il ne luttait plus. Elle était comme une princesse lorsqu'il la déposa sur le lit et lui sourit, le corps encore jeune, les muscles fermes, les jambes puissantes. Ils auraient de très beaux enfants un jour, mais ce n'était pas à cela qu'il pensait. Il était tout à elle. Il se mit à caresser chaque centimètre de sa peau, l'embrassant partout, laissant danser sa langue dans tous les secrets de son corps, et loin en elle, une fibre secrète reconnut un genre d'amour qu'elle n'avait pas encore vraiment goûté. Elle répondit doucement à ses caresses. Lorsqu'il n'y tint plus, leurs corps s'unirent. Elle s'arc-bouta de plaisir sous ses caresses et ils vibrèrent pendant ce qui sembla des heures, voguant haut dans le ciel, pour à la fin exploser comme le soleil.

CHAPITRE 33

LES jours qu'ils passèrent ensemble furent les plus idylliques de leur vie. Plus de drogue, cette fois, ni d'hallucinogènes, de rituel ou de chimères, rien que Bill et toute la tendresse, toute la beauté dont il ornait ses jours, et sa joie d'être avec elle. Pendant dix jours, ils oublièrent les deux années difficiles qui les attendaient. Ils ne sortirent pas des limites de la maison et du jardin, mais coururent, s'amusèrent et écoutèrent de la musique; il lui offrit un verre de champagne, un seul, à l'occasion de ce qu'il baptisa leur nuit de noces. Ils passèrent des heures dans sa baignoire. Il lui lisait des textes qu'il aimait, et, le soir, devant la cheminée, il lui brossait les cheveux; il l'aimait comme elle n'avait jamais été aimée, d'une sorte d'amour paternel comme il en éprouvait pour Gail, magnifié par l'amour qu'il avait eu autrefois pour sa femme. Pour elle, il mit son âme à nu, et elle lui abandonna la sienne. Ces quelques jours près de lui étaient les plus heureux de sa vie et pendant la dernière nuit qu'ils passèrent ensemble, elle pleura. Elle avait consciencieusement téléphoné chaque jour à Gail, qui, disait-elle, s'amusait beaucoup à New York. Mais elle n'avait pas pris la peine d'appeler chez elle. Ses parents savaient qu'elle ne risquait rien. Ils ne pouvaient se douter une seconde de ce qui se passait, ce serait son secret, et ils devraient vivre avec pendant deux longues années.

« Et si Gail s'en aperçoit? » lui demanda-t-elle, étendue sur le lit à côté de lui.

Elle n'avait pas porté beaucoup de vêtements pendant dix jours, ils faisaient l'amour sans cesse, et Bill semblait incapable d'épuiser son désir. Il avait plus fait l'amour en dix jours que pendant les dix dernières années. A sa question, il soupira.

« Je ne sais pas ce qui se passera. Ça la choquera sans doute au début, mais je pense qu'elle finira par s'y faire. Si nous parvenons à le lui cacher pendant au moins un an, elle sera plus âgée et plus mûre, elle comprendra mieux. (Anne hocha la tête. Elle l'approuvait presque toujours.) Je crois que le plus important c'est qu'elle comprenne en fin de compte que nous partageons notre amour avec elle, que nous ne l'en excluons pas. Je l'aime toujours autant. Mais je t'aime aussi, maintenant. Et j'ai bien le droit de me remarier un jour, après tout... ça la surprendra simplement que j'aie choisi une de ses amies. »

Aussitôt, Anne se vit en voile blanc avec Gail comme demoiselle d'honneur et elle sourit à cette évocation. C'était un beau rêve, mais il faudrait encore longtemps, bien longtemps pour le réaliser.

Tant de choses pouvaient se produire en deux ans...

Elle le savait mieux que personne. Elle lui avait parlé de Lionel et de John, lui avait expliqué qu'ils étaient homosexuels et s'étaient occupés d'elle jusqu'à la naissance du bébé. Ils avaient été si gentils avec elle... et puis, du jour au lendemain, John était mort dans un incendie et Lionel ne s'en était pas remis. Un an après l'accident, il ne parvenait pas à oublier. Il vivait seul, ne sortait jamais, sauf pour travailler. Il l'emmenait déjeuner de temps en temps, mais il était si apathique qu'il lui faisait peur. Bill savait bien de quoi elle parlait. Il avait été dans le même état après la disparition de sa femme, mais lui avait eu au moins la vitalité de Gail pour le sortir de là. Il lui semblait qu'il connaissait tout d'Anne, tous ses secrets, ses angoisses, ses craintes, ce qu'elle ressentait vis-à-vis de sa mère; elle était convaincue que ses parents ne l'avaient jamais aimée et il en était profondément attristé pour elle.

« Il va falloir que nous soyons extrêmement prudents, mon enfant. Pas seulement avec Gail. Avec tout le monde.

– Je sais y faire. J'ai l'habitude des secrets. »

Elle le regarda avec un air de mystère et il rit avant d'embrasser la pointe de son sein, qui se durcit instantanément.

« Pas de ce genre, j'espère.

– Non », répondit-elle dans un sourire et quelques minutes plus tard, ils s'aimèrent de nouveau.

Toute la culpabilité de Bill avait été balayée. La vie en avait décidé ainsi, et c'était tant mieux, il n'aurait laissé passer cette chance pour rien au monde. Il ne laisserait personne lui enlever son amour. Il demeurerait près d'elle pour le restant de ses jours, il le lui promit en la reconduisant chez elle l'après-midi suivant. Ils avaient les traits tirés, après une nuit passée à faire l'amour et à discuter. Il devait passer prendre Gail à l'aéroport dans deux heures. Le soir même, les bonnes seraient de retour. Leur conte de fées était fini; ils devraient affronter les deux prochaines années avec prudence, côte à côte. Mais ils connaîtraient d'ici là d'autres moments de bonheur à deux, des vacances qu'ils trouveraient à partager, des week-ends volés, une nuit par-ci, par-là.

Elle avait encore dans les yeux l'étincelle de son amour lorsqu'elle monta les marches du perron, sa valise à la main. Elle s'arrêta, prêtant l'oreille au ronronnement de la Rolls qui s'éloignait.

« Eh bien, tu m'as l'air fatiguée. »

Sa mère la dévisagea lorsqu'elle entra. C'était un dimanche et il n'y avait pas eu de tournage. Elle regarda sa fille dans les yeux. Elle avait l'air heureuse, pourtant.

« Tu t'es bien amusée, ma chérie?

– Mm hmm...

– Ça n'a sans doute été qu'une longue partie de polochons pendant dix jours, dit Ward en souriant. Je ne sais pas ce qu'ont les filles de votre âge à aimer tant traîner en pyjama. »

Anne sourit avant de monter sans un mot dans sa chambre. Mais Vanessa lui jeta un coup d'œil qui lui en apprit plus, sans qu'elle sache bien de quoi il s'agissait. Elle s'inquiéta et pensa lui parler avant son départ. Mais elle n'en eut pas le temps. Anne retournait le lendemain à l'école. Vanessa avait des amis à voir et, le lendemain soir, elle bouclait ses valises et rentrait à New York. Elle ne sut jamais ce qui faisait briller les yeux d'Anne.

CHAPITRE 34

CHACUN reprit sa vie de son côté. Val, ses films d'horreur, ses paradis artificiels et un nouvel homme dans son lit chaque fois que c'était possible; et Vanessa retrouva New York et la fac. Greg avait eu de mauvaises notes et promettait de se rattraper, et Anne ne semblait plus causer aucun souci. Elle passait le plus clair de son temps chez son amie; tout le monde s'y était habitué. On ne la voyait plus. Elle venait d'avoir seize ans, et cela avait été toute une affaire de lui soutirer une soirée pour qu'elle puisse les fêter en famille. Gail et son père avaient remis ça le lendemain en l'emmenant dîner, mais Faye ne voyait là rien de répréhensible. Ils étaient extraordinairement gentils avec elle et Faye dit à sa fille d'offrir de temps en temps un cadeau à Gail, pour la remercier de toutes leurs attentions.

En février, Lionel appela sa mère aux studios pour demander s'ils pouvaient déjeuner avec lui ce jour-là. C'était une démarche inhabituelle et elle espéra qu'il avait une bonne nouvelle à leur annoncer, un film intéressant ou même un autre poste, ou bien son retour à la fac. Ils ne s'attendaient pas à ce qu'il leur dit.

Il sembla hésiter avant de parler, comme s'il craignait de leur faire de la peine. Cela mit Ward aussitôt mal à l'aise. Peut-être aurait-il l'idée saugrenue de leur annoncer qu'il aimait un autre homme? Ward n'aurait pu le supporter. Mais Lionel entra rapidement dans le vif du sujet, comprenant qu'il n'y changerait rien en tergiversant.

« Je viens de recevoir ma feuille de route. »

Ils se regardèrent, interdits. On était en pleine guerre du Vietnam et la guerre était dans tous les esprits. Ward prit un air horrifié. Quelque amour qu'il éprouvât pour son pays, il n'était prêt à sacrifier aucun de ses fils à une guerre aussi sale, dans un pays dont il se fichait complètement. Faye faillit tomber à la renverse en entendant la réponse de Ward.

« Dis-leur que tu es homo. »

C'était la première fois qu'il utilisait le terme. Lionel sourit avant de secouer la tête.

« C'est impossible, papa.

– Ne fais pas le timide, je t'en prie. Cela peut te sauver la vie. »

C'était aussi pour cette raison qu'il avait dit à Greg d'en mettre un coup à la fac. Ce n'était pas le moment de se faire flanquer à la porte pour qu'on l'expédie aussitôt au Vietnam. Mais Lionel avait, lui, un excellent prétexte.

« Sois raisonnable Lionel. Tu leur parles de ça ou tu te planques au Canada.

– Je n'ai pas envie de déserter, papa. Ce ne serait pas bien.

– Et pourquoi pas, nom d'un chien! »

Il frappa du poing sur la table, mais personne n'y prit garde. Il y avait tellement de mouvement autour d'eux que personne ne prenait garde à ce qu'on disait. On aurait pu s'y promener tout nu, ou hurler de toutes ses forces, les gens auraient encore cru que cela faisait partie d'un rôle qu'on répétait. Mais Ward n'avait nullement envie de rire.

« Il faut que tu te sortes de là, Lionel. Je ne veux pas que tu y ailles. »

Faye avait les larmes aux yeux en les écoutant.

« Moi non plus, mon chéri.

– Je le sais bien, maman. (Il lui caressa doucement la main.) Je ne m'en réjouis pas non plus, mais je sens que je n'ai pas le choix. J'en ai parlé hier avec les officiers, et je crois qu'ils ont deviné ce que je suis. Ils connaissent aussi mes activités cinématographiques et ils voudraient que je les utilise là-bas. »

Ward et Faye eurent l'air soulagés.

« Tu sais où on t'envoie? »

Il respira profondément.

« Sans doute un an au Vietnam et peut-être une autre année en Europe ensuite.

– Oh! mon Dieu! »

Le visage de Ward devint blanc comme un linge et Faye se mit à pleurer.

Deux lugubres semaines suivirent, tandis que Lionel emballait ses affaires, quittait son travail et son petit appartement pour retourner quelques jours chez ses parents avant de partir pour le camp d'entraînement. Ce fut pour eux une consolation de l'avoir un peu. Ils quittaient tôt leur travail chaque après-midi. Mais la dernière soirée fut pénible. Tout le monde pleura en portant son toast. Ils le regardèrent partir depuis la porte, levant les bras en signe d'adieu tandis que le taxi l'emportait dans le petit matin.

Dès qu'il fut hors de leur vue, Faye s'effondra dans les bras de Ward en sanglotant. Elle craignait de ne plus jamais le revoir, et, en la serrant dans ses bras, Ward pleurait. C'était un déchirement pour tous.

Anne et Bill firent une longue, très longue promenade ce jour-là et elle formula tout haut ce que ses parents avaient eu peur de dire : Lionel ne s'était jamais consolé de la mort de John et il était possible qu'il aille au Vietnam pour se faire tuer.

« Je suis certain que non, ma chérie. Il fait ce qu'il croit de son devoir, c'est tout. J'ai fait la guerre, moi aussi. Tout le monde ne se fait pas tuer. Et si on l'envoie pour filmer, il sera certainement en sécurité. »

Ce n'était pas entièrement vrai. Il savait qu'ils risquaient tout autant leur vie, plus parfois, à voler bas en hélicoptère pour obtenir de meilleures prises de vues.

Seule Val était certaine qu'il s'en tirerait. Mais elle était si occupée, si enthousiasmée par sa propre vie qu'elle ne pouvait guère penser à autre chose. Elle venait de se dégoter un rôle dans un film de monstres qui se tournait dans les environs de Rome. La distribution était internationale et tout serait doublé, mais son rôle était muet, de toute façon. Plusieurs stars vieillissantes jouaient dedans, toutes mauvaises et depuis longtemps sans emploi.

« Hein que c'est fantastique? »

Elle avait appelé Vanessa pour la prévenir qu'elle passerait à New York. Rien que pour une nuit, mais ce serait sympa quand même. Vanessa l'avait invitée pour lui présenter son fameux « ami ».

Valérie dégringola de l'avion dans une jupe de cuir rouge sur des bas résille violets, une fourrure du même ton et des bottes de daim aussi criardes que des néons. Son pull coupé court bâillait sur son ventre et elle avait toujours sa crinière rousse. Lorsque, en se retournant vers lui, Vanessa revit Jason dans ses teintes de sous-bois et ses gris ardoise, elle toussa et se demanda ce qu'elle venait de faire.

« Pince-moi, je rêve », chuchota-t-il à l'oreille de Van.

Mais quelque ridicule que fût sa tenue, Val était sacrément belle, et Vanessa lui adressa de loin son plus beau sourire.

« C'est tout Plastic Land! »

Val se jeta dans les bras de sa sœur et embrassa Jason d'un peu trop près pour une première fois. Son parfum empestait. En l'embrassant, Vanessa huma une nette odeur de marijuana dans ses cheveux. Le soir même, ils sortirent dans Greenwich Village pour écouter du jazz, puis rentrèrent et bavardèrent chez Jason jusqu'à quatre heures du matin. Ils vidèrent une bouteille entière de tequila et Valérie sortit une boîte d'herbe.

« Servez-vous. »

Elle roula un joint d'une main experte sous le regard attentif de Jason, qui l'imita. Vanessa hésita. Elle n'en avait fait qu'une seule fois l'expérience et ça ne lui avait pas vraiment plu.

« Allez, Van, sois pas vieux jeu », insista Valérie.

Fair-play, Vanessa s'exécuta et répéta que ça ne lui faisait aucun effet, à ceci près qu'elles se retrouvèrent en train d'éplucher les pages jaunes à la recherche d'un coin à pizza ouvert toute la nuit. Elles finirent par dévaliser le réfrigérateur de Van et Louise, riant et gloussant sous l'œil étonné de Jason. Il n'arrivait pas à se faire à l'idée que Val était la jumelle de Van. Il n'en était toujours pas remis le lendemain lorsqu'elle reprit l'avion, dans un tailleur de cuir vert-jaune que ses parents ne lui avaient jamais vu. Elle avait fait pas mal d'emprunts pour sa garde-robe aux filles de l'appartement, mais ça ne semblait pas les déranger outre mesure. Plus personne, d'ailleurs, ne savait ce qui appartenait à qui, et elle ne partait que pour quelques semaines, à moins qu'elle ne se trouve un emploi supplémentaire là-bas.

« Salut, les potes. Amusez-vous bien. (Elle fit un clin d'œil à Van.) Il est au poil.

– Merci. »

Les deux jeunes femmes s'embrassèrent et Jason lui fit un signe d'adieu tandis qu'elle montait dans l'avion. C'était comme si un cyclone lui était passé dessus pendant ces deux jours.

« Comment a-t-elle pu donner ce résultat, avec toi pour modèle? » demanda-t-il perplexe.

Van lui rit au nez. Il semblait sous le choc.

« Je ne sais pas. Je crois que nous sommes tous différents, c'est tout, même s'il s'agit de la même famille.

– Je le vois bien.

– Tu veux m'échanger avec Val? »

C'était sa crainte perpétuelle. Valérie était tellement plus spectaculaire, provocante, avec sa boîte de joints, ses mœurs faciles, ses cheveux fous. Van était presque certaine que sa sœur aurait aimé coucher avec Jason, si elle-même avait eu l'heur de disparaître, mais elle savait à quoi s'attendre avec Val et prenait ses précautions. Elle avait perdu trop de petits amis, pendant son adolescence, pour faire encore confiance à un homme. Elle n'en voulait pas à Val. Elle était comme ça, et de toute façon, cela ne comptait pas pour elle.

« Pas pour l'instant. »

Jason semblait extrêmement soulagé d'être tombé sur la plus calme des deux.

Mais il ne le fut plus du tout lorsque Vanessa lui exposa sa suggestion quelques mois plus tard. Leur liaison se poursuivait confortablement – en fait, Van avait descendu un étage et Louise lui avait aussitôt trouvé une remplaçante. Elles avaient décidé que si ses parents appelaient, elles leur diraient de ne pas quitter, descendraient aussitôt frapper au deuxième et Van monterait à toute allure leur parler. Mais Faye et Ward téléphonaient rarement. Et si jamais il leur prenait l'envie de venir à New York, Vanessa réintégrerait ses anciens quartiers pour quelques jours.

Ils étaient accaparés par leur dernier film. Lionel était toujours au Vietnam et, par miracle, toujours vivant, et Valérie n'était pas encore de retour d'Italie. Elle s'était trouvé un autre petit rôle sur place, cette fois dans un western spaghetti, une nouveauté pour elle, et elle avait un peu travaillé comme mannequin à Milan, avait-elle expliqué par téléphone. Elle avait omis de préciser à sa mère que c'était dans le plus simple appareil.

Mais pour une raison ou une autre, tous leurs enfants étaient maintenant dispersés de par le monde, et à Los Angeles, il ne leur restait qu'Anne. Ward voulait louer un pavillon sur le lac Tahoe pendant deux semaines et souhaitait savoir si Van était intéressée. Lionel serait en permission, Greg aurait achevé son job d'été, Val prévoyait d'être rentrée de Rome et Anne promettait de venir à condition d'emmener Gail avec elle. Manquait l'engagement de Vanessa, qui rêvait d'emmener Jason. Cette idée, bien entendu, horrifiait le jeune homme.

« Moi, à Plastic Land, et pour deux semaines?

– Viens donc. Tu auras juste achevé ta thèse et le lac Tahoe est bien réel. D'ailleurs, je veux que tu fasses connaissance avec ma famille. (C'était précisément ce qu'il redoutait. Il les voyait tous dans le genre de Val et s'imaginait qu'il serait aussitôt dévoré par l'ennemi. Il était né dans un trou de campagne et n'était pas de taille à affronter ce monstre à six têtes.) Tu connais déjà Val, ce ne sont plus des étrangers pour toi.

– Nom d'une pipe! »

Il fit tout son possible pour la faire changer d'avis les semaines suivantes, mais elle refusa obstinément. Elle s'était trouvé un emploi pour l'été dans une librairie du centre ville et chaque soir en rentrant, elle remettait le sujet sur le tapis.

« Tu ne pourrais pas changer de sujet? répondait-il. Robert Kennedy vient d'être assassiné, la vie politique de ce pays est corrompue et ton frère est au Vietnam. Sommes-nous absolument obligés de parler de vacances?

– Oui. »

Elle savait qu'il était mort de trac, mais ne voyait pas d'où cela pouvait provenir. Sa famille n'aurait pas fait de mal à une mouche, du moins à ses yeux.

« Et nous en reparlerons jusqu'à ce que tu aies accepté de venir.

– Zut! (Il avait crié, mais c'était parce qu'il l'aimait vraiment beaucoup.) Tant pis! Je viens!

– Eh bien, il t'en a fallu, du temps... »

Deux mois seulement. Lorsqu'elle appela ses parents, ils furent stupéfaits. En dehors d'Anne et de sa petite amie Gail, elle était la première à demander si elle pouvait amener « quelqu'un ».

« De qui s'agit-il, ma chérie? »

Faye avait voulu un ton désinvolte, mais elle fronçait les sourcils dans son bureau de la M.G.M. Elle eut soudain peur que le garçon ne soit pas à la hauteur ou qu'il n'ait pas de bonnes intentions. Comment Vanessa saurait-elle distinguer un type bien d'un type qui ne l'était pas? Elle était encore naïve sur bien des points. Faye avait croisé Valérie la semaine précédente en compagnie d'un homme qui ressemblait à un coiffeur et qui était si défoncé que Val devait le soutenir.

Il allait falloir s'occuper un peu de cette fille. Depuis son séjour à Rome, elle semblait avoir complètement perdu la tête. Faye n'aimait pas du tout le genre de rumeurs qui commençaient à lui parvenir, surtout concernant les gens qu'elle fréquentait. Mais elle savait que Val était impossible à maîtriser. Ses pensées se tournèrent de nouveau vers Vanessa et ce mystérieux ami qu'elle voulait leur présenter. Les goûts masculins de Van avaient toujours été plus sages que ceux de Val. Faye n'avait aucune idée de ce que dirait Ward, mais, en tout cas, la maison qu'ils avaient louée était assez grande pour tous. Elle comptait une douzaine de chambres et jouxtait le lac. C'était peut-être une excellente idée, après tout, et ce serait merveilleux de les avoir tous autour d'elle.

« Qui est donc ce garçon, Van? Est-ce qu'il est à Columbia avec toi? »

Elle ne voulait pas avoir l'air inquisiteur, mais c'était sans doute l'impression qu'elle donnait à sa fille.

« Il n'y est plus. Il vient de finir sa thèse de doctorat.

– Mais quel âge a-t-il donc?

– Soixante-cinq ans. (Elle ne résistait pas à l'envie de faire marcher sa mère, mais Faye ne riait pas.) Allez, maman. Relax. Il n'a que vingt-six ans. Pourquoi?

– Est-ce que ce n'est pas un peu âgé pour toi? »

Faye s'efforçait de paraître détendue, mais sans grands résultats.

« Pas que je sache. Il fonctionne encore tout à fait bien. Il danse... monte à bicyclette...

– Cesse de plaisanter. Est-ce que c'est sérieux? Pourquoi veux-tu nous l'amener? Est-ce que tu t'es engagée avec cet homme? »

Les questions fusaient trop vite pour que Vanessa ait le temps de répondre. Elle se félicitait d'avoir téléphoné à sa mère en l'absence de Jason.

« Non, non. C'est seulement un bon ami à moi... (« Je vis avec lui, maman »... Si seulement elle avait pu le lui dire!) Pourquoi ne poses-tu pas ce genre de questions à Val au lieu de t'en prendre à moi? »

Pourquoi était-ce toujours elle qui faisait les frais? C'était toujours la même chose. Les garçons avaient toujours agi à leur guise et Val était hors d'atteinte. Quant à Anne, elle n'ouvrait pas la bouche, bien que Van se doutât qu'elle cachait des mystères bien plus profonds que les siens. Greg avait couru après tous les jupons possibles et imaginables depuis trois ans; Dieu seul savait où en était Val; et Anne avait cet air mystérieux... Mais ce n'était surtout pas après eux qu'on en avait, mais après elle, parce qu'elle avait toujours été sincère avec ses parents. C'était injuste. Pourtant, elle fut touchée de la douceur avec laquelle sa mère lui posa la question suivante.

« Est-ce que tu l'aimes, ma chérie? »

Vanessa hésita.

« Je ne sais pas. Pour l'instant, je l'aime bien, et j'ai pensé qu'il s'entendrait bien avec vous tous.

– Est-ce que c'est ton prétendant officiel? »

Le terme fit sourire la jeune fille et elle décida de se réconcilier avec sa mère.

« Plus ou moins, je crois.

– Eh bien, je vais en parler avec ton père et nous verrons ce qu'il dira. »

Il accepta, bien sûr, et répondit à Faye de ne pas s'inquiéter, ce qui était facile à dire. Elle avait cinq enfants pour occuper ses pensées. Car à ses yeux, ils n'avaient toujours pas grandi.

CHAPITRE 35

Ils arrivèrent séparément au lac Tahoe. Ward voulait se réserver quelques jours d'intimité avec Faye. Il fut heureux de constater que la maison qu'ils avaient louée dépassait leurs espérances. Chaque aile était couronnée d'une tourelle, le rez-de-chaussée comptait un immense salon et une pièce lambrissée, avec une table assez grande pour dix-huit et une énorme cheminée. Il n'y avait pas moins de douze chambres au premier, ce qui était largement suffisant. La décoration était dans un style rustique et confortable, mosaïque de patchworks, bois de cerfs et autres, et toute une collection de plats en étain. De la vannerie indienne et des peaux d'ours étalées sur le sol complétaient ce tableau de l'Ouest américain. C'était exactement ce dont Ward avait rêvé, constata-t-il en faisant avec Faye le tour du propriétaire. Ils s'installèrent royalement dans ce qui devait être la chambre du maître de céans, que complétaient une salle de bain à l'ancienne et un dressing-room. Le lendemain, assis main dans la main au bord du lac, ils évoquèrent leur voyage en Suisse de l'année précédente.

Faye était nostalgique en se tournant vers lui.

« J'aimerais pouvoir me retirer un jour dans un endroit pareil.

– Mon Dieu, Faye, pourquoi parler de retraite? »

Rien ne lui semblait plus absurde que l'idée de voir sa belle, mondaine et élégante épouse, titulaire de trois Oscars et de surcroît la plus grande femme cinéaste du monde, renoncer à tout cela pour se plonger dans la contemplation des eaux dormantes d'un lac pendant les quarante années à venir. Elle n'avait que quarante-huit ans, que diable! et cette perspective dépassait son imagination.

« Tu deviendrais folle au bout de trois jours, sinon deux.

– Tu te trompes, mon chéri. Un de ces jours, tu seras surpris, j'abandonnerai tout ça. »

Il ne restait plus grand-chose qu'elle n'eût pas fait et qu'elle voulût encore mener à bien. De plus en plus, elle se laissait gagner par la pensée qu'elle s'arrêterait un jour. Elle faisait des films depuis plus de quinze ans et c'était presque assez. Il fut surpris de son air grave.

« Tu es trop jeune pour prendre ta retraite, mon amour. A quoi passerais-tu ton temps? »

Elle lui sourit et nicha son visage dans son cou.

« A rester au lit avec toi toute la journée.

– Perspective agréable. Peut-être ferais-tu mieux de prendre ta retraite tout de suite, en fin de compte. (Il sourit, pensant aux deux semaines de farniente qui les attendaient.) Tu crois que tu vas pouvoir survivre quinze jours avec tes mômes? »

Il attendait leur arrivée avec impatience, surtout celle de Lionel et de Greg. Cela faisait des années qu'il n'était pas sorti au grand air avec ses fils, et il était soulagé que Lionel fût rentré sain et sauf du Vietnam. Lorsque son grand garçon sauta de sa voiture de location deux jours plus tard, il ne put retenir une larme. Li était le premier arrivé, et Ward le serra sur son cœur.

« Eh bien, Li, tu as bronzé et on dirait même que tu as grandi. »

Il le trouva magnifique, incroyablement mûri. A vingt-deux ans, on lui aurait facilement donné cinq ou six ans de plus. Ward constata avec satisfaction qu'il ne faisait pas du tout homo. Il se demanda s'il n'avait pas par hasard changé de mode de vie, mais c'était une question gênante. Lorsqu'il y fit allusion le soir même, Lionel lui rit au nez. C'était la première fois qu'ils étaient si proches depuis longtemps. Mais Ward respectait son travail de cinéaste dans la guerre du Vietnam et les risques constants qu'il prenait.

« Non, papa. (Il répondit avec une grande douceur, le regard amical.) Je n'ai pas « changé », comme tu dis. (Ward prit un air gêné et Lionel sourit.) Les choses ne se passent pas comme ça, tu sais. Mais il n'y a eu personne depuis la mort de John, si c'est ce que tu veux dire. »

A la pensée de son amour perdu, son visage s'assombrit. John lui manquait terriblement. En un sens, c'était moins pénible d'être au Vietnam, loin des lieux qu'ils avaient connus ensemble. Il avait l'impression de repartir de zéro. Ward voyait que son chagrin était toujours vif.

Ils passèrent trente-six heures agréables avant l'arrivée des autres. D'abord, de New York, Jason et Vanessa qui avaient pris l'avion jusqu'à Reno et fait le reste du trajet dans une voiture louée. En sortant de la voiture en fin d'après-midi, Vanessa s'étira, tandis que Jason jetait un coup d'œil alentour, surpris que ce fût si beau. Lorsque Lionel traversa la pelouse pour les saluer, Jason recula un peu, étonné. Il avait immédiatement perçu la vraie nature de Lionel et se demanda pourquoi Van ne lui en avait pas parlé avant.

« Hello. (Il avait un regard chaleureux et ressemblait un peu à Van.) Je suis Lionel Thayer.

– Jason Stuart. »

Ils se serrèrent la main avant de commenter ensemble la beauté du site. La vue sur le lac était impressionnante. Peu après, Faye et Ward revinrent de la plage en costume de bain. Il portait une canne à pêche, mais sans résultats visibles, et Faye s'était moquée de lui tout le long du chemin, dans un maillot noir qui soulignait sa silhouette encore superbe. Jason voyait maintenant d'où venait la ressemblance. Lionel était tout le portrait de sa mère. Et bien qu'il ne l'eût jamais reconnu devant Van, il était impressionné de la rencontrer. Elle était belle, intelligente, et dans ses yeux dansaient un million d'idées. Elle faisait rire tout le monde et sa voix grave avait quelque chose de troublant. C'était une des femmes les plus intéressantes qu'il ait rencontrées, pensait-il le soir même, plongé avec elle dans une discussion passionnante. Elle le questionna sur sa thèse, sur ses projets, sur ses idées, et Jason comprenait combien il avait dû être difficile de grandir dans son ombre. Elle était superbe, pleine d'esprit, il devait être impossible de la concurrencer. Il s'expliquait mieux maintenant le calme et la réserve de Vanessa, l'extravagance déroutée de Val. Van avait à l'évidence écarté toute velléité de compétition, pour mener tranquillement sa petite vie; Val à l'inverse combattait sa mère sur tous les terrains, mais avec des armes qui ne lui assureraient pas la victoire. Elle s'efforçait de la concurrencer dans la beauté, le spectaculaire; elle voulait l'avoir à son propre jeu, et c'était perdu d'avance. Lionel s'était lui aussi voué au cinéma, mais dans un esprit radicalement différent. Jason était curieux de faire la connaissance des deux autres. Ce fut Greg qui arriva ensuite. Il n'avait que le football, la bière et les filles à la bouche. La coexistence avec lui était épuisante, mais Jason avait remarqué que chaque fois que Ward lui parlait, ses yeux se mettaient à briller. Greg était son fils adoré, son héros, son champion. Et il commençait à deviner ce qu'avait dû endurer Lionel pendant une bonne partie de sa vie. Il fit l'effort de s'adresser une ou deux fois à Greg le jour de son arrivée, mais il ne put en tirer grand-chose. Il semblait n'avoir rien à dire en dehors de ses dadas habituels.

Puis Val arriva avec Anne. Elle était restée en ville aussi longtemps que possible et avait enfin accepté de conduire sa sœur, bien qu'elle n'eût pas l'humeur campagnarde en ce moment. Un nouveau film d'horreur était en préparation et c'était une occasion à ne pas manquer. Mais on ne pouvait pas tout faire, et une autre distribution devait se décider dans deux semaines. C'était presque devenu sa spécialité, mais ses amis pouvaient toujours en rire, elle s'en moquait. Elle travaillait presque constamment et gagnait sa vie.

« Allez, Val, plaisantèrent les autres lorsqu'ils furent tous rassemblés et que Lionel eut éteint les lumières du salon, vas-y, fais-nous le célèbre cri de Valérie Thayer. »

Elle l'avait fait déjà des dizaines de fois et ils l'imploraient si fort qu'en riant elle se plaça dans le noir, près de la lueur inquiétante de la cheminée, mit ses mains à sa gorge avec une affreuse grimace et poussa à tue-tête le fameux cri. Elle était si convaincante que, tout d'abord horrifiés, ils ne réalisèrent pas ce qu'elle faisait et la crurent atteinte de folie. Le cri sembla se prolonger pendant des heures, puis s'interrompit aussi brutalement qu'il avait commencé. Le public applaudit et siffla avec enthousiasme, Jason plus fort que les autres.

Van et lui étaient sortis faire du canoë avec elle l'après-midi même et Val était à se tordre de rire. Il devenait vite un de ses plus ardents supporters. Et pour bien lui montrer que c'était partagé, elle lui avait froidement mis un crapaud dans la main sur le chemin de la maison. Il avait fait un bond, Vanessa avait hurlé de terreur et Val les avait tous deux traités de mauviettes.

« Merde, moi à Rome j'ai tourné avec une centaine de ces bestioles. »

Il n'en fallut pas plus pour les dérider, et ils jouèrent à se poursuivre jusqu'à la maison. Ils se sentaient retombés en enfance. Lionel, Greg et Ward étaient partis pêcher ce jour-là et revinrent avec quelques truites, qu'ils demandèrent à Faye de préparer. Elle refusa, c'était l'affaire des pêcheurs. Lionel trouvait son frère bien silencieux, et se demanda ce qui pouvait le tracasser. Mais l'un dans l'autre, tout le monde semblait ravi de ces vacances. Faye avait calmement passé l'après-midi sur la plage avec Anne. Celle-ci n'avait pas voulu partir en canoë avec Jason et les jumelles, ni pêcher avec son père et les garçons. Faye n'était même pas sûre qu'elle ait aimé paresser sur la plage avec elle. Mais, n'ayant rien d'autre à faire, Anne préféra rester là à lire un livre qu'elle avait apporté. Gail avait finalement décidé de ne pas l'accompagner. Elle ne voulait pas troubler une réunion de famille et avait opté pour un petit voyage à San Francisco avec son père. Anne avait retrouvé la solitude. Elle écrivit une lettre, puis retourna calmement dans la maison, où Faye l'aperçut qui téléphonait. Elle devait être à l'âge où on souffrait de quitter ses amis et sans doute ce séjour l'ennuyait-il, mais cela leur faisait du bien à tous. La deuxième semaine, ils étaient tous bronzés et dispos. Ward et Jason étaient devenus de grands amis, les jumelles s'entendaient mieux que jamais et Greg semblait moins soucieux. Même Anne paraissait s'amuser en fin de compte, et elle sortit avec Vanessa pour une longue promenade, un jour que Jason était allé conduire Faye en ville. Van lui jeta un coup d'œil, étonnée encore de la voir si adulte. Elle n'avait que seize ans et demi, mais les expériences qu'elle avait vécues lui avaient ajouté plusieurs années.

« J'aime bien ton copain. »

Le ton calme sur lequel elle s'exprima contrastait avec l'air renfermé que Van lui connaissait.

« Jason? Moi aussi. Il est très sympa.

– Je crois qu'il raffole de toi. »

Elles hochèrent ensemble la tête. C'était une évidence, et il aimait aussi la famille de Van. Il avait tellement appréhendé cette confrontation, il s'était fait tout un cinéma, les imaginant alignés les uns à côté des autres comme au tribunal, prêts à lui faire subir un affreux interrogatoire, alors qu'au contraire il les découvrait avec des petites manies, des bizarreries sympathiques. Il les aimait tous, même la timide Anne, qui levait maintenant vers sa sœur un regard de curieuse :

« Est-ce qu'il va t'épouser? »

Vanessa savait que c'était la question qui les obsédait tous, mais à dix-neuf ans elle n'avait pas envie d'y penser. Pas avant plusieurs années, en tout cas.

« Nous n'en parlons jamais.

– Comment ça se fait?

– J'ai encore beaucoup de choses à faire, finir la fac... vivre ma vie... essayer d'écrire...

– Ça peut prendre des années.

– Je ne suis pas pressée.

– En tout cas, lui, il l'est sûrement. Il est bien plus âgé que toi. Ça ne te gêne pas, Van? »

Elle se demanda ce que sa sœur penserait des trente années qui la séparaient de Bill. Cette différence d'âge n'était rien comparée à la leur.

« Parfois. Pourquoi?

– Simple curiosité. »

Elles s'assirent sur un rocher et laissèrent pendre leurs pieds dans le courant. Anne fixait le jeu de l'eau, rêveuse, et Vanessa se demandait ce qui pouvait passer dans la jolie tête blonde. Elles n'avaient que trois ans de différence, mais parfois c'était comme s'il s'agissait de dix et qu'Anne était la plus âgée des deux, comme si elle avait vécu trop de choses. Elle se tourna vers Vanessa, semblant deviner ses pensées.

« A ta place, je l'épouserais, Van. »

Elle avait un ton sage, adulte. Vanessa sourit.

« Pourquoi?

– Parce que tu n'en trouveras pas forcément

d'aussi gentils que lui. Un homme qui a cette qualité vaut tous les trésors du monde.
– Tu le penses vraiment? »
Vanessa l'observa, décelant dans ses yeux quelque chose qu'elle ne parvenait pas à déchiffrer, et elle eut soudain le sentiment qu'il y avait un homme dans sa vie, et même quelqu'un qui devait compter. Difficile à dire, avec Anne. Elle se confiait si peu, mais il y avait là quelque chose qui dépassait l'expérience habituelle d'une fille de son âge. Anne détourna les yeux, comme pour empêcher Vanessa d'en apprendre davantage.
« Et toi, Anne? Est-ce qu'il y a quelqu'un dans ta vie? »
Elle s'efforçait de prendre un ton léger et détaché, mais Anne haussa aussitôt les épaules, presque trop vite.
« Non, pas grand-monde.
– Personne, vraiment?
– Eh bien, non. »
Vanessa sut qu'elle mentait, mais ne put rien dire, et elles remirent leurs chaussures pour rentrer à la maison. Ce soir-là, Vanessa en glissa un mot à Li; il la connaissait bien.
« Je crois qu'Anne a quelqu'un.
– Qu'est-ce qui te fait dire ça? »
Il n'avait plus aucun contact avec sa plus jeune sœur. Il venait de passer six mois au Vietnam et Anne ne se confiait plus à lui.
« Une impression... je ne peux pas t'expliquer... elle a un drôle d'air... »
C'était impossible à décrire, et Lionel se mit à rire, avant de la regarder dans les yeux.
« Et toi, petite sœur? Où en es-tu avec ce type? »
Van se demanda s'ils allaient tous défiler avec

cette question avant son départ et elle s'efforça de sourire.

« Calme-toi!... Anne m'a posé la même question aujourd'hui. Je lui ai dit que cela ne durerait pas. »

Elle était à peu près franche avec lui. Comment deviner ce que lui réserverait l'avenir?

« Dommage. Je le trouve sympa. »

Elle le regarda en souriant et le taquina pour la première fois depuis bien longtemps.

« Tu ne l'auras pas. Il est à moi.

– Et merde! »

Il fit claquer ses doigts en riant.

Greg s'approcha d'eux à ce moment-là et son regard alla de Lionel à Van.

« De quoi parliez-vous, tous les deux? »

Mais Vanessa ne lui aurait jamais parlé de ses préoccupations. Elle resta dans le vague, avant de se mettre à la recherche de celui dont tout le monde parlait, ce Jason qui semblait devenu si populaire. Elle le trouva avec Val, qui le taquinait à mort sur son sérieux. Ward et Faye savouraient tranquillement un verre de vin sous la véranda et Anne était quelque part à l'intérieur, probablement au téléphone avec son amie.

« Gail, sans doute. »

Faye sourit à Ward, qui haussa les épaules. Tout allait bien. Ils n'avaient aucune raison de s'en mêler. Ils profitaient merveilleusement des enfants. Ils ne prenaient pas tous la direction rêvée, loin de là. Ward avait placé d'autres espoirs en Lionel, bien sûr, et il aurait préféré voir Val aller sagement à l'université au lieu d'apprendre à crier, mais Anne au moins était remise sur les rails, Vanessa semblait elle aussi tirée d'affaire et Greg, Greg était leur vedette. Moins triomphant en réalité que Ward ne le pensait, ainsi que Greg le confiait à Lionel au même moment, en bas près de la plage, assis à côté de lui sur un tronc d'arbre, dans le soleil couchant. Lionel comprenait enfin ce qui avait tracassé son frère depuis son arrivée. Cela s'était renversé comme cent dollars de marchandises s'échappant d'un sac en papier déchiré.

« Je ne sais pas ce que je vais dire à papa, Li... si jamais je suis définitivement viré de l'équipe... »

Il ferma les yeux, incapable d'aller au bout de cette pensée. Le visage de Lionel prit une expression sinistre. Ce serait une terrible déception pour Ward, mais là n'était pas le pire, il le savait trop bien. Il côtoyait tous les jours des types du genre de Greg, blessés à mort dans la vase, les entrailles éventrées par les balles sous l'œil ronronnant de sa caméra.

« Comment as-tu pu faire une connerie pareille? »

On l'avait pris à fumer de la drogue au printemps, et il avait été immédiatement mis à pied, à l'insu de Ward, qui croyait qu'il s'était blessé un genou. Ses notes étaient si désastreuses qu'il était même possible qu'il ne réintègre jamais l'équipe.

« Merde, ils peuvent me foutre à la porte de l'école s'ils le veulent. »

Il avait les larmes aux yeux, mais c'était bon de pouvoir enfin en parler. Cela faisait des semaines que cette crainte le tuait.

Lionel le saisit par le bras et le força à le regarder en face.

« Tu ne peux pas laisser faire une chose pareille, Greg. Tu vas y retourner et te manier le cul pour faire remonter ta moyenne, tu entends. Trouve-toi un répétiteur, fais n'importe quoi... »

Il parlait en connaissance de cause, même si Greg n'avait aucune idée de ce qui pouvait se passer là-bas, de l'autre côté du Pacifique. Mais il avait peur, malgré tout. Il fixa son frère avec un désespoir sans borne.

« Peut-être qu'il faudra que je triche... »

Lionet bondit.

« Ne fais surtout pas ça, petit con! »

C'était un peu comme dans leur enfance, la complicité retrouvée. Li et lui n'avaient jamais été amis, depuis des années du moins, depuis qu'ils avaient commencé à grandir et que Lionel avait perçu sa différence. En tout cas, depuis que Greg avait su ce qu'il était réellement. Et pourtant, bizarrement, c'était vers Li qu'il s'était tout naturellement tourné. Il cherchait à lui parler depuis des jours. Jason, il ne le connaissait pas assez, et surtout pas son père. Mais il fallait bien qu'il s'ouvre à quelqu'un de ce qui lui arrivait.

« Si jamais tu triches, sombre idiot, tu es sûr d'être viré, ça ne fait pas un pli! Il va falloir que tu potasses tes bouquins, comme les autres. Parce que si tu te fais jeter, ils t'expédieront directement au Vietnam avant que tu aies eu le temps de dire ouf. Tu es la recrue idéale : jeune, en bonne santé, sportif, la bonne poire, quoi.

– Merci.

– Je sais ce que je dis. Tu es une poire, parce que tu n'es pas assez vieux pour te faire du mouron pour ta femme et tes gosses dans la jungle. Tu verras tes potes tomber autour de toi, mais tu continueras à rêver d'aller tuer du Viet. Et avec tes muscles de footballeur, tu fais une chair à canon idéale. Là-bas, je vois mourir tous les jours des types comme toi. »

Il détestait l'idée d'y retourner, mais dans quelques semaines, il y serait. Greg le regardait avec un respect nouveau. Li avait réussi à survivre, il était devenu un homme, si ce terme pouvait lui convenir. Ça le gênait toujours que Lionel ait tourné comme ça, mais il écoutait son aîné. Il sentait qu'il avait raison et il était mort de trouille.

« Il faut à tout prix que je retrouve ma place dans l'équipe.

– Alors, débrouille-toi pour tenir la moyenne et essaie de ne pas te faire jeter.

– J'essaierai, Li, c'est juré.

– C'est bien. »

Il lui ébouriffa les cheveux comme il le faisait naguère et les frères se sourirent dans le soleil finissant. Greg passa un bras autour des épaules de Lionel et se souvint de l'époque des colonies de vacances.

« Je te détestais à l'époque, dit-il, et ils sourirent de ces souvenirs si lointains. Mais je détestais encore plus les jumelles. (Il se mit à rire.) Je crois bien que je détestais tout le monde. Je rêvais d'être fils unique.

– Tu l'étais un peu, tu sais. Le chouchou de papa. »

Greg approuva de la tête.

« Mais je ne m'en rendais pas compte à l'époque. (Il était impressionné que Lionel le prenne avec autant de philosophie. Lui-même était encore gêné, quelques années plus tôt, du favoritisme de son père. Il changea immédiatement de sujet.) Mais il y en a une que je n'ai jamais détestée, c'est Anne. »

Lionel sourit.

« Aucun de nous ne l'a jamais détestée. Elle était trop petite. »

Anne venait de raccrocher le téléphone après avoir rappelé Bill. C'était pour elle un supplice d'être éloignée de lui et elle lui téléphonait en P.C.V. trois ou quatre fois par jour. Personne ne s'en douta, tous pensaient qu'elle appelait Gail. Il n'y avait que Vanessa qui fût à peu près persuadée qu'Anne avait une liaison, mais elle n'avait aucun moyen de le vérifier.

Dans l'ensemble, cela avait donc été de merveilleuses vacances, et le dernier soir, Valérie s'assit par terre près de la porte de sa chambre, à l'affût de Van. Chaque nuit, elle avait entendu sa sœur filer à pas menus jusqu'à la chambre de Jason. Cette nuit-là, lorsqu'elle surprit de nouveau son trottinement pressé, elle attendit deux minutes, puis courut à la porte du jeune homme et frappa. Il y eut un petit rire, un cri de peur, puis la voix de baryton de Jason cria : « Entrez. » Elle ouvrit la porte et s'avança vers lui avec un sourire amoureux, et avant qu'il ait le temps de réaliser ce qui se passait, bondit sur le lit où elle faillit tuer sa sœur, qui poussa un hurlement. Mais presque aussitôt, ils comprirent qu'elle leur faisait une farce et tout finit dans les rires et les bavardages fort avant dans la nuit. Ils décidèrent de réveiller Lionel et Greg et la joyeuse troupe descendit au rez-de-chaussée piller le compartiment à glace et les bouteilles de bière. C'était un épilogue parfait pour des vacances parfaites, et lorsque le lendemain, chacun reprit sa vie séparément, ils emportèrent avec eux le souvenir précieux de ces plaisirs partagés.

CHAPITRE 36

A SA grande stupeur, Vanessa parvint à convaincre Jason de passer quelques jours à Los Angeles. Il avait vu de quoi sa famille avait l'air, s'était entendu avec tous et ses craintes de ce côté s'étant envolées, il était curieux de connaître le lieu qu'il avait tant décrié. Il n'avait consenti à y rester que deux jours, et ce fut Valérie qui prit en main le programme des festivités. Elle les emmena partout, dans tous les studios, sur tous les plateaux de cinéma, dans toutes les soirées, tous les restaurants « in ». Vanessa ne vit jamais autant Hollywood que pendant ces deux jours avec sa sœur.

Faye et Ward étaient déjà plongés dans la programmation d'un nouveau film. Anne se retira de nouveau dans sa vie à elle; Lionel reprit l'avion pour le Vietnam, via Hawaii et Guam; et deux jours plus tard, Jason et Vanessa s'envolaient pour New York. Chacun reprit le fil de ses occupations.

Vanessa entrait en deuxième année à Columbia et Greg retrouvait l'université de l'Alabama pour ce qui devait être sa dernière année. Elle ne dura pas. Dès son retour, il apprit qu'il était rayé de l'équipe, et, s'étant soûlé pendant une semaine pour récupérer, il manqua deux importants examens de rattrapage qui lui restaient du précédent trimestre. Dès le 15 octobre, le doyen le convoqua à son bureau, et lui « conseilla » de quitter l'école. Il regrettait d'avoir à prendre pareille sanction contre un aussi bon sportif et lui suggéra de rentrer chez lui pour réfléchir jusqu'à la fin de l'année. Si d'ici là, il était redevenu raisonnable, l'école se ferait un plaisir de l'accueillir de nouveau. Mais six semaines plus tard, lorsqu'il revint à la maison l'oreille basse, sous le regard abattu de son père, il s'aperçut que l'armée avait conçu pour lui d'autres projets : il était appelé sous les drapeaux.

Cet après-midi-là, il resta à la maison, hébété, et en pénétrant dans le salon, Anne le trouva toujours assis à la même place. Elle rentrait de plus en plus tard, car elle se rendait toujours chez Gail pour faire ses devoirs après l'école. Bill la reconduisait lorsqu'il revenait du travail. Ils profitaient ainsi de quelques minutes d'intimité et elle comptait sur cette habitude quotidienne. Lorsqu'elle rentrait chez les Thayer à la nuit, il n'y avait en général personne à la maison, sauf la bonne. Mais le retour de Greg avait un peu modifié les choses.

Elle ouvrit avec sa clef et, lui voyant cette expression funèbre, s'arrêta devant lui, interdite. Anne était grande et belle, une vraie petite femme maintenant, mais il n'en remarqua rien. Il regardait devant lui sans la voir.

« Qu'est-ce qui se passe? »

Elle ne s'était jamais sentie proche de lui, mais se désolait qu'on l'ait renvoyé de son école. Elle savait à quel point le football comptait pour lui, elle l'avait vu déprimé depuis son retour. Mais aujourd'hui, c'était pire. Quelque chose de grave avait dû se produire.

Il leva vers elle des yeux hagards.

« Je viens de recevoir ma feuille de route.

– Oh! non... »

Elle s'assit en face de lui et comprit aussitôt. C'était déjà assez pénible d'avoir Lionel là-bas. Ils étaient encore à en parler lorsque Faye et Ward firent irruption. Ils avaient fini tôt et étaient d'excellente humeur. Tout marchait comme sur des roulettes et la distribution du film prenait corps comme ils l'avaient espéré. Ward s'immobilisa, inquiet, dès qu'il les aperçut. Il vit au visage de Greg que quelque chose n'allait pas et il craignit pour Lionel.

« Mauvaises nouvelles? »

Il avait dit ces mots le plus vite possible, pour qu'ils puissent lui répondre aussitôt.

Greg hocha la tête.

« Oui. »

Il lui tendit le papier sans en dire davantage.

Après l'avoir lu, Ward s'effondra dans un fauteuil. Puis il le tendit à Faye. Tout ce qu'ils désiraient, c'était voir Lionel en finir avec le Vietnam, et voilà que la guerre lui enlevait aussi Greg. C'était trop injuste de les avoir tous les deux là-bas.

Faye regarda son mari.

« Est-ce qu'il n'y a pas une loi pour empêcher ça? »

Ward secoua désespérément la tête et fixa son fils. Le papier lui demandait de se présenter dans trois jours. Ils ne perdaient pas de temps, à l'armée, on était déjà le 1er décembre. Il envisagea le Canada. Mais cela n'aurait pas été bien vis-à-vis de Lionel. Comme si c'était normal qu'il risque sa vie là-bas, mais pas Greg.

Il se présenta à Fort Ord le 4 décembre, comme prévu, et de là fut envoyé six semaines à Fort Benning pour suivre l'entraînement de base. Il ne lui fut même pas permis de rentrer chez lui pour Noël, et le jour de fête fut sombre cette année-là. Val était au Mexique avec des amis; Vanessa était enfin allée rendre visite à la famille de Jason dans le New Hampshire; Greg suivait l'entraînement, Lionel était au Vietnam et Anne n'attendait que le moment de quitter la maison. Elle avait décidé du même arrangement avec Bill que l'année d'avant. Dans quelques semaines, elle aurait dix-sept ans. Plus qu'un an, se répétaient-ils constamment.

Greg s'embarqua le 28 janvier directement pour Saigon, d'où il rejoignit la base aérienne de Bien Hoa au nord de la capitale. Il n'eut même pas la chance de tomber sur la même base que Lionel, qui n'en avait plus que pour trois semaines au Vietnam. On devait ensuite l'envoyer en Allemagne et il comptait les jours. Il en avait assez vu de cette sale guerre pour toute une vie – s'il parvenait à survivre. Il y en avait tellement autour de lui qui se faisaient descendre la veille même de leur départ. Il retiendrait son souffle jusqu'à ce que l'avion ait enfin touché le sol de Los Angeles, pas avant. Mais il n'oubliait pas que son frère était là lui aussi. Il essaya plusieurs fois de le contacter, sans résultat. Son commandant n'avait pas perdu de temps, et en guise de bienvenue, il avait immédiatement envoyé les nouvelles recrues au cœur des lignes de combat, dès leur arrivée à Bien Hoa.

Greg y resta exactement deux semaines. Le 13 février, le corps d'armée auquel il appartenait lança plusieurs attaques à la rockette contre les Vietcongs, détruisant deux villages et faisant des prisonniers pendant plusieurs nuits. Greg eut un avant-goût de sang, de mort et de victoire. Son meilleur ami du camp d'entraînement reçut une balle dans le ventre, mais le médecin dit qu'il s'en sortirait. Il avait de la chance, il serait aussitôt rapatrié. Des dizaines de gars furent tués, sept disparurent, ce qui effraya tout le monde, et Greg lui-même eut l'occasion de tirer sur deux vieilles femmes et un chien, ce qu'il trouva à la fois effrayant et grisant, comme de courir jusqu'à la ligne du but avec le ballon dans les bras. Et puis, un matin à cinq heures, dans la jungle bruissante de vie, pleine de hululements et de caquètements d'oiseaux, Greg fut envoyé avec d'autres en reconnaissance et mit le pied sur une mine. Il n'y eut même pas de cadavre. Son corps disparut dans un nuage de sang sous les yeux de ses camarades, et plusieurs d'entre eux portaient ce sang sur leurs vêtements lorsqu'ils rentrèrent à la base en titubant, hagards, avec deux invalides. Lionel apprit la nouvelle dans l'après-midi, et son regard se figea, éteint, devant le bout de papier qu'on venait de lui tendre. Condoléances. Gregory Ward Thayer tué par une mine. Mort au champ d'honneur. Suivait le nom du commandant de la base. Un frisson lui parcourut l'échine, comme lorsqu'il avait vu John étendu sans vie dans l'appartement à l'arrivée des pompiers. Il n'avait jamais aimé Greg comme il avait aimé John. Il n'aimerait plus personne de cette façon. Mais Greg était son frère, et voilà que soudain ce frère n'était plus. Il pensa aussitôt à la peine qu'éprouverait son père, et soudain la douleur le transperça comme une flèche.

« Fils de pute », cria-t-il dans la rue en sortant de son hôtel, et il s'appuya contre un mur et pleura, jusqu'à ce que quelqu'un s'approche et l'emmène.

C'était un bon gars, même si tous savaient ce qu'il était. Il ne dérangeait personne et ils étaient désolés pour lui. Ils avaient appris la nouvelle en même temps que Lionel. Quelqu'un avait vu le télégramme lorsqu'il était arrivé, et à Saigon, les nouvelles allaient vite. Tout se savait. Deux soldats restèrent près de lui, cette nuit-là, à le regarder boire et pleurer. Le lendemain matin, ils le mirent dans l'avion. Il avait tenu un an au Vietnam, réalisé plus de quatre cents courts métrages pour les Etats-Unis, dont beaucoup faisaient les actualités dans le monde entier. Mais son frère n'avait tenu que dix-neuf jours. Ce n'était pas juste – mais rien n'était juste au Vietnam, ni les rats, ni les maladies, ni les enfants blessés qu'on entendait crier partout.

Lorsque Lionel descendit de l'avion à Los Angeles, il semblait choqué comme s'il avait reçu un éclat d'obus. Il ne reverrait plus jamais son frère. On lui avait accordé une permission de trois semaines avant de se rendre en Allemagne. Il se souvint ensuite que quelqu'un l'avait conduit en voiture à la maison. Il était dans le même état qu'après la mort de John, deux ans seulement auparavant... trente-six mois exactement... raidi, paralysé, absent.

Il n'y aurait pas d'enterrement, puisqu'on ne rapatriait pas le corps. Il n'y avait rien à rapatrier, en dehors de ces télégrammes. Lionel se retrouva devant Ward, vieilli, cassé par la douleur. Les deux hommes s'étreignirent, soulagés et profondément peinés à la fois, de se revoir en vie, de savoir Greg disparu pour toujours. Ward conduisit enfin son fils dans la maison et ils pleurèrent longtemps encore. Lionel serra son père dans ses bras comme un enfant, son père déchiré par la disparition du fils qu'il avait tant chéri, du fils sur lequel il avait fondé tant d'espoirs, son champion de football. Il n'était plus, et il n'y avait plus aucune trace de lui. Rien que des souvenirs.

Ils vécurent comme des automates les jours suivants. Lionel sentait vaguement la présence de Van et de Val revenues auprès d'eux, d'Anne aussi... mais Greg n'était pas là... Greg ne serait plus jamais là avec eux. Ils n'étaient plus que quatre.

Une messe fut dite pour lui à l'église presbytérienne de Hollywood. Tous ses anciens professeurs du lycée étaient présents. Ward se disait que si ces salauds de l'Alabama l'avaient laissé réintégrer l'équipe, ou s'ils l'avaient du moins gardé à l'école, il serait encore en vie. Mais cela ne servait à rien de les haïr. C'était bien la faute de Greg s'il s'était fait renvoyer. Mais à qui la faute s'il s'était fait tuer? Enfin, ce devait bien être la faute de quelqu'un? La voix du pasteur ronronnait, il entendit le nom de son fils, mais rien ne semblait réel. Il se retrouva dehors au soleil au milieu d'une foule, serrant des mains. Comment croire que Greg était parti de ce monde pour toujours? Plusieurs fois, il jeta un coup d'œil à Lionel, comme pour s'assurer qu'il était toujours là. Ses filles étaient bien là elles aussi. Mais rien ne serait plus comme avant. L'un d'eux les avait quittés. Pour l'éternité.

CHAPITRE 37

QUELQUES jours après la cérémonie à la mémoire de Greg, Vanessa rentra à New York et Val retrouva son appartement en ville. Lionel préféra rester seul à la maison où ni ses parents ni Anne n'étaient jamais, les uns à leur travail, l'autre à l'école. Il se sentait maladivement attiré par la chambre de Greg. Il se remémorait l'époque où John et lui avaient été amis. Ils étaient morts tous les deux maintenant... réunis de nouveau en un lieu incertain. Cela lui semblait si injuste qu'il avait à tout moment envie de crier.

Une ou deux fois, il sortit en voiture, pour prendre un peu l'air. Sa vieille Mustang l'attendait au garage. Il l'y avait laissée avant de s'embarquer pour le Vietnam. La voiture de Greg était garée à côté, mais il ne voulait pas y monter encore. Elle était sacrée, et la regarder lui brisait le cœur.

Il sortit la Mustang rouge un après-midi, une semaine avant la date prévue pour son départ pour l'Europe et décida d'aller manger un hamburger avant de rentrer. C'était la première fois qu'il avait vraiment faim depuis des semaines. En descendant de voiture sur le parking, il remarqua une Rolls dans deux tons de gris qu'il lui sembla avoir déjà vue quelque part, mais il ne savait où, et d'ailleurs, c'était sans importance. Il s'assit au comptoir et commanda un hamburger et un Coca, avant de jeter un coup d'œil dans le miroir devant lui. Ce qu'il y vit le fit sursauter. Car ce qu'il avait devant lui, reflété dans la glace, c'était sa plus jeune sœur, en compagnie d'un homme beaucoup plus âgé. Ils se tenaient les mains et venaient de s'embrasser. Elle buvait un milk-shake et il avait dû dire quelque chose de drôle, car ils éclatèrent de rire. Ils s'embrassèrent de nouveau. Lionel était horrifié. Cet homme était aussi vieux que Ward. Il aurait voulu mieux voir, mais craignit de se retourner. Soudain, il le reconnut. C'était le père de l'amie d'Anne... comment s'appelait-elle déjà?... Sally?... Jane?... Gail! C'était ça!

Le couple sortit peu après. Il l'enlaçait et ils s'embrassèrent encore, une fois dehors, sans le remarquer. Ils restèrent assis dans la voiture un long moment, et Lionel vit leurs lèvres s'unir à nouveau. Enfin, ils démarrèrent. Il resta assis là, perplexe; il en avait oublié de manger, n'avait plus faim, d'ailleurs. Il laissa la monnaie sur le comptoir et rentra rapidement à la maison. En arrivant, il apprit qu'Anne était en haut, enfermée dans sa chambre. Faye et Ward venaient de rentrer. Lionel paraissait avoir croisé un fantôme, mais ils n'étaient pas dans leur assiette en ce moment. Tous portaient le deuil de Greg. En quelques jours, Ward avait pris l'allure et l'expression d'un vieillard. A cinquante-deux ans, il venait de perdre l'objet de ses plus grands espoirs. Faye avait un air absent. Mais Lionel semblait encore plus abattu que les autres. Faye l'avait remarqué dès son arrivée. Il était déchiré, incapable de décider s'il devait leur révéler ou non sa découverte. Ils avaient déjà assez de soucis comme ça, mais Li ne voulait pas non plus que sa sœur ait de nouveaux ennuis. Elle en avait eu sa part, et eux aussi à cause d'elle. Ce n'était pas le moment.

« Quelque chose qui ne va pas, mon chéri? » demanda Faye d'une voix douce tandis qu'il s'asseyait dans le salon.

Mais rien n'allait ces temps-ci. Ward lui jeta un regard désespéré et Lionel se dit que ce serait déloyal de leur parler. Il fallait d'abord en discuter avec Anne... mais si elle préparait une nouvelle fugue? Cette fois, il ne serait pas là pour les aider. Il ne pourrait plus passer cinq mois avec John à la rechercher. Il n'y avait pas de temps à perdre. Lionel poussa un profond soupir, s'enfonça dans son fauteuil, fixa ses parents tour à tour, puis se leva pour aller fermer la porte. Lorsqu'il se retourna pour leur faire face, il était clair que quelque chose ne tournait pas rond.

« Mais enfin, que se passe-t-il, Li? »

Une lueur d'affolement passa dans les yeux de Faye. L'un d'eux s'était peut-être blessé?... Vanessa à New York?... Val sur un plateau de cinéma?... Anne?...

Mieux valait aller droit au but.

« C'est Anne. Je l'ai vue cet après-midi... avec quelqu'un... »

En y repensant, son sang ne fit qu'un tour. Cet homme était plus vieux que Ward. Il imaginait trop bien ce qu'il avait pu lui faire.

« Gail? »

Faye était encore plus inquiète. Ils n'avaient pas assez surveillé cette amitié.

« Pas Gail, son père. Je les ai vus dans un bar où je me suis arrêté pour manger un sandwich. Ils s'embrassaient et se tenaient par la main. »

Ward reçut cette révélation comme un coup de fouet. Il n'était pas en état de le supporter. Quant à Faye, elle avait du mal à le croire.

« Ce n'est pas possible! Es-tu certain que c'était bien Anne? (Il hocha lentement la tête : il n'avait aucun doute là-dessus.) Mais comment est-ce possible?

– Tu ferais peut-être mieux de le lui demander. »

Faye crut que son cœur allait s'arrêter de battre. Combien de fois était-elle restée coucher chez eux, sans que jamais ils se doutent de quoi que ce soit? Peut-être Gail n'avait-elle même jamais été là? Ou pire encore, si cet homme était un malade... Faye fondit en larmes. C'était trop, ils n'en pouvaient plus. Et Anne, une fois de plus! Dieu seul savait ce qui pouvait se passer entre elle et cet homme. Faye bondit sur ses pieds.

« Je vais lui demander de descendre immédiatement. »

Mais Ward s'approcha d'elle et l'arrêta.

« Peut-être vaudrait-il mieux nous calmer d'abord. Nous pourrions commettre une grave erreur. Lionel a pu mal interpréter ce qu'il a vu... »

Il jeta à son fils un regard d'excuse. Il ne voulait pas que ce soit vrai. Il ne se sentait pas le courage d'affronter une nouvelle tragédie, et qui savait dans quel pétrin Anne avait encore pu se fourrer... Elle avait dix-sept ans, elle serait plus difficile à manipuler qu'à quatorze, ce qui n'avait déjà pas été facile.

Faye regarda son mari, l'air déterminée.

« Je crois qu'il faut lui parler dès maintenant.

– Bon, alors vas-y, mais ne l'accuse de rien, surtout. »

Faye avait les meilleures intentions du monde lorsqu'elle frappa à la porte de sa fille, mais dès que celle-ci vit l'expression de son visage, elle sut qu'une catastrophe était imminente. Elle la suivit jusqu'au salon, étonnée d'y trouver son frère avec Ward.

« Hello, Li. »

Leurs regards n'avaient rien d'amical, pas même celui de Li. Il lui fit un signe et Ward entra aussitôt dans le vif du sujet.

« Eh bien, Anne, mieux vaut aller droit au but. Nous ne sommes pas ici pour t'accuser, mais nous aimerions quand même savoir ce qui se passe. C'est pour ton bien, naturellement.

– Ton frère a cru te voir en ville aujourd'hui. Mais ce n'était peut-être pas toi, ma chérie. Dans un bar... Où était-ce, Li? (Lionel donna l'adresse et Anne sentit son cœur cesser de battre.) Mais le plus embêtant, c'est qu'il est persuadé de t'avoir vue avec un homme. »

Elle sentit que ça y était, la catastrophe venait de se produire. Mais son regard n'en révéla rien. Elle les dévisagea, l'un après l'autre. Elle n'arrivait pas à croire que, si Lionel s'était aperçu de quelque chose, il avait pu la trahir. Mais elle se trompait. Il n'avait hésité que quelques secondes. Elle ne le lui pardonnerait jamais, se dit-elle ensuite.

« Et alors? Le père de Gail m'a emmenée boire un milk-shake en me reconduisant. »

Elle se tourna comme une furie vers son frère. Dans la colère, elle était magnifique. La gamine n'était plus. Anne était femme, maintenant. Lionel avait été singulièrement témoin de cette transformation l'après-midi même. Cela expliquait tout ce qui se passait depuis un an, pourquoi Anne s'était si vite faite à son nouveau lycée, pourquoi elle était si souvent absente de la maison. Elle lui cracha ces mots à la figure :

« Tu as l'esprit mal tourné.

– Je t'ai vue l'embrasser. »

Elle jeta un regard haineux à ce frère qui lui avait naguère sauvé la vie.

« Au moins, je ne suis pas homo, moi. »

C'était de la méchanceté pure, mais cela ne lui fit ni chaud ni froid. Sans répondre, il la saisit par le bras, sous l'œil horrifié de ses parents.

« Il a trente ans de plus que toi, Anne!

– Trente-trois pour être exact. (Ses yeux lançaient des éclairs. Qu'ils aillent au diable! Ils ne pouvaient rien contre elle cette fois. Il était trop tard. Elle appartenait à Bill. Elle serait sienne pour toujours.)

Et je me fiche pas mal de ce que chacun de vous peut penser. Il n'y a pas eu une seule personne dans cette famille qui se soit conduite correctement avec moi pendant toutes ces années. (Elle n'hésita qu'un instant, jeta un coup d'œil en direction de Lionel.) Sauf toi, mais c'est déjà du passé. Quant à vous deux... (elle fixa ses parents avec un regard chargé de haine) vous ne vous êtes jamais occupés de moi. Il en a fait plus pour moi en deux ans que vous pendant dix-sept! Toujours occupés avec vos films, votre business, toujours à vos mamours et à vos amis. Vous n'avez jamais su qui j'étais, et à cause de ça, je ne le savais pas moi-même. Eh bien, je le sais pleinement maintenant, depuis que je vis avec Bill et Gail.

– Parce que c'est sans doute un ménage à trois? »

Lionel se préparait à être aussi rosse qu'elle, sous l'œil atterré de leurs parents.

« Il se trouve que non. Gail n'est même pas au courant.

– C'est toujours ça. Tu t'es fait drôlement avoir, Anne. Tu es la poule d'un vieux. Ça ne change pas d'Haight-Ashbury, sauf pour les hallucinogènes. Tu es sa pute, pauvre conne. »

Il y avait un homme âgé là-bas aussi, Lune. Elle se souvenait encore de lui, mais cette fois ça n'avait rien à voir. Elle se dégagea brusquement de l'étreinte de Lionel et leva le bras pour le gifler, mais, plus rapide, il l'arrêta avant qu'elle ait touché son visage. Ward et Faye se levèrent en même temps.

« Arrêtez! cria Faye. Vous me faites honte. Arrêtez immédiatement tous les deux!

– Qu'est-ce que tu comptes faire d'elle maintenant, maman? »

Lionel était hors de lui. Il avait fallu qu'elle se

foute dans la merde une fois de plus. Pourquoi agissait-elle toujours ainsi? Mais elle tenait bon, insensible à leurs récriminations.

« Allez tous vous faire voir. J'aurai dix-huit ans dans dix mois et vous ne pourrez rien contre moi. Torturez-moi maintenant, empêchez-moi de le voir... Mais dans dix mois, vous m'entendez, dans dix mois je serai sa femme.

– Mais tu délires! Tu ne crois tout de même pas qu'il va t'épouser? Pour lui, tu n'es qu'une partie de plaisir. »

Le plus drôle, c'est que ça le soulageait de crier contre elle, comme s'il criait aussi contre le destin qui lui avait pris Greg et John. Il se déchargeait un peu de toute sa douleur.

« Tu ne connais pas Bill Stein. »

Anne détacha ses mots, posément, sous le regard étonné de Faye, qu'une autre inquiétude venait frapper. Ça avait l'air sérieux avec cet homme. Faye ne put s'empêcher de lui demander :

« Tu n'es pas enceinte, au moins? »

Anne lui décocha un regard noir.

« Non, je ne le suis pas. J'ai appris cette leçon assez durement, il me semble. »

Personne ne l'aurait contredite. Ward s'avança, l'air déterminé.

« Je veux que tu saches une chose, ma fille. Que ce soit dans dix mois ou dans dix ans, tu n'épouseras pas cet homme. Je vais dès ce soir appeler mon avocat, et aussi la police, et je vais déposer une plainte contre lui.

– Pourquoi? Pour m'avoir aimée? »

Elle dévisagea son père avec un sourire ironique. Elle ne les respectait plus ni l'un ni l'autre. Ils n'avaient rien fait pour elle et elle savait qu'elle ne représentait rien à leurs yeux. Peut-être étaient-ils tout simplement jaloux que quelqu'un puisse l'aimer, se dit-elle. Mais son père s'expliqua plus précisément.

« Légalement, avec une fille de ton âge, c'est un détournement de mineure. Il peut finir en prison, pour ça.

– Je témoignerai contre vous tous! » Anne sentait la panique la gagner.

« Cela n'y changera rien. »

Elle craignit soudain pour Bill. Et si son père avait raison? Pourquoi Bill ne lui en avait-il jamais parlé? Il fallait à tout prix qu'elle le protège. Elle regarda son père, désespérée.

« Fais tout ce que tu voudras de moi, papa, mais ne touche pas à Bill. »

Ces mots frappèrent Faye comme la foudre. Elle tenait assez à cet homme pour se sacrifier. C'était effrayant qu'elle puisse l'aimer à ce point. Peut-être s'étaient-ils trompés? Non, c'était tout à fait improbable. Il devait certainement la tenir sous son influence. Faye se tourna vers Ward.

« Pourquoi ne pas essayer de lui parler, d'abord, pour voir ce qu'il a à dire? S'il promet de ne plus la revoir, ce serait peut-être plus simple que de lui intenter un procès. »

Ward fut difficile à convaincre, mais Faye parvint à lui faire entendre raison. Ils forcèrent Anne à appeler Bill et exigèrent qu'il vienne immédiatement. Elle dut lui expliquer pourquoi et il l'entendit sangloter au téléphone.

En arrivant chez les Thayer, Bill Stein se trouva en face d'un véritable tribunal. Ce fut Ward qui lui ouvrit et l'introduisit dans le salon, et il se retint à grand-peine de lui sauter dessus. Lionel était debout près d'eux. Bill reconnut aisément les acteurs de cette pièce macabre, surtout Faye. Il était venu seul, et voyant Anne secouée de sanglots à l'autre bout de la pièce, il s'approcha aussitôt d'elle, lui caressa les cheveux, essuya ses joues et après cela seulement s'aperçut que tout le monde avait les yeux fixés sur eux.

Il ne chercha pas d'excuse. Il reconnut ses torts. Il sympathisait totalement avec Ward et lui dit qu'il avait lui aussi une fille de cet âge. Mais il s'efforça aussi de leur expliquer certaines choses sur Anne, sur la solitude qui avait marqué sa vie, sur le choc qu'elle avait éprouvé en se séparant de son enfant, sur la culpabilité qu'elle ressentait vis-à-vis de tout ce qui s'était passé à Haight-Ashbury. Il leur expliqua que ses premiers souvenirs de leur apparente indifférence remontaient loin dans le temps, à sa petite enfance. Elle s'était sentie rejetée par eux toute sa vie. Il ne chercha pour lui-même aucune justification, mais leur expliqua qui était Anne Thayer, et ses parents assis devant elle réalisèrent que leur fille avait toujours été une inconnue. Se sentant invisible à leurs yeux, elle avait fini par les rejeter à son tour. Puis elle avait fait la connaissance de Bill Stein et cherché en lui tout ce qui lui manquait, et Bill, du fond de sa solitude, l'avait secourue. Il avait peut-être mal agi, reconnut-il. Il se fit l'écho de tout ce qu'Anne leur avait déjà dit, bien que sur un ton plus tendre. Dans moins d'un an, il projetait de l'épouser, avec ou sans leur consentement, ou celui de Gail, lorsqu'elle apprendrait ses intentions. Il aurait préféré recevoir les vœux de bonheur de tous, mais cette situation durait depuis trop longtemps, et il l'aurait épousée bien avant si cela avait été possible. Elle pourrait continuer ses études, faire tout ce qu'elle désirerait, mais, dès que sonnerait son dix-huitième anniversaire, il serait là à l'attendre, qu'ils lui permettent ou non de la revoir d'ici là.

Il s'était expliqué calmement, et tout le temps qu'il avait parlé, Anne était restée assise à ses côtés, rayonnante. Il ne la laissait pas tomber, au contraire. Il était prêt à tout risquer pour elle. Il se comportait exactement selon ses espérances et les trois autres Thayer n'en revenaient pas, surtout Ward, déconcerté par cet homme qui n'avait rien de spécial, et se demandant ce qu'Anne pouvait lui trouver. Il n'était ni beau, ni jeune, ni élégant, ni enjoué. Il était même plutôt banal, d'allure ingrate. Mais il avait offert à leur fille ce qu'eux-mêmes n'avaient jamais été capables de lui apporter. Ils pouvaient bien se voiler la face, cela ne changeait rien au fait qu'elle était heureuse avec lui. Cela se voyait sur son visage : elle s'épanouissait sereinement au soleil de son amour. Ils ne semblaient pas s'inquiéter de ce qu'il adviendrait d'eux pendant un an. Ils attendraient. Le jour venu, ils mettraient leur projet de mariage à exécution. Soudain, Faye et Ward en eurent la certitude. On ne pouvait lutter contre eux, quelle que fût la différence d'âge, quelque coupable que leur parût cette liaison.

Après le départ de Bill, quand ils eurent comme il se doit réprimandé Anne, Ward et Faye montèrent en discuter dans leur chambre. Ils hésitaient sur l'attitude à adopter vis-à-vis de Bill, ne sachant pas encore s'ils engageraient ou non des poursuites. Bill était rentré chez lui pour avoir une franche discussion avec Gail et s'était déclaré prêt à en reparler avec eux à tout moment. Il ne s'était pas vraiment confondu en excuses. Après l'avoir aimée pendant deux ans, il ne voyait pas grand-chose dont il dût s'excuser. Il ne l'avait ni contrainte, ni manipulée, ni abandonnée, et ne se trouvait rien de bien coupable. Anne avait presque dix-huit ans et cet amour ne lui semblait plus aussi scandaleux. Ce serait un choc pour Gail, c'était certain, mais elle finirait par s'y faire, elle aussi. Et ils avaient tous deux leur vie à vivre. C'était maintenant clair pour tout le monde.

« Qu'en penses-tu? »

Faye s'assit sur le lit et leva les yeux vers Ward. Il ne comprenait toujours pas ce que sa fille trouvait à cet homme, à dix-sept ans. C'était ahurissant.

« Je pense qu'elle a perdu la tête. »

Faye soupira. Cette histoire était pire que certains de ses scénarios.

« C'est mon impression à moi aussi, mais c'est notre façon de voir, pas la sienne.

– Apparemment. (Il s'assit à côté d'elle et lui prit la main.) Comment ont-ils tous pu se fourrer dans des situations pareilles, je te le demande? Lionel et ce penchant que je ne comprends toujours pas, Val et son impossible carrière, Vanessa et ce type à New York, persuadée que nous ne savons pas ce qui se passe! Et maintenant Anne, avec cet homme... Bon sang, Faye, il a trente-trois ans de plus qu'elle! »

Non, décidément, il ne s'y faisait pas.

« Je le sais bien, et il n'est même pas beau. Si c'était au moins quelqu'un dans ton genre, je comprendrais! »

A cinquante-deux ans, Ward était toujours aussi séduisant, bien que ce fût une séduction d'un autre genre. Il était resté grand, mince et élégant, comme elle. Bill Stein n'avait rien de tout ça. On ne voyait pas ce qui pouvait plaire en lui, en dehors de la bonté qu'on lisait dans son regard et de l'immense intérêt qu'il semblait porter à Anne.

« Est-ce qu'il faut que nous donnions notre consentement, Ward? »

Elle ne voulait pas dire légalement, mais dans la pratique, pour les dix mois à venir.

« Je ne vois pas ce qui nous y oblige.

– Ce serait peut-être plus intelligent de notre part. On ne lutte pas contre un contrat de mariage. »

C'était une leçon qu'ils avaient apprise plusieurs fois, avec Lionel, avec Val... Vanessa... maintenant Anne. Ils en faisaient tous à leur tête. Sauf ce pauvre Greg... Ward se retourna vers sa femme.

« Tu veux dire qu'il faut accepter qu'elle continue cette liaison ouvertement? Elle n'a que dix-sept ans!

– Cela dure déjà depuis un an au moins, tu sais. »

Ward la regarda avec de petits yeux soupçonneux.

« Qu'est-ce qui te rend si libérale, tout à coup? »

Elle eut un sourire paresseux.

« Je crois que je deviens vieille.

– Et sage. (Il l'embrassa.) Je t'aime, tu sais.

– Moi aussi, chéri. »

Ils convinrent de s'accorder quelques jours de réflexion et ce soir-là dînèrent en compagnie de Lionel. Anne resta dans sa chambre et personne ne la força à descendre.

La situation était déjà suffisamment pénible et ils décidèrent de laisser faire. Ils invitèrent Anne à se montrer discrète, à ne pas alimenter les cancans de la ville. Bill Stein était assez connu dans les milieux du spectacle. C'était un avocat respecté qui avait plusieurs clients célèbres. De toute façon, ils savaient qu'il ne courait pas vers ce genre de publicité. L'idée générale était de faire le moins de tapage possible, jusqu'à la date du mariage, après le Premier de l'an, comme prévu. Bill lui offrit une énorme bague de fiançailles, qu'elle ne portait que lorsqu'elle sortait avec lui. Un solitaire en forme de poire qu'elle appelait son œuf de Pâques. Le diamant faisait dix carats et demi, et ça l'avait gênée de le montrer à Gail. Mais Gail avait été très chic avec eux. Bien sûr, la nouvelle de leurs fiançailles l'avait renversée, mais elle les aimait tous deux. Elle leur souhaita tout le bonheur possible, et les deux adolescentes décidèrent de suivre ensemble les cours d'été, pour obtenir leurs diplômes avant les vacances de Noël. Ainsi Anne n'aurait pas à retourner au lycée après son mariage. Gail préférait s'éloigner un peu ensuite, ça lui aurait fait drôle d'habiter avec eux au début. Et elle rêvait de devenir designer et d'entrer à l'école Parsons à New York.

Lionel repartit pour l'Allemagne encore furieux contre sa sœur. Il n'approuvait pas son choix.

« Tu t'en es tirée un peu trop facilement, si tu veux mon avis », lui avait-il dit avant son départ.

Elle l'avait regardé froidement. Elle ne lui pardonnerait jamais de l'avoir dénoncée, avait-elle dit.

« Je ne suis pas sûre que tu sois le mieux placé pour juger les autres.

– Ce que je suis n'influe nullement sur mes capacités mentales.

– Non, mais peut-être sur ton cœur. »

Une fois dans l'avion, il se dit qu'elle avait peut-être raison. Il ne se sentait plus le même depuis le Vietnam. Il avait vu tellement de gens mourir, perdu trop de gens auxquels il tenait, et deux êtres qu'il aimait profondément... John et Greg. Il ne se sentait plus la capacité d'aimer. Il ne le désirait même pas. Il se demandait en son for intérieur si ce n'était pas là la raison de son impatience vis-à-vis d'Anne. S'il ne comprenait pas qu'elle puisse être heureuse, c'était que depuis la disparition de John, le bonheur lui était interdit. Alors qu'Anne avait devant elle une vie pleine de promesses, une vie de joies, sous le signe scintillant de l'énorme diamant de fiançailles.

CHAPITRE 38

Le 18 janvier 1970, Anne Thayer et Bill Stein s'unirent l'un à l'autre à la synagogue de Hollywood Boulevard, entourés de leurs proches et d'une poignée d'amis. C'était encore trop pour Anne, mais Bill avait insisté pour qu'il en soit ainsi.

« Ce sera plus facile à accepter pour tes parents, ma chérie, si tu les laisses préparer un petit quelque chose. »

Mais Anne se moquait de tout cela. Elle se sentait sa femme depuis bientôt deux ans déjà et n'avait pas besoin de fanfares, maintenant. Gail trouvait qu'elle faisait des manières. Anne était si différente des filles de son âge! Elle n'avait voulu ni d'une robe de mariée ni d'un voile.

Cela faisait bien nu, constata Faye en son for intérieur, comparé à la magnificence de son propre mariage. Anne portait une robe de laine blanche toute simple, à col montant et à manches longues, et des chaussures simples elles aussi; une natte retenait ses cheveux blonds où passait encore un faux air enfantin, et elle n'avait pas de bouquet. Elle avait tenu à cette sobriété, pour s'offrir à lui simple et pure, et ne portait d'autre bijou que le gros diamant qu'il lui avait offert. Son alliance était un anneau d'or serti de diamants. Elle avait l'air si innocente, si jeune que l'alliance semblait incongrue à son doigt. Mais elle ne percevait rien de tout cela. Elle n'avait d'yeux que pour Bill. Elle n'avait rien désiré d'autre dans sa vie depuis le premier jour, et ce fut sereinement qu'elle avança vers lui, au bras de son père. Lorsque Ward s'effaça, ensuite, il réalisa une fois de plus à quel point sa famille l'avait méconnue. Elle n'avait fait que furtivement traverser leurs vies, dérobant toujours la sienne derrière des portes fermées, éternellement invisible. Il lui semblait soudain que le seul souvenir qui lui restait de son enfance, c'était cette éternelle question : « Où est Anne? »

Un lunch avait été organisé à la maison; c'était tout ce qu'Anne lui avait permis. Il y avait des fleurs partout et du bon champagne. Faye était très calme, un peu réservée, dans un tailleur de soie verte qui mettait ses yeux en valeur. Mais elle avait un mal fou à s'imaginer en belle-mère. Tout cela n'était qu'une farce, on se moquait d'elle et Gail finirait par rentrer chez elle avec son père. Mais lorsque la Rolls grise les emporta dans la nuit, beaucoup plus tard, Anne était avec eux et se retourna pour faire signe à ses parents. Faye eut une envie irrésistible de lui demander si elle savait ce qu'elle faisait, mais lorsqu'elle croisa le regard de sa fille, avant de l'embrasser une dernière fois, elle vit que cette question était inutile. Anne s'était donnée à l'homme qu'elle aimait, elle était sa femme.

Gail se montra moins bavarde que d'habitude, ce jour-là, mais elle était heureuse pour eux. Anne et elle avaient reçu leur diplôme quelques semaines plus tôt, et le couple devait prendre avec elle l'avion pour New York. Gail devait entrer comme prévu à l'école Parsons et habiterait comme naguère Vanessa au Foyer Barbizon. Après l'y avoir déposée, Bill et Anne s'envoleraient en amoureux pour les Antilles, d'abord Porto-Rico, puis Saint-Thomas, Saint-Martin et Sainte-Croix. Bill voulait aussi qu'elle profite de son séjour à New York pour faire quelques achats, admirer les créations des bijoutiers qu'il aimait, Harry Winston, David Webb et d'autres. Et d'autres magasins qu'on ne pouvait manquer : « Bergdorf, Bendel, Bloomingdale », chantèrent Anne et Gail à l'unisson ce soir-là.

« Tu me gâtes trop! » dit Anne en souriant avant de l'embrasser dans le cou.

Elle ne demandait rien d'autre que son amour.

« Eh bien, madame Stein, quel effet cela fait-il? »

Il se tourna en souriant vers elle, dans son grand lit où ils étaient couchés, cette fois en toute légalité.

« Un effet extraordinaire. »

Elle lui adressa un sourire de petite fille, sa natte encore sur l'épaule, dans la chemise de nuit de dentelle que Val lui avait offerte pour son mariage, bien qu'elle n'eût pas caché sa désapprobation. Personne ne les approuvait à la maison, c'était pire : ils ne les comprenaient pas. Ils n'avaient jamais compris, d'ailleurs... sauf Li... autrefois. Il n'avait pas pu assister au mariage. Il était encore en Allemagne, attendant une permission d'ici à quelques semaines. Quant à Van, elle était toujours à New York, en deuxième année. Mais Anne s'en moquait, c'était Bill, qu'elle contemplait maintenant avec un air radieux. Le passé semblait déjà loin. Elle avait l'impression que rien n'avait été réel, jusqu'à ce soir.

« J'ai l'impression d'avoir été ta femme depuis toujours, tu sais. »

Le plus étrange, c'était que Bill avait le même sentiment, lui aussi. Ses amis y étaient bien entendu allés de leurs petits commentaires. Mais à la fin, ils avaient fait semblant de le comprendre, avec des petites tapes faussement amicales sur l'épaule, de grands coups dans le dos, des regards en coulisse. « Tu les prends au berceau, hein, pépé? » Tous étaient jaloux; certains même avaient dit des choses pas gentilles du tout derrière son dos, mais ça lui était égal. Il allait désormais consacrer sa vie à s'occuper de son petit bijou, et, levant vers lui des yeux qui lui exprimaient toute sa confiance, Anne le savait bien.

Ils dormirent tendrement enlacés cette nuit-là, heureux d'être enfin libres, loin des regards des censeurs. Puis ils prirent paresseusement le petit déjeuner au lit en compagnie de Gail, passèrent l'après-midi à boucler leurs bagages et s'envolèrent comme prévu pour New York à la nuit. Anne eut vaguement l'intention de téléphoner à ses parents pour leur dire au revoir mais, dans la folie des préparatifs, elle n'en trouva pas le temps. C'était aussi bien, elle n'avait rien à leur dire, confia-t-elle à Bill tandis que l'avion décollait.

« Tu es vraiment très dure avec eux, chérie. Ils ont fait de leur mieux, même s'ils ne peuvent pas tout comprendre. »

Aux yeux d'Anne, c'était vraiment le comble. Quoi! ils lui avaient volé son enfant, ils l'avaient menacée de porter plainte contre Bill, ils l'avaient négligée, ignorée, ils auraient continué sereinement à lui gâcher ainsi toute sa vie si Bill n'était intervenu. Profondément reconnaissante, elle le regardait avec amour, assise près de lui en première classe. Bill et ses deux filles, comme il les appelait. Anne, assise au milieu, bavarda avec Gail pendant que Bill piquait un somme avant l'atterrissage. Toutes deux avaient hâte d'arriver à New York pour s'amuser un peu avant que Gail s'installe au Foyer Barbizon et que Bill et elle ne s'envolent pour leur lune de miel. Ils avaient réservé une suite à l'hôtel *Pierre*.

Pendant ces deux jours, ils passèrent leur temps à faire des achats. Anne n'avait jamais vu d'aussi jolies choses de sa vie, sauf dans les films de sa mère. Bill offrit à Gail un magnifique petit manteau de vison, dans une coupe sport, avec la casquette assortie. Il lui fallait bien ça pour affronter le terrible hiver new-yorkais. Elle eut aussi une montagne de vêtements de ski, une nouvelle paire de skis, une demi-douzaine de robes de chez Bendel, six paires de chaussures signées Gucci et un bracelet en or qui lui avait tapé dans l'œil chez Cartier, avec un fermoir en forme de tournevis qui avait beaucoup amusé les filles. Comme Anne s'était extasiée sur ce cadeau, il lui fit la surprise de lui en offrir aussi un. Anne croula littéralement sous les trésors : un manteau de vison pour le soir, un autre plus court pour la ville, des robes, des tailleurs, des chemisiers, des jupes, des boîtes et des boîtes de très jolies chaussures, des bottes italiennes, une bague avec une émeraude, une broche ornée de diamants, des pendants d'oreilles de chez Van Cleef avec des perles énormes qu'elle adora, et deux autres bracelets en or qu'elle avait admirés; et le dernier soir, il lui offrit son plus beau cadeau, une splendide création de David Webb. C'était un lion enserrant un agneau, en or massif tout d'une pièce, et c'était si beau pendu à son poignet que le bijou attirait aussitôt les regards.

« Mais qu'est-ce que je vais faire de tout ça? »

Elle se promenait dans leur chambre d'hôtel en petite tenue, indiquant de la main les fourrures et les magnifiques vêtements suspendus un peu partout, les boîtes à chaussures, les sacs à main, les toques de fourrure. Dans sa valise, il y avait encore une demi-douzaine de coffrets à bijoux. Cela la faisait rougir, mais Bill était si heureux de lui faire plaisir... Il s'était acheté quelques petites choses, lui aussi, un imperméable doublé de fourrure, une nouvelle montre en or, mais c'était bien plus grisant d'acheter pour elle. Gail adorait ça, elle aussi. Il l'avait toujours tellement comblée qu'elle n'enviait nullement Anne. Elles étaient presque sœurs, de toute façon, et même un peu plus maintenant. Mais Bill n'était pas raisonnable, lui dirent ses deux filles le dernier soir.

Elles étaient enchantées de ces deux jours de shopping, et Vanessa n'en revint pas lorsqu'elle les retrouva avec Jason à l'*Oak Room* pour prendre un verre ensemble. Anne s'avança vers elle avec grâce, moulée dans un pantalon rouge à la coupe impeccable, assorti d'un corsage de soie crème et d'un sac Hermès en crocodile de la même teinte, enveloppée d'un vison qui faisait se retourner les gens, même à New York. Lorsqu'elle fut tout près, des diamants brillèrent à ses doigts; le bracelet de chez Webb triomphait à son poignet et deux petits rubis ornaient ses oreilles. Elle était si jolie, si digne que Vanessa se demanda si c'était bien là sa sœur.

« Anne? »

Elle en était béate d'admiration. Anne avait encore natté ses cheveux et des mèches douces comme des cheveux d'ange bouffaient autour de son visage, son maquillage était léger et de bon ton, mais tout ce qu'elle portait, des bijoux aux bottes, semblait tout droit sorti de *Vogue*. Vanessa ne se l'était certainement pas imaginée ainsi et ne put s'empêcher de rire en se rasseyant. Jason semblait lui aussi fort impressionné.

« On a passé tout notre temps dans les magasins. (C'était bien la même douce voix d'Anne, et elle jeta à Bill un petit regard timide en coin, qui le fit rire.) Il m'a beaucoup trop gâtée.

– Je le vois bien. »

Elle commanda un Dubonnet, c'était la seule boisson qu'elle aimait. Vanessa et Jason avaient déjà un scotch. Bill choisit un Martini on the rocks et Gail un verre de vin blanc. Ils causèrent gentiment de pas grand-chose. Les jeunes se remémorèrent leur séjour au lac Tahoe presque deux ans auparavant, et Anne demanda à Jason des nouvelles de son travail. Il avait bien calculé son coup. Il avait soutenu sa thèse de philosophie à plus de vingt-six ans, échappant ainsi définitivement au service militaire. Maintenant, il enseignait les lettres à l'université de New York. Il n'était pas très emballé, depuis un an qu'il y était. Il continuait de travailler à sa pièce, mais elle n'avançait pas.

« J'essaie de convaincre Van de collaborer avec moi, mais elle refuse obstinément.

– Je n'arrive déjà pas à suivre à la fac », expliqua-t-elle à Bill, qu'elle trouvait charmant et paternel.

Il lui restait encore une année à Columbia. Elle ne voulait pas penser à autre chose. Il fallait qu'elle finisse ses études; ensuite, elle se trouverait un emploi. Elle voulait rester à New York; sans doute à cause de Jason, soupçonna Anne. Cela faisait deux ans et demi qu'ils vivaient ensemble. Elle se demanda s'ils se marieraient un jour.

Gail lui posa la même question le soir même, après dîner, et Anne haussa pensivement les épaules. Elle ne comprenait pas très bien quel genre de relations ils avaient; elle avait l'impression qu'ils se contentaient de suivre des voies parallèles, de mener des vies sans grand rapport l'une avec l'autre. Ils ne semblaient pas désirer se lier pour la vie, et surtout, ils n'en éprouvaient pas le besoin. Et ni l'un ni l'autre ne parlaient d'avoir des enfants. Ils ne semblaient s'intéresser qu'aux études, au travail, à l'écriture, au théâtre.

« Personnellement, ça ne me dirait vraiment rien, commenta Gail, mais lui, je le trouve mignon. »

Il l'était, en effet, mais ce n'était pas du tout le genre d'Anne. Bill était à ses yeux le plus bel homme de la terre.

En rentrant chez eux en taxi, Vanessa parla avec Jason.

« Je ne comprends vraiment pas ma sœur. C'est encore presque une enfant, et elle se marie avec ce type dix fois plus vieux qu'elle, qui la promène partout en vison et avec des diamants à tous les doigts.

– C'est peut-être important pour elle. »

Jason ne comprenait pas non plus, mais il l'avait toujours trouvée gentille. Pas aussi intéressante ni intelligente que Vanessa, bien sûr, mais c'était difficile d'en juger, après tout. Elle était si jeune, si réservée qu'on ne pouvait aisément la connaître.

Mais Vanessa hochait la tête.

« Je ne crois pas qu'elle donne de l'importance à tout ça, elle s'en fiche. Il a dû simplement vouloir les lui offrir, et elle les porte pour lui faire plaisir. »

Elle avait deviné juste. La seule dans la famille qui aurait aimé à la folie tous ces brillants, toutes ces fourrures, c'était Val. Sans doute Greg aurait-il aimé ce genre de vie, lui aussi. Les autres avaient des goûts plus modestes, et leurs parents aussi, contrairement à leurs débuts. Cela ne comptait plus pour eux depuis longtemps, Vanessa le savait.

« Mais je ne vois pas ce qu'elle peut trouver à un homme de cet âge, ajouta-t-elle.

– Il est très bon avec elle, Van, et pas seulement sur le plan matériel. Il est à sa disposition vingt-quatre heures sur vingt-quatre. Dès qu'elle a soif, elle se retrouve avec un verre d'eau à la main avant même de l'avoir demandé. Dès qu'elle est fatiguée, il la ramène. Dès qu'elle s'ennuie, il l'emmène danser, il l'emmène en voyage ou chez des amis... il faut le faire! (Il sourit à l'élue de son cœur, souhaitant soudain en faire davantage pour elle.) Un type de cet âge peut penser à toutes ces choses, il n'a rien d'autre à faire... »

Elle rit de la plaisanterie.

« Ce n'est pas une excuse. Tu veux dire que je n'aurai jamais droit à une bague de fiançailles avec un diamant gros comme un œuf? »

Il la regarda, méditatif, tandis qu'ils entraient dans l'immeuble.

« C'est ce qu'il te plairait d'avoir, un jour?

– Mais non. »

Elle était sincère. Elle attendait d'autres choses de la vie. Lui, d'abord. Peut-être un ou deux enfants, un jour lointain, dans huit, dix ans. Quelque chose comme ça.

« Qu'est-ce que tu aimerais, alors? »

Elle haussa pensivement les épaules en jetant son manteau sur une chaise.

« Peut-être publier un livre, un de ces jours... et recevoir de bonnes critiques... »

Elle ne voyait rien d'autre qui lui tînt au cœur, et elle ne lui aurait pas avoué qu'elle le voulait lui, et un ou deux bébés en plus. Il était trop tôt pour penser à ça, encore plus pour en parler.

« C'est tout? »

Il avait l'air déçu.

Elle lui sourit et consentit à ajouter d'une voix douce :

« Et toi aussi, peut-être.

– Tu m'as déjà. »

Elle se laissa tomber sur le divan et il alluma du feu dans la cheminée. Ils se sentaient bien, ici, avec leurs livres et leurs paperasses, le *Sunday Times* encore étalé sur le sol, à côté d'un pantalon de Jason et des chaussures de Van, et, sur le bureau, les lunettes de l'intellectuel.

« Eh bien, je n'en demande pas plus, Jason. »

Il eut l'air satisfait.

« Vous avez des goûts faciles à contenter, ma chère. (Il s'assit près d'elle et la serra dans ses bras, ajoutant :) C'est vraiment sérieux, cette histoire de bouquin que tu veux écrire?

– Oui. Je compte m'y mettre dès que j'aurai mon diplôme et que je me serai trouvé un job. »

Il soupira.

« Si tu savais ce qu'on souffre, quand on écrit! Je trouve que ce serait plus intelligent que nous travaillions ensemble à ma pièce. »

Il la regarda, plein d'espoir et elle sourit. Jason était persuadé que leurs styles s'accorderaient à merveille.

« Un jour, peut-être... »

Ils s'embrassèrent et il la renversa sur le divan avant de glisser une main impudique dans son corsage.

Le décor au *Pierre* était bien différent entre Bill et Anne. Elle était étendue sur le couvre-lit de satin dans un négligé cerné de plumes de marabout et il laissait sa langue glisser nonchalamment le long de sa cuisse. Ses diamants brillaient dans la lumière douce. Il la caressa partout où elle aimait et elle se cambra en gémissant, tandis que lentement il écartait le peignoir, qui glissa sur le sol dans un murmure de soie. Chez Jason et Vanessa, Bill et Anne, les sentiments étaient les mêmes. L'amour, le désir, l'abandon de soi étaient les mêmes, dans l'épais et dans le suave, en jeans comme en marabout.

CHAPITRE 39

En mai, Bill et Anne retournèrent quelques jours à New York. Anne voulait revoir Gail et Bill avait à faire. Ils descendirent encore au *Pierre*, et il l'emmena chez ses bijoutiers favoris, car il voulait à tout prix lui offrir quelques nouvelles parures. Il faisait un temps splendide et elle venait de s'acheter chez Bendel un nouvel ensemble blanc avec un manteau assorti qu'elle mit pour aller dîner avec lui au Côte Basque. Quand elle entra dans le restaurant, il en fut véritablement fier : elle ne semblait pas plus prêter d'attention à elle-même que naguère, et on eût dit une jeune biche qui venait vers lui, indifférente aux regards fixés sur elle, ne voyant que le sourire de son regard à lui. Mais c'était autre chose que Bill percevait, cette expression anxieuse et vide qu'il lui voyait depuis des mois. Il espérait que ce serait pour bientôt, et il savait pourquoi c'était si important pour elle. Lui aussi désirait un enfant, mais il y mettait moins d'impatience angoissée.

« C'était comment chez Bendel, aujourd'hui?

– Pas mal. »

Elle parlait encore un peu comme une enfant, à l'occasion, mais elle n'en avait plus l'apparence. Elle laissait ses cheveux tomber sur ses épaules, et il s'était arrangé pour qu'on lui apprenne à se maquiller. Tout d'un coup, on lui aurait donné vingt-cinq ans plutôt que dix-huit. Gail l'avait remarqué et, de toute évidence, elle la préférait ainsi.

Gail avait un nouvel ami et adorait New York. Bill voulait qu'elle se fixe au Foyer Barbizon, mais elle parlait de déménager avant l'automne pour se mettre dans ses meubles et comptait sur Anne pour le convaincre.

« Regarde ce que j'ai acheté! »

Elle montrait l'ensemble et le manteau d'un geste de sa main soignée, et il remarqua qu'elle portait les perles qu'il venait de lui acheter à Hong Kong : elles étaient énormes et on aurait presque pu croire qu'elles étaient fausses.

« Ça te plaît? demanda-t-elle.
– J'adore! »
Il l'embrassa doucement sur les lèvres, et le serveur vint prendre leur commande : Bill demanda du vin, elle de l'eau Perrier, et ils firent un repas léger. Elle aimait beaucoup les quenelles qu'on servait au Côte Basque, et il choisit pour sa part une salade d'épinards et un steak. A dire vrai, ils ne firent pas honneur à l'excellente cuisine de l'endroit, mais il devait aller à une autre réunion et elle, de son côté, voulait passer chez Bloomingdale avant de rejoindre Gail à son école.

Bill se demandait parfois si elle n'aurait pas dû suivre des cours elle aussi : elle avait besoin d'autre chose que de se faire polir les ongles, de courir les magasins et d'attendre son retour à la maison le soir. Elle avait besoin d'autre chose que de surveiller sa feuille de température de jour en jour. Il aurait fallu qu'elle pense à autre chose, mais il craignait de le lui dire. Il se contentait de la rassurer en lui répétant que ça viendrait bientôt. Ils avaient eu un enfant, l'un comme l'autre, donc ils étaient sûrs d'en avoir la possibilité : ce n'était qu'une question de temps; le médecin le lui avait confirmé.

« Est-ce que tu as appelé ta sœur, ma chérie? (Elle secoua la tête, en jouant avec le biscuit qu'elle venait de prendre sur le plateau.) Pourquoi ne l'as-tu pas fait? »

Elle continuait d'éviter les Thayer, même Lionel, qu'elle avait tant aimé. C'était comme si elle voulait les exclure de son existence, désormais. Bill lui suffisait, elle ne désirait que lui; mais il ne pensait pas que ce fût une bonne chose. Il aurait souffert si Gail s'était comportée ainsi avec lui. Mais les Thayer n'avaient jamais été aussi proches d'Anne que lui de sa propre fille.

Anne haussa les épaules.

« Maman m'a dit qu'elle devait passer des examens, la dernière fois que je lui ai parlé, la semaine dernière. »

Il était clair que cela ne lui disait rien d'appeler Van, et à Los Angeles, elle n'appelait jamais Valérie; cela faisait des mois qu'elle ne lui avait parlé.

« Tu peux tout de même lui donner un coup de fil. Peut-être aura-t-elle le temps de faire un saut pour prendre un verre avec nous?

– D'accord, je l'appelle ce soir. »

Mais il savait déjà qu'elle ne le ferait pas. Elle resterait là, étendue, à ruminer, à compter les jours, en avançant, en remontant... Voyons, ça fait quatorze jours à partir du... et le lendemain, elle se réveillerait au point du jour et prendrait sa température. Il aurait voulu qu'elle s'arrête et se détende, qu'elle y pense moins. Elle était tellement crispée sur ce sujet qu'elle en maigrissait. Il envisageait de l'emmener en Europe en juillet pour lui changer les idées, et il voulait que Gail les accompagne, mais celle-ci avait un contrat de travail pour l'été et refusait d'aller où que ce soit.

« A quoi penses-tu, ma chérie? »

Ils se promenaient dans Madison Avenue, remontant en direction de son lieu de rendez-vous, et il essayait de l'intéresser à quelque chose; et si le bébé n'arrivait jamais, ou si cela mettait des années? Elle ne pouvait pas passer sa vie à l'attendre, et cela commençait à ternir le plaisir qu'ils partageaient. C'était la seule chose à laquelle elle pensait, la seule dont elle arrivait à parler parfois, comme si elle voulait retrouver le bébé qu'elle avait dû abandonner. Il n'osait pas lui dire qu'elle ne pourrait jamais le retrouver, pas plus que lui ne pouvait retrouver sa femme. Il aimait Anne tout autant, mais tout était différent, et, parfois, pas très souvent bien sûr, il éprouvait cette douloureuse sensation d'absence, tout comme, il le savait, Anne garderait le regret de l'enfant perdu. Il y aurait toujours dans sa vie cette absence, une absence que nul autre ne pourrait remplir, époux ou enfant. Il la contempla avec tendresse.

« Peut-être qu'à Saint-Tropez tout sera complet; on pourrait peut-être louer un bateau. »

Elle lui sourit : il faisait tant de choses pour elle, elle s'en apercevait toujours.

« Oh! oui, ça me plairait beaucoup. Je m'en veux d'être si lamentable, mais nous savons bien l'un et l'autre pourquoi, n'est-ce pas?

– Bien sûr. »

Il s'arrêta sur le trottoir de Madison Avenue et la serra dans ses bras.

« Mais il faut laisser faire la nature, Anne, lui laisser choisir son heure; et d'ailleurs, c'est plutôt amusant de réessayer, tu ne crois pas?

– Si. »

Elle lui sourit. Mais il se rappelait encore qu'elle avait pleuré la dernière fois que ses règles étaient revenues, et la scène qu'ils avaient eue lorsqu'elle lui avait dit que tout cela était la faute de Faye, que si elle ne s'en était pas mêlée elle aurait maintenant un garçon de trois ans et demi. Bill en avait été bouleversé... « C'est vraiment ce que tu voulais? » avait-il demandé, et elle avait répondu, en hurlant presque : « Oui, parfaitement. » Il la plaignait tellement qu'il avait lui-même suggéré d'adopter un garçon de trois ans; mais elle voulait un enfant qui fût vraiment le leur, elle voulait « son enfant à elle ». Il ne servait à rien d'essayer de lui dire qu'elle ne retrouverait jamais celui auquel elle avait dû renoncer. Elle était décidée à avoir un enfant de Bill, et tout de suite, si possible. Sa mère le devina un jour qu'elles déjeunaient ensemble, et la lueur voilée du regard de sa fille accusait Faye, comme toujours depuis des années. Non, elle ne lui avait pas pardonné, et sans doute ne lui pardonnerait-elle jamais.

Mais maintenant, dans Madison Avenue, elle regardait Bill d'un air triste.

« Crois-tu que ça va venir un jour? »

Cela faisait d'innombrables fois qu'elle posait cette question depuis janvier, et quatre mois seulement s'étaient écoulés depuis leur mariage. Jusqu'à ce jour-là, ils avaient pris des précautions.

« Mais bien sûr que ça viendra, mon amour. Dans six mois, tu te vautreras comme une baleine et tu te plaindras d'être mal fichue, de ne plus pouvoir te traîner, et tu ne voudras plus me voir parce que tu m'en rendras responsable! »

Tous les deux se mirent à rire à cette évocation, et il l'embrassa de nouveau avant de se rendre à sa réunion tandis qu'elle allait chez Bloomingdale. Elle eut le cœur serré en passant devant les rayons de layette et s'arrêta un instant pour les toucher, songeuse, avec l'envie d'en acheter parce que cela lui porterait chance, puis au contraire avec la crainte que cela lui porte malheur. Elle se rappela qu'elle avait acheté des petits chaussons roses lorsqu'elle avait été enceinte : elle était tellement sûre que ce serait une fille, et Lionel et John l'avaient beaucoup taquinée à ce sujet.

Le souvenir était toujours là, douloureux, comme elle s'éloignait, et cela lui faisait mal de penser à John. Elle se demandait ce que devenait Lionel. Ils ne se parlaient plus que rarement. Depuis qu'il avait signalé à ses parents ses relations avec Bill, leurs rapports avaient changé, et maintenant elle n'avait rien à lui dire, lui semblait-il. La dernière fois qu'elle avait eu de ses nouvelles, il continuait de chercher du travail dans un studio, impatient de revenir au cinéma. Elle soupira et redescendit par l'escalator. Tout rutilait de couleurs : fleurs artificielles en soie, sacs à main de cuir, ceintures de daim aux tons éclatants dans toutes les teintes de l'arc-en-ciel. Impossible d'y résister. Elle rentra à la maison chargée de paquets de toutes sortes de choses que pour la plupart elle ne mettrait jamais, elle le savait, alors qu'elle porterait le bracelet de diamants que Bill lui offrit ce soir-là pour apaiser sa peine. Il savait combien elle était malheureuse de ne pas être enceinte. Mais il était sûr qu'elle y arriverait : elle était jeune, en bonne santé, et tout son tort était d'y mettre trop d'application; le médecin lui avait dit la même chose. Il le lui répéta encore la semaine qui précéda leur départ pour Saint-Tropez : « Détendez-vous; n'y pensez pas. » Facile à dire pour un homme comme lui, de cinquante-huit ans, et qui avait appris à prendre la vie avec plus de philosophie!

Tout au fond d'elle-même, Anne restait tourmentée, mais pendant les trois semaines qu'ils passèrent à jouer sur la plage de Saint-Tropez, elle parut plus heureuse que jamais. Elle portait des blue-jeans et des espadrilles, des bikinis et des chemises de cotonnade de couleurs vives; elle lâcha ses cheveux fous qui formèrent un halo blond que le soleil décolorait encore plus. Elle était belle et le devenait chaque jour davantage. Il fut content de voir qu'elle avait même pris du poids et, un jour qu'ils allèrent à Cannes dans les magasins, elle constata que sa taille habituelle ne lui allait plus et qu'il fallait qu'elle prenne celle au-dessus. Il la taquina quand elle dut forcer un peu pour fermer la glissière de son jean. Il lui dit qu'elle perdait la ligne, mais une intuition lui vint, qu'il n'osa pas lui faire partager.

A Paris, cela devint une certitude quand il la vit trop fatiguée pour longer les quais de la Seine, quand elle s'endormit dans la voiture en allant au Coq Hardi pour déjeuner et verdit lorsqu'il proposa de prendre un Dubonnet. Il ne lui souffla mot de ce qu'il pensait, mais la couva comme une mère poule, et quand ils furent de retour à Los Angeles, il lui rappela qu'elle n'avait pas eu ses règles depuis leur départ un mois plus tôt. Depuis six mois, c'était la première fois qu'elle ne s'en était même pas préoccupée, et sa mine s'allongea tandis qu'elle se mettait à compter rapidement dans sa tête, avant de lui lancer un sourire crispé.

« Tu crois vraiment...? »

Elle n'osa même pas terminer sa phrase et il lui sourit doucement. Finalement, ça n'avait pas pris tellement de temps : six mois, ce n'était pas énorme, sauf pour quelqu'un comme elle, si impatiente d'avoir un enfant.

« Bien sûr que je le crois, mon amour. Cela fait plusieurs semaines que j'y pense, mais je n'ai pas voulu éveiller trop d'espoir chez toi, c'est pourquoi je n'ai rien dit. (Elle poussa un petit cri et se jeta à son cou, tandis qu'il s'efforçait de la calmer un peu.) Attendons d'être tout à fait certains, et nous pourrons arroser ça. »

Elle se fit faire le test le lendemain et, l'après-midi, quand elle téléphona pour connaître le résultat, elle apprit qu'il était positif. L'effet fut si fort qu'elle en resta clouée sur place, les yeux fixés sur le téléphone. Quand Bill rentra, elle n'en revenait toujours pas. Il poussa un cri de joie. Il remarqua, comme elle se promenait en maillot de bain, que sa silhouette avait déjà légèrement changé : elle n'avait plus ses contours habituels, des angles avaient disparu, tout en elle semblait plus adouci, plus arrondi.

« Ça y est... Ça y est...! »

Elle était si transportée qu'elle dansait de joie. Il

l'emmena fêter l'événement au Beverly Hills Hotel, mais elle s'endormit aussitôt et il se retrouva rêvant au bébé qu'ils allaient avoir. Il se laissait prendre lui aussi, et il étudiait mentalement la transformation de la chambre d'amis en chambre d'enfant. Ils pourraient faire aménager une deuxième chambre de bonne au-dessus du garage, y installer l'une des domestiques... loger la nurse dans ce qui était actuellement la chambre de bonne. Son esprit vagabonda toute la nuit tandis qu'elle dormait, et le lendemain il rentra déjeuner pour voir comment elle allait et fêter la chose. Apparemment, cela ne mettait pas la moindre entrave à leur vie sexuelle, jamais elle n'avait semblé plus heureuse. Elle ne cessait de parler de leur « petit garçon », comme s'il était entendu que ce serait un garçon, qui remplirait la place de celui qui était parti... Il aurait eu presque quatre ans, se disait Bill.

Ils passèrent le week-end de la fête du Travail tranquillement chez des amis. Les gens s'habituaient à elle, et, bien qu'ils fussent jaloux de Bill, ils ne le mettaient plus autant en boîte. Elle paraissait plus adulte que neuf mois plus tôt, surtout depuis que sa grossesse lui donnait une certaine maturité.

Ils se préparaient à retourner à New York dans quelques semaines pour voir Gail, et le médecin déclara qu'il n'y avait aucun inconvénient à ce qu'Anne fasse le voyage; mais le jour de leur départ, elle eut un léger saignement, et il la fit mettre au lit. Elle fut terrorisée à l'idée de ce que signifiait cette prescription, mais le médecin souligna que c'était toujours ainsi que les choses se passaient : la plupart des femmes perdaient un peu de sang au cours des premiers mois, cela ne voulait rien dire du tout. Seulement voilà, trois jours plus tard, cela ne s'arrêtait toujours pas, et Bill commençait à donner des signes d'inquiétude. Il appela un autre médecin qu'il connaissait, lequel confirma les dires du premier. Mais Anne était d'une pâleur bizarre sous son bronzage, surtout parce qu'elle avait peur. Elle quittait à peine son lit de toute la journée, sauf pour aller aux toilettes, et Bill rentrait tous les jours déjeuner pour voir comment elle allait et quittait son bureau plus tôt que de coutume. Il fallait attendre pour se prononcer, disaient les deux médecins, mais ni l'un ni l'autre ne parut inquiet jusqu'à ce qu'après une semaine de saignement persistant, tard dans la nuit, elle fût prise de douleurs affreuses. Elle se réveilla en sursaut et s'accrocha au bras de Bill. Elle souffrait tellement qu'elle pouvait à peine parler. Elle avait l'impression d'être transpercée par un fer rouge qui lui arrachait tout ce qu'elle avait dans le ventre jusque entre les jambes et le bas du dos. Bill appela le médecin, l'enroula fébrilement dans une couverture et la conduisit à l'hôpital. Elle avait les yeux écarquillés de peur et lui serra la main tout le temps qu'elle attendit dans la salle des urgences. Elle l'implora de ne pas la quitter et le médecin lui permit de rester avec elle, mais le spectacle n'était pas beau à voir. Elle souffrait atrocement et saignait abondamment et, au bout de deux heures, elle perdit l'enfant qu'elle avait si ardemment souhaité. Elle sanglota dans les bras de Bill.

On l'emmena pour lui faire un curetage rapide et lorsqu'elle ouvrit les yeux dans la salle de réveil, Bill était là, le regard plein de peine et de compassion, lui tenant la main. Le médecin avait dit que ce genre d'accident était explicable : certains fœtus étaient mal formés et refusés par l'organisme. Cela valait mieux, d'ailleurs, disait-il. Mais Anne, inconsolable, garda le lit pendant des semaines à la maison. On avait beau lui dire qu'elle pouvait se lever, elle n'en avait aucune envie. Elle perdit huit kilos, elle avait une mine affreuse et elle refusait de parler à quiconque et d'aller où que ce soit. Faye finit par être mise indirectement au courant; Lionel appela Anne pour savoir ce qu'elle devenait, et Bill lui raconta tout. Il prévint Faye, qui à son tour appela Anne pour voir comment elle était, mais Bill lui répondit, d'un ton désespéré, qu'elle ne voulait parler à personne; et elle refusa carrément de parler à Faye.

Elle eut presque une crise de nerfs quand Bill osa lui dire que Faye avait appelé, hurlant que c'était sa faute, que si elle ne l'avait pas obligée à se débarrasser de l'autre enfant, elle en aurait un maintenant. Elle ne pouvait plus souffrir personne ni même, parfois, Bill lui-même. Il fallut attendre novembre pour qu'il réussisse à l'emmener en voyage avec lui, à la sortir. Gail fut impressionnée de lui voir les traits si fatigués et si creusés quand elle accepta enfin de venir à New York avec Bill.

« Elle a une mine affreuse!

– Je m'en rends bien compte. (Il ne cessait de se tourmenter à son sujet, mais il n'y avait rien à faire, sauf de lui faire un enfant, et cela pouvait prendre du temps.) Elle a très mal pris la chose. »

Deux mois s'étaient déjà écoulés, et Anne n'en parlait jamais, mais il était facile de voir à quel point cette fausse couche l'avait démolie : même les bijoux qu'il lui achetait ne lui apportaient que peu de plaisir. Rien, en fait, ne lui faisait plaisir, pas même le voyage à Saint-Moritz pour Noël.

Puis finalement, en janvier, elle commença à revivre. L'épreuve avait été très dure, et les six semaines de déprime que le médecin avait prévues étaient devenues trois mois. Mais, maintenant, elle avait surmonté cela, plus ou moins. Elle reprenait son mode d'existence : visite des magasins, des amis. Elle appelait Gail à New York plus souvent, comme autrefois, et avait ressorti ses feuilles de température. Cette fois, il fallut à peine deux mois pour réussir : elle découvrit qu'elle était enceinte le jour de la Saint-Valentin.

L'enfant ne tint que six semaines : elle le perdit le 1er mars, deux semaines plus tard. Bill s'arma de courage pour les épreuves qu'elle allait subir de nouveau, mais cette fois, elle prit les choses plus calmement. Silencieuse, retirée en elle-même, elle n'en parlait que rarement, même à Bill, et, en un sens, cela le tourmentait davantage. Il eût préféré la voir pleurer tout le temps : au moins, cela l'aurait soulagée. Mais non, au contraire, il y avait quelque chose de fermé, de mort, dans son regard. Elle renonça définitivement aux feuilles de température, jeta le thermomètre et parla de repeindre en vert ou en bleu la chambre d'amis. Cela brisa le cœur de Bill encore plus que la fois précédente, mais que pouvait-il faire pour elle? Une nuit, très tard, elle lui avoua, dans l'obscurité de leur chambre, qu'elle pensait que c'était peut-être à cause de toutes les drogues qu'elle avait prises plusieurs années auparavant. Mais cela remontait à cinq ans, lui rappela-t-il; il était sûr que cela n'avait rien à voir. Elle se crispait sur sa culpabilité, sur ses regrets, sur le souvenir de l'enfant refusé. Elle était convaincue qu'elle n'en aurait plus jamais, et il ne cherchait même pas à discuter avec elle. Chaque fois qu'ils faisaient l'amour, cela lui imposait un poids insupportable, mais en tout cas elle ne prenait plus sa température : c'était déjà un certain soulagement.

Elle continuait d'éviter sa famille comme la peste, Faye en particulier. Bill lui donnait des nouvelles d'eux de temps en temps. Il avait appris qu'ils étaient en train de mettre en route une production énorme et qu'ils cherchaient une vedette.

« Ça pourrait se faire qu'ils donnent le rôle à Val », lui dit-il un jour pour la distraire, comme ils déjeunaient au bord de la piscine.

Même s'il ne lui avait pas fait un enfant, se répétait-elle sans cesse, il lui avait apporté une existence magnifique, pleine de bonheur. Elle était choyée comme jamais, et c'était elle qui avait failli, en n'étant pas capable de lui donner un enfant. Mais cela semblait moins compter pour lui que pour elle.

Elle se mit à rire quand il fit cette allusion à un rôle éventuel pour Val.

« Si c'est un film d'horreur qu'ils veulent faire et s'ils ont besoin d'une vedette qui pousse un cri extraordinaire, d'accord. »

Elle décrivit le fameux hurlement de Val, qu'il écouta en riant. Elle se remettait plus vite cette fois-ci, et il en fut satisfait.

Mais sa suggestion n'était pas si insolite. Dans leurs bureaux, Faye et Ward avaient une centaine de curriculum vitae étalés devant eux, avec une grosse pile de refusés sur le sol. Ils avaient envisagé tout le monde, personne ne convenait au rôle. Ils voulaient quelqu'un de neuf, de nouveau, une actrice qui fût belle, authentique, ayant l'air d'appartenir au monde réel. Alors, Ward regarda Faye, ayant en tête la même idée que Bill; la seule différence, c'est qu'il parlait sérieusement, lui.

« Val? soupira Faye en lançant à Ward un regard sceptique. Non, je ne crois pas que l'idée soit bonne. »

Elle n'avait jamais donné de rôles à ses enfants dans ses films. Depuis vingt ans, elle avait maintenu séparés les deux mondes où elle vivait. De surcroît, Val n'était pas facile, et elle ne s'accordait que rarement avec sa mère. D'autre part, elle n'avait pas la moindre expérience des films d'un certain niveau. Et pourtant, ce serait un fameux cadeau à lui faire.

« Vraiment, Ward, je ne sais pas...

– Ecoute, nous avons passé en revue tout ce qu'on peut trouver à Hollywood, et à moins que tu veuilles te mettre à prospecter en Europe ou à New York, nous n'avons plus qu'à aller nous rhabiller. Pourquoi ne pas lui faire faire un essai?

– Et si ça ne marche pas?

– Eh bien, tu la renvoies.

– Renvoyer sa propre fille?

– Je ne crois pas que ce sera le cas. Ça pourrait changer toute son existence, Faye. C'est peut-être la chance qu'elle attend. En fait, elle en a les moyens. Ce qui lui a manqué, c'est la possibilité de les exploiter. »

Faye esquissa un sourire contrarié.

« Ma parole, tu raisonnes comme si tu étais son agent. Tu ne vas pas me faire ce coup-là, Ward. Elle n'est pas faite pour ce rôle.

– Qu'est-ce qui te fait dire ça? demanda-t-il, prenant sur son bureau une photo encadrée et la tendant à sa femme. C'est tout à fait le physique que tu recherches, regarde. »

Faye sourit plus franchement.

« Bon, d'accord. Je me laisse faire. »

Elle eut une expression de bonheur qu'on ne lui avait pas vue depuis longtemps. Ward répondit à son sourire. Il était fier d'elle, et tous deux étaient conscients des difficultés de la situation; mais il était convaincu qu'ils avaient raison de tenter l'expérience, et il était décidé à tout faire pour lui faciliter les choses.

Et il avait raison. Val avait le physique de l'emploi, mais quelle épreuve ce serait d'avoir à travailler avec sa propre fille! D'un autre côté, c'était peut-être l'occasion unique, du moins pour Val.

Faye se leva avec un sourire et Ward s'approcha d'elle.

« Tu es formidable, Faye, j'espère que tu t'en rends compte? »

Il dit cela en souriant, et Faye lui envoya un regard noir.

« Essaie donc de dire ça à ta fille, et nous en reparlerons. »

CHAPITRE 40

« Qu'est-ce que vous me demandez de faire? » hurla Val à son agent, au bout du fil.

Elle était à la maison en train de se faire les ongles et de se demander si elle sortirait pour dîner. Comme d'habitude, il n'y avait rien dans le réfrigérateur, mais trois des filles avaient parlé de s'arrêter au Chicken Delight avant de rentrer, et Val n'avait guère envie de sortir. Elle en avait assez des hommes qu'elle rencontrait depuis quelque temps : ce qui les intéressait, c'était de coucher, et, au bout d'un certain temps, c'était toujours pareil. Elle avait donné sa virginité six ans plus tôt, et elle n'était même plus capable de se rappeler tous les hommes avec qui elle avait fait l'amour.

« Il faut que vous fassiez un bout d'essai pour Faye Thayer », lui répétait son agent.

Elle se mit à rire.

« Vous ne savez donc pas qui est au bout du fil? C'est *Val* Thayer à l'appareil. »

Elle eut envie d'ajouter « espèce d'idiot », mais se contint. Elle devait faire un essai à la fin de la semaine pour un rôle dans un film sur la drogue. Ce n'était pas un grand rôle, mais ça paierait le loyer et au moins, elle s'occuperait. Elle n'était pas du genre à accepter l'échec, du moins pas encore : il y avait quatre ans qu'elle se produisait et elle croyait fermement qu'elle arriverait à percer un de ces jours, même si elle n'était pas convoquée par sa mère : ça, alors, c'était bien la chose la plus drôle qu'elle ait entendue depuis des mois.

« Mais je parle sérieusement, Val. Le secrétariat de votre mère vient de m'appeler.

– Ça va pas, non? (Elle posa le flacon de vernis à ongles.) Vous voulez me faire marcher. Bon, vraiment très drôle! Ha, ha! Et maintenant dites-moi pourquoi vous avez appelé.

– Mais je viens de vous le dire! »

Il commençait à se démonter : ce n'était pas tous les jours qu'il recevait un appel de chez Faye Thayer. Il n'était qu'un petit agent fournissant des acteurs, des actrices et des modèles pour des films de série B, des films d'horreur, de porno courant et des revues topless. Aussi Faye avait-elle été furieuse quand Val lui avait dit qu'elle avait signé un contrat avec lui.

« Mais c'est très sérieux, Val : ils veulent que vous soyez là-bas demain matin à neuf heures.

– Mais pourquoi? »

Elle sentait la sueur lui perler sous les bras. Pourquoi avaient-ils appelé son agent au lieu de l'appeler elle directement?

« Ils veulent un bout d'essai à froid. »

Il avait proposé de passer prendre le script pour que Val puisse l'étudier dans la soirée, mais ils avaient refusé; la secrétaire, en tout cas, avait dit non. Et elle disait que Mme Thayer était occupée, qu'on ne pouvait pas la joindre. « Il faut que Val se présente demain matin à neuf heures, un point c'est tout. » Est-ce que ça les intéressait, oui ou non?

Bien entendu, il avait sauté sur l'occasion, mais maintenant, il fallait convaincre Val.

« C'est quoi, ce qu'on va me faire dire?

– Tout ce que je sais, c'est qu'il s'agit d'un rôle dans un nouveau film. »

Elle consentit finalement à se présenter le lendemain, mais ne put se retenir de téléphoner chez elle le soir même. Ses parents étaient sortis et c'était sans doute le jour de congé de la bonne, car il n'y avait personne au bout du fil. C'était un peu triste d'appeler à la maison, si pleine de monde naguère et maintenant vide. Faye avait le même genre d'impression quand ils rentraient tard le soir.

Mais cette nuit-là, Val ne put penser qu'au rôle mystérieux qu'elle devait lire le lendemain. Elle dormit à peine et fut debout à six heures du matin. Elle se lava et se sécha les cheveux, se maquilla, vérifia ses ongles. Elle décida de mettre une robe noire toute simple, pour le cas où ce serait vraiment une offre sérieuse. Elle faisait un peu trop habillé pour neuf heures du matin, elle était très décolletée, mais Val avait une poitrine avantageuse, un teint crémeux, de longues jambes, et c'était le genre de tenue qu'elle aurait mise pour aller à n'importe quelle autre convocation; c'est pourquoi elle décida de ne rien changer sous prétexte qu'il s'agissait de Faye Thayer. Elle s'efforçait de se dire que c'était exactement comme si elle s'était présentée devant n'importe qui. Elle prit sa voiture pour se rendre au studio.

Sa main tremblait pour ouvrir la porte. Elle avait mis si longtemps à retoucher son maquillage et à se coiffer qu'elle arriva avec une demi-heure de retard. La secrétaire lui jeta un regard désapprobateur, et elle vit que Faye regardait sa montre quand elle entra, puis observait son décolleté; mais elle sourit à sa fille et lui donna l'impression d'être aussi nerveuse qu'elle. Ward et deux autres hommes étaient assis dans un autre coin de la pièce, en train de discuter calmement parmi des tables disposées en cercle, regardant des photos d'actrices pour les classer. Ils levèrent les yeux, son père lui fit un clin d'œil. Mais c'était sur sa mère qu'il fallait se concentrer maintenant, sa mère, cette femme qu'elle avait toujours ressentie comme une adversaire, et qui aujourd'hui lui offrait la plus grande chance de sa vie.

« Hello, Valérie. »

Elle parlait d'une voix douce, Valérie n'était pas habituée à lui voir ce style professionnel. On aurait dit qu'elle essayait de lui faire parvenir un message sans le formuler et de l'encourager autant qu'elle le pouvait. En la regardant, Valérie sentit qu'elle retrouvait son calme. Elle s'obligea à ne plus penser aux trois malheureux Oscars que Faye avait obtenus, à ne plus penser qu'au script qu'elle avait à lire. Tout d'un coup, elle se rendit compte de ce que cela signifiait pour elle : elle n'avait pas encore percé, mais elle se savait capable de tenir un rôle, et, dût-elle y perdre jusqu'à son dernier souffle, elle y arriverait, il le fallait. Faye Thayer scrutait son visage, la détaillait tout entière, espérant, priant presque pour qu'elle réussisse.

« Nous voudrions que tu fasses un bout d'essai pour un rôle, Val. »

En disant cela, elle lui tendit son texte.

« Oui, mon agent me l'a déjà dit. De quelle sorte de rôle s'agit-il?

– Il s'agit d'une jeune femme qui... »

Elle poursuivit la description du rôle, et Val, une fois de plus, se demanda pourquoi sa mère avait fait appel à elle. Elle eut envie de le lui demander, mais s'abstint.

« Est-ce que je pourrais avoir cinq minutes pour l'étudier? »

Son regard trahissait son émotion. Elle avait toujours été jalouse de Faye, de sa beauté, de son passé, de son succès, de la carrière d'actrice qu'elle avait abandonnée toute jeune encore. Et voilà qu'elle se trouvait maintenant devant elle, prête à se soumettre à son jugement. C'était bien l'événement le plus étrange de sa carrière. Sa mère fit oui d'un signe de tête. Val remarqua qu'elle avait vieilli : elle n'avait que cinquante et un ans, mais les dernières années l'avaient marquée.

Et, tout d'un coup, elle fut prise du désir le plus total d'avoir ce rôle, elle le désira plus que toute chose au monde. Elle eut envie de prouver à cette femme qui était devant elle qu'elle savait jouer. Elle savait que Faye ne l'en croyait pas capable, et elle se demandait qui avait bien pu avoir l'idée de lui donner sa chance : son père, probablement.

« Oui, tu peux prendre dix minutes dans la pièce d'à côté, et puis tu reviens ici. »

La voix était chaleureuse, le regard inquiet. Et si elle n'y arrivait pas? Val lisait clairement les craintes de sa mère. C'était l'aspect de Faye que ses enfants ne voyaient jamais, son côté professionnel, celui du cinéaste consommé, d'une impitoyable exigence pour les acteurs qui devaient lui livrer corps et âme, celui de la femme qui avait voué son existence à son travail. Et soudainement, Val voyait tout cela, qui elle était, ce qu'elle faisait. Mais elle n'en était pas effrayée. Elle était certaine d'être à la hauteur. Elle tomba presque en transe en étudiant le texte, en se mettant dans le rôle, en l'incorporant. Et, quand elle revint dans la pièce, elle avait changé. Ward et les autres la regardèrent se lancer dans son interprétation. Elle ne lisait pas, elle criait comme une furie, elle parlait sans jeter un seul coup d'œil à son texte. Ward sentit en lui-même un élan qui montait vers elle : il se rendait compte du travail qu'elle avait fourni et à quel point elle devait désirer ce rôle. Quand elle eut fini, des larmes de joie et de fierté coulaient sur les joues de Faye. Elles échangèrent un long regard, et soudain Val se mit elle aussi à pleurer. Elles se jetèrent dans les bras l'une de l'autre, riant et pleurant, devant Ward qui les regardait. Puis, finalement, riant à travers ses larmes, Val les considéra tous les deux.

« Alors, ça y est? J'ai le rôle?

– Et comment donc! Bien sûr! se hâta de répondre Faye, abasourdie quand Val poussa son fameux rugissement.

– Alléluia! »

CHAPITRE 41

VAL commença le tournage du film en mai. Sa mère s'épuisait à la tâche et en demandait autant aux autres. Pendant des heures interminables, exténuantes, il fallait que Val sorte coûte que coûte tout ce qu'elle avait dans le ventre. Mais Faye n'exigeait pas plus de Val que d'elle-même ou des autres acteurs. C'était sa manière de procéder, le secret de sa réussite et des Oscars dont Val s'était tant moquée. Mais l'heure n'était plus au dénigrement : Val aimait ce qu'elle faisait. Elle pouvait à peine se traîner en rentrant chez elle le soir, et la plupart du temps, lorsqu'elle finissait sa journée de tournage, elle était en larmes, à bout de nerfs. A vingt-deux ans, c'était la première fois que Val Thayer travaillait aussi dur et elle se demandait si ce ne serait pas la dernière. Ou alors, ce serait volontairement, car elle ne laisserait plus quelqu'un exiger autant d'elle. Mais personne non plus ne lui en apprendrait autant... elle devait le reconnaître. Elle en était heureuse, fière et profondément reconnaissante.

Elle travaillait depuis trois semaines lorsque son partenaire, George Waterston, proposa de la reconduire. Elle l'avait déjà vu dans le cercle hollywoodien et n'ignorait pas qu'il avait accueilli sans plaisir l'idée de l'avoir pour partenaire. Il voulait une grande vedette, et Faye avait eu du mal à le convaincre de donner sa chance à Val. Finalement, ils étaient convenus que, si elle ne faisait pas l'affaire, on la laisserait tomber. Val l'avait perçu dès qu'il avait mis le pied sur le plateau, et elle ne l'oubliait pas maintenant, sentant sur elle son regard inquisiteur. Elle se demanda : ami ou ennemi? Et elle découvrit qu'au fond cela lui était égal. Elle était trop fatiguée pour s'en préoccuper, et, à vrai dire, cela l'arrangeait qu'on la reconduise chez elle. Sa voiture était en réparation depuis des semaines, et elle avait pris un taxi pour venir au studio. Elle le remercia du regard.

« Merci... merci beaucoup. »

Elle n'eut même pas la force de lui parler pendant le trajet, et quand, soudain, il la réveilla devant sa porte, elle se sentit affreusement gênée. Elle sursauta lorsqu'il lui toucha le bras et elle le regarda, mortifiée.

« Je me suis endormie?

– Je ne dois plus être aussi intéressant qu'avant. »

Il avait trente-six ans, des cheveux bruns et des yeux bleus dans un visage énergique et buriné. Val l'admirait depuis longtemps. Cela faisait partie du rêve dans lequel elle vivait, avec ce film, que de jouer avec un tel partenaire. Les mauvaises langues disaient qu'elle avait obtenu ce rôle grâce à sa mère, mais peu lui importait. Elle allait leur montrer que c'était faux, tous les étendre, comme le faisait Jane Dare, le personnage qu'elle interprétait. Elle se tourna vers George Waterston avec un regard d'excuse.

« Je vous demande pardon, mais j'étais si fatiguée...

– J'étais comme ça, moi aussi, quand j'ai tourné mon premier film avec Faye. Je me suis même endormi au volant, une fois, et heureusement, je me suis réveillé avant de percuter un arbre ! Je n'ai plus osé conduire ensuite. Cette femme-là obtient de vous ce que personne d'autre ne réussit à en tirer, un peu de votre âme... ou de votre cœur... et au bout d'un moment, elle n'a même plus besoin de vous le demander. On est tout prêt à le lui donner. »

C'était ce que Val commençait à ressentir, et cela lui inspirait une série de nouveaux sentiments, amour, respect.

« Je sais ça... mais je n'arrive toujours pas à croire qu'elle m'ait donné ce rôle. Elle n'a jamais aimé ce que j'ai fait, jusqu'à présent, et ce n'était pas grand-chose, d'ailleurs. C'est-à-dire que j'ai tourné dans pas mal de films, mais jamais des rôles aussi importants. »

Il le savait déjà et pour la première fois depuis des semaines, il éprouva de la compassion pour elle. Au début, il l'avait trouvée détestable, une petite grue, pensant que Faye faisait du favoritisme. Mais il s'était rendu compte qu'il se trompait; et ce soir, il voyait bien que cette pauvre fille était terrorisée. Au contraire, ce devait être un véritable enfer de travailler pour sa mère, et avec lui pour partenaire. Elle se retrouvait dans un monde de professionnels, alors qu'elle n'était encore qu'une débutante.

« Au début, je me souviens, j'étais comme une loque devant elle, littéralement mort de trouille. »

Il se mit à rire, ce qui les détendit tous les deux. Val faisait moins vulgaire qu'au début. Elle ne se maquillait plus que très légèrement et était en jeans et sweat-shirt. Les robes habillées et les décolletés, elle les laissait au vestiaire, pour entrer dans la peau de Jane Dare, une femme différente d'elle, mais qu'elle commençait à faire sienne.

« Votre mère n'est pas comme les autres, Val. »

C'était la première fois qu'il l'appelait par son prénom; elle lui sourit.

« Oh! vous savez, j'oublie qu'elle est ma mère dès que j'entre sur le plateau. Je n'entends plus que ses cris qui finissent par me taper tellement sur le système que j'ai parfois envie de l'étrangler.

– Excellente réaction. (Il hocha la tête. Il connaissait bien Faye et éprouvait exactement la même sensation.) C'est précisément ce qu'elle attend de nous. »

Val soupira, l'espace confortable de la voiture la mettait à son aise. C'était une Cadillac décapotable blanche avec un intérieur rouge. Elle se sentait à peine la force d'ouvrir la portière pour monter chez elle, ce qui l'angoissait un peu. Elle se tourna vers lui.

« Voulez-vous monter prendre un verre, ou autre chose? Je ne sais pas s'il y a quelque chose de comestible là-haut, rien sans doute. Mais on pourra toujours téléphoner qu'on nous monte une pizza, si ça vous dit.

– Et pourquoi ne pas aller la manger quelque part, cette pizza? (Il jeta un coup d'œil à sa montre Rolex, avant de se tourner vers elle.) Je peux très bien vous ramener ici dans une heure. Je voudrais prendre le temps de réétudier la scène de demain, ensuite. (Puis il eut une autre idée.) Vous voulez qu'on la regarde ensemble? »

Elle sourit, n'osant y croire. Elle avait mal entendu. Elle, en train d'étudier un rôle avec George Waterston? Non, ce n'était pas possible, elle rêvait! Il fallait se dépêcher de répondre, avant que le rêve se dissipe.

« Ça me plairait beaucoup, George. A condition que je ne me rendorme pas en cours de route. »

Il trouva cela drôle et mit aussitôt son projet à exécution. Ils dînèrent rapidement dans une pizzeria, sur le chemin, puis gagnèrent sa villa de Beverly Hills où ils lirent leurs rôles ensemble pendant deux heures, essayant différentes intonations, différents styles, jusqu'à ce qu'ils en aient trouvé un qui leur plaise. C'était aussi excitant que les cours d'art dramatique, mais, cette fois, ce n'était pas pour rire. A dix heures précises, il la reconduisit chez elle. Ils avaient besoin de leur nuit de sommeil pour affronter le lendemain. Il lui fit de loin un geste amical tandis qu'elle ouvrait sa porte, avec l'éternelle impression de flotter dans un rêve. C'était si agréable de ne pas se faire draguer par un type plus jeune qu'elle, ou un mec aux allures de maquereau. Elle se demanda pourquoi elle n'avait pas rencontré quelqu'un comme George auparavant. Mais, aussitôt, elle rit d'elle-même. La moitié des femmes de la planète rêvaient d'un type dans son genre, et elle travaillait chaque jour avec lui.

Le film avançait bien. Val retourna plusieurs fois travailler chez George. Elle aurait aimé l'inviter chez elle à son tour, mais la maison n'était vraiment pas présentable. Il lui dit qu'elle ferait mieux de déménager pour un lieu plus digne d'elle. Il prenait presque des manières de grand frère avec elle, la présentant à ses amis, lui montrant le chemin de la réussite hollywoodienne.

« Ce n'est pas un endroit pour toi, Val. (Il pouvait tout lui dire, maintenant. Ils travaillaient ensemble douze heures par jour et passaient ensuite deux à trois heures, le soir, à répéter.) Les hommes vont penser que tu es une fille facile. »

C'était exactement ce qui lui était arrivé depuis deux ans, jusqu'à ce que le film lui offre ce sursis.

« Je ne pourrais jamais me payer un endroit plus chic. Je n'ai rien reçu des parents depuis très longtemps. Pas depuis que j'ai quitté la maison.

– Tu préfères t'en tirer toute seule, comme une grande, pas vrai? » demanda-t-il en souriant.

Ces derniers temps, elle avait perçu davantage de chaleur dans leurs rapports. Elle se reposait sur lui de plus en plus. Presque trop, se disait-elle. Le tournage, le plateau étaient un monde irréel qui tôt ou tard s'évanouirait. Mais George était un partenaire si agréable, si amical, si chaleureux, et il savait tant de choses! Il avait un fils de quatorze ans que Val aimait bien. Il s'était marié à dix-huit ans, avait divorcé à vingt et un, et sa femme s'était remariée avec Tom Grieves, le célèbre joueur de base-ball. Il voyait son fils tous les week-ends et parfois le mercredi soir. Une ou deux fois, il invita Val à sortir avec eux. Elle s'entendait bien avec son fils, Dan. George lui avait dit qu'il avait rêvé d'une grande famille, mais il ne s'était jamais remarié, bien qu'elle sût par la rumeur qu'il avait vécu avec plusieurs actrices célèbres. Et au début de juin, ce fut leur tour d'être associés dans les journaux.

Faye le vit, bien sûr, et montra l'entrefilet à Ward avant leur départ pour les studios.

« J'espère qu'elle ne va pas se mettre à sortir avec lui.

– Pourquoi? »

Ce devait être déjà fait, d'après Ward; il avait

toujours apprécié George. Il trouvait que c'était une des personnes les plus respectacles de Hollywood.

Mais Faye voyait les choses sous un autre angle. Lorsqu'elle travaillait sur un film, elle n'avait qu'un seul objectif en tête.

« Ça risque de la distraire de son travail.

– Peut-être pas. Elle ne peut que profiter de ses conseils. »

Faye grommela quelque chose d'incompréhensible, et ils quittèrent la maison. Comme d'habitude, elle se faisait du souci pour sa fille. Ward avait eu raison, bien sûr, elle était fabuleuse dans ce rôle. Faye ne voulait pas encore trop la complimenter, elle craignait de lui monter la tête. Elle regrettait presque de devoir interrompre le tournage pour aller en famille à New York, afin d'assister à la remise du diplôme de Vanessa. Elle n'aimait pas avoir des contacts autres que professionnels avec ses acteurs pendant un tournage, mais cette fois, elle ne pourrait l'éviter. Elle s'efforcerait de se tenir le plus loin possible de Val pendant ce séjour, en espérant que celle-ci ne lui en voudrait pas. Elle appréciait sa fille de plus en plus, mais elle était aussi metteur en scène. Et pour l'instant, cela passait avant tout.

Quand George apprit que Val devait partir pour New York, il voulut l'accompagner.

« Je n'y suis pas allé depuis un an. Et d'ailleurs, c'est une bonne occasion d'emmener Dan. »

C'était la plus étrange des relations. Ils se rendaient partout ensemble, et il ne l'avait jamais touchée. Ça la désespérait bien un peu, mais c'était une belle amitié, et elle n'aurait pas voulu la gâcher.

« Mais oui, reprit George, je vais l'emmener. D'habitude, je descends au Carlyle.

– Je crois que ma mère descendra au Pierre, avec mon frère, ma sœur et mon beau-frère. »

C'était Bill qui l'avait suggéré, et Faye l'avait chargé des réservations. Ils s'étaient peu à peu attachés à lui. Ward avait même joué plusieurs fois au tennis avec lui.

Mais George avait son idée.

« Et pourquoi ne descendrais-tu pas au Carlyle avec nous? Il y a de bonnes chances pour que Faye te fuie comme la peste, de toute façon.

Val le savait déjà, son père l'avait mise au courant. La proposition de George était parfaite.

« Elle ne parle jamais avec ses acteurs, expliqua-t-il. Elle dit que ça la gêne, qu'elle ne peut avoir qu'une seule identité à la fois. En ce moment même, tu peux être certaine que dans sa tête tu es Jane Dare et qu'elle ne veut pas entendre parler de Val Thayer ou de George Waterston. »

Il jouait un type appelé Sam; vu ainsi, Val comprenait mieux. Et puis, elle avait envie de passer quelques jours avec eux au Carlyle.

« Tu crois que ça ne dérangera pas Danny de m'avoir avec vous?

– Pas du tout! Il est fou de toi. »

Et cela sauta aux yeux dans l'avion de New York, en première classe. George signa plusieurs autographes, sous l'œil narquois de Val et de Dan, qui le supplièrent pour rire de leur en accorder un à eux aussi. Elle joua aux cartes avec Dan pendant que George sommeillait, puis ils regardèrent le film, en se décochant de violents coups de coude. C'était justement un des derniers films de George.

Un taxi les attendait à l'aéroport de New York pour les conduire directement au Carlyle, où George avait réservé une suite de trois chambres, avec une kitchenette, un piano et un vaste salon avec vue sur le parc. L'ensemble était situé au trente-quatrième étage, et Dan en était bouche bée. Ils appelèrent le service des chambres et sortirent dîner au *21*.

« Eh bien, Val. (Il lui parlait sur le ton de la confidence ce soir-là, au bar de l'hôtel, une fois Danny monté dans sa chambre.) Ça va être sur tous les téléscripteurs du monde que nous sortons ensemble. Tu crois que tu pourras tenir le coup? »

Elle acquiesça en riant, et le plus drôle, c'est qu'ils n'étaient que bons amis. Un peu plus tard, ils s'assirent côte à côte et écoutèrent les notes magiques de Bobby Short au piano du Carlyle, avant de regagner leurs chambres. Val savait que le reste de la famille était également arrivé à New York. Le lendemain matin, elle reçut un coup de fil de Vanessa, qui voulait déjeuner avec elle. Elle était enthousiasmée par le film et impatiente de connaître tous les détails de la bouche de sa sœur. Elle et Jason avaient dîné la veille avec Faye et Ward, et sa mère avait refusé d'en parler.

« Il va falloir que tu me racontes tout.

– D'accord. Est-ce que je peux amener George à déjeuner? »

Elle ne trouvait pas chic de l'abandonner avec Dan, mais Vanessa n'eut pas l'air de comprendre.

« George qui?

– George Waterston. »

Elle lâcha ce nom sur un ton si désinvolte que Van faillit en tomber de son siège.

« Tu te fous de moi? Ne me dis pas qu'il est ici avec toi!

– Mais si. Nous avons pris le même avion, avec son fils. Il a pensé qu'un petit voyage lui ferait du bien pendant que je serai occupée par la cérémonie des diplômes. Au fait, félicitations, chère sœur! Il y en a au moins une de nous qui est instruite! »

Mais pour l'instant, Vanessa se moquait pas mal de ses études.

« George Waterston! Val, je ne te crois pas! (Elle couvrit le téléphone d'une main pour en faire part à Jason, avant de lancer plus doucement dans l'appareil :) Tu sors avec lui?

– Non, non. Nous sommes amis, c'est tout. »

Vanessa n'en crut pas un mot et le dit à Jason après avoir raccroché. S'il avait abandonné Los Angeles pour la suivre, ils ne pouvaient pas être que des amis.

« Oh! on ne sait jamais. Vous êtes tous un peu fêlés, à Plastic Land. Je l'ai toujours dit. »

Il lui sourit, ironique. Ils devaient quitter West Side la semaine suivante pour s'installer dans un ancien entrepôt de Soho, un « loft », comme on disait, et avaient hâte de l'aménager. Ils avaient promis de le faire visiter à Faye et à Ward, maintenant que le mystère était totalement levé sur leur vie commune. Van vivait avec lui et ne voyait aucune raison de ne pas continuer. Faye en avait discuté avec elle la veille au soir, espérant encore entendre parler de mariage, mais rien ne semblait venir. En rentrant chez eux ce soir-là après que les parents de Van furent rentrés au Pierre, Jason l'accusa de tourmenter sa mère.

« Pauvre femme, elle craint tellement pour ta respectabilité! On pourrait au moins se fiancer, pour lui faire plaisir.

– Non, ça gâcherait tout.

– Tu es folle.

– Je regrette, mais je n'ai pas besoin d'un petit bout de papier pour avoir envie de toi. »

Et puis, il y avait tellement de choses qui passaient avant, lui rappela-t-elle; sa pièce à lui, son livre à elle. Et elle devait aussi chercher du travail.

Mais Jason avait depuis longtemps fini ses études, et il aurait bien voulu se fixer. Vanessa, elle, n'avait aucune raison de se presser; elle était encore assez jeune pour s'imaginer qu'elle avait toute la vie devant elle. En revanche, elle était extrêmement pressée de rencontrer l'ami de Valérie.

Ils se donnèrent rendez-vous pour déjeuner au P.J. Clark's et à une heure tapante, Valérie, George Waterston et son fils entrèrent dans le restaurant. George avait une tenue décontractée – jeans, tee-shirt, les pieds nus dans des chaussures italiennes. Quant à Danny, il était comme tous les garçons de son âge, en chemise bleue et pantalon kaki, un souci d'élégance qu'il avait contracté dernièrement, parce qu'il commençait à s'intéresser aux filles. Il était terriblement amoureux de Val, qui, elle, portait une robe gitane de cuir rouge. Mais Vanessa n'avait d'yeux que pour George et béait d'admiration devant lui. Val la taquina à ce sujet pendant une bonne partie du repas. Jason et George semblaient s'entendre comme larrons en foire. Jason avait branché Dan sur le chapitre des sports. Il lui promit de l'emmener voir un match avant son retour sur la côte Ouest. Tous trois formaient un petit groupe joyeux et Vanessa ne pouvait s'empêcher de s'émerveiller du changement intervenu chez sa sœur. Val était moins excitée, moins voyante, moins débordante, et en même temps plus sûre d'elle-même. Elle avait un air serein, comblé, et il était difficile de croire qu'elle ne fût pas amoureuse de cet homme. Lui avait en tout cas l'air de l'être. Ils parlèrent un peu du film. Val ne se faisait toujours pas à l'idée qu'elle avait obtenu ce rôle, et elle raconta à sa sœur l'épouvantable entretien qu'elle avait eu avant avec sa mère.

« Maman m'a toujours terrorisée. »

C'était la première fois qu'elle acceptait de le

reconnaître et Vanessa en fut stupéfaite. Val avait vraiment changé. Elle semblait être enfin devenue adulte, avoir trouvé sa vraie personnalité. Vanessa la préférait nettement ainsi.

« J'ai toujours cru que tu étais jalouse d'elle, pas terrorisée.

– Les deux, sans doute. (Elle soupira avant de sourire à George.) Elle me terrifie toujours autant pendant le travail, mais je ne lui en veux plus comme avant. Je sais qu'elle se donne à fond et qu'elle mérite entièrement tout ce qu'elle obtient. Mais ça, j'avais toujours refusé de l'admettre.

– Eh bien, sincèrement, tu m'épates. »

Vanessa parlait avec une certaine tendresse, et les deux hommes échangèrent un regard. Ils ne pouvaient se faire à l'idée que ces deux jeunes femmes étaient jumelles. D'un côté, la calme, l'intellectuelle Vanessa, qui serait certainement un jour un auteur à succès et ne pensait plus retourner à Los Angeles. Sa vie était à New York avec Jason et tous ses amis, ainsi que le monde de l'édition dans lequel elle espérait percer. Elle ne parlait plus d'écrire des scénarios de films, rien que son fameux livre. Et de l'autre côté, Valérie, avec sa crinière flamboyante et son corps de star, plongée dans l'univers scintillant du cinéma, mais dans ce que Hollywood avait de mieux; plus question de séries B. L'époque des cris d'horreur et du limon vert était définitivement passée. On sentait déjà chez elle l'aura d'une très grande star. Faye le percevait elle aussi. La même aura qu'elle autrefois. Très proche de cela, en tout cas.

A la remise des diplômes, le lendemain, elle contempla avec une certaine satisfaction tous ses enfants. Anne tirée à quatre épingles dans ses vêtements de prix, de petits diamants étincelant à ses oreilles, son bras glissé dans celui de Bill; la si jolie et si sérieuse Vanessa dans son costume universitaire; Valérie étonnamment belle et qui par bonheur ne semblait pas s'en rendre compte, pour la première fois; et Lionel, plus heureux ces derniers temps. Faye se demanda s'il avait de nouveau quelqu'un, mais elle n'aurait jamais osé l'interroger sur ce sujet, ni Ward non plus. C'était son affaire, après tout. Il avait vingt-cinq ans et ils l'avaient accepté tel qu'il était, tout comme ses frère et sœurs, bien que cette acceptation fût parfois unilatérale, Faye le savait bien. Anne lui en voulait encore pour l'abandon du bébé... Val continuait de jalouser sa réussite... Vanessa avait quitté le giron maternel... et Lionel vivait sa vie loin d'eux... Quant au pauvre Greg... il lui manquait cruellement, avec sa tignasse rousse, sa passion pour le sport et les filles. Il avait été plus proche de son père, certes, mais c'était aussi son fils, et elle serra plus fort le bras de Ward, sachant qu'il devait y penser lui aussi. C'était pour tous les deux une perte trop douloureuse.

Ce fut pourtant dans les rires et les sourires qu'ils se réunirent tous au *Plazza* cet après-midi-là pour fêter l'événement. Faye avait réservé une table couverte d'œillets blancs dans la salle 1900 et Vanessa ouvrit de grands yeux stupéfaits quand Ward lui tendit leur cadeau récompensant ses succès universitaires. La discussion avait été âpre et longue, mais ils avaient fini par décider d'y inclure Jason. C'était une façon de reconnaître leur relation. L'enveloppe contenait deux billets d'avion pour le vieux continent, un gros chèque pour payer toutes leurs distractions et les réservations dans plusieurs des meilleurs hôtels d'Europe. Ce serait un merveilleux voyage d'amoureux. Faye fut soulagée d'apprendre que Jason serait libre de l'accompagner, dès qu'ils auraient fini de déménager. Il avait quitté son travail pour se consacrer entièrement à sa pièce.

« Ça devrait vous mettre tous les deux à l'abri pour quelque temps. »

Ward lui sourit. Il aurait aimé les voir mariés, mais apparemment, ce n'était pas prévu au programme. Pas encore, du moins. Il y avait aussi cet autre mystère, entre Valérie et George Waterston. George était sorti avec son fils l'après-midi, mais Ward savait que Val était descendue dans le même hôtel, et il était curieux de savoir où ils en étaient. Bien entendu, il ne posa aucune question. Ensuite, il y avait Bill et Anne. Bill semblait très bien s'entendre avec le reste de la famille. Vanessa avait invité Gail, qui bavardait maintenant avec Lionel. Ses études de design la passionnaient et elle était ravie d'avoir trouvé un emploi d'été chez Bill Blass. Lionel parlait avec animation du film sur lequel il travaillait actuellement. Tout ce monde était heureux et jeune. Cela réchauffait le cœur, et Ward le fit remarquer à Faye, tandis qu'ils regagnaient le Pierre sans se presser. A un moment, il la prit par le bras et dit quelques mots à un homme qui attendait près d'un taxi de luxe, et avant qu'elle ait eu le temps de s'en rendre compte, elle se retrouva à l'intérieur, roulant autour de Central Park, sa main dans celle de Ward. Il l'embrassa tendrement et elle lui sourit, toujours aussi amoureuse de lui après une vie entière à ses côtés.

« C'est une sacrée équipe que nous avons là, n'est-ce pas, chérie? »

Il repensa à eux tous tandis que le taxi longeait paresseusement le parc. Faye ne l'aurait certes pas démenti. Elle n'avait pas dit grand-chose à Val et espérait que George lui expliquerait pourquoi. Il connaissait bien ses méthodes de travail.

« Mais c'est toi la plus belle de tous, ma chérie.

– Oh! mon amour... (Elle l'embrassa, radieuse.) Je sais maintenant que tu es aussi fou que je le pensais.

– Seulement fou de toi. »

Il l'embrassa de nouveau, passionnément, et ils tinrent leurs mains enlacées, savourant cet instant, satisfaits de leur vie, heureux d'être ensemble. Ils avaient parcouru tant de chemin côte à côte...

CHAPITRE 42

« EST-CE que tu veux que nous sortions dîner quelque part, chérie? »

Allongée sur leur lit au *Pierre*, Anne secoua la tête. Ce séjour à New York avait été agréable en fin de compte, même si au départ elle n'était pas très chaude pour venir. Bill avait pensé que c'était nécessaire et que ce serait aussi une bonne occasion de revoir Gail. La perspective de retrouver son amie l'avait finalement convaincue. Bill proposa même un voyage en Europe, New York leur servant d'escale, mais cela ne lui disait rien. Elle était de nouveau très fatiguée. Elle se traînait depuis des mois, en fait, depuis sa première fausse couche. Elle ne s'en était jamais rétablie et Bill s'inquiétait pour elle.

« Pourquoi ne pas appeler la réception et dîner ici? »

Elle savait que Gail devait se rendre quelque part avec Lionel. Gail appréciait sa compagnie et avait beaucoup d'amis homosexuels, mais Anne n'avait pas eu envie de l'accompagner. Elle avait pensé que Bill s'ennuierait, et elle aussi. Jason et Vanessa étaient sortis fêter les succès de Van, Val était tout à sa vedette de cinéma et Anne n'avait aucun désir de revoir ses parents. Une fois dans la journée suffisait. Mais Bill trouvait navrant de perdre une soirée à New York.

« Tu es sûre?

– Je n'ai pas le courage de sortir.

– Tu ne te sens pas bien? »

Cela lui rappelait un peu trop les débuts de la maladie de sa première femme et il voulait qu'Anne consulte rapidement un médecin. Mais lorsqu'ils rentrèrent à Los Angeles la semaine suivante, elle résista.

« Je n'ai pas besoin d'aller le voir. Je me sens très bien. »

Elle avait un petit visage têtu, mais il était décidé à parvenir à ses fins. Certaines choses étaient trop importantes à ses yeux, et Anne en premier lieu. Il ne voulait pas risquer de la perdre, ça jamais.

« Tu ne te sens pas bien du tout, au contraire, tu es dans un état lamentable. Tu n'as même pas voulu sortir avec moi à New York. (Chaque soir, elle avait préféré dîner dans sa chambre et il avait aussi eu l'impression qu'elle passait ses journées à dormir.) Si tu ne prends pas de rendez-vous toi-même, j'en prendrai un pour toi. »

C'est ce qu'il finit par faire. Il prétexta de l'emmener déjeuner et la conduisit tout droit chez son médecin de Beverly Hills. Anne était furieuse.

« Tu m'as menti! »

Ce fut une des rares fois où elle l'agressa, mais il la fit monter jusque chez le médecin comme une petite fille. Elle leur jeta à tous deux un regard noir.

Le praticien ne remarqua rien d'anormal. Ses ganglions n'avaient rien, ses seins étaient parfaits, sa numération sanguine tout à fait normale. Mais sans rien leur dire, il eut sa petite idée et fit le test avec le sang prélevé. Lorsqu'il appela Bill, ce soir-là, celui-ci fut stupéfait, ému et effrayé à la fois. Anne était de nouveau enceinte. Cette fois, il ne s'en était même pas douté. Et il avait peur, craignant de devoir affronter un nouveau désastre.

« Laissez-là agir à sa guise. Son corps connaît ses besoins. Il faut qu'elle prenne beaucoup de repos, des aliments sains, qu'elle se surmène le moins possible. Tout ce qu'elle doit faire, c'est rester allongée pendant un ou deux mois, et tout ira bien. »

Bill hocha la tête et passa dans le salon pour mettre Anne au courant. Elle regardait la télévision et projetait de téléphoner à Gail. Il l'y encouragea avec un calme sourire.

« Je crois que c'est nécessaire, chérie.

– Pourquoi donc?

– Pour lui apprendre la grande nouvelle.

– Quelle nouvelle? »

Bill se pencha pour l'embrasser sur les lèvres.

« Tu es enceinte, ma chérie. »

Les yeux d'Anne s'ouvrirent comme des soucoupes.

« Quoi? Qui t'a dit ça?

– Le docteur, à l'instant. Il vient d'appeler. Il a fait le test sans nous en avertir et il est positif.

– Ce n'est pas possible.. (Elle le regarda, ébahie, puis se jeta dans ses bras, luttant contre les larmes.) Oh! Bill... »

Elle n'osait plus se réjouir. Elle ne mit pas Gail au courant et n'en parla à personne jusqu'à ce que fussent écoulés les trois mois fatidiques. Mais tout se passa bien. En septembre, le médecin ne se faisait plus aucun souci, le bébé était prévu pour le mois de février, sans doute pour la Saint-Valentin. Le premier enfant d'Anne aurait alors cinq ans et demi, mais ils évitèrent d'en parler. Ils ne parlaient que de cet enfant-là, leur enfant, et Bill savait à quel point elle l'avait désiré. Il la traitait avec autant d'amour et de ménagements que si elle était en sucre. Ils ne firent aucun voyage, sortirent à peine. Anne prenait beaucoup de repos et Bill la choyait plus encore qu'avant.

Faye lui téléphona plusieurs fois pour lui dire qu'elle pensait à elle, qu'elle espérait que tout irait bien, mais Anne l'accueillit froidement. Elles étaient déjà passées par là ensemble, et Anne se souvenait trop bien des pressions qu'avait alors exercées sa mère. Elle ne voulait pas entendre parler d'elle, tout lui revenait en mémoire. Même les contacts avec Lionel étaient pénibles, cela lui rappelait l'époque où elle avait vécu avec lui et John, dans l'attente du premier bébé.

Gail les appelait le plus souvent possible, en demandant toujours si Anne avait grossi. Cela la faisait rire et Anne lui répondait qu'elle était énorme, aussi grosse qu'une montgolfière. Lorsque Val la rencontra un jour sur Rodeo Drive, elle constata en riant que c'était vrai. On était en novembre, et ils avaient terminé leur film depuis un mois. Les monteurs travaillaient d'arrache-pied, car Faye voulait qu'il sorte pour les vacances de Noël. Ils y passaient toutes leurs soirées, mais il fallait que tout soit ficelé avant la fin de l'année, pour pouvoir proposer le film aux Oscars. Lorsque Anne croisa donc Val ce jour-là, elle remarqua la Cadillac blanche de George Waterston garée non loin de là, à l'attendre, et elle ne put s'empêcher une fois de plus de se demander s'ils n'étaient « que des amis », comme le prétendait Val. Une chose était certaine, en tout cas : Val était encore plus belle qu'avant. Elle était venue chercher une robe chez *Giorgio* pour une soirée à laquelle elle devait se rendre le jour même. Anne désirait s'acheter quelques petites choses à porter pendant les fêtes. Bill voulait qu'elle sorte un peu et tout était devenu trop petit, y compris les robes de grossesse.

« Comment te sens-tu? » demanda Val, qui semblait pour la première fois réellement s'y intéresser.

Ils savaient tous ce que représentait ce bébé pour elle, et pourquoi. Anne se mit à rire, heureuse d'être si grosse, en dépit de l'inconfort.

« Je me sens obèse.

– Tu as l'air en pleine forme.

– Merci. Et toi, quoi de neuf? »

Elles ne se téléphonaient plus depuis longtemps. On aurait même eu du mal à croire qu'elles avaient grandi dans le même foyer. C'était en partie faux, d'ailleurs. Val n'était vraiment adulte que depuis peu, et c'était chez Bill que la chrysalide Anne était devenue papillon.

« J'ai une offre pour un nouveau rôle.

– Pas avec maman, au moins? »

Val secoua immédiatement la tête. C'était une expérience qu'elle n'oublierait jamais et elle en serait éternellement reconnaissante à sa mère, mais elle n'était nullement pressée de recommencer. C'était ce que disaient aussi la plupart des acteurs qui avaient travaillé pour Faye, même George. « Une fois tous les trois ans avec elle, c'est largement suffisant », lui avait-il dit, et Val était encline à le croire.

« Non, avec quelqu'un d'autre. (Elle lui dit le nom du metteur en scène et des principaux acteurs. Anne fut impressionnée.) Je n'ai pas encore pris ma décision. J'ai une ou deux autres propositions. »

Sa carrière avait finalement pris son essor d'un seul coup, après cinq années de stupidités.

Anne, contente pour elle, en parla à Bill.

« Elle fera un tabac un jour, tu verras, répondit-il. Exactement comme ta mère. »

Ce n'était pas difficile à croire. Elle avait du talent, de la classe, un indéniable parfum de réussite. Rien qu'à la voir sortir d'une voiture, on sentait que c'était quelqu'un. Rien à voir avec ses robes fendues et ses talons pailletés d'autrefois. Elle avait fait un sacré bout de chemin, et Anne était persuadée que le bonheur qu'elle lisait maintenant dans ses yeux était l'œuvre de George.

« Ils sont certainement plus que des amis, tu ne crois pas? »

Elle essayait vainement de se trouver une position confortable sur sa chaise, mais il lui fallait le secours de quelques coussins que Bill lui apporta. Elle le remercia d'un baiser.

« Le contraire m'étonnerait. Mais ils sont sans doute assez malins pour le cacher. C'est un grand acteur et ils veulent sûrement se tenir à l'écart de toute publicité. »

Effectivement, ils avaient gardé leur secret le plus longtemps possible, même vis-à-vis de Danny. Il fallut bien pourtant le mettre au courant. Et maintenant, Val vivait avec eux sur les collines de Hollywood, dans une merveilleuse villa entourée de murs et de fusains épais, à l'abri des regards. Même les *paparazzi* n'étaient pas encore sur le coup, depuis trois mois que cela durait. Val n'avait jamais été aussi heureuse de sa vie. Lorsqu'ils étaient rentrés de New York pour reprendre le tournage, quelque chose de différent s'était produit entre eux. Ils étaient devenus si proche qu'ils comprenaient chaque respiration, chaque pause l'un de l'autre – c'était comme un charme qui enveloppait tout le plateau. Faye le sentait et s'en félicitait.

Elle n'intervint pas, laissa les choses se faire, et au mois d'août, lorsque Danny partit voir sa mère, Val s'installa tranquillement chez George. Ils expliquèrent la situation à Danny lorsqu'il revint, et George envisagea même de l'épouser, bien que rien ne pressât. Il fallait que leur liaison subisse l'épreuve du temps. Val était sûre que tout finirait un jour par se savoir, mais ils y étaient préparés. Ils l'attendaient, même.

« Tu crois que tu supporteras de vivre ici pour toujours, entre un vieillard et un gosse? lui demanda-t-il en glissant un baiser dans son cou, le jour même où elle avait rencontré Anne et constaté la rondeur de son ventre.

– Ça ne doit pas être désagréable... (elle prit un air nostalgique qui parvint même à tromper George) même si ce n'est pas aussi exaltant que là où j'habitais avant. »

George poussa un hurlement et lui ébouriffa encore plus sa crinière folle.

« Tu veux parler de ce bordel plein de vieilles peaux? C'est une chance que tu ne te sois pas fait arrêter à l'époque!

– George, ce ne sont pas des choses à dire, voyons!

– C'est pourtant vrai! »

Elle avait fini par avouer à ses parents qu'elle vivait avec lui, et fut soulagée de les voir satisfaits. Val était assez grande pour se passer de leur consentement, mais cela avait pourtant son importance à ses yeux, surtout depuis qu'elle avait travaillé avec sa mère. Elle lui portait un nouveau respect depuis qu'elle l'avait vue à l'œuvre, et pour la première fois elle sentait que c'était partagé. Faye l'avait même aidée à trouver un nouvel agent, et elles avaient eu une longue discussion en tête-à-tête après la fin du film.

« Val, il faut que je te dise que tu es très, très

bonne. Ton père l'a su dès le début et il me l'a dit. Quant à moi, je dois le reconnaître, j'ai eu des doutes, mais tu es parmi les meilleures et tu iras très loin, sois-en certaine. »

C'était précisément ce qu'elle rêvait d'entendre, et elle n'osait croire que ces mots puissent venir de Faye Thayer.

« Je t'ai détestée, tu sais. (C'était une terrible révélation et Val la fit les larmes aux yeux.) J'étais si jalouse de toi et de ces maudits Oscars qui trônaient dans le salon...

– Ils ne comptent pas, Val. (Faye parlait avec douceur, mais Val secouait la tête.) C'est vous cinq qui êtes mes Oscars.

– J'essayais moi aussi de ne pas leur attacher d'importance, mais ils en ont. Ils sont la preuve de tes efforts, de ta qualité. Tu es vraiment merveilleuse, maman... tu es la meilleure de toutes. »

Elles avaient fondu en larmes dans les bras l'une de l'autre, et ce souvenir réchauffait encore le cœur de Val. Elle avait enfin fait la paix avec sa mère. Cela avait pris du temps, mais elle y était arrivée. Et elle espérait qu'Anne y parviendrait un jour, elle aussi. Jusque-là, les images des jours sombres ne cesseraient de l'obséder, ainsi qu'elle le dit à George. Elle se confiait à lui sur tout. Il était devenu plus que son amant, son meilleur ami.

« Tu sais que j'envie un peu ton beau-frère? »

Ils étaient allongés devant le feu ce soir-là. Val se tourna vers lui, surprise.

« Bill? Pourquoi ça? Tu as tout ce qu'il a et davantage. Et en plus, tu m'as moi! Que désires-tu de plus?

– C'est sûr... »

Il lui sourit à son tour, mais ses yeux trahissaient une attente qu'elle n'avait encore jamais perçue.

George était un homme tranquille, avec des valeurs qu'elle aimait, des idéaux qui forçaient le respect, et un mode de vie stable, toutes choses inhabituelles chez une vedette hollywoodienne.

« Mais je lui envie cet enfant, acheva-t-il.

– Le bébé? »

Elle fut stupéfaite de sa réaction. Val songeait rarement aux enfants. Elle pensait bien en avoir un jour, mais pas avant très, très longtemps. Sa carrière comptait beaucoup pour elle, elle avait travaillé si dur, et elle venait à peine de commencer sa passionnante ascension vers le sommet. Elle n'était pas prête à abandonner tout cela, contrairement à sa mère au même âge. Faye avait vingt-cinq ans lorsqu'elle avait quitté la scène, et Val bientôt vingt-trois.

« Tu voudrais vraiment un bébé maintenant, George? »

Il était au sommet de sa carrière, et ce serait difficile pour lui aussi.

« Peut-être pas dans l'immédiat, mais en tout cas le plus tôt possible.

– C'est-à-dire? »

Elle se retourna sur le ventre, mit son visage dans ses mains, et le fixa d'un air préoccupé.

« Pourquoi pas la semaine prochaine? (Il la taquinait, riant de son inquiétude.) Je ne sais pas, dans un an ou deux. Mais j'aimerais bien en avoir un autre un jour.

– Ça me va.

– Parfait. »

Il eut l'air satisfait. Peu après, devant la cheminée, il lui ôta ses vêtements et parla de s'entraîner un peu, en lui faisant l'amour.

CHAPITRE 43

« COMMENT te sens-tu, ma chérie? »

Bill la regardait avec un regard plein de sollicitude. Anne éclata de rire.

« Comment te sentirais-tu, toi, avec un ventre pareil? Comme une épave. Je ne peux plus bouger, plus respirer. Si je me couche, le bébé m'étrangle, si je m'assieds, j'ai des crampes. »

On était déjà le 9 février, et le bébé était prévu dans cinq jours, mais en dépit de ses plaintes, elle semblait ravie. Elle le désirait si fort qu'elle se moquait de ce poids qui l'oppressait et de l'inconfort de sa situation. Elle ne rêvait que d'une chose : le tenir enfin dans ses bras, voir son petit visage. Elle était toujours aussi persuadé que ce serait un garçon, mais Bill rêvait secrètement d'une petite fille. Il serait moins dépaysé, affirmait-il.

« Veux-tu sortir manger quelque chose? »

Elle rit encore et hocha la tête. Rien ne lui allait plus, pas même ses chaussures, et elle n'avait plus que trois robes plutôt laides qui fussent mettables. Elle n'allait plus chez Giorgio renouveler sa garde-robe, car elle n'avait plus envie de sortir, et il en était de même ce jour-là. Elle était trop mal à son aise pour aller où que ce soit. Elle préférait errer pieds nus dans la maison, vêtue de ce qu'elle avait de plus ample, une chemise de nuit, en général. Et ce soir-là, lorsqu'ils eurent dîné d'un peu de soupe et d'un léger soufflé – tout ce qu'elle pouvait avaler –, ils firent quelques pas aux abords de la maison. Mais c'était encore trop pour elle. Soufflant comme une locomotive, elle dut s'asseoir sur un gros rocher devant une maison voisine. Il se demanda même s'il ne devrait pas aller chercher la voiture pour la ramener, mais elle protesta qu'elle pouvait fort bien rentrer toute seule. Elle paraissait si vulnérable, si monstrueuse qu'elle lui fendait le cœur, mais elle semblait malgré tout accepter la situation. Le lendemain, elle fit même l'effort de se lever pour lui préparer son petit déjeuner avant son départ pour le bureau. Débordant d'énergie, elle parla de faire le ménage dans la chambre du bébé. C'est inutile, répondit Bill, et il voulut l'en décourager, mais elle semblait y tenir vraiment. Lorsqu'il la quitta, elle traînait l'aspirateur sur le plancher. Très inquiet à son sujet, Bill préféra repasser à la maison avant le déjeuner. Il la trouva tranquillement allongée sur son lit, un chronomètre à la main, en train de minuter ses contractions tout en appliquant les principes Lamaze de respiration qu'elle avait appris cette fois-ci. Elle lui jeta un coup d'œil distrait comme il se précipitait à ses côtés.

« Ça y est, chérie? »

Elle lui sourit avec sérénité.

« Je voulais en être sûre avant de te déranger de ton bureau ou de ton déjeuner au Polo Lounge.

Alarmé, il lui prit le chronomètre.

« Tu n'aurais pas dû passer l'aspirateur. »

Elle lui rit au nez.

« Il faut bien qu'il naisse un jour ou l'autre, tout de même! »

Le bébé était attendu dans quatre jours. Bill annula son déjeuner et appela le médecin, puis sa secrétaire pour l'informer qu'il serait absent tout l'après-midi. Mais il eut beau essayer, il ne put la convaincre de partir pour l'hôpital. Le médecin lui-même avait dit qu'elle pouvait attendre. Mais Bill craignait de ne pas y être à temps.

Anne avait encore en mémoire le souvenir cruel de sa première expérience, les journées qu'elle avait passées à la clinique à attendre dans des souffrances atroces la naissance de son premier enfant. Elle ne voulait surtout pas se presser. Les exercices de respiration l'aidaient à maîtriser les douleurs. Bill lui prépara une tasse de bouillon et attendit sagement auprès d'elle dans la chambre. Elle se levait de temps en temps pour faire quelques pas. Puis, vers quatre heures, il lui vit les sourcils froncés, l'air pensif. Elle ne pouvait plus tenir debout ni parler pendant les douleurs. Cette fois, elle le sentait, le moment était venu de se rendre à l'hôpital. Bill se précipita dans le dressing-room pour prendre son sac. Lorsqu'elle voulut se changer, elle perdit les eaux sur le marbre blanc de la salle de bain, et soudain, les douleurs commencèrent à se succéder plus vite et plus fort. La respiration ne lui était plus d'aucun secours. Bill paniqua aussitôt et elle s'efforça de le rassurer tandis qu'il l'aidait à s'habiller. Mais les douleurs étaient devenues plus rapides, plus aiguës.

« Je t'avais bien dit qu'il ne fallait pas attendre. »

Il s'affola. Et si elle accouchait là, maintenant? Le bébé pouvait mourir...

« Tout va bien, calme-toi... (Elle s'efforça de sourire et il l'embrassa dans les cheveux. Enfin, elle fut prête et il la prit dans ses bras pour la porter jusqu'à la voiture.) J'ai oublié mes chaussures! »

Elle faillit en rire, mais elle avait trop mal et se cramponnait à lui. Il fonça chercher les sandales qu'elle portait tout le temps, maintenant, et il la conduisit à fond de train jusqu'à l'hôpital des Cèdres du Sinaï, prenant à peine le temps de s'arrêter aux feux. C'était la première fois que la Rolls servait d'ambulance, mais la situation était désespérée. Elle poussait des petits cris perçants à chaque douleur et disait qu'elle sentait déjà la tête du bébé. Il laissa les portières grandes ouvertes pour se précipiter à l'intérieur avec Anne dans ses bras, et ce fut l'infirmière qui descendit les fermer. Anne haletait, cherchant son souffle, et Bill ne savait où donner de la tête. Ils demandèrent au médecin de descendre, car ils n'avaient plus le temps de l'emmener à la maternité. Anne était au bord de la crise de nerfs sur la table de la salle des urgences.

« Je sens la tête... Oh! Bill... »

La tension était insupportable. Elle avait l'impression d'être déchirée par une boule de bowling. Elle leva vers lui des yeux affolés. Bill souffrait à chaque nouvelle contraction. Il n'avait pas assisté à la naissance de son premier enfant, cela ne se faisait pas encore à l'époque, et il n'était pas sûr d'être prêt pour ce spectacle. C'était insupportable de la voir souffrir à ce point, mais l'infirmière dit qu'il était trop tard pour lui donner un sédatif. Anne lui avait parlé du calvaire qu'elle avait enduré la première fois, et il ne voulait pas qu'elle revive ce cauchemar. Anne était maintenant à moitié sur son séant et l'infirmière dit à Bill de lui tenir les épaules. Anne gémissait douloureusement.

« Vous pouvez pousser maintenant, Anne, lui dit l'infirmière comme si elles étaient des amies de toujours. Allez-y... de toutes vos forces... »

Le visage d'Anne devint cramoisi. Ils sentaient qu'elle faisait appel à toute son énergie. Lorsqu'elle relâcha son effort, elle pleurait.

« J'ai trop mal... je ne peux pas... je ne peux pas... Oh! Bill... Ça fait si mal...! »

Mais elle se remit à pousser. Cette fois, le médecin était à ses côtés, en gants et blouse blanche. Il saisit rapidement un instrument et aida Anne à faire assez de place pour la tête qui émergea triomphalement à la poussée suivante. Le bébé naquit dans la salle des urgences, sous le regard bouleversé de Bill. Il semblait tout étonné d'être sorti, et Bill le trouva un peu bleu au départ, mais rapidement il prit une belle couleur rose et se mit à vagir furieusement. Anne pleurait et riait en même temps. Bill lui embrassa le visage et les mains, l'assurant qu'elle avait été magnifique.

« Il est si beau... si beau!... »

C'était tout ce qu'elle parvenait à dire et son regard allait du bébé à Bill, de Bill au bébé. Un moment plus tard, elle put le prendre dans ses bras, enveloppé dans une couverture de la salle des urgences, beaucoup trop grande pour lui. Elle n'avait jamais vu son premier enfant, et n'avait pas assez d'yeux pour celui-là. Elle trouva aussitôt qu'il ressemblait à Bill. Peu après, on la roula jusqu'à une chambre de la maternité, son trésor dans les bras et Bill à ses côtés, fier comme un pape.

« La prochaine fois, vous serez assez gentille d'arriver à temps, pour que je n'aie pas encore à vous accoucher à la porte de la clinique. »

Le médecin prit un air faussement sévère et tous trois éclatèrent de rire. Bill était terriblement soulagé. L'accouchement avait été si douloureux, et il avait eu tellement peur pour elle... Mais maintenant, elle était occupée à faire risette à son bébé et ne voulait pas le lâcher pour qu'on lui fasse prendre un bain à la pouponnière. L'infirmière réussit néanmoins à la convaincre et un peu plus tard, on vint lui faire sa toilette à elle aussi. Puis Bill et elle appelèrent Gail, qui pleura lorsqu'elle sut la nouvelle. Anne voulait qu'elle soit la marraine, pour compliquer encore un peu les choses. Ensuite, Bill lui conseilla de dormir un peu, mais elle était trop excitée. Le bébé qu'elle avait tant appelé de ses vœux était enfin né et elle sentait dans son cœur une chaleur qu'elle avait attendue depuis de longues, trop longues années. N'ayant même pas le courage d'attendre qu'on le lui ramène de la pouponnière, elle sonna l'infirmière, qui le lui rendit avec un sourire, tout propre et rose. Elle le déposa sur le sein d'Anne et lui montra comment faire, sous l'œil attendri et ému de Bill. Il n'avait jamais rien vu de si beau et sut qu'il en garderait un éternel souvenir.

Ce soir-là, Anne appela Valérie, puis Jason et Vanessa, et Lionel, et enfin ses parents, après un moment d'hésitation. Tous se déclarèrent enchantés. L'enfant s'appellerait Maximilien Stein, ou plutôt Max tout court. Faye était très heureuse pour elle. Elle connaissait mieux que les autres le besoin qu'Anne avait de cet enfant. Lorsqu'elle vint lui rendre visite le lendemain, elle entra en hésitant dans sa chambre, les bras chargés d'un énorme ours en peluche pour Max et d'une liseuse pour Anne qui ressemblait beaucoup à celle qu'elle avait elle-même portée à la clinique pour la naissance de Lionel.

« Tu as une mine magnifique, ma chérie.

– Merci, maman. »

Mais il restait entre elles un gouffre impossible à combler, un fossé infranchissable que Bill perçut dès qu'il entra. Il était passé à la maison vérifier que tout était en ordre pour le retour d'Anne et du bébé, prévu pour le lendemain.

A ce moment, on introduisit Max et ce furent des oh! et des ah! qui fusèrent de toutes parts. Faye trouva elle aussi que c'était le portrait de son père. Valérie et George firent un saut à l'hôpital et les infirmières leur réclamèrent aussitôt un autographe. Le film connaissait un succès monstre et la ville était couverte d'affiches avec la photo de Val. Elle était célèbre, maintenant. Faye sourit en se calant sur son fauteuil, observant le bavardage de ses deux filles, plus détendue maintenant. Val riait de quelque chose qu'Anne lui avait dit, et celle-ci lui expliqua quel effet cela faisait d'avoir un bébé. Debout près d'elles, Bill et George s'émerveillaient devant le petit Max.

Bill était extrêmement fier en les ramenant à la maison le lendemain. Ils installèrent le bébé dans sa chambre. Bill, ravi et prêt à pouponner, avait pris quelques jours de congé pour rester auprès d'eux.

« Tu sais, lui dit-elle quelques jours plus tard, tout heureuse, je compte bien recommencer. »

Bill n'eut pas l'air de trouver cela à son goût et grommela quelque chose. Il était encore marqué par le supplice de l'accouchement, même si cela avait duré peu de temps, selon Anne. A lui, cela avait paru interminable. Il ne voulait surtout pas qu'elle ait à le subir de nouveau.

« Tu parles sérieusement? »

Il semblait scandalisé.

« Mais oui. (Elle baissa les yeux sur le bébé, douillettement niché contre sa poitrine, puis les releva pour sourire à son mari.) Je le veux vraiment. »

Il comprit que c'était le prix qu'il devrait payer pour avoir épousé une jeune fille de vingt ans et se pencha pour embrasser Anne, puis Max.

« C'est toi le boss. »

Elle rit et il vit dans ses yeux que quelque chose avait changé. Ce n'était certes pas ce qu'elle avait imaginé : la douleur du passé était toujours là, et elle savait qu'elle la garderait toujours dans son cœur. Mais elle avait quelqu'un d'autre, quelqu'un de plus à aimer. Elle ne saurait jamais ce qu'il était advenu de l'autre bébé, à quoi il ressemblait, ce qu'il serait en grandissant, même s'il se mettait à sa recherche. Cet enfant était pour toujours étranger à sa vie, irrémédiablement perdu, mais ce poids ne la retenait plus en arrière. Elle était enfin libérée, prête à regarder l'avenir. Maintenant, elle avait Max... et Bill... et même s'ils n'avaient jamais d'autre enfant, se dit-elle, c'était déjà une chance de les avoir tous les deux. Ils suffisaient à son bonheur.

CHAPITRE 44

LE soir de la cérémonie des Oscars, Anne se tourna vers Bill et lui demanda avec inquiétude si on voyait encore combien elle avait grossi. Elle portait une robe bleu pâle et or, avec des saphirs et des diamants à ses doigts, ses oreilles et son cou. Jamais il ne l'avait trouvée aussi belle. Elle n'avait plus cet air affligé, ces yeux désolés qui la déparaient avant. Elle offrait maintenant le visage comblé du bonheur. Elle resplendissait.

« Tu es bien plus belle que toutes ces actrices que nous allons voir. »

Il l'aida à mettre son étole de vison et ils se ruèrent vers la voiture. Pas question d'être en retard pour la cérémonie. Ils avaient promis à Faye et Ward de passer les chercher. Valérie devait s'y rendre de son côté avec George, et Lionel avait dit qu'il les rejoindrait là-bas. Lorsqu'ils furent tous réunis au Music Center de Hollywood, la salle où devaient se décerner les Oscars, ce fut un groupe étonnant, les hommes en cravate noire, les femmes en robe du soir dans des couleurs qui chatoyaient comme des bijoux, tous avec leur indicible air de famille. Valérie était éblouissante dans une robe vert émeraude qui rehaussait son teint, les cheveux relevés haut. Des émeraudes qu'elle avait empruntées à Anne miroitaient à ses oreilles. Faye trônait en fourreau argent de chez Norell. On ne voyait qu'eux. A New York, Vanessa, assise en tailleur dans un jean délavé, suivait la cérémonie à la télévision en compagnie de Jason, qui aurait bien voulu en être.

« Tu ne peux pas savoir ce que c'est excitant, Jason! »

Ses yeux brillaient chaque fois qu'elle reconnaissait quelqu'un. Le cameraman semblait attiré comme par un aimant par le visage de Val.

Jason paraissait s'intéresser pour la première fois aux Oscars. Les autres années, il n'y avait pas prêté grande attention. Mais depuis, Vanessa était entrée dans sa vie, et ce soir, ils étaient prêts, au besoin, à y passer la nuit. Ils restèrent cloués devant leur poste tandis que défilaient les discours insipides, puis ce furent les effets spéciaux, les prix humanitaires, les effets sonores, le prix du meilleur scénario, de la meilleure musique de film.

A un moment, Clint Eastwood vint prendre le relais comme animateur, en remplacement de Charlton Heston, retardé par un pneu crevé. L'Oscar du meilleur réalisateur fut décerné cette fois à un ami de Faye. George était nominé pour le meilleur rôle masculin, mais ne l'emporta pas, pas plus que leur film. Puis ce fut au tour de Faye de monter sur l'estrade pour décerner le prix suivant. Elle annonça « l'Oscar du meilleur rôle féminin », débita la liste des nominées, tandis que Jason et Vanessa voyaient l'un après l'autre à l'écran chaque visage tendu, puis en gros plan le groupe des Thayer; Val figée comme une statue, serrant de toutes ses forces la main de George, qui comme elle retenait son souffle. Faye la chercha des yeux.

« La gagnante est... Valérie Thayer, pour *Miracle*! »

Les cris de joie qui éclatèrent aussitôt dans l'appartement de Soho auraient pu s'entendre jusqu'à

Los Angeles. Vanessa se mit à danser dans la pièce, au comble de l'allégresse. Elle criait et pleurait en même temps, Jason tapait des poings sur le lit, faisant voler sur le sol les pop-corns qu'ils étaient en train de manger. A Hollywood, Val poussa un hurlement; elle courut à toute allure vers l'estrade après un dernier regard en direction de George. Un millier de caméras saisirent ce regard et le baiser qu'elle lui lança, avant de voler rejoindre sa mère. L'Oscar lui fut remis, pendant que les larmes roulaient sur les joues de Faye. Elle s'approcha du micro :

« Vous ne saurez jamais à quel point elle mérite cet Oscar. Elle a eu le plus rosse des metteurs en scène! »

Et sous les rires émus de tous, elle la serra dans ses bras. Val pleurait abondamment, remerciant tout le monde pour cette récompense. Ses larmes redoublèrent lorsqu'elle s'efforça de remercier sa mère.

« Il y a bien longtemps, elle m'a donné la vie, et dernièrement elle m'a donné... plus que ça encore. Elle m'a appris à travailler dur... à donner le meilleur de moi-même... elle m'a offert la plus grande chance de ma vie. Merci, maman. (Le public tout entier sourit et retint ses larmes tandis qu'elle présentait à bout de bras le prix tant convoité.) Et merci à papa pour avoir cru en moi... et à Lionel, Vanessa et Anne, pour m'avoir soutenue pendant toutes ces années... (Malgré son émotion, elle fit l'effort de continuer.) Et aussi à Greg... Nous vous aimons tous... »

Puis elle quitta triomphalement l'estrade et courut dans les bras de George.

C'était le dernier Oscar à remettre. L'assistance sortit fêter l'événement. Dès qu'elle le put, Val appela Vanessa et Jason. Tout le monde parlait en même temps, avec à peu près la même chose à dire; on s'embrassait, on criait, on se jetait dans les bras de George, puis de Val, puis de Ward et de Faye. Même Anne sautait de joie.

Chez Chasen, ensuite, Lionel avait donné rendez-vous à son nouvel ami. C'était quelqu'un avec qui George avait eu l'occasion de tourner quelques années auparavant, et qu'il avait apprécié. Le nouveau venu s'intégra sans peine dans leur groupe. Il avait à peu près l'âge de George. Apparemment Lionel et lui se connaissait depuis longtemps. Faye comprit que c'était à lui que Lionel devait cet air heureux, ces derniers temps. C'était la première fois depuis la disparition de John et elle en fut heureuse pour lui. Elle était heureuse pour eux tous... pour Val, bien sûr... pour Anne et son bébé... Li... Van... Tout allait bien pour eux tous. Et cette nuit-là, elle stupéfia Ward en lui reparlant d'une chose qu'elle n'avait pas évoquée depuis plusieurs années.

« Que dirais-tu si nous prenions notre retraite un de ces jours, Ward?

– Encore? (Il éclata de rire.) Je crois que j'ai compris. Chaque fois que tu ne reçois pas un Oscar, tu parles de t'arrêter. Ce n'est pas ça, chérie? »

Cette idée la fit rire mais elle secoua la tête. Elle était heureuse pour Val, et ne regrettait rien. Cet Oscar était entièrement mérité.

« Si seulement c'était aussi simple que ça... »

Elle s'assit sur le lit et enleva son collier de perles. C'était le premier cadeau que lui avait fait Ward, au tout début, les seules perles qu'elle n'avait pas vendues lorsqu'ils avaient perdu tous leurs biens, et elle y tenait, ainsi qu'à lui et à l'existence qu'ils avaient eue ensemble. Mais elle avait besoin d'un changement. Cela durait depuis trop longtemps.

« Je crois que j'ai réalisé tous mes rêves, maintenant, reprit-elle. Sur le plan professionnel, j'entends.

– Mais c'est terrible, ce que tu dis! Comment peux-tu parler ainsi à ton âge? »

Elle se mit à rire; elle restait si belle qu'il en était parfois stupéfait.

« Mais Ward, j'ai cinquante-deux ans, j'ai réalisé cinquante-six films, j'ai cinq grands enfants et un petit-fils. (Elle se refusait à compter l'autre, elle avait mis définitivement une croix dessus cinq ans plus tôt.) J'ai un mari que j'adore, et des tas d'amis. En un mot : suffit! Je crois avoir gagné le droit de m'amuser un peu, non? Tous nos enfants sont tirés d'affaire, ils sont heureux, le semblent en tout cas, et nous avons fait de notre mieux. C'est habituellement à ce moment qu'apparaît le mot « Fin » à l'écran, mon chéri. »

Elle lui sourit, et pour la première fois, il comprit qu'elle parlait sérieusement.

« Et que ferais-tu si tu prenais ta retraite?

– Je ne sais pas... je passerais peut-être un an dans le sud de la France. J'irais ailleurs, en tout cas, pour me reposer, m'amuser un peu. Nous n'avons rien à faire en ce moment. »

Elle n'aimait pas le genre de films qui sortaient dernièrement, et c'était peut-être l'occasion qu'elle attendait, cet Oscar de Val, pour tirer son chapeau à tout le monde. Il lui semblait doux de finir sur ce film qui marquait les débuts de Val par la grande porte, comme un héritage qu'elle transmettait à sa fille, une merveilleuse passation de pouvoirs.

« Tu pourrais écrire tes mémoires, plaisanta Ward.

– Je te laisse ce soin. Je n'ai pas envie d'écrire une seule ligne.

– Tu devrais, pourtant. (C'était sûr, ils avaient eu une vie bien remplie. Il la regarda, apaisé. La soirée avait été longue, étourdissante, et peut-être parlait-elle dans le feu du moment. Mais il en doutait.) Pourquoi ne pas y repenser dans quelque temps? Tu auras peut-être changé d'avis d'ici un mois ou deux. En tout cas, je ferai tout ce que tu voudras. »

A cinquante-six ans, il n'aurait pas refusé d'aller se distraire avec elle au soleil de la France. En fait, cela lui aurait beaucoup plu; ce serait un peu comme dans l'ancien temps. Ils en avaient de nouveau les moyens, même s'ils ne jetaient plus l'argent par les fenêtres comme dans leur jeunesse. Cela ne se faisait plus, d'ailleurs.

« Il faut que nous y réfléchissions, Faye. »

Lorsqu'ils en reparlèrent, leur décision était prise. Ils partiraient en juin, en prenant d'abord un an de vacances, pour voir. Ils louèrent une maison dans le sud de la France pendant quatre mois, puis un appartement à Paris pour six mois. Faye tint à revoir chacun de ses enfants avant leur départ. Son intuition concernant Lionel se révéla exacte : ce nouveau compagnon avait pris une grande place dans sa vie. Ils semblaient bien s'entendre et vivaient tranquillement à Beverly Hills. Faye le trouva sympathique.

Valérie était absorbée par la préparation d'un nouveau rôle. Elle et George envisageaient de se marier dans l'année, lorsque George aurait fini son propre film. Faye leur fit promettre de venir en France pour leur voyage de noces. Val répondit que, de toute façon, ils ne comptaient pas ameuter les foules et qu'ils s'en iraient quelque part discrètement. Mais ils viendraient en France pour une seconde lune de miel, c'était promis, et sans doute emmèneraient-ils Danny avec eux. La visite à Anne fut plus difficile. C'était si dur de lui parler! Mais elle passa néanmoins la voir un après-midi et la trouva occupée avec le petit Max. Elle avait mauvaise mine. Faye se demanda qu'elle pouvait en être la raison, jusqu'au moment où Anne lui confia qu'elle était encore enceinte, ce qui stupéfia sa mère.

« N'est-ce pas un peu prématuré? »

Anne lui sourit. Comme elle oubliait vite...

« Li et Greg sont nés à un an d'intervalle, il me semble. »

Un sourire apparut aussitôt sur le visage de Faye. C'était vrai. On rêvait qu'ils soient différents, meilleurs, plus heureux, plus en sécurité, toujours sages et raisonnables, et au lieu de ça, ils agissaient exactement comme on l'avait fait et même oublié... Val était actrice... Anne voulait une famille nombreuse. Les autres avaient choisi des voies différentes, mais tous emportaient une part de l'héritage parental. S'il avait vécu, Greg aurait été le jeune homme insouciant et coureur que Ward avait été... et Anne répétait elle aussi l'histoire de la famille.

« Tu as raison. »

Leurs regards se croisèrent, et pour la première fois quelque chose passa entre elles, comme si Anne enfin l'affrontait, avant d'être séparée de sa mère pour Dieu savait combien de temps. Peut-être n'auraient-elles plus jamais cette chance. Qui pouvait le dire?

« Anne... je... »

Elle ne savait par où commencer. Il fallait expliquer vingt ans de malentendus... Cinq ans seulement, peut-être... Non, c'était pendant une vie entière qu'elle n'avait jamais pu, jamais su atteindre cette enfant qu'elle aimait. Elle ne voulait pas échouer maintenant.

« J'ai commis beaucoup d'erreurs vis-à-vis de toi. Je ne crois pas que ce soit un secret ni pour toi ni pour moi, n'est-ce pas, Anne? »

Anne la regarda avec franchise, son bébé dans les bras, et les yeux dépourvus de toute colère.

« Je ne t'ai pas facilité la vie non plus... Je n'ai jamais compris qui tu étais.

– Moi non plus, je ne t'ai pas comprise. Mon plus grand tort, c'est que je n'étais jamais là. Si seulement tu étais née un an ou deux plus tôt... »

Mais qui aurait pu modifier cela? On ne refaisait pas l'histoire. Il en était de même pour tout ce qui lui était arrivé... Haight-Ashbury... la grossesse... l'enfant qu'elle avait perdu. Leurs regards se rencontrèrent encore, et Faye se dit qu'elle devait aller jusqu'au bout. Elle tendit la main et prit celle d'Anne qui ne tenait pas l'enfant.

« Je regrette pour l'autre bébé, Anne... J'ai eu tort... mais à l'époque, je croyais vraiment bien faire. »

Leurs yeux s'emplirent de larmes sous le regard curieux de Max.

« J'ai eu tort, je le sais », ajouta Faye.

Anne secoua la tête, les joues ruisselantes de larmes.

« Je n'en suis pas si sûre... Je n'avais pas vraiment le choix... à quatorze ans.

– Mais tu ne t'en es jamais consolée.

– J'ai fini par m'y faire. Il n'y avait pas d'autre solution. Parfois, il faut passer par là. »

Sur ce, elle serra sa mère dans ses bras avec le petit Max. C'était une façon de lui dire qu'elle lui pardonnait. Mais le plus important, c'était qu'elle se pardonnait aussi à elle-même. Faye pouvait partir tranquille, à présent.

En l'accompagnant jusqu'à sa voiture un peu plus tard, Anne lui prit de nouveau la main.

« Tu vas me manquer, maman.

– Toi aussi, ma chérie. »

Ils allaient tous lui manquer, en fait, mais elle espéra qu'ils passeraient la voir en France. Après tout, il y avait bien longtemps de cela, elle avait vécu sans eux. Il fallait qu'elle les laisse à leurs affaires, maintenant. Ils avaient fini par accepter leur mère, et elle les avait acceptés eux aussi, tous autant qu'ils étaient.

En cours de route, Ward et elle s'arrêtèrent à New York pour rendre visite à Jason et à Vanessa, heureux comme des rois dans leur « loft », lui tout à sa pièce, elle prise entre son emploi chez un éditeur et la rédaction nocturne de son roman. Le mariage n'était toujours pas dans l'air, pas plus que la séparation, d'ailleurs. Faye et Ward s'envolèrent donc vers la France. Dans l'avion, elle lui sourit.

« Ils ont tous une sacrée personnalité, tout de même...

– Toi aussi. »

Il était fier d'elle, comme toujours : son plus fervent admirateur depuis trente ans... depuis cette fameuse nuit à Guadalcanal... Si seulement il avait pu imaginer alors ce qu'il savait maintenant... quelle vie bien remplie il vivrait à ses côtés. Il prit un tel ton pour le lui dire qu'elle lui rappela que tout n'était pas encore fini, et il l'embrassa au-dessus de la coupe de champagne que l'hôtesse venait de leur verser, tandis qu'une femme, assise non loin d'eux, les observait avec intérêt. Elle chuchota quelque chose à l'oreille de son voisin... « On dirait cette grande actrice que j'aimais tant dans les années quarante... » L'homme eut un sourire. Elle croyait sans cesse reconnaître des gens. Et Ward et Faye reprirent leur calme échange de propos, faisant des projets pour leur année en France...

Ils y restèrent dix ans et ne comprirent jamais comment le temps avait pu passer si vite. Les enfants venaient les voir, puis repartaient, tels des oiseaux de passage. Valérie épousa George et ils eurent une petite fille qu'ils baptisèrent Faye, comme sa grand-mère. Anne donna le jour à quatre autres enfants, et tout le monde la taquinait, lui disant qu'elle aurait dû gagner du temps et faire d'une pierre deux coups, comme sa mère. Vanessa publia trois romans. Jason travaillait toujours à ses pièces, qui étaient passées des environs lointains aux alentours immédiats de Broadway, à deux doigts de la consécration. Faye fut impressionnée par la qualité de ses créations lorsqu'ils eurent l'occasion d'en voir une à New York. Valérie reçut un deuxième Oscar, et George remporta enfin le sien, à son tour. Tout ce petit monde réussissait bien, et onze ans après leur départ pour l'étranger, à l'âge de soixante-quatre ans, Faye s'éteignit calmement dans son sommeil, une nuit d'automne au Cap-Ferrat, dans la merveilleuse villa qu'ils avaient achetée et comptaient un jour léguer à leurs enfants. Ce serait un lieu de vacances idéal pour eux tous.

Elle revint au pays un beau jour, accompagnée de Ward, méconnaissable. Il avait soixante-sept ans, et Faye avait été toute sa vie depuis qu'il avait vingt-cinq ans... quarante-deux ans... Il la ramenait chez elle, à Hollywood, le lieu qu'elle avait aimé et plusieurs fois conquis, comme actrice, comme metteur en scène, comme femme... *sa* femme... Il se remémorait les jours de désespoir, lorsqu'il avait cru tout perdre et qu'elle l'avait si vaillamment remis debout, poussé vers une nouvelle carrière, les entraînant tous à sa suite, à la force du poignet... Il se souvenait des années d'avant... et des années après. Tous ces films qu'ils avaient réalisés pour la M.G.M... la main qu'elle avait tendue à Val... Ce qui refusait de lui revenir en mémoire, c'étaient les années sans elle. Non, ce n'était pas possible... il n'avait pas pu... il se trompait... Mais c'était pourtant vrai, à compter de ce jour. Elle n'était plus. Il était seul. Définitivement seul. Sans elle. Anne et Bill l'accueillirent à la descente de l'avion et avaient eu la bonne idée de venir sans les enfants. Ils virent descendre le cercueil du ventre de l'avion. Le vent balayait les cheveux d'Anne, si semblable à sa mère dans le soleil couchant. A trente et un ans, elle était orpheline... Ses yeux lentement se levèrent vers Ward et elle lui prit doucement la main. Ils en avaient discuté la veille et c'était le moins qu'ils pouvaient faire pour lui. Ils avaient fait bâtir derrière leur maison de Beverly Hills un pavillon pour invités, il leur ferait plaisir en venant y habiter. Faye et Ward avaient depuis longtemps vendu leur ancienne maison puisqu'ils n'y vivaient plus. Anne leva de nouveau les yeux vers son père, Bill à ses côtés.

« Viens, papa. Rentrons à la maison. »

Pour la première fois, d'un seul coup, il sentit le poids de la vieillesse. Il ne pouvait pas croire qu'elle fût partie. Anne voulait qu'il prenne un peu de repos. Ils auraient tant de choses à faire; les funérailles devaient avoir lieu dans deux jours à l'église où ils s'étaient mariés, puis au cimetière de Forest Lawn. Tout le monde y serait... tous ceux qui avaient un nom dans le métier... Tous, sauf Faye Thayer... Mais sa famille serait tout entière à ses côtés. Et lui aussi, bien sûr... Comment imaginer un monde sans elle? Il ne le pouvait pas, et les larmes roulèrent une à une le long de ses joues, tandis que l'auto l'emportait dans la nuit, suivie par le corps de Faye, dans le fourgon mortuaire... C'était si facile de l'imaginer auprès de lui, rien qu'en fermant les yeux... Elle était encore là avec lui, elle serait avec eux pour toujours, jusqu'à la fin des temps. Les films, les souvenirs perpétueraient sa mémoire... l'amour qu'elle leur avait apporté, et par-dessus tout sa famille. Chacun d'entre eux témoignerait d'elle. Ils portaient sa marque, ils lui appartenaient tous, comme elle leur avait appartenu.

Table

Biblio/Essais

Titres parus

Jacques ATTALI
Histoires du temps
Où l'on apprend que les techniques de comptage du temps n'ont jamais été autonomes par rapport à l'histoire, aux cultures et aux sociétés.

Jacques ATTALI
Les Trois Mondes
Après avoir vécu dans le monde de la régulation, *puis dans celui de la* production, *nous sommes entrés dans un troisième, celui de l'*organisation. *Une interprétation originale de la crise économique actuelle.*

Jacques ATTALI
Bruits
Déchiffrer l'ordre social à partir de l'ordre des sons. Une étude historique de la musique pour réfléchir sur les structures du pouvoir.

Georges BALANDIER
Anthropo-logiques
Comprendre la modernité. Saisir les mutations en cours. Des réponses claires aux grands problèmes de notre temps. Édition revue, corrigée et augmentée d'une introduction inédite sur les principes d'une anthropologie du présent.

Jean BAUDRILLARD
Les Stratégies fatales
Un livre à lire comme un recueil d'histoires. La société d'aujourd'hui ou le théâtre des ombres. La séduction, l'amour, le simulacre... Tout n'est qu'apparences !

CAHIER DE L'HERNE
Samuel Beckett
Découverte de Beckett. L'œuvre dans tous ses états : théâtre, romans, poésie, lus et relus par E.-M. Cinan, Julia Kristéva, Ludovic Janvier...

CAHIER DE L'HERNE
Mircea Éliade
Le travail monumental d'un chercheur hors du commun. Penseur du sacré, historien des religions, romancier talentueux : tout Éliade par les meilleurs spécialistes.

Cornélius CASTORIADIS
Devant la guerre
Cornélius Castoriadis comptabilise les forces des deux super-puissances et délivre son diagnostic. Un ouvrage clef pour y voir clair dans les nouveaux enjeux de la politique internationale et les idéologies contemporaines.

Catherine CLÉMENT
Vie et légendes de Jacques Lacan
Loin des rumeurs et des passions inutiles, une philosophe déchiffre une œuvre réputée difficile. Et tout devient limpide, simple, passionnant.

Catherine CLÉMENT
Claude Lévi-Strauss ou la structure et le malheur
Traversée de l'œuvre du plus grand anthropologue contemporain. Des structures élémentaires de la parenté *à* La potière jalouse : *Lévi-Strauss passé au peigne fin de l'analyse.*
Nouvelle édition revue, corrigée et augmentée.

Régis DEBRAY
Le Scribe
A quoi servent les intellectuels ? Et qui servent-ils ? Quelles sont leurs armes ? Quels sont leurs rêves ?

Jean-Toussaint DESANTI
Un destin philosophique, ou les pièges de la croyance
Une exploration systématique des principaux chemins de la philosophie moderne et des chausse-trappes que l'on peut y rencontrer.

Laurent DISPOT
La machine à terreur
Terreur d'hier, terrorisme d'aujourd'hui. Des maîtres du Comité de salut public révolutionnaire aux partisans d'Action directe et aux membres de la « bande à Baader », pas de différence notable.

Lucien FEBVRE
Au cœur religieux du XVIe siècle
L'espace intellectuel du XVIe siècle visité dans ses moindres recoins : la Réforme, Luther, Érasme, Dolet, Calvin...

Élisabeth de FONTENAY
Diderot ou le matérialisme enchanté
Un Diderot méconnu, penseur des questions brûlantes qui tourmentent notre temps : la liberté, la féminité, la lutte contre les pouvoirs, le désir, la découverte de toutes les différences...

René GIRARD
Des choses cachées depuis la fondation du monde
Analyse approfondie des mécanismes sanguinaires qui règlent la vie des sociétés, commentaire magistral de l'antidote à la violence : la parole biblique.

René GIRARD
Critique dans un souterrain
Où l'on voit fonctionner le triangle infernal du désir (je veux ce que toi tu veux) dans les grandes œuvres littéraires.

René GIRARD
Le Bouc émissaire
Schéma fatal du mécanisme de la victime émissaire : quand les sociétés entrent en crise et qu'elles ne peuvent récupérer leur unité qu'au prix d'un sacrifice sanglant. De l'Inquisition aux camps nazis et au Goulag soviétique.

André GLUCKSMANN
Le Discours de la guerre, *suivi d'*Europe 2004
A partir de la grande tradition de la réflexion stratégique (Machiavel, Clausewitz, Hegel, Lénine, Mao), une œuvre capitale qui déchiffre l'impensé de la politique internationale d'aujourd'hui.

André GLUCKSMANN
La Force du vertige
Repenser le pacifisme à la lumière de l'arme atomique. Quand on parle la langue de la force, il faut répondre avec les mêmes mots. A partir de là, tout devient simple.

Roland JACCARD *(sous la direction de)*
Histoire de la psychanalyse (I et II)
Une histoire érudite et claire qui relate la genèse des découvertes freudiennes et leur cheminement à travers la planète.

Stephen JAY GOULD
Le pouce du Panda
L'Évolution des espèces et de l'homme racontée aux enfants. Une fresque présentée à travers une foule d'anecdotes, par l'un des grands paléontologistes américains.

Angèle KREMER-MARIETTI
Michel Foûcault, Archéologie et Généalogie
Une pensée majeure de notre temps expliquée d'une façon vivante et claire. De la question du pouvoir à celle de la morale abordée dans ses derniers écrits par Michel Foucault.
Nouvelle édition revue, corrigée et augmentée.

Claude LEFORT
L'Invention démocratique
Non, le totalitarisme n'est pas un mal irrémédiable. Et à qui sait attendre, des voix jaillies des profondeurs de l'oppression racontent le roman de sa disparition.

Emmanuel LÉVINAS
Éthique et Infini
Le regard d'Emmanuel Lévinas sur son propre ouvrage philosophique. Un livre de sagesse.

Emmanuel LÉVINAS
Difficile Liberté
C'est une dénonciation vigoureuse de la violence masquée qui hante notre conscience occidentale et travaille sournoisement notre raison comme notre histoire. Contre l'écrasement, un seul recours : la morale.

Bernard-Henri LÉVY
Les Indes rouges, *précédé d'une* Préface inédite
Travail d'analyse politique exceptionnel sur l'un des premiers échecs historiques du marxisme.

Bernard-Henri LÉVY
La Barbarie à visage humain
Un traité de philosophie politique à l'usage des nouvelles générations. Livre brûlot qui pourfend les idéologies contemporaines.

Anne MARTIN-FUGIER
La Place des bonnes
La domesticité au XIXe siècle. A travers l'examen de cette couche sociale, une jeune historienne propose une surprenante radiographie de la société bourgeoise.

Edgar MORIN
La Métamorphose de Plozevet, Commune en France
Le classique de la sociologie française. Où est cerné avec une exceptionnelle acuité l'irruption de la modernité dans une commune en France.

Edgar MORIN
L'Esprit du temps
Lecture raisonnée du temps présent, un repérage des valeurs, des mythes et des rêves du monde développé à l'entrée de la décennie 60.

Ernest RENAN
Marc Aurèle et la fin du monde antique
Dans ce texte lumineux, tout le projet du philosophe se manifeste. Son rapport étrange et fascinant avec la religion. Un document sur la Rome antique, qui est aussi un livre novateur.

Marthe ROBERT
En haine du roman
A la lumière de la psychanalyse, Marthe Robert réexamine le phénomène Flaubert et fait surgir un personnage nouveau. Une sorte de Janus, partagé entre deux êtres, à partir duquel on doit expliquer désormais tout le processus de sa création littéraire.

Marthe ROBERT
La Vérité littéraire
Le mot, l'usage des mots : deux problèmes au cœur de La Vérité littéraire. *Ceux qui ont en charge le langage sont mis à la question : de l'écrivain au journaliste, en passant par le traducteur.*

Marthe ROBERT
Livre de lectures
Une réflexion neuve sur la crise de la littérature, qui est aussi une véritable leçon de lecture.

Michel SERRES
Esthétiques sur Carpaccio
Les registres de la connaissance mis en peinture. Une réflexion sur le langage, mais aussi sur l'amour, la guerre, la mort, la science.

Alexandre ZINOVIEV
Le Communisme comme réalité
L'auteur décrit avec une terrible minutie la logique qui mène à l'instauration du régime totalitaire, et ensuite l'incroyable fonctionnement des sociétés qu'il engendre.

IMPRIMÉ EN FRANCE PAR BRODARD ET TAUPIN
Usine de La Flèche (Sarthe).
LIBRAIRIE GÉNÉRALE FRANÇAISE - 6, rue Pierre-Sarrazin - 75006 Paris.
ISBN : 2 - 253 - 04188 - 2
30/6354/2